RAGNARÖK

O CREPÚSCULO DOS DEUSES

MIRELLA FAUR

RAGNARÖK

O CREPÚSCULO DOS DEUSES

uma introdução à mitologia nórdica

Editora
Cultrix

Texto de acordo com as novas regras ortográficas da língua portuguesa.

1ª edição 2011.

4ª reimpressão 2017.

Coordenação editorial: Denise de C. Rocha Delela e Roseli de S. Ferraz

Revisão técnica: Adilson Silva Ramachandra

Preparação de originais: Maria Sylvia Correa

Ilustração da capa: Carolina Mylius

Editoração eletrônica: Estúdio Sambaqui

Dados Internacionais de Catalogação na Publicação (CIP)
(Câmara Brasileira do Livro, SP, Brasil)

Faur, Mirella

Ragnarök : o crepúsculo dos deuses : uma introdução à mitologia nórdica / Mirella Faur. -- São Paulo : Cultrix, 2011.

Bibliografia
ISBN 978-85-316-1125-4

1. Deuses 2. Magia 3. Mitologia nórdica 4. Rituais 5. Runas I. Título.

11-04039 CDD-293.13

Índices para catálogo sistemático:
1. Mistérios : Mitologia nórdica : Religião
293.13

Direitos reservados
EDITORA PENSAMENTO-CULTRIX LTDA.
Rua Dr. Mário Vicente, 368 – 04270-000 – São Paulo, SP
Fone: (11) 2066-9000 – Fax: (11) 2066-9008
E-mail: atendimento@editoracultrix.com.br
http://www.editoracultrix.com.br
Foi feito o depósito legal.

Sumário

Apresentação

A fascinante e insólita mitologia nórdica teve sua origem na pré-história e engloba crenças primitivas e práticas xamânicas das várias nações, tribos e grupos linguísticos que formaram os povos escandinavos, bálticos e germânicos. Temos poucos registros fidedignos e abrangentes desse valioso legado místico e mágico, pois o advento do cristianismo e a consequente proibição e perseguição das crenças e tradições pagãs levou à sua paulatina negação ou esquecimento. As fontes escritas provêm de períodos históricos mais recentes (pré e pós-viking), mas as raízes das crenças estão fincadas em milênios de práticas nativas e histórias ancestrais. Parte delas foi preservada nas fontes históricas e nos registros arqueológicos, adaptada nas datas e cerimônias cristãs e oculta nos costumes folclóricos, nas práticas rurais, nos contos de fadas e nas lembranças ancestrais.

Apesar de diferenças e variações locais entre os nomes e atributos das divindades e suas celebrações, o fio condutor que liga os vários elementos da mitologia nórdica é a harmoniosa interação entre as forças cósmicas, telúricas e os ciclos naturais. O sistema de crenças e os princípios transcendentais resultaram das condições geográficas e dos eventos históricos que moldaram a amalgamação dos povos conquistadores e das tribos nativas e que se reflete na sua cosmologia. As forças da natureza foram personificadas como divindades, gigantes, elfos, anões e espíritos elementais, que se confrontavam e interagiam em um perpétuo movimento de desafios, lutas, tréguas e equilíbrio. Os seus mitos e as inúmeras lendas preservadas nos contos de fadas ofereciam aos povos nórdicos ensinamentos e modelos para a necessária interação e convivência dinâmica entre os seres sobrenaturais e os humanos. É evidente o respeito ancestral perante a grandiosidade e a força da natureza, o conhecimento profundo da lei de união dos opostos e do equilíbrio entre as polaridades, a presença permanente da energia vital em todos os seres e a reverência às forças divinas, criadoras e sustentadoras de toda a criação.

No entanto, tudo o que tinha sido criado seguia a "lei do eterno retorno", chegando ao fim de uma fase e dando lugar a outra, mantendo assim o ciclo cósmico, natural e humano de vida, morte e renovação. Esse ciclo podia ser acelerado ou distorcido se houvesse a interferência dos seres humanos no equilíbrio natural, levando aos cataclismos e às destruições provocados pela fúria dos gigantes atiçados ou ofendidos.

Durante séculos, os mitos nórdicos permearam a cultura, a literatura, as artes e os costumes europeus, aparecendo em dramas, poemas, contos e óperas que apresentavam os temas épicos da batalha entre forças benéficas e destrutivas, tragédias humanas ou façanhas heroicas, entremeando verdades místicas com sábias advertências.

O século XX despertou novos interesses mitológicos e místicos, e o enfoque foi ampliado, indo além da tradição celta e das conhecidas histórias greco-romanas e chegando aos mitos e cultos nórdicos. Esses interesses foram sendo sustentados e incentivados por inúmeros livros, pesquisas, descobertas históricas e antropológicas, achados arqueológicos, além de produções musicais, teatrais e artísticas sobre temas míticos. Além das informações de cunho acadêmico ou puramente literário, o fascínio pela mitologia nórdica foi reavivado pelos movimentos ocultistas e as tradições espirituais como o Asatrú, o Odinismo, a Wicca e outras tendências neopagãs.

O mergulho no mundo mítico e mágico dos antigos nórdicos oferece mais do que uma leitura agradável ou questionamentos racionais com respeito às suas crenças e práticas. O conhecimento profundo do vasto e complexo universo nórdico – diferente da mitologia grega ou egípcia – nos sensibiliza e alerta para o inevitável movimento cíclico e alternado de criação e destruição, de vida e morte, de combinação de causas e ações que determinam o presente em função do passado e criam o futuro a partir do presente. Conhecendo a inexorável trama tecida pelas Senhoras do Destino, em que cada fio se entrelaça com outros e forma uma textura sutil que se estende através do tempo e do espaço, podemos nos conscientizar da nossa atuação e nos responsabilizar por ela – de forma individual e grupal – nessa teia cósmica complexa e toda abrangente.

Desse modo, ao percebermos a atuação e as responsabilidades humanas na criação do destino – individual, global e planetário –, podemos nos tornar mais conscientes dos nossos atos e atitudes que dizem respeito ao Todo e a todos os seres. Qualquer ação e decisão têm um retorno, positivo ou negativo, benéfico ou destrutivo, em concordância com o teor energético que lhe deu origem.

Se forem resgatados a antiga reverência e respeito pelo mundo natural como morada de divindades, seres sobrenaturais e ancestrais, nós poderemos nos empenhar cada vez mais na preservação e defesa das riquezas e dos recursos de *Erda*, a ancestral Mãe Terra. Toda a simbologia dos mitos nórdicos está enraizada nas manifestações das forças cósmicas, telúricas e ctônicas e cujo equilíbrio pode ser rompido pela cobiça e violência humanas.

Ao expandir nossos horizontes além da atual mentalidade individualista, egocêntrica e consumista, encontraremos na antiga sabedoria ancestral lições e mensagens que vão despertar nossas lembranças adormecidas e ativar nossos dons ocultos, nos conduzindo para uma melhor sintonia com as forças sutis em uma profunda e reverente conexão com a Mãe Terra e com todos os nossos irmãos de criação, de todos os planos e dimensões.

O propósito deste livro é apresentar ao leitor – curioso ou estudioso – uma exposição clara, e embasada em fontes tradicionais, da cosmologia e teogonia nórdicas, com a descrição dos arquétipos divinos e seus mitos, e indicações sobre a aplicação atual de rituais e práticas ancestrais.

Capítulo 1

OS POVOS NÓRDICOS DAS ORIGENS À ATUALIDADE

A Escandinávia é formada pelas ilhas da Dinamarca e uma grande península, em cujo lado leste fica a Suécia, com terras férteis ao redor dos lagos e nas regiões do Sul, estendendo-se ao norte, além do Círculo Polar Ártico. A oeste fica a Noruega, uma faixa mais estreita formada por montanhas, fiordes e uma série de pequenas ilhas. Para fins didáticos, inclui-se também a Islândia, que atualmente é independente. O nome Escandinávia é uma suposta latinização do alemão arcaico *Scandinaujá,* cujo possível significado era a "Ilha de Skania".

À medida que o gelo se retraía no norte europeu, no fim da era glacial, apareceram no sul os primeiros assentamentos humanos em torno de 10.000 a.C., que sobreviviam da caça e da pesca e reverenciavam as forças naturais temidas como "gigantes". Essas tribos se deslocavam em função da mudança das estações, que eram comemoradas com encontros e rituais, dando assim origem aos posteriores festivais da Roda do Ano.

Em torno de 4.000 a.C., tribos nômades da Ásia Central (originárias da Anatólia e que se espalharam na direção do mar Cáspio, das estepes russas e acima do mar Negro até o mar Báltico) chegaram ao norte da Europa em várias ondas migratórias, conquistando os povos nativos e aos poucos se mesclando com eles. Chamados de indo-europeus, esses povos trouxeram para as tribos nativas mudanças tecnológicas (tais como os machados de pedra polida, a charrete, os vasos de argila), novos conceitos mitológicos, culturais e religiosos e o costume das sepulturas individuais. Essas influências permaneceram nas regiões por eles conquistadas na Ásia Central e Menor, no sul e no norte da Europa.

Aos poucos, os povos que foram se distanciando no tempo e no espaço desenvolveram características culturais e linguísticas diversas, dando origem aos vários ramos das línguas europeias: as germânicas, românicas, eslavas, celtas e bálticas, sendo as únicas exceções a finlandesa, a húngara e a basca. Apesar das mudanças e da diferenciação em vários idiomas, o estilo de vida, as crenças e os costumes dos grupos norte-europeus são similares.

Durante o período Neolítico, os indo-europeus formaram comunidades no Norte e leste do rio Reno, espalhando-se depois para o leste, desde o Danúbio e as cadeias dos Cárpatos até os rios Dnieper, Duna e Volga. A organização das tribos era baseada na união dos clãs e das famílias, que eram conduzidas pelos chefes e os guerreiros. Existia uma divisão em castas que se refletia também no seu panteão, no qual os deuses exerciam uma destas funções: soberania/magia, guerra/defesa e fornecimento dos alimentos através da fertilidade vegetal e animal. Os indo-europeus reverenciavam um deus celeste Dyaus, "o brilhante", além dos regentes dos raios, vento, noite, mar, fogo, terra, uma deusa solar e um deus lunar, além da senhora da morte e um casal de gêmeos. O centro do lar era a lareira, consagrada ao culto dos espíritos guardiões e ancestrais. Eram feitas oferendas para as divindades e os seres da natureza, pedindo proteção para suas terras, famílias e animais.

Esses arquétipos reapareceram ampliados na mitologia escandinava, germânica e báltica, mesclados com as divindades e práticas nativas e os ritos xamânicos. A mitologia nórdica – que abrange os povos germânicos e escandinavos (incluindo os islandeses) – fundamentada nos arquétipos indo-europeus e xamânicos, se formou entre 1000 a.C. e 1000 d.C.; porém inscrições da Idade do Bronze revelaram a existência de elementos míticos mais antigos, do milênio anterior. Apenas no fim do século I d.C., aparece o primeiro registro escrito por intermédio da obra do historiador romano Tácito. As fontes principais são mais tardias, do século XII-XIII, ficando assim a meio-caminho entre a época atual e os povos que lhes deram origem. A presença de costumes e práticas xamânicas deve-se ao convívio com bálticos, finlandeses e tribos nativas do norte europeu como os *samis* e *samoiedos*, remanescentes dos *uralianos*, um grupo antigo que habitava as tundras da Ásia e cujas crenças eram semelhantes às dos siberianos.

No final do período Neolítico (da Pedra Polida), os indo-europeus e os nativos já tinham se fundido, criando comunidades estáveis em lugar da vida nômade, começando a cultivar a terra e criar animais. Os cadáveres não eram mais deixados ao ar livre para serem descarnados pelas aves de rapina, mas enterrados em covas comuns ou individuais, cobertas com pedras, o que deu origem às inúmeras câmaras funerárias – que são ainda visíveis em todo o continente – e ao culto dos ancestrais.

A transição para a vida estável, que dependia das dádivas e mudanças naturais, ampliou os cultos dos seres da natureza, dos seres sobrenaturais e dos espíritos elementais, além da reverência às divindades e aos ancestrais. Foram criados espaços especiais para rituais e celebrações como os alinhamentos e círculos de menires, as câmaras subterrâneas, os *cairns* (amontoados de pedras em forma de colina) e as formações de pedras reproduzindo barcos. Apareceram inúmeros petróglifos e desenhos rupestres nos rochedos e nas paredes das grutas, representando figuras humanas com chifres ou falo ereto, animais, cenas de caça ou luta, marcas de mãos, rodas solares, ondas, barcos, carruagens, armas, arados, procissões e rituais ou mulheres dançando. As pinturas rupestres de ursos, lobos, águias, javalis, auroques e alces representavam os animais totêmicos que sobreviveram ao longo de milênios como figuras legendárias, símbolos de clãs e nomes de família.

Com o passar do tempo, foram abertas estradas nas florestas para favorecer as trocas comerciais e os clãs se uniram sob a soberania de reis, constituindo pequenos estados. Os guerreiros se tornaram uma classe privilegiada, cujos atos heroicos eram louvados pelos poetas, enquanto os sacerdotes conduziam os sacrifícios e os rituais e aconselhavam, guiados pelas previsões oraculares e por sinais.

As evidências históricas sobre as crenças escandinavas pré-históricas provêm das inscrições rupestres com significados religiosos e das inúmeras oferendas encontradas em túmulos ou nas escavações nos pântanos, onde as camadas de turfa dos sítios próximos aos lagos ou mar preservaram armas (lanças e martelos), ferramentas, joias (de osso ou metais), amuletos, pedaços e objetos de âmbar, e corpos mumificados de homens e animais (das vítimas dos sacrifícios, cujas armas e pertences eram despedaçados como sinal de vitória).

São oriundos da Idade do Bronze e do Ferro os ricos vestígios arqueológicos, compostos dos achados nos túmulos e na turfa (as oferendas se tornando cada vez mais ricas e diversificadas ao longo dos tempos), como também medalhões de metal – denominados *bracteata* – com símbolos como rodas solares ou suásticas e figuras, pentes, tigelas, fíbulas de metal, amuletos com inscrições e figuras de divindades. Espalhadas pela Dinamarca, Noruega e principalmente Suécia (mais de 2000), foram encontradas milhares de pedras com gravações de cenas místicas e de guerra ou com inscrições rúnicas. Os desenhos rupestres da Idade do Bronze revelam a história religiosa de origem indo-europeia: barcos (para transportar as almas para o outro mundo); homens armados ou ajoelhados em rituais, tocando um instrumento semelhante a uma serpente metálica (*lur*); discos solares transportados por barcos ou trenós (representando a jornada do sol); homens viris empunhando machados e flechas; ou cenas de caça. Os símbolos mais comuns eram rodas solares, relâmpagos, círculos concêntricos, marcas de pés e mãos, traçados quádruplos (suásticas) ou tríplices (*triskele*).

As Migrações

A partir do primeiro século da nossa era, inicia-se o Período das Migrações, que se estende até o século VI. Trata-se de um deslocamento constante na vida dos povos nórdicos, chamado de "marcha rumo ao sol" e provocado pelas baixas temperaturas, o aumento da população e a escassez dos produtos da terra. Várias tribos vindas do norte da Europa se deslocaram para o sul e o oeste, definindo novos limites entre os territórios conquistados. A partir do século I d.C., grupos diversos diferenciaram-se entre si e se espalharam, abrangendo as áreas da atual Dinamarca, sul da Suécia e norte da Alemanha. A área delimitada pelos rios Reno, Danúbio e Vístula, formada por extensas florestas, vales e planícies foi chamada de *Germania* pelos romanos. O termo *germani* foi associado no início a uma só tribo e equivalia à palavra latina para "parentes", termo depois substituído por alguns historiadores por *teutões,* um termo gótico, que significa "povo". A partir do século II, os povos germânicos se reagrupam como saxões, alamanos, francos, bávaros e jutos.

As tribos vindas do centro e sul da Suécia (*Sverige*) e chamados de *Suebi* ou *Svear* dominaram a Prússia e desceram até o mar Negro, conquistando a Dácia, colonizada anteriormente por um ramo dos celtas. Os *godos,* formados por uma federação de várias tribos cuja língua pertencia ao grupo germânico e que viviam de caça e cultivo da terra, saíram do sul da Escandinávia, atravessaram o litoral báltico e o rio Vístula e se direcionaram para o leste; no entanto, dividiram-se em dois ramos, quando a ponte em que atravessavam o rio Dnieper se partiu. Os que ficaram na margem leste – nomeados *ostrogodos* – continuaram se espalhando ao longo dos rios Don e Volga até a Ucrânia, a Crimeia e o Bósforo, ali permanecendo até serem derrotados e expulsos pelos hunos, no século IV. O outro ramo – dos *visigodos* – rumaram para oeste e sul da Europa, chegando até o mar Negro; depois de atacar o exército romano e saquear várias cidades, eles assumiram o controle marítimo do Egeu e se espalharam até a Espanha, formando uma mescla da cultura germano-barbárica e da tradição mediterrânea.

A grande migração gótica continuou com outras tribos vindas do norte e leste e se fixando em novos lugares: os *longobardos* no norte da Itália, os *alamani* na Alemanha e na Suíça, os *francos* ao longo do Reno, os *burgundos* na Gália e os *vândalos* – originários da Dinamarca – atravessaram o mar Mediterrâneo e se estabeleceram no norte da África, dominando o Mediterrâneo. O Império Romano não conseguiu conter as migrações dos godos, nem expulsar os francos e alamanos, e começou a se esfacelar; Roma caiu no ano 410 e foi saqueada. Nos séculos V e VI, as tribos dos godos continuaram lutando contra os romanos, depois se aliaram a eles contra as invasões dos exércitos islâmicos e bizantinos, batalhas que deram origem a muitas lendas e baladas, revelando a mentalidade e os valores daquela época.

Tribos de saxões vindas do centro da Europa invadiram e colonizaram o sul e o leste da Inglaterra, deslocando os celtas que ali habitavam, formando pequenos reinos anglo-saxões e mesclando a cultura celta com a saxã, que aos poucos foram desaparecendo devido aos conflitos internos e as lutas contínuas pelo poder. Após inúmeras batalhas, conquistas e derrotas, finalmente os povos germânicos derrotaram e destruíram o Império Romano, continuando sua expansão em toda a Europa. Enquanto a sociedade romana estava decrépita e corrupta, oprimida por uma burocracia autoritária e fundamentada sobre leis escritas, o mundo germânico era impulsionado pelo dinamismo e a lealdade aos objetivos nacionais, mesmo sendo rural, iletrado e sem organização estatal.

Os povos germânicos viviam em pequenas tribos lideradas por nobres e tinham muito orgulho da sua tradição oral, das suas lendas sobre deuses, gigantes e heróis. Eram fiéis aos ideais de coragem e lealdade, respeitavam e honravam suas mulheres e valorizavam as leis criadas pelos deuses. Foram encontrados vestígios de um complexo culto às deusas (as Matronas, Nehelennia) na Alemanha, ao longo do rio Reno. Ocorreu aos poucos uma diferenciação entre as diversas línguas e dialetos, definindo o ramo anglo-saxão (que deu origem às línguas escandinavas, ao alemão, holandês e inglês) e as várias línguas latinas (pela influência da cultura romana).

No final do Período das Migrações, pequenos reinos foram estabelecidos na Escandinávia, onde o paganismo sobreviveu por séculos. Assim como os celtas e os germanos, os escandinavos também se deslocaram em várias direções, principalmente após o século VIII, com as expedições e conquistas dos vikings. Entre os séculos VII e VIII, rigorosas condições climáticas contribuíram para certo isolamento do norte da Europa, fato que levou a um maior desenvolvimento cultural e material; essa época foi considerada uma nova "Era de Ouro" e imortalizada na lenda dos nibelungos. Grande parte da riqueza do norte da Europa deveu-se ao ouro vindo das descobertas romanas na África, enterrado pelos soldados que queriam preservar as riquezas dos seus saques, mas muitas vezes morriam sem revelar os esconderijos.

Os Vikings

É comum acreditar que a mitologia escandinava representa as crenças e costumes dos vikings, que ficaram conhecidos pelas suas expedições, conquistas, saques e sacrifícios sangrentos durante dois séculos (do VIII ao X), deixando marcas da Islândia ao mar Negro, do Mediterrâneo para o oeste até a Irlanda e o continente americano, no golfo de São Lourenço. Mas a origem dos mitos nórdicos é muito mais antiga, pois sobre as raízes remotas fincadas na Idade do Bronze floresceram os cultos aos deuses guerreiros durante o Período das Migrações (entre os séculos III e VI) na Escandinávia e Islândia, trazendo uma maior riqueza religiosa e simbólica e um variado folclore mágico e poético.

A mitologia nórdica abrange os povos germânicos e escandinavos, com contribuições dos habitantes do golfo Báltico e das tribos nativas, o que explica a existência de elementos e práticas xamânicas nos mitos. Porém, a maior parte dos mitos que sobreviveram no norte europeu originou-se na Escandinávia e na Islândia, e retratam as condições climáticas difíceis para a sobrevivência humana; a natureza desafiadora, defendida pelos espíritos da terra e do mar, dos rios, lagos, árvores (que precisavam ser honrados e agradados); a vida árdua; a luta contra a fome, o frio, doenças e animais; as permanentes guerras e o temperamento estoico e conformado dos homens perante suas provações, legadas pelas Senhoras do Destino.

Nas suas expedições, os vikings eram influenciados pelos costumes das terras por onde passavam, especialmente os do leste, ao longo dos rios russos, onde as tribos nativas e os hunos faziam sacrifícios humanos e animais. Os únicos testemunhos escritos desta época são as inscrições rúnicas das pedras funerárias e os relatos de escritores romanos e árabes.

Não se sabe ao certo o significado do termo *viking,* que possivelmente deriva da palavra *vikingr* (guerreiro). *To-go-a-viking* significava "aventurar-se por barco em terras estranhas em busca de fama e riqueza". O início do Período Viking deu-se em 793, após o saque e a brutal pilhagem do monastério cristão de Lindisfarne na Inglaterra, que levou os povos europeus a um pavor crescente perante os piratas bárbaros, aventureiros e mercenários. Apesar de nenhum escandinavo se intitular *viking* e apenas grupos e bandos isolados saírem nas expedições – principalmente da Noruega –, o termo passou a ser sinônimo dos habitantes da Europa nórdica medieval.

A corrente viking se originou dos aristocratas camponeses e guerreiros, que valorizavam o prestígio obtido através da luta e a conquista de terras. O herói viking pertencia à família nobre e possuía grande força física, um temperamento exaltado, espírito combativo e um gosto permanente por lutas, brigas, conquistas, festas e aventuras. Ele tinha determinação para superar desafios e vencer batalhas e depois voltar e se instalar na sua fazenda, ou morrer lutando e ir para os salões de Odin em Valhalla.

Os vikings se tornaram os mais famosos guerreiros da Idade Média, ávidos de batalhas, saques e devastações de aldeias e igrejas na França, Alemanha, Espanha, Inglaterra, nas ilhas Hébridas, Orkney, Shetland e Faroe. Suas façanhas – reais ou aumentadas pelo temor dos seus atos sanguinários e sacrifícios humanos – criaram fama com histórias sobrenaturais sobre a sua valentia e força física. De fato, eles eram muito fortes e resistentes diante das dificuldades, privações e intempéries, e não recuavam enquanto não obtinham ganhos materiais, sem poupar inimigos, monastérios e igrejas cristãs. Mesmo que alguns vikings quisessem se vingar dos maus-tratos infligidos na conversão pelos padres cristãos, o motivo dos saques não era o ódio religioso, mas a simples cobiça pelas riquezas guardadas nas igrejas. Eles lutavam com ferocidade e destemor, mas, ao voltar para casa enquanto esperavam novas aventuras, se revelavam agricultores e artesãos competentes, bons contadores de histórias, poetas inspirados e dedicados pais de família.

Os vikings noruegueses chegaram com suas expedições até a Escócia, as Ilhas Shetland, Orkney, Hébridas, Arran e Man (onde foram encontrados registros rúnicos e resquícios de uma cultura celto-nórdica), Irlanda e Inglaterra. Alguns aristocratas e guerreiros que não aceitavam pagar tributos ao rei, fugiram da Noruega e colonizaram a Islândia e a Groenlândia, descoberta em 900. Os aventureiros suecos eram chamados de *varegues* e se diferenciavam dos noruegueses por se deslocarem para o oeste e se ocuparem mais de comércio, sendo verdadeiros mercadores itinerantes. Na região dos lagos russos – Ladoga e Ónega –, foram criados pequenos estados suecos que preservaram seus costumes e trajes; no final do século IX, incursões suecas chegaram até Constantinopla, onde muitos deles passaram a fazer parte da guarda do imperador de Bizâncio. Os dinamarqueses eram muito mais disciplinados e organizados, suas incursões eram militarizadas e eles ocuparam a Bretanha e o norte da França.

O deslocamento dos vikings era feito em pequenos grupos, eles eram leais aos seus chefes e companheiros, mas ao mesmo tempo independentes, rebeldes, criadores de conflitos, oportunistas e amantes de bebidas, festas, boas roupas, joias e armas caras. Pressupõe-se que o motivo das expedições era o anseio dos filhos mais jovens de buscar fortuna, pois apenas os primogênitos herdavam os bens da família. Contribuíram também a superpopulação, a perseguição de certos monarcas e chefes e, principalmente, a sua maestria em navegação e a solidez dos seus navios, muito mais avançados em comparação aos dos conquistadores anteriores a eles (os celtas).

As expedições vikings tornaram os países escandinavos prósperos e contribuíram para a abertura de novas rotas de navegação e a colonização de territórios nas Ilhas Britânicas, Irlanda, Islândia, Groenlândia e o norte do Canadá (Newfoundland) e Estados Unidos (New England). Os suecos que seguiram para o oeste, ao longo dos rios Dnieper e Volga, eram astutos comerciantes e ampliaram as trocas comerciais com as tribos ao leste do Volga (onde ficaram conhecidos como *Rus,* os ruivos) e com os países da Ásia Menor e do Mediterrâneo. Apesar de beberrões e briguentos, os vikings respeitavam as mulheres e eram muito devocionais, fazendo cultos e oferendas aos deuses da guerra. Seus ganhos provinham de pilhagens, comércio e tributos impostos às populações das regiões conquistadas, como os bálticos e os eslavos. Os prisioneiros eram vendidos como escravos ou sacrificados em rituais sangrentos, pois, como os vikings não temiam a morte, acreditavam que ofertar um escravo aos deuses era uma honra. Sacrifícios humanos eram feitos nas celebrações a cada nove anos (número sagrado), no templo de Uppsala, onde o bosque ao redor dos altares dos deuses Odin, Thor e Frey era consagrado pelo sangue de dezenas de vítimas, cujos corpos apodreciam pendurados nas árvores.

Os vikings fundaram poucas colônias estáveis, com exceção da Islândia, que permaneceu independente até ser dominada e anexada pela Noruega no século XIII. A Islândia tinha sido colonizada no século IX pelos navegadores e dissidentes noruegueses, que criaram um sistema religioso e social semelhante àquele seguido pelos celtas e povos germânicos. Eles pediam a proteção dos deuses Odin, Thor e Frey para guiarem seus navios aos locais propícios para a sobrevivência humana, buscavam colinas, rochedos e campos favoráveis para os cultos, invocando a proteção e a permissão dos *Land vaettir* – os guardiões do habitat natural –, e construíam réplicas das habitações e dos templos do seu país natal.

É da Islândia que provém o valioso acervo de mitos sobre cultos das divindades e práticas religiosas, preservado pela tradição oral, mas transcrito após a cristianização do país por monges e estudiosos. Além desses escritos, existem lendas, sagas, poemas, histórias e relatos de costumes ancestrais que, mesmo escassos, complementam as informações que chegaram até nós. Os mitos refletem o cenário natural da Islândia, o fogo dos vulcões próximos às geleiras, a inclemência das tempestades e a fúria do oceano, a força e a determinação das pessoas para enfrentar as intempéries e adversidades, auxiliadas pelas divindades na luta contra os gigantes da natureza.

A Islândia era governada por um grupo de chefes escolhidos entre os homens notáveis – sem que existisse nenhuma outra autoridade central –, que se reuniam em uma assembleia, *Thing*, para solucionar litígios e decretar as leis. Estas eram recitadas oralmente por um representante oficial da assembleia, que tomava todas as decisões e as comunicava ao povo. Não havia uma organização sacerdotal; aqueles que construíssem os templos tornavam-se responsáveis pela sua manutenção, os sacrifícios e os rituais; as devoções para certa divindade faziam parte das tradições familiares e passavam de pai para filho. Cultuavam-se divindades, seres da natureza e ancestrais.

A Era Viking é dividida em dois períodos: o primeiro (dos séculos IX-X) é caracterizado pelas incursões e saques, a criação de povoados nas Ilhas Britânicas e Irlanda, a colonização da Islândia e as primeiras expedições pelo Mediterrâneo (até a Sicília) e pela Rússia (ao longo do rio Volga). No segundo período, ocorreu o fortalecimento de dinastias permanentes e poderosas na Escandinávia e a colonização do Atlântico Norte, com colônias na Groenlândia, América do Norte e Canadá. O fim da Era Viking coincide com a cristianização, mais tardia e lenta na Escandinávia do que no resto da Europa – fato que contribuiu para a preservação das antigas práticas religiosas e dos costumes ditos pagãos (*paganus* era o termo romano que definia os povos nativos, moradores dos campos, que não falavam grego ou latim e seguiam as antigas tradições).

É importante rever e corrigir certos estereótipos ainda vigentes relacionados aos vikings, como o suposto uso de capacetes com chifres e asas, o uso de crânios humanos para beber, as vestes de peles de animais, a alimentação com carne crua e sua ferocidade e força sobre-humana. Os novos estudos historiográficos e as descobertas arqueológicas que revelam dados sobre o modo de vida e os costumes vikings comprovam a falsidade desses estereótipos, criados e mantidos por livros, óperas, histórias e filmes.

A Cristianização

A conversão paulatina e demorada do norte europeu ao cristianismo iniciou-se com a conversão de algumas tribos germânicas – que tinham invadido os territórios romanos – a uma forma incipiente de "cristianismo ariano", que deu origem à Igreja gótica, cuja bíblia foi traduzida para o gótico. Essa vertente foi abolida por incluir elementos pagãos e representar uma ameaça para a Igreja cristã. Os francos, inimigos culturais e militares dos godos, foram convertidos em 496 e se tornaram aliados dos cristãos; depois de convertidos, fizeram uma aliança com o papa e, com sua ajuda militar, começaram a converter as tribos teutônicas vizinhas, destruindo aos poucos o seu legado religioso ancestral. Os reinos ingleses permaneceram pagãos até o século VI e os primeiros cristãos convertidos no sudoeste da Inglaterra foram mortos ou escravizados pelas tribos de anglo-saxões. A imposição da fé cristã foi possível com a conversão inicial dos reis, pressionados pelos missionários do papa. Estes sabiam ser mais eficiente converter primeiro os dirigentes, que depois iriam obrigar seus súditos a aceitarem a nova fé. Isto de fato aconteceu até o século VII, com a cristianização de todos os reinos da Inglaterra.

As tribos assentadas na Alemanha – como os francos, godos e frísios – foram convertidos em definitivo durante o século VII, quando a dinastia reinante dos merovíngios foi substituída pelos carolíngios. O rei Carlos Magno perseguiu os saxões, executando milhares de nobres que se opunham à cristianização forçada, cortou o pilar sagrado *Irminsul* – centro e símbolo dos seus cultos – e tornou-se o líder dos cristãos europeus, sendo coroado pelo papa como *imperador et augusto,* antigo título dos césares. Depois da sua coroação, ele iniciou sangrentas cruzadas cristãs na Irlanda e no Leste Europeu, convertendo os povos a ferro e fogo, destruindo templos e locais de cultos e matando os pagãos que resistiam ao batismo cristão.

A fragmentação paulatina do império de Carlos Magno – culminando com sua morte – facilitou a continuação do paganismo na Escandinávia, até que os monarcas, visando alianças e apoio cristão, proclamaram sua conversão e impuseram à força o cristianismo, apesar da oposição e resistência dos seus súditos. No final do Período das Migrações, pequenos reinos tinham sido estabelecidos na Escandinávia, onde o paganismo sobreviveu durante séculos e recebeu um grande impulso no Período Viking, com rituais e sacrifícios aos deuses e inúmeros testemunhos gravados em runas e em cenas míticas sobre pedras e monumentos funerários.

O primeiro país a ser convertido foi a Dinamarca, seguida pela Noruega, onde as duas religiões coexistiram por um bom tempo, devido à ferrenha oposição do povo e ao fracasso das tentativas reais de abolir os antigos costumes. Mesmo assim prevaleceu durante um tempo a "fé dupla", coexistindo missas cristãs e cerimônias e práticas pagãs. Apenas no século X o rei Olaf Haraldsson (canonizado como santo após sua morte) impôs o cristianismo na Noruega usando força armada, incendiando templos, torturando e matando quem resistisse ao batismo feito em nome de Cristo.

Como a Islândia era dirigida pela assembleia *Thing*, a conversão aconteceu apenas no ano 1000, supostamente devido a uma visão sobrenatural do representante legal, mas na realidade forçada por uma recompensa por ele recebida (prática cristã comum). Vários escritos cristãos relatam a vitória dos padres sobre os sacerdotes pagãos em competições mágicas e realizações de "milagres", táticas usadas para convencer o povo seguindo o modelo usado nos "relatos bíblicos".

Na Suécia houve várias tentativas de cristianização que fracassaram devido à revolta popular. A fé cristã foi aceita apenas no reinado de Eric IX em 1160 e ele tornou-se o santo padroeiro da Suécia. A Suécia resistiu mais tempo apoiada pela sua estabilidade econômica obtida pelo comércio com a Rússia, onde vários assentamentos tinham sido criados pelos vikings, conhecidos como *Rus,* "os ruivos", termo que deu origem ao nome do país. O templo pagão de Uppsala, perto da atual capital Estocolmo, permaneceu por muito tempo como centro dos cultos e sacrifícios dedicados aos deuses Odin, Thor e Frey, até ser queimado em 1100 por fanáticos cristãos, que depois ergueram uma capela sobre as suas ruínas.

Depois de inúmeras imposições legais e revoltas populares, a fé cristã venceu parcialmente, pois as práticas pagãs continuaram sendo aceitas até 1120, quando os últimos pagãos foram batizados à força após serem torturados. Igrejas cristãs foram construídas sobre antigos locais sagrados ou no lugar dos templos destruídos; cruzes foram fixadas ou gravadas nos monumentos rúnicos; pedras rúnicas usadas nas fundações e pisos das igrejas, cenas míticas adaptadas para os requisitos cristãos (entalhadas em pedras ou nos portais de igrejas) e as datas festivas do calendário pagão foram transformadas em comemorações de santos. Os deuses pagãos foram equiparados com santos cristãos, como por exemplo Odin com São Miguel e Jesus, Freyja com Santa Lúcia e Maria Madalena, entre outros.

Muitas tradições antigas foram preservadas pelas lendas e contos de fadas, e adaptadas nos costumes cristãos e nas "superstições" populares, por não ter sido possível à Igreja apagá-las da memória dos povos. Personagens históricos assumiram os feitios e as características dos deuses, como no caso de Odin, descrito como um mestre xamã e dirigente sábio, que introduziu certos costumes, ensinou práticas e mitos pagãos e morreu ferido por uma espada. No interior, principalmente da Suécia e Islândia, os deuses, os seres espirituais, os guardiões da natureza e os ancestrais continuaram sendo lembrados e reverenciados. Símbolos rúnicos foram usados por muito tempo nas pedras funerárias, associados com cruzes e dizeres cristãos, até que todo o legado dos ancestrais foi mergulhando aos poucos nas brumas do esquecimento. Porém, mesmo tendo sido suprimida a religião, as memórias permaneceram no inconsciente coletivo, aguardando o dia em que seriam novamente reativadas e lembradas.

Fontes escritas

Os povos nórdicos deixaram pouquíssimos registros escritos sobre suas crenças e práticas pagãs. As poucas inscrições sobre pedra, osso ou metal eram feitas com runas entalhadas, mas esse processo de gravação não era adequado para textos longos ou detalhados. Como a arte da escrita sobre pergaminho chegou apenas com os padres e monges cristãos, a maior parte das fontes escritas devia-se aos estrangeiros, que escreviam em grego ou latim, e às transcrições de lendas nativas feitas pelos próprios monges cristãos. Existem algumas fontes principais e relevantes como base do estudo mitológico nórdico: as sagas islandesas do século XIII, os poemas dos *skalds* (poetas islandeses), os textos e poemas dos *Eddas* (*Prose Edda* e *Poetic Edda* ou *Codex Regius*), os textos de *Gesta Danorum* do século XII, os registros de escritores estrangeiros como Tácito, Júlio César, o árabe Ibn Fadlan e Adam von Bremen.

Os comentários antigos mais valiosos foram feitos pelo historiador romano Tácito no final do século I d.C. Sua obra conhecida como *Germania* era baseada nos vinte livros de Plínio, o Velho, sobre as campanhas romanas, cujo conteúdo era conhecido por Tácito, ele mesmo estudioso e admirador da sociedade germânica. Ele enfatiza a corrupção, a decadência e licenciosidade romanas em contraste com a existência simples, natural, saudável e idônea dos povos bárbaros. Mesmo louvando a coragem, lealdade, moral, ética e força dos nórdicos, ele também ressaltou sua ignorância, belicosidade, fanfarronice e gosto pela bebida e pela briga. Devem-se aos escritos de Tácito e de Júlio César o conhecimento dos cultos escandinavos ao Sol, ao fogo, a Odin (equiparado por eles ao deus romano Mercúrio) a Tyr (identificado com Júpiter ou Thor), a Thor (assemelhado a Marte), às deusas Nerthus e Nehalennia (semelhantes a Gaia e Ísis). É mencionado o *status* elevado das mulheres nórdicas e seu papel na sociedade, nas batalhas e na religião, e descrito o uso oracular das runas.

Outras fontes escritas são bem mais tardias e oriundas da Islândia cristã do século XIII, quando as antigas crenças já tinham sido proibidas e aos poucos esquecidas, mas algumas eram colecionadas e registradas por poetas e escritores. Em 1643 foi encontrado um manuscrito – o *Codex Regius* – escrito em torno de 1270, contendo 29 poemas místicos e heroicos, provavelmente criados entre 700 e 1200, e atribuídos a Saemund, o Sábio, um mago islandês. Junto com outros textos descobertos posteriormente, eles formam uma coletânea – de 34 poemas, unificados pelos assuntos e formas – chamada *Elder* ou *Poetic Edda*. Apesar de a maioria dos textos ter sido supostamente escrita entre 700 e 1100, eles foram compilados em 1270, tornando essa obra uma antologia de poemas de diversos autores e lugares, fato que explica as contradições e inconsistências cronológicas. Dela faz parte a "Völuspa" ("a profecia da sibila"), o relato mais importante sobre a criação, destruição e regeneração do mundo e várias referências sobre *trolls*, anões, espíritos guardiões e *draugar.*

Os poemas dos *skalds* (poetas islandeses) e as sagas familiares são outra fonte importante para o conhecimento dos mitos. Apesar da sua complexa e intrincada composição, eles contêm valiosos detalhes descrevendo cenas míticas e diversas metáforas originárias dos mitos, como por exemplo as "lágrimas de Freyja", o "cabelo de Sif" ou o "fogo de Aegir" como metáforas do ouro. Muitos desses *skalds* serviam como contadores de histórias nas cortes reais e nos encontros de pessoas importantes, e foram os autores dos mais remotos poemas dos séculos IX e X. Em troca das declamações, os poetas recebiam escudos sobre os quais eram gravadas cenas dos mitos por eles relatados e que forneceram dados importantes para as pesquisas posteriores. É possível que o conhecimento dos mitos tenha sobrevivido à cristianização devido à valorização dos poemas pelos monarcas e ao necessário treinamento dos poetas para memorizar os mitos e as lendas, mesmo que os antigos cultos pagãos não fossem mais seguidos.

Para sistematizar e sintetizar os mitos e sagas e registrar os poemas dos *Eddas* e dos *skalds,* um talentoso historiador, escritor e brilhante poeta, de origem nobre, chamado Snorri Sturluson, decidiu reunir em 1220 um compêndio de imagens míticas destinado aos jovens poetas, que não mais recebiam uma instrução adequada. Instruído e com participação ativa nos movimentos políticos (que levaram ao seu assassinato em 1241), ele recolheu e comentou vários poemas para incentivar a apreciação da beleza dos mitos e resgatar o antigo estilo mítico, épico, métrico e metafórico.

Como bom cristão, ele interpretou e retocou com sua imaginação muitos dos mitos pagãos, acrescentando uma dimensão histórica aos deuses, considerados por ele personagens de uma determinada época, cujos atos heroicos levaram à sua divinização pelos poetas e contadores de histórias. De acordo com sua visão, os homens e mulheres que permaneceram na Terra após o Dilúvio se esqueceram do deus criador que tinha salvo Noé, mas olhando ao seu redor se deslumbraram com as maravilhas do mundo e perceberam que elas deviam ter sido criadas por forças sobrenaturais, às quais eles atribuíram diversos nomes. Para se isentar de qualquer responsabilidade sobre as informações míticas que fornecia, Sturluson as atribuiu a três forças sobrenaturais que responderam às questões existenciais de certo rei sueco chamado Gylfi. Dessa forma fantasiosa e criativa, ele escreveu sua obra chamada *Prose Edda,* igualmente apreciada por historiadores e pessoas menos instruídas e preservada pelas gerações que o seguiram como o mais importante documento da Idade Média sobre a mitologia escandinava. Na sua prosa, pulsa um passado que ele não conheceu e seus 848 capítulos revelam um cristão fascinado por séculos de paganismo.

Além do material da Islândia, outra fonte documentária é a *Gesta Danorum*, uma história dinamarquesa escrita em latim pelo padre Saxo Grammaticus, vinte anos antes de Snorri Sturluson. Dos dezesseis volumes, oito se referem ao passado pagão e oito à Dinamarca já cristianizada. Apesar de ele ter pesquisado e se inspirado nos mesmos registros que Sturluson, sua interpretação é confusa e tendenciosa, nitidamente cristã. Saxo Grammaticus transformou os deuses em mortais e intercalou comentários irônicos ou depreciativos às narrativas sobre os antigos costumes e arquétipos pagãos.

As grandes sagas islandesas – "Histórias dos Velhos Tempos" (em torno de 700) – constituem um relevante legado para a literatura europeia. Escritas no século XIII por diversos autores, abordam assuntos históricos, relatam vidas de reis e santos, celebram os heróis legendários (como Sigurd em *Völsunga Saga*), descrevem explorações e assentamentos nos territórios conquistados ou contam dramas familiares (guerras, conflitos, histórias de amor, disputas e realizações) na Islândia do primeiro milênio cristão. Por refletirem os conceitos religiosos e os atos dos protagonistas, eles revelam – mesmo que de maneira imprecisa ou confusa – muitas informações sobre as crenças e práticas pré-cristãs que persistiram após a conversão.

Em um registro cristão do ano 740, que enumerava as práticas pagãs rurais sujeitas à proibição da Igreja, foram revelados antigos rituais dos povos nórdicos, entre eles, o culto dos mortos; as purificações de templos, casas e pessoas, realizadas no início de fevereiro; a existência de altares e locais sagrados nos bosques; o culto às fontes; os encantamentos, oferendas e amuletos para diversos fins; as práticas divinatórias; os augúrios baseados no movimento de cavalos ou pássaros; a conexão das mulheres com a Lua; os festivais de Odin, Thor e Frey, ocultos em datas cristãs; o uso de figuras feitas de massa de pão, barro, palha ou pano com finalidades mágicas e as festividades e danças ao redor de mastros e fogueiras.

A partir do século XIII, surge no mundo germânico a mitologia continental, sendo descoberto em 1755 o famoso poema "Nibelungenlied", escrito em torno do ano de 1200. Na Suécia do século XV inicia-se o movimento de resgate da fé ancestral e, na Alemanha, inicia-se, no século XVII, o neorromantismo. Alguns textos escritos por estrangeiros oferecem informações importantes sobre os costumes nórdicos, como o detalhado relato de um sacrifício humano na Rússia, escrito pelo diplomata árabe Ibn Fadlan, que conviveu com os vikings da região, e a descrição dos templos de Uppsala feita por Adam Von Bremen.

Vestígios arqueológicos

É fácil perceber que o conhecimento da mitologia nórdica é limitado pela natureza confusa, contraditória e tardia das fontes escritas depois da cristianização e, portanto, sujeitas às interpretações daqueles que as transcreveram. Felizmente podemos contar com as descobertas arqueológicas feitas na Suécia, Noruega e Dinamarca, que fornecem as melhores informações sobre o passado pagão. Como a Islândia foi colonizada no século IX e cristianizada um século depois, o seu vínculo com os locais sagrados das terras natais foi cortado e o valor dos mitos, poemas e escritos islandeses é muito maior do que o dos vestígios arqueológicos, cuja maior riqueza vem da Suécia.

Os primeiros habitantes da Escandinávia – que viviam da caça, da pesca e da coleta de raízes – deixaram poucos vestígios, além de inscrições sobre rochedos inacessíveis ao longo dos fiordes, perto de rios ou cachoeiras. As gravações rudimentares retratam figuras enormes de ursos, alces e renas, além de esboços de pássaros, peixes, símbolos abstratos e esquematizações de barcos e armas primitivas. As figuras semi-humanas que às vezes aparecem talvez representassem poderes espirituais. Em algumas cenas, homens com máscaras de chifres aparecem dançando em possíveis práticas xamânicas.

Presume-se que, assim como em outros lugares, as comunidades eram chefiadas por xamãs, que realizavam danças extáticas para se conectar aos poderes que regiam a vida e a morte, e pedir sua permissão e ajuda na caça e na pesca. Apenas depois que as tribos nômades começaram a viver em assentamentos estáveis e a praticar uma agricultura primitiva e a domesticação de animais é que se encontram traços de cultos organizados. Esses cultos, ligados a ritos agrários e à mudança das estações, eram realizados em locais sagrados, como os grandes túmulos neolíticos que guardavam as ossadas coletivas dos ancestrais.

A divindade primeva reverenciada era a Mãe Terra, que tornava os campos férteis, aumentava as manadas de animais, protegia as crianças e recebia os mortos de volta ao seu ventre. Não existem representações dessa divindade além de imagens de rostos com grandes olhos, encontradas em paredes e vasos de barro nos túmulos. As câmaras mortuárias reproduziam o ventre da Mãe Terra, com um corredor estreito que levava da entrada até a câmara, tudo coberto com pedras e terra; vasos e urnas quebradas de propósito foram encontrados ao lado das ossadas. Os cadáveres eram geralmente deixados sobre plataformas ao ar livre, para serem descarnados por aves de rapina e depois enterrados. Depois das cerimônias de purificação e encaminhamento dos espíritos para o mundo dos ancestrais, deixava-se uma abertura na abóbada ou na entrada, para permitir o acesso dos familiares em datas especiais dedicadas ao culto dos ancestrais.

Durante a Idade do Bronze, as classes sociais mais abastadas e as famílias dos heróis e guerreiros não mais enterravam seus parentes nos túmulos megalíticos coletivos, mas junto com suas armas, ornamentos metálicos e joias, em covas individuais em formato de *cairns,* amontoados de pedras e terra que se sobressaem ainda hoje no horizonte das planícies suecas. Os desenhos rupestres revelam cerimônias religiosas e figuras de divindades como deuses celestes ou da guerra, figuras fálicas segurando machados ou lanças. Essas armas muito valiosas desde o Neolítico eram também símbolos sagrados associados aos poderes divinos. O machado era um emblema do regente celeste dos raios, trovões e da chuva, enquanto a lança pertencia ao líder das batalhas e conquistador das vitórias. As figuras masculinas e suas armas apareciam constantemente acompanhadas de figuras de cavalos e barcos.

No importante sítio de Tannum, em Bohuslän, bem como às margens dos lagos Mälaren e Vättern, podem ser admirados e estudados, no meio de campos e florestas, milhares de petróglifos sobre rochas planas, originários da Idade do Bronze, entre 1500 e 500 a.C.

Acredita-se que o mito principal da Idade do Bronze dizia respeito à viagem do Sol em uma carruagem de ouro pelo céu, bem como à sua suposta jornada sob a terra, depois que desaparecia do céu ao anoitecer, quando trocava a carruagem por um barco. Um achado importante na Dinamarca, datado de 1400 a.C. e relacionado ao culto solar, é uma carruagem de bronze com seis rodas, puxada por um cavalo e que levava um enorme disco dourado, gravado com círculos e espirais entrelaçados. (No capítulo "Diferenças entre a Mitologia Nórdica e a Greco-romana", são mencionadas semelhanças entre os atributos e a apresentação dos deuses nórdicos Baldur, Sunna e Frey com o grego Apolo.)

Há provas conclusivas de que os povos nórdicos (assim como os japoneses, sumérios, eslavos, bálticos, egípcios, celtas, nativos norte-americanos e australianos) consideravam o sol uma divindade feminina. Ela conduzia a carruagem durante o dia e desaparecia dentro da água ou da terra ao anoitecer, descansando durante a noite e reaparecendo na manhã seguinte. Inscrições encontradas na Suécia e expostas no museu de Vitlycke, em Tannumshede, descrevem essa eterna jornada solar. Ao amanhecer, um peixe retirava o sol do Barco Noturno, passando-o para o Barco Matutino, no qual percorria o céu. Ao meio-dia, um cavalo assumia a direção do Barco Diurno até o anoitecer, quando uma serpente ocultava com o seu corpo o sol e o barco, auxiliando no mergulho no mundo subterrâneo, de onde o peixe iria retirá-lo na manhã seguinte.

A associação do sol com a terra e a água reforça o poder revitalizante, sustentador e fertilizador desses elementos atribuídos à deusa. Enquanto a roda solar era o emblema da jornada do sol ao longo do dia e das estações, a cruz solar representava o nascer e o pôr do sol, o meio-dia e a meia-noite, a espiral reproduzindo a eterna trajetória solar e a própria roda das encarnações. Os discos solares são semelhantes às rodas das carruagens e podem ser vistos nos petróglifos junto com figuras de pés, mãos, asas, entre as pernas das mulheres ou como um escudo na mão dos homens. São encontradas também carruagens puxadas, ou não, por cavalos, animais chifrudos ou pássaros. Como a roda foi introduzida na Escandinávia na Idade do Bronze pelos indo-europeus, ela era considerada um símbolo de poder. Os pássaros associados ao disco solar eram aves aquáticas (gansos ou cisnes), que tanto voavam como podiam nadar e mergulhar sob as ondas.

Às vezes os barcos eram conduzidos por homens e alguns deles seguravam o *lur* (antigo instrumento musical na forma de chifre ou serpente) e outros aparecem dançando, o que sugere uma cerimônia. Simulacros de caixões, feitos de troncos ocos de carvalho, eram usados para enterrar os cadáveres nos túmulos, reproduzindo o barco do sol que levava os mortos ao mundo subterrâneo.

Nos petróglifos encontram-se também figuras de animais sagrados como o auroque, o touro, o javali, o alce, o cavalo e as renas. Os chifres eram vistos como símbolos de força e poder e eles aparecem em gravações sobre elmos de bronze encontrados na Dinamarca. Figuras geminadas encontradas no barco – tanto de homens quanto de cavalos e pássaros – parecem ligadas à jornada dupla do sol, acima e abaixo da terra ou na água, ou talvez representem os Gêmeos Celestes, regentes do céu e do trovão.

Apesar de os petróglifos representarem principalmente homens, muitos com o falo ereto ou segurando armas indicando cultos masculinos, foi comprovada a presença de deusas, representadas pelos barcos (símbolo da Mãe Terra), nas figuras dançando ou em estatuetas de bronze. Uma das figuras femininas mais famosas (encontrada na Dinamarca e exposta atualmente no museu de Copenhagen) tem apenas 5 centímetros, veste uma saia com franjas, tem os seios nus, usa um colar e o cabelo trançado, e seus grandes olhos são feitos de placas de ouro. Ela está ajoelhada, um braço segura o seio, o outro está levantado, como se segurasse as rédeas de sua montaria, possivelmente uma grande serpente que se encontra ao seu lado.

Outras figuras femininas carregam vasos ou aparecem em poses acrobáticas, como as encontradas em gravações junto a homens armados; muitas oferendas de tranças de cabelos, colares e brincos foram preservadas nos pântanos da Dinamarca. Um achado importante na Dinamarca é a tampa de uma urna funerária que representa um casal, a mulher de braços estendidos, o homem com o falo em evidência, cercados por uma guirlanda de espigas e talvez representando o *hieros gamos*, o casamento sagrado do deus celeste com a Mãe Terra. Em outras cenas, uma figura indefinida, maior que as outras, eleva um machado sobre um casal à sua frente, como se fosse o ritual de consagração da união feito nas épocas seguintes, quando o martelo de Thor era usado para consagrar os casamentos.

Também há cenas de mulheres conduzindo procissões em que todos parecem orar ou se lamentar com os braços levantados, em possíveis ritos funerários ou celebrando a mudança das estações ou a aparente morte do sol no inverno. Homens ao lado de fogueiras talvez representem a celebração do retorno do sol na primavera, o que deu origem aos festejos dos equinócios e solstícios, realizados durante séculos em toda a Escandinávia. O arado também aparece em algumas inscrições, puxado por homens com falo ereto, lembrando os antigos ritos sexuais realizados para fertilizar a terra antes da semeadura.

Túmulos em forma de barcos ou amontoados de pedras (*cairns*) reproduzindo barcos são encontrados em diversos locais da Escandinávia, desde a Idade do Bronze até a Era Viking, quando se iniciaram as cremações dos mortos acomodados em barcos e acompanhados de seus pertences – armas, cavalos, joias, alimentos, às vezes até escravos (para que fossem juntos dos seus donos ao mundo subterrâneo). Os túmulos eram um vínculo com o passado e com os ancestrais, e considerados como suas moradas, onde recebiam com festa os recém-falecidos.

Dizia-se dos mortos que "tinham viajado para as montanhas", representadas pelas colinas formadas de pedras. Os barcos eram simples ou verdadeiros navios ornamentados, como o encontrado em Oseberg, na Noruega, que continha os esqueletos de duas mulheres e ricos objetos esculpidos em madeira e bronze, tudo enterrado sob várias camadas de terra. Túmulos em forma de barcos foram encontrados em grande quantidade nos cemitérios e nos sítios arqueológicos da Suécia, como os da Ilha de Öland e da região de Västra Götaland, locais muito ricos em monumentos pré-históricos e inscrições da Idade do Bronze. Muitas vezes a proa desses navios de pedras apontava para o mar ou para o rio, e os equipamentos encontrados nas escavações sugeriam uma longa viagem para o além.

Esse tipo de monumento era possivelmente associado aos cultos dos Vanir, deuses da fertilidade e regentes da terra e da água, como sugerem as mulheres do navio de Oseberg, prováveis sacerdotisas desses cultos. Às vezes o local de encontro das assembleias era o topo de uma das colinas mortuárias ou uma construção pré-histórica, para reforçar os elos entre os vivos e os seus antepassados. Pessoas dormiam sobre os túmulos de pessoas famosas ou de seus parentes para receber mensagens, visões, inspiração poética ou aconselhamento para dúvidas ou doenças.

Um dos mais notáveis achados arqueológicos é o caldeirão de Gundestrup, encontrado em um pântano de turfa na Dinamarca, confeccionado em prata e decorado com uma série de placas presas dentro e fora dele. Todas as placas eram douradas e ricamente ornamentadas com gravações de quatro figuras masculinas e três femininas, representando divindades, com os olhos feitos de vidro vermelho e azul, acompanhadas de outras figuras menores e de objetos. Uma das figuras é de um homem sentado com pernas cruzadas e chifres na cabeça, ao lado de um cervo e um javali, uma representação comum do Deus Cornífero. Uma figura feminina tem ao seu lado duas rodas e é acompanhada por alguns animais míticos (grifos, leões, serpentes).

Acredita-se que o caldeirão tenha sido confeccionado na Gália ou na Dácia em 80-50 a.C., por artesãos celtas, e ofertado em algum ritual por mercenários germânicos do exército de Júlio César. Há muita especulação acadêmica a seu respeito, mas o mais importante é seu valor ritualístico como receptáculo de oferendas (sangue, vinho, hidromel ou água), suposição confirmada pelas figuras femininas segurando taças e cercadas por animais, cena encontrada em rituais de fertilidade.

Alguns séculos após a provável data da confecção do caldeirão de Gundestrup, vários monumentos funerários foram erguidos na Ilha de Gotland, um importante porto na rota marítima entre a Suécia e a Europa do Leste no Período Viking, habitado por vikings abastados. Um verdadeiro exército de menires foi erguido para homenagear os mortos, sendo que algumas das pedras tinham intrincados desenhos e inscrições rúnicas com detalhes coloridos. Algumas delas ainda permanecem nos campos, outras foram encontradas enterradas sob o assoalho das igrejas cristãs e atualmente estão guardadas no museu de Visby. O seu uso como pedras funerárias continuou até o século XI, poucos anos depois da cristianização.

As imagens gravadas nessas pedras oferecem uma oportunidade única para se conhecer os conceitos pagãos sobre a morte e o mundo dos mortos; as mais antigas são originárias do Período das Migrações e têm no seu centro discos solares cercados por espirais, rosetas e pequenas figuras humanas e animais. Em uma das pedras vê-se uma grande árvore, possivelmente a sagrada Yggdrasil. Nas pedras mais elaboradas do século VIII, vemos na sua base fileiras de barcos sugerindo viagens para o além; no topo, figuras femininas estendem chifres com bebidas para guerreiros a cavalo, possíveis alusões a uma cena mítica em que, no palácio de Valhalla, as Valquírias recepcionam os espíritos dos guerreiros mortos em combate com os tradicionais brindes de hidromel.

Motivos semelhantes são encontrados em alguns poemas épicos dedicados aos reis, que após a morte se unem aos heróis para festejar nos salões de Odin e são saudados pelas Valquírias com o tradicional hidromel. A associação das referências mitológicas e poemas às imagens estilizadas nas pedras reforça a interpretação e importância desses achados. Em algumas das pedras, Odin aparece montado no seu cavalo mágico de oito patas, conduzindo a viagem dos mortos para o mundo subterrâneo.

Os Monumentos e Pedras Rúnicas nos Dias de Hoje

Em uma viagem de estudos que fiz aos sítios arqueológicos e aos locais sagrados da Suécia e da Dinamarca, tive o privilégio de admirar *in loco* os antigos monumentos e as inúmeras pedras rúnicas espalhadas ao longo da costa e no interior de diversos estados como Skäne, Bohuslän, Östergotland, Uppland e Västergotland, nos arredores dos lagos Mälaren e Vättern e principalmente ao longo de toda a extensão da Ilha de Öland. Diferente de Gotland, onde a maioria das pedras está no museu, os monumentos pétreos e rúnicos de Öland continuam nos seus lugares originais, sem que tenham sofrido depredações ou sido removidos ao longo dos tempos. Vou citar a título de curiosidade alguns lugares que podem ser excelentes locais de visitação para estudiosos ou viajantes à procura de locais históricos e sagrados. Mesmo sendo pouco divulgados ou visitados pelos próprios suecos, eles continuam tendo ao seu redor uma atmosfera impregnada com as energias poderosas dos eventos ocorridos num passado longínquo. No promontório agreste de Käsebirga, em Skäne, esculpido por geleiras de milhares de anos, encontra-se no topo da colina Äle Stenar uma misteriosa figura na forma de um barco gigante, composta de 56 pedras não encontradas na região, com dois monólitos na ponta, e diâmetro de 67 metros. Originário da Idade do Ferro, há indicações do seu uso mais antigo, pois na base das pedras foram encontrados objetos da Idade da Pedra (pontas de flechas e martelos). Desconhece-se a sua real finalidade, pois ele não oculta câmaras subterrâneas e foi erguido em um sítio ermo, coberto pela areia trazida pelos ventos e com uma subida íngreme; pode ter servido como lugar de cultos ou observações astronômicas. A sua atmosfera é sombria, com uma sensação de desolação reforçada pelos fortes ventos vindos do mar.

Também na região sul da Suécia, em Kivik, encontra-se uma enorme câmara subterrânea chamada *Kungagraven,* "o túmulo do rei", restaurada e aberta para visitação. Coberta de pedras, a câmara tem um diâmetro de 75 metros, um corredor que permite o acesso ao seu interior, onde há oito lajes de pedra cobertas com inscrições muito significativas. Além de rodas solares e beirais de ziguezagues, observam-se homens com armas ou conduzindo carruagens, figuras de cavalos e machados, algumas silhuetas encapuzadas, reproduções do instrumento musical *lur* e cenas de um provável ritual de sacrifício. O local é de 3000 a.C., mas foi saqueado séculos depois e na sua reconstrução encontraram-se apenas pequenas peças de bronze e resquícios da Idade da Pedra.

Em Istaby, em Blekinge, encontra-se uma imponente pedra com runas gravadas antes do Período Viking, e em Björketorp, também em Blekinge, pode ser visto um dos mais impressionantes monumentos suecos, com três pedras em formação triangular marcando um lugar sagrado. Uma inscrição de 675 contém uma ameaça aos que desejavam alterar o arranjo original das pedras com "segredos de runas poderosas e mágicas". Uma pedra de granito vermelho de Järsberg, gravada em torno do ano 500 com uma fórmula rúnica, cita dois nomes mágicos que podiam invocar poderes maléficos ou benéficos, enquanto a pedra de Noleby, também na Suécia, com uma inscrição do ano 600, destinava-se a manter preso o homem enterrado no túmulo próximo, sem que ele pudesse sair ou perambular na forma de um *draugar* (fantasma).

A Ilha de Öland é ligada por uma ponte à fortaleza Kalmar, do século XVII (local de conflitos entre suecos e dinamarqueses), e preserva em toda a sua extensão inúmeros monumentos antigos, entre eles, círculos de menires, pedras com inscrições rúnicas erguidas em homenagem a heróis mortos nas expedições ou batalhas, túmulos da Idade do Bronze e do Ferro, formações de pedras reproduzindo barcos e vestígios de cremações e fortalezas medievais. Ali se encontra um enorme túmulo conhecido como *Blä Ror,* o maior *cairn* da Idade do Bronze, em cujo interior foi encontrado um caixão com ossos calcinados, armas e objetos de bronze. Datado de 450 d.C., *Ismantorps Borg* é um antigo círculo de pedras que cerca as ruínas dos 88 cômodos de um forte. Além de outras fortalezas reformadas – antigas ou medievais –, a reconstituição do assentamento de *Eketorp Fort* revelou a existência de uma comunidade agrária – túmulos pré-históricos e restos de cremações de 400 até 1000 d.C. Atualmente as casas, oficinas e estábulos do local tentam reproduzir o antigo modo de viver dos camponeses, cujos vestígios podem ser apreciados no pequeno museu. Entre os inúmeros menires datados de 500 a.C. até 400 d.C. e várias pedras rúnicas, sobressai-se em *Karlevi* uma pedra bem preservada do século X, a única no mundo com o mais extenso texto rúnico em versos, e a grande pedra redonda de *Folkeslunda,* com um diâmetro de 40 metros e uma pedra rúnica marcando o túmulo de uma mulher, no qual foram encontradas joias e alguns objetos de prata.

A mais longa e completa inscrição rúnica, com oitocentas runas (algumas ramificadas de pouco uso), é encontrada perto de Älvastra e datada do século IX. Essa pedra de quatro toneladas chamada *Rökstenen* é considerada a mais importante das 2 mil ou mais pedras rúnicas da Suécia. Atualmente é protegida por um telhado e a inscrição revela detalhes literários como a narrativa métrica e o estilo poético da época da sua gravação. De tão difícil compreensão – como a da pedra Rök – é a inscrição de *Sparlösa,* em Västergötland, que além de runas têm vários desenhos enigmáticos. Perto da cidade de Eskilstuna encontra-se outra inscrição rúnica do século X, feita em uma laje de 4 metros junto a ilustrações de cenas do poema épico islandês "Sigurd", o matador de dragões, enquanto em uma pedra na igreja de Altuna, Thor é retratado na tentativa de capturar a Serpente do Mundo. Na proximidade de Västeras, existe o maior túmulo mortuário real, em Anunshög, cercado de outros túmulos menores que cobrem uma grande extensão de terra sem árvores. Acredita-se que naquele lugar se reunia o *Thing* local, o parlamento viking; além dos menires encontra-se ali uma pedra rúnica do ano 1000. Colinas artificiais foram erguidas sobre os resquícios dos três túmulos reais do século VI de Gamla Uppsala, que guardam centenas de ossadas humanas e animais, vítimas dos sangrentos sacrifícios feitos a cada nove anos para Odin, Frey e Thor. Essas brutais oferendas eram uma forma de retribuição dos homens aos deuses, nutrindo a terra com a energia vital do sangue ofertado, para que ela continuasse a produzir e sustentar as comunidades assoladas pelas intempéries e os escassos meios naturais. Para os povos antigos, a vida e a morte se entrelaçavam, um ciclo seguido por outro, ambos aceitos e honrados, sem apego à vida ou temor à morte. Atualmente no local existe apenas uma igreja cristã erguida sobre os sítios antigos e uma loja de souvenirs grotescos – Odinsborg –, com um *troll* vestindo um capacete com chifres na entrada, a usual caricatura viking.

Os mais deslumbrantes vestígios que visitei foram em *Tannunshede,* em Böhuslan perto de Göteborg, a maior concentração de inscrições da Idade do Bronze 1500-500 a.C., incluídas na lista de preservação da Unesco. Espalhadas em lajes de rocha nos campos, nos bosques e na floresta situada em uma colina – em cujo topo existe um enorme *cairn* não explorado –, milhares de inscrições (reforçadas com pigmentos vermelhos) trazem símbolos importantes do passado. São imagens de rodas solares, marcas de pés e mãos (simbolizando a presença das divindades), barcos, trenós, animais, homens com o falo ereto e uma única figura feminina (provavelmente a deusa solar), com um enorme disco entre as pernas. O museu próximo de Vitlycke oferece interpretações temáticas das inscrições, com a representação gráfica da jornada solar acima e abaixo da terra.

Pouco divulgadas são as pedras rúnicas encontradas nas ruas de Sigtuna, pequena cidade medieval perto da capital. Algumas estão nos quintais de residências, outras ao redor da igreja, sem nenhuma proteção. Em muitos lugares, vi pedaços de pedras rúnicas englobadas nas paredes de igrejas, nos monumentos funerários ou até mesmo nas casas – uma falta de reconhecimento e reverência com relação à importância histórica e cultural do passado pagão e que somente agora está sendo resgatado e preservado.

Nos museus de Estocolmo e Copenhagen, pude apreciar muitas pedras rúnicas retiradas do seu local original, algumas com as inscrições retocadas com tinta branca e vermelha para torná-las mais legíveis, outras protegidas por paredes de vidro. Além das pedras, há nos museus um rico legado viking, composto de armas, joias de ouro, pedaços e colares de âmbar, moedas, bem como achados pré-históricos (pontas de flechas e machados de pedra) e uma preservada múmia de mulher, encontrada no pântano, cujos longos cabelos louros e roupas rústicas continuam intactas.

Amuletos

Uma fonte auxiliar para o estudo dos arquétipos divinos consiste numa série de pequenos ornamentos de ouro e prata, confeccionados inicialmente no estilo de medalhões romanos, mas que depois foram adquirindo um padrão nativo. Produzidos na Escandinávia entre os séculos V e VII, foram denominados *bracteata,* segundo seu nome latino. O grande número encontrado em túmulos de mulheres e homens (mais de 3000) demonstra o valor que tinham como amuletos da sorte e para proteção. Os motivos neles gravados diferem, incluindo cabeças reais ou sobrenaturais, animais, cenas épicas ou ornamentos abstratos. Algumas têm inscrições rúnicas, aparentemente fórmulas mágicas para reforçar o poder talismânico.

As mais antigas inscrições rúnicas encontradas na Suécia foram datadas do século III, entre elas estão a gravada sobre a ponta de uma lança e outra em um broche de prata. Em Kilver, sobre um sarcófago de século V, foi encontrada uma inscrição com runas para fins de proteção mágica. Foram encontradas em torno de duzentas inscrições com runas arcaicas. Esse tipo de runas, chamado *Futhark Antigo,* vigorou até o ano 800, quando foi substituído por outro sistema de apenas dezesseis caracteres (em vez das 24 antigas), denominado *Futhark Novo.*

Runas antigas também foram encontradas em Vadstena, sobre bracteatas de ouro datados do período entre 350-550, com fins mágicos de proteção contínua, por serem usadas como joias. As inscrições rúnicas tinham como finalidade favorecer o contato com os poderes sobrenaturais para derrotar um inimigo, proteger contra doenças e acidentes, e defender os mortos e seus túmulos contra saques e profanação. Graças a runas mágicas, uma lança sempre alcançava seu alvo, um guerreiro tornava-se inviolável contra as armas inimigas, uma mulher era protegida de violências e um casal era abençoado com fertilidade e abundância.

Depois de analisar as figuras encontradas sobre amuletos e bracteatas, os pesquisadores as associaram ao culto de determinados deuses, como Odin, Thor, Tyr, Frey, Freyja, a deusa solar e as Senhoras do Destino. Símbolos semelhantes de poder e proteção mágica foram encontrados na decoração de elmos, escudos, espadas e punhais. Nos elmos suecos e saxões, junto com as figuras de guerreiros armados ou de homens dançando, aparecem animais como ursos e lobos, uma clara alusão aos ritos extáticos dos *berserks* e *ulfhednar*, os fanáticos lutadores dedicados a Odin.

Outro tipo de amuleto eram as pequenas e finas rodelas de ouro (do tamanho de uma unha humana), encontradas nas escavações de locais sagrados e representando casais. Acredita-se que reproduziam as divindades Vanir ou eram oferecidas aos noivos, em suas cerimônias de união, para atrair bênçãos de fertilidade, ou talvez como invocação de proteção, no início da construção de um templo ou casa. Podiam ser usadas como ornamentos nas roupas e armaduras ou enterradas no chão.

A dificuldade para identificar as figuras de divindades também se estende às placas votivas com inscrições e imagens gravadas. Em muitos museus romanos, há diversos registros "bárbaros", trazidos por mercenários de exércitos de vários lugares do mundo. Enquanto os deuses romanos eram definidos com precisão pelos detalhes e inscrições, as divindades nórdicas não tinham uma identificação especial, sendo apenas classificadas como pertencentes ao panteão nórdico. Assim, Thor foi equiparado a Júpiter, Odin a Mercúrio, Tiwaz a Marte, as Valquírias, consideradas deusas guerreiras e as outras deusas, englobadas na categoria de Mães (Matronas). Havia uma variação nos atributos e representações das deusas e dos seres sobrenaturais associados a determinadas regiões e áreas da sua atuação, sem no entanto se fazer uma diferenciação dos seus arquétipos.

Monumentos

No início do Período Viking, diminuiu a tendência de se inscrever memórias rúnicas sobre pedras; apenas do século XI em diante, esse costume voltou a ser utilizado. Datam do século XI dois dos mais famosos monumentos suecos: a pedra *Rök,* localizada em Östergötland, e a pedra *Sparlösa,* em Västergötland.

A primeira, além de ser o mais impressionante monumento comemorativo erguido no século IX em homenagem a um parente falecido, é um testemunho da literatura antiga. A inscrição faz referência a antigos poemas e lendas esquecidas ou perdidas, tem um estilo e ritmo poéticos peculiares, semelhantes aos poemas dos *Eddas,* e usa um tipo de código secreto em alguns versos, implicando conhecimentos místicos, mágicos e das famílias rúnicas. Trata-se da mais longa inscrição conhecida (700 símbolos) e foi feita com runas do tipo ramificado – que eram pouco usadas –, cobrindo toda a superfície da enorme pedra, em todos os lados, sem deixar nenhum espaço vazio. A segunda, menos famosa, é decorada com pinturas interessantes e uma inscrição rúnica de difícil interpretação.

Uma inscrição diferente foi encontrada em uma pedra em Oklunda, Suécia, cujos dizeres constituem um documento legal pré-cristão, em que o solicitante pede asilo em um santuário pagão, território inviolável e refúgio dos foragidos. Geralmente inscrições similares eram gravadas sobre madeira.

Em Istaby, em Blekinge, foi encontrada uma inscrição rúnica em sueco primitivo, originária do período pré-viking do século VI ou VII, e uma imponente formação triangular de pedras com runas mágicas de proteção oriundas do século VII. Na região de Skäne, encontram-se pedras com registros das expedições vikings e, em Uppland, pedras memoriais para os guerreiros mortos. Nas estradas e rotas vikings, foram erguidas pedras com pedidos de proteção aos deuses Odin e Thor para os viajantes. Mas a mais impressionante pedra, muito bem preservada, é a de Karlevi, na Ilha de Öland, que homenageia um chefe morto em combate com um poema completo usando mil runas e uma métrica clássica perfeita.

Os monumentos comemorativos da Ilha de Gotland são exemplos de arte pictórica, uma vasta e viva interpretação de mitos, lendas e poemas conhecidos na época (século VIII), mas cujo significado se perdeu ao longo do tempo. A riqueza das inúmeras figuras – cavalheiros e seus cavalos, Valquírias segurando chifres de beber, navios desbravando mares, entre outras – oferece uma visão única do mundo antigo. As pedras mais antigas – do século IX – têm inscrições rúnicas, mas outras quatrocentas, mais recentes, não têm inscrições rúnicas, apenas imagens, e em sua maioria estão guardadas no museu da cidade de Visby.

As mais conhecidas pinturas nas pedras suecas são as que retratam os heróis dos poemas, como Sigurd e Unnar da saga Völsung e as aventuras de deuses, como Thor, cuja luta com a Serpente do Mundo foi um tema popular entre poetas e artistas da época; um exemplo dessas pedras são as de Altuna, em Uppland.

As cenas retratadas na bem preservada pedra de Ledberg, de Östergötland, com gravações em seus três lados, são do drama cósmico Ragnarök (a luta de Odin com o lobo Fenrir). Todas as inscrições devem ter sido pintadas com diferentes cores para realçar a beleza e o efeito artístico do monumento. Algumas pedras, principalmente as usadas na construção de igrejas cristãs, ao serem descobertas ainda guardavam o seu colorido original.

No final do Período Viking, as condições de vida dos camponeses e principalmente dos jovens ficaram mais difíceis e o costume de erguer e gravar pedras rúnicas caiu em desuso. Mas, no século XI e XII, vários monumentos com inscrições rúnicas começaram a aparecer nos cemitérios cristãos, seja nas pedras funerárias ou na tampa dos túmulos e mausoléus, principalmente dos monarcas e de pessoas abastadas. Nas inúmeras inscrições rúnicas, encontram-se pedidos de orações para a redenção de pessoas falecidas e a paz para de suas almas, com os termos comuns das preces. Representações de seres divinos e cenas de mitos pagãos foram também encontradas em cruzes e pedras funerárias. O ensino cristão lançava mão da comparação com os antigos mitos para forçar sua aceitação pelos povos escandinavos.

Muitas interpretações cristãs associam detalhes dos deuses pagãos (os corvos de Odin, a luta de Tyr com o lobo Fenrir, a pescaria de Thor, Ragnarök, a amarração de Loki, a morte de Baldur) a eventos bíblicos. Em algumas gravações sobre pedras do século X, em Cumberland, na Inglaterra – feitas possivelmente pelos vikings –, as cenas são semelhantes ao combate final do Ragnarök, mas lhes foram atribuídos significados cristãos. As crenças pagãs e as preocupações com o fim do mundo, que se refletiam nos epitáfios funerários, existem desde muito antes da cristianização. Nega-se assim a suposta influência das ideias cristãs na elaboração do mito de Ragnarök, como, por exemplo, a equiparação do retorno do deus Baldur do mundo dos mortos com a ressurreição de Cristo e o fim do mundo do mito nórdico com o Juízo Final. A crença pagã do norte europeu sobre a destruição do mundo pelo fogo e seu renascimento do mar é antiquíssima e persistiu mesmo após a cristianização, sendo reavivada de tempos em tempos, quando cataclismos naturais ameaçavam a espécie humana e o planeta. Os pesquisadores identificaram inúmeras cenas míticas usadas como decoração em monumentos cristãos, e antigas pedras rúnicas foram "exorcizadas" das suas influências pagãs com cruzes cimentadas no seu topo. Reproduções do martelo de Thor foram usadas como amuletos até os séculos X-XII e posteriormente substituídas pelos crucifixos cristãos, com o mesmo objetivo de proteção.

Um belo exemplo de pia batismal com gravações de runas encontra-se numa igreja de Gotland. Ela foi feita no século XII e tem gravadas, em relevo, cenas da vida de Cristo, do seu nascimento à crucificação. Surpreendentes são as extensas inscrições usando runas, mas escritas em latim, comuns nas igrejas de Gotland. Mais de vinte sinos medievais com inscrições rúnicas das igrejas suecas tiveram que ser "batizados" antes de serem usados nas cerimônias cristãs.

Até o século XVI, as runas continuavam a ser usadas nas pedras funerárias dos cemitérios de Gotland, às vezes juntamente com textos em latim. A força do antigo alfabeto se manteve até a Idade Média. Em certos lugares da Suécia, as pessoas comuns não queriam usar o alfabeto romano. As runas continuaram em uso por muito tempo nos calendários e varetas de madeira com mensagens; em livros; nos nomes dos proprietários de terras e lojas e dos fabricantes e artesãos de móveis; nas vasilhas e pratos domésticos; nos artigos de presente e, principalmente, nos objetos com fins místicos e mágicos.

Na Islândia, as runas foram usadas até o século XVII, quando a Igreja instaurou a pena de morte para quem fizesse uso delas. A Inquisição condenou à fogueira todos os que tivessem runas entre seus pertences. Todavia, as runas subsistiram nos emblemas e brasões dos artesãos e comerciantes; para marcar animais, barcos e moinhos; entalhadas nas vigas das casas; tecidas nas tapeçarias e gravadas em vidro, metais e joias. Para a proteção das casas, usavam-se combinações de runas com ideogramas de ferramentas, e objetos e emblemas familiares foram criados utilizando-se runas ocultas no entrelaçamento dos traços e formas. A espiral era um antigo símbolo de renascimento que representava a viagem da alma após a morte.

Datam da Idade Média as mandalas germânicas pintadas em cores vivas sobre discos de madeira e cerâmica e usadas nas residências como proteção. Elas eram confeccionadas ritualisticamente e baseavam-se em um padrão hexagonal como uma estrela ou cruz de seis braços. No século XVII, os imigrantes alemães levaram essa tradição medieval para a região de Pensilvânia, nos Estados Unidos, e ela sobrevive até hoje em objetos decorativos, sem que se conheçam os seus significados mágicos.

Mesmo indiretamente, os povos nórdicos foram os que por mais tempo se apegaram às antigas tradições e assim foi possível preservar o valioso legado dos seus ancestrais, conforme está escrito em uma pedra: "*As runas vão permanecer na memória dos homens enquanto a humanidade existir*".

Nomes

A menos que estejam acompanhados de inscrições rúnicas, é difícil identificar seres divinos representados em objetos de metal ou pedras. Porém, observando a paisagem e os nomes atribuídos a certas características naturais, podemos reconhecer alguns atributos das divindades. Nomes de lugares e vilarejos muitas vezes são associados a antigos termos (referentes a templo, lugar de culto, sacrifício) ou a sílabas dos nomes divinos (*Vi* do altar de Odin, *Ti* e *Thur* para Tyr e Thor, *Ull* para Ullr). Uma equivalência evidente é encontrada nos nomes dos dias da semana e de pessoas. Outra maneira de descobrir a natureza das divindades nórdicas é estudar os inúmeros títulos que descreviam seus atributos. Como exemplo, podemos mencionar os 170 títulos atribuídos a Odin, que podem ser compreendidos estudando-se os mitos e lendas a ele associados. Esses títulos aparecem em fontes literárias e inscrições e às vezes podem ser interpretados como pertencendo a várias divindades.

Uma forma metafórica – chamada *Kenning* – oferece frases descritivas para os deuses baseadas nas informações dos mitos e sagas. Nessas metáforas, o nome de uma pessoa, lugar ou objeto não é dado diretamente, mas substituído pela relação existente entre a pessoa e o lugar, o que torna as *Kennings* verdadeiras charadas. Às vezes, surpreendentes e criativas, outras vezes, confusas e cansativas, as *Kennings* são importantes no estudo da mitologia nórdica, pois esclarecem ou completam trechos de poemas ou mitos esquecidos. As mulheres nelas descritas são geralmente representadas por deusas, Valquírias ou Nornes e seu estudo permite aprofundar o conhecimento desses seres míticos. As *Kennings* descrevem os deuses por meio da relação existente entre eles (filho, pai, consorte) ou dos seus atributos (defensor, protetor).

No Período Viking, motivos e histórias foram importados pelos viajantes e acrescentados aos mitos originais, depois recontados e adaptados pelos poetas e contadores de histórias escandinavos. O contato com os nativos sami e os povos fino-úgricos acrescentou novos elementos pertencentes às tradições xamânicas e às práticas a elas associadas (transe, danças, divinação).

É difícil diferenciar as crenças e mitos indo-europeus da sua assimilação e adaptação pelos povos do norte europeu. Porém, o que importa é o rico legado de mitos, imagens, símbolos e divindades que teve origem na Escandinávia e foi preservado até os tempos atuais.

Locais Sagrados

Os povos germânicos e escandinavos tinham poucos templos permanentes ou locais reservados para seus cultos. Estes, apesar dos rigores do clima nórdico, eram realizados ao ar livre, nos bosques, nas clareiras ou no topo das colinas, perto de fontes e lagos ou nas inúmeras ilhas. Como a Islândia foi colonizada e povoada parcialmente no século IX, determinados locais naturais escolhidos como santuários não tiveram seus limites definidos, nem foram cercados com muros. Um dos antigos locais sagrados, escolhido e venerado pelos primeiros habitantes, era *Helgafell,* no oeste da Islândia, um amontoado de rochedos visíveis ao longe e com aparência de túmulo. Este lugar, mencionado em um poema épico do século XIII, foi depois transformado pelos cristãos em um centro intelectual e ponto de encontro de escritores. *Helgafell* – assim como outros lugares sagrados – devia ser mantido livre da poluição humana, oferecendo abrigo seguro para homens e animais em situações de perigo, propício para o contato com os poderes divinos e o "outro mundo", por ser considerado um "portal" de acesso.

O local de encontro da assembleia islandesa *Althing* era uma fenda vulcânica localizada num vale próximo a um rio e cercada por rochedos que produziam eco, criando um efeito especial quando as leis eram recitadas anualmente para os representantes do povo, acomodados em abrigos de pedra e turfa. No festival do solstício de verão, as pessoas acampavam durante duas semanas com seus familiares e amigos; e como sede da assembleia, *Althing* permaneceu nesse local até 1798, quando foi deslocado para a capital do país. Esse lugar – *Thingvellir* – continua como uma meta de peregrinação para os islandeses, pois, mesmo não sendo o centro geográfico da Islândia, era o centro simbólico para onde convergiam pessoas dos quatro cantos do país. Apesar dos fortes ventos e tempestades de areia que o assolam, a sua egrégora numinosa continua existindo, como um eco das assembleias em que leis eram mudadas, queixas e disputas solucionadas e decisões tomadas para o bem do povo.

Assim como esses dois lugares sagrados do Período Viking dispensavam monumentos ou construções elaboradas para fazê-los dignos de reverência e respeito, outros locais de cultos semelhantes foram usados desde a Idade do Bronze – ou mesmo antes. A importância dos locais islandeses é a sua unicidade, pois foram escolhidos pelos primeiros colonizadores e consagrados em terras antes desabitadas, portanto preservando a energia original e os seres sobrenaturais, "senhores" do lugar.

Tácito relatou no seu livro *Germania* (século I d.C.) que os povos germânicos não confinavam seus deuses entre paredes nem os reproduziam em imagens, pois seus locais sagrados eram bosques e colinas e a presença divina era representada pelas forças sutis percebidas nas suas reverências e orações. Esse conceito nórdico fez com que seus cultos fossem totalmente diferentes dos cultos romanos, realizados em templos suntuosos, repletos de inúmeras estátuas e rebuscados ornamentos. Algumas esculturas em madeira bruta, representando figuras toscas pouco definidas, com apenas alguns traços evidentes, foram encontradas em alguns lugares do norte europeu; duas delas – de um homem e uma mulher – foram achadas perto das ruínas de uma lareira, com pedras polidas e fragmentos de vasos de argila, indicando um antigo local de culto das divindades Vanir ou dos Land-Vaettir, os espíritos da natureza.

Nos relatos históricos sobre os rituais praticados pelos vikings na Suécia, encontra-se uma descrição detalhada sobre as cerimônias associadas às figuras de madeira. Na frente de uma figura maior, cercada por um grupo de estátuas menores, os comerciantes que desejavam bons negócios oravam e faziam oferendas de pão, carne, alho-poró, seda e cerveja. Se as orações fossem atendidas, eles retornavam e sacrificavam ovelhas ou gado, deixando cabeças e pedaços de carne ao lado das estátuas. Se as orações não fossem ouvidas, os homens voltavam e refaziam seus pedidos diante das figuras menores, que representavam filhos e filhas dos Deuses ou divindades secundárias. Poucas estátuas de madeira sobreviveram ao tempo, além das encontradas na turfa dos pântanos.

A maior parte dos monumentos nos locais sagrados era representada por elementos naturais, como as grandes colinas artificiais de pedras e terra, erguidas sobre túmulos de reis (personificando deuses) no local sagrado de Uppsala, na Suécia – um conjunto formado por três *mounds* maiores e cercado por vários menores, todos erguidos sobre restos de cremações do Período de Migrações (anterior aos vikings). Em alguns lugares na Escandinávia, no topo de colinas erguidas sobre túmulos, eram colocadas pedras gravadas com inscrições e figuras, com finalidades ritualísticas ou comemorativas na proclamação de um novo soberano.

De acordo com as tradições nórdicas, esse tipo de túmulo – com um topo achatado – servia como palco para que reis e videntes ali pernoitassem à espera de uma visão ou mensagem sobrenatural, ou para que fossem vistos e ouvidos à distância quando anunciavam novas leis ou decisões visando a segurança e o bem-estar dos súditos. Um exemplo é a colina *Tynwald,* na Ilha de Man, erguida pelos colonizadores noruegueses no século IX sobre um túmulo da Idade do Bronze e que serve até hoje como lugar de reunião do Parlamento no solstício de verão.

Um elemento importante nos locais sagrados germânicos era o Pilar do Céu, um poste alto de madeira chamado de *Irminsul* pelos saxões e encontrado no topo de túmulos ou perto dos antigos locais de culto da Idade do Bronze. Os historiadores o comparam aos pilares romanos associados a Marte e Júpiter, decorados com figuras e elementos míticos e destinados a atrair bênçãos e proteção. No entanto, os pilares saxões tinham mais semelhança com a Árvore do Mundo nórdica, a *Yggdrasil,* que representava o centro dos Nove Mundos (as moradas dos seres sobrenaturais e da humanidade). Nos mitos, esses pilares eram associados ao deus Thor e foram levados pelos colonizadores noruegueses para seus novos lares na Islândia. O Pilar do Céu era a continuidade dos bosques sagrados onde os cultos ancestrais eram realizados, com o sacrifício de uma vítima humana enforcada no galho de uma árvore central, conforme descreve a obra de Tácito.

O centro simbólico e ritualístico – onde eram realizados os cultos e as proclamações dos reis– também representava o portal de acesso para o Outro Mundo, a conexão entre homens e deuses. Se um raio caísse e queimasse uma árvore, esse era considerado um sinal do poder divino descendo como fogo, e foi equiparado depois ao martelo de Thor, que quebrava rochas, abria clareiras na floresta e controlava forças maléficas.

Existia uma antiga relação mística entre as profundezas da terra e da água com os vórtices de energia mágica e curadora, como comprova a existência de fontes próximas aos locais sagrados. Na mitologia escandinava, sob a Árvore do Mundo existiam fontes sagradas, ao redor da qual as divindades se reuniam para beber da água que lhes conferia inspiração e sabedoria às suas decisões.

Cachoeiras, margens de rios e terras à beira-mar serviam como lugares propícios às oferendas, assim como as fendas na terra e nas rochas, enquanto as grutas eram locais poderosos para o contato com o mundo subterrâneo. O famoso caldeirão de Gundestrup parece ter sido uma oferenda para os poderes ctônicos, pois as placas decorativas do seu interior e exterior foram retiradas e colocadas do lado de dentro de uma cova no pântano. Inúmeros objetos significativos foram recolhidos de lagos da Ilha de Öland; dos pântanos dinamarqueses foram recuperados valiosos achados do século III até o VI, contendo armas e armaduras amassadas, ossos e objetos cremados, indicando as oferendas feitas com os espólios dos guerreiros mortos em combate.

Mesmo considerando certos lugares da natureza como especialmente sagrados para cultos, os povos nórdicos também cercavam alguns espaços para isolá-los do contato com o mundo cotidiano, usando-os como recintos religiosos e ritualísticos ou para encontros comunitários. Os locais sagrados chamados de *vih* ou *ve* eram marcados por algum detalhe específico da paisagem, por *cairns,* labirintos de pedras, postes e mastros para rituais. O altar – *hörgr* – era protegido por um telhado, montado dentro de um espaço separado ou abrigado por uma construção simples, feita com troncos de madeira. Do Período Viking são conhecidos locais destinados às reuniões das assembleias, aos duelos ritualísticos ou a outros fins, bem como templos primitivos de madeira usados para rituais e celebrações, ritos mágicos ou divinatórios. Nesses lugares especiais, delimitados com pedras, cordas, troncos ou valas, e de formato circular, quadrado ou retangular, foram encontrados pilares, fontes naturais, monólitos de pedra, lareiras e restos de objetos ritualísticos.

Em comparação à suntuosidade e grandiosidade dos santuários romanos, os templos germânicos eram construções simples de madeira, que se deterioraram com o tempo e, portanto, nada se sabe sobre seu estilo ou a estrutura dos seus altares. O cristianismo usou os antigos locais sagrados para construir sobre eles igrejas, e os túmulos pagãos foram reutilizados como cemitérios cristãos. Em outro tipo de construção, feito com tijolos rudimentares, havia além do espaço sagrado um lugar para refeições comunais e, nos cantos, buracos repletos de ossos de animais.

Há poucas evidências de templos pré-cristãos na Escandinávia; são mencionados em várias fontes os templos de Uppsala, dedicados a Odin, Thor e Frey, e os erguidos para o culto exclusivo de Thor, reverenciado como o deus benevolente, protetor das colheitas e dos casamentos (em Gotland, Moeri, Hlader, Godey). Frey tinha um importante santuário erguido pelos vikings no fiorde Trondheim, na Noruega, e outro em Thvera (Islândia), onde era proibido entrar com armas. Tanto Thor quanto Frey eram cultuados principalmente no festival de *Yule*, sendo o mês inteiro dedicado às festas que antecipavam o retorno do sol. Existem registros de templos em residências familiares e comunitárias, com altares simples dedicados aos deuses protetores de pessoas ou residências. Nas fazendas existiam espaços chamados *hof* – onde eram feitas as celebrações sazonais e as festas anuais – e um santuário para guardar imagens e objetos sagrados.

Não há evidências de locais específicos de cura além daqueles associados aos túmulos dos ancestrais, onde as pessoas pernoitavam em busca de sonhos e orientações sobrenaturais para encontrar a cura ou serem ajudadas na tomada de decisões. Templos dedicados às divindades nórdicas foram achados em Jellinge, na Dinamarca; Trondenes e Maeri, na Noruega; e Sigtuna e Uppsala, na Suécia. Além do solo em que eram erguidas as construções, também as árvores, os mastros e os postes eram considerados sagrados, assim como os bosques ao redor.

Em lugares remotos da Noruega, foram encontradas 31 igrejas feitas com troncos e vigas de madeira, com pedras cercando os pilares e paredes, construídas entre os séculos XI-XIII e com uma profusão de figuras entalhadas nas paredes e portas. Nos cantos onde os pilares encontram o teto, foram achadas estranhas cabeças de madeira tosca, lembrando antigos deuses e gigantes e sem nenhuma associação com a simbologia cristã. Figuras de dragões enfeitavam os cantos do telhado, lembrando as antigas esculturas vikings. Diversos elementos e detalhes no interior das igrejas se assemelhavam à estrutura da Árvore do Mundo, com as suas "moradas" sobrepostas para os vários seres. Diferentes das igrejas que se seguiram, construídas de tijolos e com símbolos cristãos, essas antigas construções de madeira constituem um elo com as lembranças ancestrais dos antigos templos pré-cristãos.

Independentemente do estilo e material utilizado, as construções com fins sagrados dos territórios nórdicos eram usadas para guardar estátuas e os objetos dos cultos e oferecer um local seguro e protegido para as pessoas que ali buscassem o contato com as forças sobrenaturais, para orientação e proteção. Ao seu redor havia espaço para oferendas, rituais, procissões e festas comunitárias, sem que houvesse uma rígida separação entre o mundo cotidiano e o lugar destinado aos cultos e reverências, ligando a realidade profana como os planos sagrados e sobrenaturais.

A sociedade nórdica

No mito do deus Heimdall é descrita a criação das castas humanas e suas características. Conheciam-se três classes: os servos pobres, os camponeses e fazendeiros donos de terra, e os nobres e chefes de tribo. Os servos ou escravos executavam trabalhos manuais pesados, não tinham direitos ou liberdade, nem um deus que fosse seu protetor. A grande maioria dos escandinavos pertencia à classe dos fazendeiros, protegidos pelo deus Thor; tinha melhores condições de vida e uma boa alimentação, composta de carne, peixe, grãos, verduras, frutas e hidromel. O poema "Rigsthula" descreve com detalhes a vida refinada e as atividades sofisticadas da classe aristocrática, dos nobres e guerreiros protegidos por Odin. Eles se diferenciavam pelos seus bens – terras, navios e joias, que eram deixados aos primogênitos. Os guerreiros eram chefes de família responsáveis e leais, que passavam os longos meses de inverno em casa. O destaque dado no mito de Odin aos festejos em Valhalla refletia-se nas ruidosas festas dos guerreiros vivos regadas a hidromel. Eram estes os homens que no verão juntavam os bandos e saíam nos seus navios em busca das aventuras, explorações, pirataria e negócios, celebrados em inúmeros poemas épicos e canções.

Quando as primeiras tribos indo-europeias migraram para a Europa e o norte da Escandinávia, elas escolhiam seus líderes em função do seu valor de guerreiros e sua origem nobre. Aquele que se considerava descendente ou eleito dos deuses, conquistava com os seus atos heroicos o lugar de honra entre aqueles que o seguiam. Apenas com o passar do tempo e o fortalecimento da monarquia, o direito de governar tornou-se hereditário.

Tanto os mitos quanto as sagas descrevem a vida isolada e permeada de dificuldades, desafios e privações dos povos nórdicos. Os viajantes tinham que passar por precipícios, geleiras, locais ermos e selvagens, açoitados por tempestades de neve ou ventos violentos, sendo que metade do ano a luz durava apenas algumas horas, entre o nascer tardio do sol e o seu ocaso precoce. Esse tipo de circunstância reforçava a importância dos laços e da unidade familiar, pois cada um dos seus membros contava apenas com o apoio e ajuda dos parentes. Se alguém era ferido ou morto, o agressor não escapava impune, pois dele se exigia um ressarcimento (weregild) ou retificação pelo mal cometido, pago com gado ou outros bens, em benefício de toda a família da vítima. Se nos conflitos os beligerantes não chegavam a um acordo, o caso era levado a uma corte ou assembleia, que decidia sobre a culpa e a punição, em forma de pagamento, exílio ou morte. A amizade também era muito valorizada pelos nórdicos, tanto no nível individual quanto grupal, pois uma coletividade era menos vulnerável do que as pessoas isoladas.

Nos laços familiares existia uma relação especial: o tio materno era responsável pelo sobrinho e podia assumir o lugar do pai caso este falecesse. Tanto no plano familiar quanto no social e legal, as mulheres tinham os mesmos direitos que os homens; as sagas descreviam algumas heroínas mais determinadas e valentes do que os seus cônjuges ou parentes, lutando nos combates ou defendendo suas terras e famílias. Além das suas qualidades geradoras, nutrizes e morais, a mulher tinha habilidades extrassensoriais, que a capacitavam para desempenhar funções oraculares, mágicas e xamânicas. Em estado alterado de consciência, uma *völva* (vidente) podia projetar seu espírito à distancia para obter informações e orientações no plano sobrenatural e assim responder às questões e dúvidas, escolhendo os melhores rumos de conduta para a sua comunidade.

A sociedade nórdica tinha um rigoroso código de comportamento, em aparente contraste com a má fama e a conhecida cobiça e violência dos vikings. Porém, é sempre bom lembrar que nem todos os escandinavos eram piratas e assassinos e que mesmo os vikings, enquanto permaneciam na comunidade, respeitavam e seguiam as mesmas normas de conduta e moral que os demais integrantes. Esses importantes valores são resumidos no código das Nove Nobres Virtudes Nórdicas: coragem, verdade, honra, lealdade, disciplina, hospitalidade, eficiência, autossuficiência ou independência e perseverança. Alguns autores ainda acrescentam: igualdade, amizade, força, generosidade, parceria e sabedoria.

As primeiras cinco virtudes cooperam para definir o espírito heroico. Ter coragem e enfrentar com bravura o desafio era mais importante do que vencer o inimigo. Os povos ancestrais sabiam que a morte era inevitável, por isso o que importava não era quanto tempo, mas de que modo se vivia.

Para viver corajosamente era preciso valorizar a verdade, pois quaisquer atos equivocados ou palavras proferidas por ostentação ou vanglória traziam consequências espirituais e morais negativas. Às vezes era necessário falar com firmeza, outras vezes era melhor guardar silêncio até que surgisse uma solução, mas era imprescindível que cada um fosse honesto consigo mesmo, em todas as circunstâncias.

Para honrar a verdade, era preciso que se tivesse honestidade quando se interagia com os outros, conceito este que sustenta a virtude da honra. As pessoas atraíam a honra se agissem honradamente sem depender das atitudes alheias, ou não ficassem desapontadas se estas não correspondem às suas expectativas. Para agir de forma honrada era necessário ter um código próprio de conduta, algo mais importante do que as regras e proibições externas. Ser honrado não significava necessariamente manter a integridade interior, pois a reputação, para os nórdicos, era criada pelas impressões e conclusões alheias sobre a conduta de alguém.

Uma maneira de se comprovar a honra era demonstrar lealdade e boa fé (ou *troth)*. Ser leal significava manter um compromisso independentemente das circunstâncias externas; somente assim os outros podiam confiar e acreditar nas palavras e promessas feitas para uma pessoa ou um grupo. A lealdade também se referia ao vínculo sagrado entre os indivíduos e entre os seres humanos e as divindades. Para ser leal não bastava apenas manter a palavra, também era necessário oferecer ajuda e proteção.

Isso não era algo fácil de se cumprir e para isso tornava-se necessário adquirir a virtude seguinte: autodisciplina ou autodomínio. Nos acontecimentos descritos nas sagas, essa virtude se manifestava nas provocações ou impulsos de vingança, quando um herói procurava manter a calma, controlar seus instintos e aguardar o momento certo para reagir ou decidir. Ter autodomínio é uma qualidade imprescindível até hoje para os líderes, para que eles possam agir com coragem e honra, mesmo quando confrontados com situações e decisões desafiadoras.

Enquanto o primeiro grupo de virtudes visava o comportamento individual, as próximas quatro diziam respeito aos relacionamentos interpessoais.

A hospitalidade era uma das qualidades mais antigas e honradas, sendo tanto uma obrigação quanto um privilégio; devido às adversidades climáticas do norte europeu e os riscos das viagens, a sobrevivência dependia às vezes da generosidade daqueles que podiam ajudar. Pessoas que conquistassem a prosperidade adquiriam maior *status* se compartilhassem suas riquezas com os demais.

Para oferecer hospitalidade, a pessoa precisava ter recursos suficientes para poder compartilhar, e para isso devia se empenhar e trabalhar bastante, fato que justifica a virtude seguinte – a eficiência –, qualidade antiga e atual dos povos escandinavos e germânicos.

Um sábio conselho é dado por Odin no poema "Havamal": "Raramente um lobo lento alcança a caça, ou um homem preguiçoso, a vitória. Aquele que tem poucos auxiliares deve acordar cedo e trabalhar bastante, pois quem acorda tarde pouco produz". É bom lembrar que o trabalho não visa a riqueza necessariamente, pois as atividades voluntárias e as ações generosas contribuem para o bem-estar alheio e enriquecem a alma dos doadores.

Mesmo em uma comunidade baseada em relacionamentos, a independência era necessária assim como a autossuficiência. Cada ser humano faz suas escolhas e arca com as responsabilidades delas decorrentes. Mas contar com os próprios recursos não anula a relação moral e espiritual nos relacionamentos humanos.

A perseverança era a última virtude, mas não a menos importante, pois ela se torna indispensável para se persistir nas tarefas até realizá-las. Na vida diária ela não se revela como um ato heroico, mas como a tenacidade que permite que se cumpram as obrigações, por menos nobres que elas sejam, que não trazem recompensas, mas contribuem para o bem-estar familiar ou comunitário. Completando as virtudes, existiam as Seis Metas: retidão ou justiça, sabedoria, poder, colheita, paz e amor. As Metas Sêxtuplas eram consideradas como dons legados à humanidade pelos deuses: a justiça, por Tyr; a sabedoria, por Odin; a força, por Thor; a colheita, pelas divindades Vanir; a paz, pela deusa Nerthus e o amor, por Freyja e Frey.

Tanto as Nove Nobres Virtudes quanto as Metas Sêxtuplas são as diretrizes éticas que norteiam as ações, atitudes e escolhas dos seguidores das atuais religiões neopagãs, como o Asatrú ou Odinismo, e são consideradas valores e premissas fundamentais para o alinhamento e regeneração dos indivíduos em busca de uma nova e melhor sociedade contemporânea.

Estudando os mitos nórdicos, podemos reconhecer e honrar as qualidades heroicas e leais dos deuses, ensinadas aos homens. Os povos nórdicos sabiam que, mesmo reverenciando as divindades, elas não iriam afastar deles os perigos e calamidades, por estes fazem parte dos testes e provações a eles designados pelas Nornes, as Senhoras do Destino. Não se percebe nas lendas nenhuma revolta ou amargura dos personagens perante as adversidades da vida, mas vê-se uma heroica resignação, a aceitação da inevitabilidade dos problemas e a gratidão pelas dádivas e prazeres da existência. O presente que os deuses conferiam aos homens era a aceitação da vida como um traçado do destino, que não se podia alterar pelo fato de ter sido previamente determinado pelas Nornes.

Uma frase do mito de *Skirnir* resume esta visão fatalista: "Ser destemido é fundamental para quem sai do seu abrigo, pois a duração da vida e o dia da morte são determinados no próprio nascimento".

A compreensão dos mitos

O mito pode ser definido como a narrativa de uma história sagrada que se passa num tempo mítico, num contexto divino e mágico que envolve seres sobrenaturais. O conhecimento das ações, dos aspectos e dos atributos das divindades pode fornecer paradigmas valiosos para a humanidade. Os mitos são expressões psíquicas ou espirituais que não incluem explicações racionais ou científicas, geralmente incorporadas nos rituais ou cerimônias. Seu propósito é tornar acessíveis e compreensíveis aos seres humanos as verdades universais e explicar as crenças, valores, experiências e rituais de uma determinada cultura. Os mitos se expressam por meio de símbolos e metáforas, que representam temas abstratos, tratados na sua essência, sem ênfase nos detalhes, caracterizados pelas imagens vívidas e o uso da imaginação criativa. Eles não se limitam a fatos, formas e datas por lidar com um tempo primordial e não linear, em vez de citar eventos cronológicos. Enquadradas em uma dimensão sutil, as descrições míticas das figuras sobrenaturais revelam a sua natureza sagrada e seus múltiplos aspectos.

Os povos primitivos aceitavam os mitos como relatos cósmicos verdadeiros cuja encenação ritualística lhes conferia poderes divinos. Conhecendo os mitos, aprende-se o segredo da origem de tudo e também como proceder para favorecer sua reaparição, caso tenham desaparecido da memória humana. Nas sociedades antigas, o contador de histórias tinha o poder conjunto do poeta, do curandeiro e do sacerdote. Seu seguidor moderno seria aquele filósofo ou escritor disposto a recriar a compreensão do sentido da vida, de maneira simples, mas imbuída de magia e sabedoria.

A finalidade dos mitos é permitir às pessoas reexperimentar o tempo primordial e aprender as lições da criação e a origem das coisas, fornecendo assim uma compreensão do passado necessária e útil para as nossas ações, decisões e situações presentes. É comum encontrar nos mitos paradoxos que tentam resolver contradições e dilemas com o esmaecimento das polaridades e oposições. Em vez de apresentar verdades absolutas, os mitos tentam evitar conflitos pela mediação entre as forças. O conhecimento que eles oferecem é obtido por meio da experiência sensorial, emocional e ética. Seu significado é apreendido pela intuição e não pelo raciocínio linear. A mitologia aceita e preserva os fatores desconhecidos e imateriais, tudo aquilo que foge ao exame matemático dos fatos, pois ela transmite as verdades de forma camuflada e imaginativa, nos libertando das amarras do cotidiano, desafiando o nosso intelecto e emoções e abrindo o canal da livre expressão.

Os mitos ajudam as pessoas a lidarem melhor com os desafios e dificuldades existenciais, incluindo a morte, oferecendo orientações para a interpretação das experiências individuais por uma perspectiva universal. Eles também são uma força cultural e social, pois ensinam e reforçam valores por meio da relação entre as necessidades humanas e os arquétipos míticos. Por conter em si sementes da memória coletiva, aumentam a coesão e união entre os membros de uma comunidade, focalizando respostas de cooperação e parceria ante os problemas e conflitos.

Os rituais e a mitologia estão interligados. O ritual é um recurso mágico para concentrar a imaginação; ele surgiu da encenação periódica dos mitos, que mobilizava as pessoas e partilhava a dimensão do sagrado. O ritual permite a participação nos dramas universais e ações concretas no mundo físico para refletir as emoções da reverência e do êxtase. Os arquétipos divinos simbolizam as forças universais, apresentando-as de um modo que possamos compreendê-las e interagir com elas. Por meio dos arquétipos, as divindades se fazem presentes no nosso mundo e nos permitem interagir com elas em rituais e meditações. Os mitos, portanto, propiciam um canal de comunicação com as divindades, uma ponte entre o mundo divino e o humano, que nos auxilia a compreender o sagrado. Com seus poderosos símbolos e imagens sensoriais, os mitos e seus arquétipos tocam nossa alma e nos permitem descobrir e desenvolver a nossa espiritualidade.

Os mitos nórdicos são comentários verídicos e vigorosos da vida heroica nas regiões inóspitas, sujeitas a condições climáticas desafiadoras. Os deuses lutam permanentemente contra as criaturas ameaçadoras do gelo e da escuridão, e os homens precisam ultrapassar seus limites físicos para garantir a sua sobrevivência, reconhecendo e respeitando a permanente realidade da destruição. O Ragnarök – o fim dos tempos – é a representação em um nível mais elevado dos pequenos dramas cotidianos, em que os homens lutam contra as forças monstruosas que tentam destruí-los. No Ragnarök, um mundo maravilhoso é destruído, mas, após a catástrofe final, sobre as ruínas do passado, será erguida uma renovada e promissora realidade. O reconhecimento da iminência da morte é constante nos mitos (nem os deuses escapam dela), mas os medos não são enfatizados e o destaque é dado às realizações feitas durante a vida. Após uma vida plena, intensa e útil, seguida por uma morte gloriosa e heroica, o homem tem seus méritos reconhecidos pelas gerações futuras e suas qualidades são herdadas pelos descendentes.

O estudo da mitologia nórdica é facilitado atualmente pelas pesquisas e descobertas arqueológicas, que revelam as condições em que viviam os povos antigos, a natureza das suas cerimônias religiosas, o culto dos ancestrais e os seus ritos funerários. Os recentes achados arqueológicos, auxiliados pelo aprimoramento tecnológico das escavações e da interpretação dos dados, levaram à revisão e ampliação das ideias e dos conceitos anteriores sobre o simbolismo religioso. Além das evidências arqueológicas, o estudo mitológico deve incluir o conhecimento dos registros escritos, dos cultos e símbolos míticos e mágicos. Mesmo que no início o leitor brasileiro tenha alguma dificuldade para se familiarizar com os nomes (das divindades, dos seres sobrenaturais e dos lugares) e para assimilar conceitos cosmológicos, arquétipos e práticas rituais, esse esforço é recompensado quando ele descobre a riqueza e beleza mítica que trazem até nós os ecos de um legado distante, no tempo e no espaço.

Uma ajuda inestimável para entrarmos em ressonância com o simbolismo dos mitos é oferecida pela psicologia e o estudo da mente humana. Superando as crenças racionalistas do século XIX, que consideravam os mitos simples explicações dos fenômenos naturais, o século XX resgatou o valor do folclore como um meio para se conhecer as religiões antigas e os costumes dos nossos ancestrais. Jung demonstrou nas suas obras que o simbolismo de antigas lendas aparecia nos sonhos dos seus pacientes; mesmo se eles desconhecessem o conteúdo delas, certos símbolos que se repetiam faziam parte da mitologia de vários povos e do inconsciente coletivo.

Símbolos universais aparecem em histórias folclóricas, contos de fadas e lendas antigas, bem como na arte e nos livros, filmes e poemas atuais. Eles expressam desejos, aspirações, medos e eventos da vida humana de qualquer época histórica ou localização geográfica; por isso esses símbolos despertam em nós o reconhecimento de valores antigos e de registros ocultos nas nossas memórias, no nível individual e coletivo. Atualmente, podemos admitir e acreditar – sem temer perseguições e punições – que existe um poder maior fora de nós, representado nas manifestações das forças, dos seres e das energias da natureza e que pode ser alcançado por meio de práticas e cultos, ativando assim lembranças ancestrais.

Precisamos honrar o legado dos nossos antepassados e perceber as verdades universais e eternas ocultas nos mitos, que podem nos auxiliar no nosso crescimento e aprimoramento cultural e espiritual, ampliando a nossa conexão com a natureza e com todas as formas de manifestação da vida.

Cultos, práticas e rituais

Vários livros sobre história e mitologia descrevem práticas religiosas pré-cristãs do norte europeu, e a maior parte das suas informações são do Período Viking, mas com algumas suposições e comprovações de épocas mais remotas. Como a maior parte das evidências literárias foi registrada nos monastérios cristãos, são evidentes as distorções do significado mítico e os inevitáveis preconceitos religiosos na interpretação das fontes antigas. Em certos casos, os detalhes das narrativas não correspondem às atuais evidências arqueológicas, como no caso do templo de Uppsala, descrito por Adam von Bremen no século XI como sendo "cercado por uma corrente de ouro", algo que não foi comprovado. É possível que em certos casos lembranças de templos e cultos de outros lugares tenham permanecido na mente dos escritores, ou os detalhes tenham sido frutos da sua imaginação criativa, para trazer mais colorido à simples e tosca realidade escandinava.

Diferentes dos seus vizinhos celtas, que contavam com os druidas, uma classe sacerdotal bem organizada e preparada, os povos germânicos e escandinavos não dispunham de profissionais religiosos; o contato com o mundo divino era feito pelos governantes, xamãs e chefes de família.

O calendário das festividades variava em função da região geográfica e da estação, e o ano era dividido em duas estações principais: inverno e verão, compostos por três períodos de sessenta dias cada uma. Alguns desses meses dobrados tinham o mesmo nome, sendo conhecidos apenas alguns deles. O ano era dividido por três grandes festivais, começando no início do inverno (final de outubro) com uma festa equivalente ao *Samhaim* – o Sabbat celta. Essa comemoração durava alguns dias e ficou conhecida como "As Noites Brancas" (ou de inverno). Como todos os outros pontos de transição, esse também era uma época perigosa, quando eram "se abriam" portais de comunicação com as divindades e o mundo dos mortos. Os marcos importantes para definir as datas das celebrações eram os solstícios e os equinócios.

Snorri Sturluson menciona nos textos dos *Eddas* três festas importantes acompanhadas de oferendas: no começo do inverno, para assegurar a sobrevivência; no final do inverno, para abençoar os plantios; e o último, no verão, em agradecimento à colheita. As oferendas, que incluíam sacrifícios, não eram intencionadas apenas para abençoar a terra e os animais, mas também para garantir a vitória nos combates, a proteção das expedições dos exploradores e das viagens dos mercadores.

Os elementos essenciais nessas ocasiões eram a festa e a refeição comunitária, com os habituais brindes de hidromel para as divindades, provável origem do posterior costume cristão nas festas medievais escandinavas, nas quais os brindes com vinho eram dedicados a Cristo, à Virgem Maria e a diversos santos.

Outro elemento importante das festividades era o sacrifício de um animal, escolhido de acordo com a divindade padroeira; javali, touro, bode e cavalo, todos eles eram dignos de servir como oferenda e sua carne também era servida nas refeições dos guerreiros. Entre os animais a serem sacrificados, um deles era escolhido como uma oferenda adequada para os deuses. As caçadas de javalis e de auroques eram consideradas testes de coragem e faziam parte dos ritos de passagem dos jovens rapazes.

No caso dos sacrifícios de cavalos, a vítima era escolhida entre os vencedores das corridas ou das lutas entre espécimes selvagens, conforme comprovam os achados encontrados no lago Skedemosse, na Ilha de Öland (oferendas variadas junto com as ossadas de animais) e gravações representando uma luta entre dois cavalos. Nos *Edda*s é descrito o sacrifício de um cavalo feito na presença do rei e o consumo ritualístico de sua carne cozida em um enorme caldeirão.

O sacrifício cerimonial de cavalos e o uso da sua carne nas refeições comunitárias faziam parte das práticas do norte europeu desde o primeiro milênio, e o cavalo era o animal totêmico de vários deuses, especialmente de Odin. Esse costume continuou até o século XI na Dinamarca e mesmo depois em outros lugares, como parte dos ritos funerários de reis e cavaleiros. Durante séculos cavalos foram sacrificados ou enterrados vivos nas fundações das construções, para afastar o azar e garantir a proteção. Ossadas de cavalos foram encontradas nas demolições e ruínas de mosteiros e igrejas cristãs da Escandinávia, Holanda, Alemanha e Inglaterra, bem como em cemitérios cristãos e ruínas em vários lugares.

Um importante símbolo religioso indo-europeu desde a Idade do Bronze, o cavalo também era associado à viagem do sol e, como mostram cenas das pedras memoriais de Gotland, do Período Viking, visto como um condutor dos heróis mortos para o além (denominado *psicopompo*). Segundo outra crença, os cavalos consagrados aos deuses podiam comunicar suas mensagens com sussurros ou sinais físicos interpretados pelos xamãs e por isso eram usados nas divinações. Juntamente com o javali e o touro, o cavalo era símbolo de fertilidade e combatividade, sendo valente na luta e semeador da morte, mas erguendo-se ao céu pelo seu triunfo ou sacrifício. Nos países germânicos e escandinavos, os sacrifícios de cavalos faziam parte das cerimônias fúnebres, dos ritos de consagração da terra e dos rituais anuais das assembleias. Vários esqueletos de cavalos foram encontrados nos túmulos em forma de barcos da Noruega e Suécia, bem como nos cemitérios da Alemanha. O cavalo podia ser enterrado junto com seu dono ou em cova separada ao seu lado, mas era visto como parte do aparato bélico dos guerreiros.

Outros animais também eram sacrificados, tais como bodes, cabras, ovelhas, cervos, cães e gado; vários esqueletos desses animais foram encontrados nos grandes túmulos dos vikings. O cão era considerado o guardião do mundo subterrâneo e acreditava-se que podia guiar o morto na sua transição. Aves eram sacrifícios mais comuns e baratos, e inúmeras ossadas de patos, gansos, cisnes e galos foram encontradas em túmulos e urnas de cremação, desde a Idade do Bronze até muito tempo depois do Período Viking. As aves de rapina eram associadas aos rituais de guerra e aos ritos de fertilidade, e o seu voo, sons e movimentos no momento da morte eram utilizados como presságios na divinação.

O sangue dos sacrifícios servia para consagrar ambientes, armas, objetos mágicos e altares; era espargido nas pessoas e nas paredes, e às vezes ingerido juntamente com alguma bebida, para fortalecer a saúde e afastar o azar. Além de serem uma ocasião propícia para oferecer sacrifícios às divindades e reunir as comunidades numa celebração, as festividades também eram uma oportunidade para se buscar presságios e orientações dos seres sobrenaturais, por meio da divinação.

A arte divinatória era exercida principalmente pelas mulheres; as profetisas e videntes eram honradas como porta-vozes das divindades e muitas delas, tais como Veleda, Aurínia, Thiota e Ganna, foram mencionadas em sagas e poemas. As sacerdotisas oraculares dos godos, que se comunicavam com os mortos, eram chamadas *Haliarunnos* e as suecas, *Vargamors*, eremitas que viviam nas florestas junto com os lobos. Nas sagas são descritas as divinações que as mulheres comuns faziam em caso de doença ou ao preparar encantamentos de proteção nas batalhas para os maridos e filhos.

A divinação, a magia e o culto dos ancestrais faziam parte da vida das mulheres nórdicas. Na Islândia e na Escandinávia, as *völvas* ou *spakonas* (videntes) realizavam sessões de desdobramento em transe profundo, seguido de aconselhamento e a prática chamada *Seidhr,* que não era realizada pelos homens por ser considerada vergonhosa, devido à passividade exigida para o transe e a comunicação extrassensorial. Uma prática xamânica muito usada era *Utiseta* ("ficar sentado ao relento"), quando a vidente pernoitava sentada sobre um túmulo ou perto de monumentos funerários à espera de mensagens e visões. O *Seidhr* era feito na frente da comunidade reunida e a vidente respondia às perguntas, em transe profundo (maiores explicações sobre a origem e a continuação dessas práticas na atualidade são encontradas no livro *Mistérios Nórdicos,* citado na bibliografia).

A prática da magia também era bastante utilizada nas comunidades nórdicas, nos encantamentos de proteção nas batalhas ou nas maldições dos inimigos. Porém, como outras formas de poder pessoal, a magia tinha seu uso regulamentado e os abusos, punidos. O conceito pagão da existência de uma energia divina permeando toda a natureza (*önd*) favorecia a crença nos efeitos das práticas mágicas, além de comprovações evidentes, citadas em vários escritos.

Poemas e sagas descrevem o uso oracular das runas por mulheres, mas, para os augúrios tribais, o chefe ou o xamã invocava as divindades para escolher e ler as runas, e deduzir presságios pelo voo dos pássaros ou pelo movimento de cavalos brancos, consagrados e mantidos para essa finalidade. Em ocasiões especiais, como a morte de um rei ou guerreiro renomado, ou diante da ameaça de uma invasão inimiga, faziam-se sacrifícios especiais, na abertura anual das assembleias, para pedir a benevolência e proteção divinas.

Invocavam-se os deuses nos juramentos para testemunhar os votos, pois, se o compromisso não fosse cumprido, esse fato iria atrair azar e infortúnio. Quando se assumia um compromisso individual, os deuses protetores correspondentes eram invocados. Fazer e cumprir juramentos e promessas eram poderosos costumes arcaicos para se alinhar com o fluxo de *wyrd*, o traçado do destino individual. Os juramentos tinham um papel importante na criação e manutenção da tessitura cármica de uma comunidade, formada pelo entrelaçamento dos fios dos relacionamentos e compromissos. Juramentos levianos, destrutivos ou que não fossem mantidos, enfraqueciam e prejudicavam os relacionamentos e a energia coletiva, e eram severamente punidos.

Na sociedade nórdica, os elos grupais implicavam compromissos de lealdade, justiça e parceria, afirmados e ratificados com juramentos e pactos de sangue. Os juramentos eram feitos sobre um anel consagrado com sangue (de um sacrifício ou dos parceiros que o proferiam); diversas sagas mencionavam um anel sagrado, guardado pelo sacerdote no altar do templo de Thor. Tréguas e armistícios eram selados com juramentos feitos sobre o anel consagrado, diante dos deuses que iriam cuidar da sua concretização, pois as palavras faladas no juramento eram honradas como sendo a vontade divina.

A reverência às divindades era considerada um pedido formal para se obter suas bênçãos para a prosperidade da terra, a fertilidade humana e animal, a paz com as tribos vizinhas, a proteção nas viagens. Não havia ameaças ou punições para aqueles que não participassem dos cultos, pois eram implícitos o respeito e a reverência de todos perante o mundo sobrenatural e os atos que o honravam. Nas festas dedicadas aos deuses, predominava a alegria, e a celebração culminava com oferendas, entregues na água ou na terra. Sacrifícios e pedidos individuais eram feitos em casos específicos, quando se invocava ajuda para assuntos práticos (negócios, doenças, disputas, ofensas pessoais).

Além dos sacrifícios de animais faziam parte das oferendas troféus de guerra, produtos da colheita e bebidas tais como hidromel (vinho de mel fermentado, considerado o "néctar dos deuses", equivalente à ambrosia grega) e cerveja, colocadas ao redor de árvores consagradas às divindades (carvalho, freixo, teixo). Usavam-se chifres para beber, os mais cobiçados sendo os de auroques, que somente podiam ser obtidos pelos caçadores mais valentes e habilidosos. No século XI, os chifres foram substituídos por taças, principalmente nos jantares reais; mas eles continuam sendo usados até hoje nos encontros e rituais de grupos ligados à tradição nórdica. Desde os tempos antigos e mesmo depois da cristianização, até os dias de hoje, nas comemorações nórdicas, são feitos três brindes: para as divindades, para os ancestrais e para as pessoas presentes.

Um magnífico par de chifres de ouro com inscrições rúnicas, datado do século V, foi encontrado perto de Gallehus, na Dinamarca. Embora guardado como um tesouro inestimável, foi roubado em 1802 e o ouro, derretido e vendido. As inúmeras gravações valiosas que decoravam a sua superfície, e que foram registradas antes do roubo, retratam figuras humanas em diversas atividades como dança, cavalgada, tiro com arco, jogo de bola e acrobacias. Também havia guerreiros usando elmos com chifres, homens com cabeças de animais e um gigante de três cabeças. Acredita-se que as cenas descreviam ritos sazonais, atividades esportivas e rituais. Cavalos aparecem em ambos os chifres, um deles atravessado por uma flecha e tendo ao seu lado uma mulher levando um chifre, o que pressupõe que os chifres eram usados pelas sacerdotisas para oferecer bebidas nos sacrifícios de cavalos, feitos para os deuses da guerra. No poema anglo-saxão "Beowulf", é descrita uma cerimônia em que a própria rainha oferece o chifre com bebida, primeiro aos deuses, depois ao rei e em seguida ao chefe dos guerreiros, que o passa aos demais.

O hidromel é um elemento importante em vários mitos – dos deuses Aegir, Kvasir, Odin e Thor, do armistício entre os deuses Aesir e Vanir –, sendo considerado uma bebida imbuída de qualidades mágicas, preparada e guardada em um grande caldeirão pelo deus Aegir. Em um poema antigo, afirma-se que o hidromel vinha das tetas da cabra Heidrun, que se alimentava com as folhas da Árvore do Mundo e abastecia permanentemente os chifres de beber dos espíritos dos guerreiros nas festas de Valhalla, patrocinadas por Odin. Em várias pedras memoriais encontradas na Ilha de Gotland são vistas gravuras de mulheres saudando a chegada de reis ou guerreiros em Valhalla; o mesmo motivo também é encontrado em amuletos e monumentos funerários do Período Viking. Essa imagem, porém, tem uma origem mais antiga, pois já está presente nos chifres de Gallehus, do século V.

O caldeirão tinha um simbolismo especial por representar um vínculo entre o homem e o Outro Mundo, e estar associado à ideia de ressurreição, tão vividamente descrita no mito de Thor, que abatia diariamente seus bodes e os cozinhava no caldeirão para o jantar, mas eles ressuscitavam no dia seguinte, quando ele impunha seu martelo sobre as ossadas. No Período Viking, foi enfatizada e reforçada a crença da ressurreição diária dos guerreiros mortos no campo de batalha, que se reuniam ao pôr do sol para festejarem juntos durante a noite nos salões de Valhalla, voltando às lutas no dia seguinte. Em túmulos germânicos foram encontrados restos de comida, de chifres e de caldeirões, bem como vasilhas para guardar provisões.

Os arranjos elaborados nas festas para os mortos reforçavam o simbolismo da renovação da vida, presente até mesmo nos túmulos simples dos pobres, onde um ovo, um pedaço de carne e uma vasilha com cerveja representavam a mesma fé na continuação da vida após a morte. Para os povos que valorizavam os festejos com comidas e bebidas, essas oferendas eram um meio simples de comunicação e comunhão com as divindades e os ancestrais.

Algumas sagas islandesas mencionam o medo da morte e dos chamados "mortos-vivos" (*draugar*), que podiam agir de forma destrutiva contra os vivos. Por isso, conforme comprovam achados arqueológicos de corpos mutilados ou com as cabeças decepadas, julgavam necessário cortar a cabeça do cadáver, furá-lo com uma estaca e queimá-lo ou destruí-lo. Prevaleciam, no entanto, o respeito e a veneração pelos ancestrais, considerados guardiões dos seus familiares, que lhes pediam ajuda e proteção. Os reis recebiam os nomes dos seus predecessores, enquanto, no Período Viking, os filhos recebiam o nome de um ancestral. Esse costume decorria da crença de que os antepassados poderiam "reviver" nos seus descendentes e lhes trazer sua força e boa sorte. Existia um forte vínculo entre os poderes da fertilidade e os *burial mounds,* as moradas dos ancestrais. O lugar sagrado de Uppsala era cercado por túmulos de vários tamanhos, sendo os maiores dos reis que reinaram antes dos vikings, e dos seus heróis. A preservação das cabeças mumificadas de reis e guerreiros e a reverência demonstrada a elas baseavam-se na crença de que eles podiam conferir poder e vitória àqueles que eram merecedores de herdar suas qualidades e seu poder.

A importância dos túmulos é confirmada pelas descobertas arqueológicas que revelaram um elaborado cerimonial religioso nos enterros, além da oferenda de objetos, alimentos e sacrifícios de sangue. O relato do árabe Ibn Fadland apresenta detalhes de um complexo rito funerário com cânticos, sacrifícios de animais e de uma vítima humana, seguidos do incêndio do navio em que jazia o corpo de um chefe viking. Após ter ficado enterrado durante dez dias em terra congelada, o corpo tinha sido exumado, vestido com roupas suntuosas e colocado em uma pira de troncos no convés do seu navio. A moça, que se ofereceu como voluntária para acompanhar seu senhor no papel de sua noiva, era uma escrava da tribo dos eslavos. Depois de se embriagar e fazer sexo com vários homens, a moça foi levada para um portal que representava o Outro Mundo e, olhando através dele, descreveu uma paisagem verdejante, onde seus ancestrais esperavam por ela. Enquanto os guerreiros faziam barulho com os escudos para abafar os gritos, a moça foi levada para uma tenda no navio e submetida à morte dupla, apunhalada e enforcada ao mesmo tempo, por uma velha da tribo dos hunos, chamada de Anjo da Morte. Seu cadáver foi colocado junto ao guerreiro morto e ambos foram cercados por oferendas de comida, bebida e animais sacrificados (cavalo, vaca, porco, galo, cachorro). Atearam fogo à pira e, enquanto o navio era consumido pelas chamas, os guerreiros entoavam cantos de despedida, o navio representando a jornada da alma, liberada pelo fogo, para o além.

Não se sabe com certeza se as cerimônias fúnebres da Idade do Bronze e do Período Viking eram de fato semelhantes à cena descrita por Ibn Fadland, um forasteiro. Devido à localização do rito às margens do rio Volga, talvez ele tenha sofrido a influência da tribo vizinha dos hunos, que praticavam ritos macabros. No entanto, sabe-se que os povos nórdicos viam a morte como a passagem por um portal para o Outro Mundo, onde os mortos eram recebidos pelos seus ancestrais. Evidências desse simbolismo religioso foram encontradas nos túmulos em forma de barcos – sugerindo uma viagem pós-morte – com alimentos e bebidas colocadas em vasilhas caras ao redor, fato que confirma a crença arcaica na continuidade da vida no Além. A ideia dos festejos no Outro Mundo – comemorando o encontro com ancestrais e divindades – aparece em diversos poemas e lendas. As armas, joias e objetos diversos encontrados nos túmulos poderiam indicar a posição social e a ocupação dos falecidos.

Os grandes cemitérios germânicos indicam ritos funerários simples; as cinzas das cremações eram depositadas em urnas e enterradas. Os símbolos das urnas se tornaram mais complexos com o passar do tempo, incluindo figuras de animais (javali, cavalo, pássaros), de martelos e de raios. Existem relatos de cerimônias funerárias faustosas (como no poema "Beowulf"), com a cremação maciça dos guerreiros mortos nas batalhas e suas cinzas cobertas com grandes amontoados de terra. Nesse funeral em massa, as armaduras e armas eram também queimadas, enquanto as mulheres entoavam cantos de louvor aos heróis. Os túmulos dos reis eram vistos como memoriais por eles deixados aos seus povos, pois eram considerados os protetores da nação e o elo entre os mundos divino e humano.

Em ocasiões especiais – tempos de perigo, fome, epidemias –, faziam-se sacrifícios humanos além dos animais. No século XI, o historiador Adam von Bremen refere-se aos sacrifícios feitos no Período Viking a cada nove anos no templo de Uppsala, acompanhados de cerimônias que duravam nove dias, com oferendas diárias de um exemplar de cada espécie de animal e ave, além de uma vítima humana. Esse rito era consagrado a Odin no início do verão, como um pedido para assegurar a vitória nas batalhas, sendo realizado também em outros lugares da Suécia, além de Uppsala.

Nos pântanos foram encontrados cadáveres mumificados com cordas no pescoço, junto com restos de alimentos datados do Período das Migrações e da Idade do Ferro. No Período Viking, era comum a queima dos equipamentos e das armas dos inimigos, jogados depois nos pântanos. As vítimas eram escolhidas entre prisioneiros de guerra (considerados uma categoria social marginal), escravos e criminosos; nas mortes ritualísticas, usava-se a tripla morte (enforcamento, empalação por lança e cremação). A morte ritualística dos prisioneiros capturados era necessária para manter o equilíbrio da comunidade, pois atuava como catalisador das tensões acumuladas e servia como presente para os deuses ou um preço mágico pela paz.

Quando os povos escandinavos se opuseram à cristianização, os reis convertidos ameaçaram os rebeldes com sacrifícios, sendo as vítimas escolhidas entre homens nobres e dignitários. Não há comprovação arqueológica de que os acusados eram sacrificados deliberadamente ou apenas condenados à morte por insubordinação, uma difícil diferenciação entre sacrifício e execução. Sabe-se, porém, que os prisioneiros de guerra eram oferecidos pelos vikings em sacrifício, como gratidão pela vitória ou como cumprimento de promessas anteriores, relacionadas à segurança das comunidades e à vitória nos combates. Os vikings almejavam o sucesso nas expedições, no comércio e nos saques, o que levava a um aumento maciço dos sacrifícios antes das suas campanhas. Os guerreiros tinham muita confiança nos rituais e encantamentos para lhes garantir a vitória e por isso sempre consultavam oráculos e presságios antes das viagens.

Um dos encantamentos mais comuns citados nas sagas islandesas servia para paralisar momentaneamente os inimigos, deixando-os imobilizados e tomados de pânico. A magia da guerra não pode ser separada da reverência aos deuses padroeiros e das oferendas com sacrifícios. Os animais ofertados – javali, touro e cavalo – tinham características guerreiras, assim como os lobos e as aves de rapina. Os monumentos funerários dos líderes mortos nos combates e os poemas épicos evocam de forma vívida as crenças míticas associadas com as batalhas. Muitas lendas descrevem seres sobrenaturais que conferiam seu poder àqueles que os reverenciavam e ofertavam às vésperas dos confrontos armados. Aqueles que morriam em combate iriam para os salões de Valhalla, o ápice da jornada heroica e o ideal para quem queria se tornar *Einherjar*, guerreiro da tropa de elite de Odin. Doentes, pessoas idosas e crianças iam para o reino da deusa Hel e as mulheres, para as moradas das deusas.

Um costume bárbaro – praticado também pelos celtas – e comum à maioria das tribos nórdicas consistia em transformar a cabeça dos inimigos em troféus. O historiador Tácito descreve a exposição das cabeças dos mortos presas em árvores nos campos de guerra. Na literatura nórdica, os homens eram decapitados depois de feitos prisioneiros e, nas sagas, existem episódios sobre cabeças que falam depois de separadas dos corpos, uma possível alusão ao mito de Odin, que embalsamou a cabeça decepada do deus Mimir (o guardião do poço da sabedoria) e a consultava antes de tomar decisões. Em muitos contos de fadas e histórias folclóricas, há referências sobre "cabeças falantes", que saíam de uma fonte e orientavam os merecedores de adquirir riqueza e sorte.

Na arte escandinava, existe uma profusão de cabeças e máscaras entalhadas em postes de madeira, com traços humanos ou de monstros aterrorizantes, como eram as carrancas que enfeitavam as proas dos navios vikings. Cabeças estilizadas ou grotescas também foram encontradas nos bracteatas de ouro do Período das Migrações, nos broches e nos cabos de espadas. A importância da cabeça como sede da inteligência e seu uso como um troféu de guerra, capaz de trazer sorte e fama ao seu portador, é enfatizada nas tradições arcaicas associadas a guerreiros e batalhas, e permaneceu como um elemento decorativo ou simbólico nas artes e nas lendas.

Havia classes especiais de guerreiros escandinavos chamados *berserks* e *ulfhednar*, nomes que significavam "camisa de urso" ou "de lobo", ambos vistos como animais valentes, comuns nas sagas e lendas. A sua descrição como "guerreiros fanáticos dedicados a Odin" era resultado do seu árduo treinamento xamânico, com uma férrea disciplina e a crença de que eles eram seres especiais protegidos pelo deus. O treinamento e a crença favoreciam um estado de transe violento, quando eles lutavam sem armaduras, nus ou cobertos de peles de animais e urrando como feras selvagens. Eles matavam os inimigos sem piedade e eram imunes aos golpes deles. A transformação dos homens em criaturas enlouquecidas lutando como feras é descrita nas lendas como uma prática de metamorfose xamânica, que os tornava heróis destemidos, conduzindo os ataques e amedrontando as tropas inimigas. Várias técnicas e práticas mágicas eram usadas para despertar a ferocidade dos guerreiros antes da batalha, incluindo danças extáticas, encantamentos, pulos e gritos. As vitórias também eram comemoradas com danças, cânticos de louvor e festas.

Além da habilidade e resistência nos combates, o guerreiro ideal devia possuir conhecimentos ocultos e intuição, para estabelecer a conexão com seres sobrenaturais que lhes oferecessem ajuda e também para saber interpretar os presságios e os sinais de alerta nos movimentos de animais e pássaros, prevendo assim os eventos vindouros. Muitas divindades se deslocavam metamorfoseados em pássaros e sua aparição antes dos combates assinalava o desfecho ou o curso do combate. Acreditava-se que as armas dos heróis tinham origens sobrenaturais e eram forjadas pelo deus ferreiro Welund ou pelos anões, depois presenteados pelos deuses aos seus favoritos. É marcante a percepção e a aceitação dos fatos e ações humanas como obra do destino, convicção que fortalecia a coragem dos guerreiros, cientes da impossibilidade de mudarem o que tinha sido traçado pelas Nornes, as Senhoras do Destino. A ênfase no destino (*orlög* e *wyrd*) é um elemento essencial para a compreensão do mundo religioso pré-cristão.

Há registros de reis sacrificando os filhos ou a si mesmos como um ato de fé e entrega para afastar perigos, garantir vitórias ou devolver a fertilidade à terra nas secas prolongadas. Como o rei tinha caráter sagrado e era considerado mediador entre o céu e a terra, sendo responsável pelo bem-estar do seu povo e a prosperidade do reino, em situações calamitosas ele era executado pelos próprios súditos na tentativa de reverter o azar e as desgraças. Sua morte preservava o equilíbrio da comunidade e seguia o ciclo de mudança e renovação das estações. A morte de um deus, ancestral, rei ou herói era um ato sacrificial necessário para que uma nova ordem – cósmica e natural – fosse estabelecida. O deus devia se sacrificar pela terra e seu povo, enquanto a deusa jamais morria; ela chorava sua perda e lhe proporcionava o renascimento como seu filho, tornado depois seu consorte. A imolação de reis era um costume comum desde o século VII até meados do século IX.

Também são conhecidos vários casos de infanticídio em todas as classes sociais, comprovados por fontes iconográficas do Período Viking. As crianças – assim como os escravos, criminosos e prisioneiros – tinham um vínculo muito frágil com a sociedade, e seus direitos e deveres eram praticamente inexistentes. Bebês nascidos com deformidades, defeitos congênitos ou doenças, eram "expostas à natureza", para que morressem sem uma interferência humana direta, pois o ato de alimentar um recém-nascido representava a sua aceitação pelos pais, e conferia-lhe o direito à vida. A inexistência de mortes ritualísticas de mulheres casadas confirma a sua posição importante na sociedade, pelo fato de serem portadoras do dom da vida e ter vínculos com familiares e ancestrais dos dois grupos (o próprio e o do marido).

Por mais horrendos e chocantes que fossem os sacrifícios como oferendas para as divindades, eles eram vistos como recursos para garantir as duas premissas básicas para a sobrevivência dos povos norte-europeus: vencer os inimigos e garantir a alimentação. Em troca da vitória e da fartura das colheitas, esses povos dispunham-se a fazer oferendas e sacrifícios como retribuição e agradecimento pela ajuda divina recebida. A função principal dos sacrifícios era apaziguar conflitos, causados pela própria comunidade (desavenças, rivalidades, disputas), e restabelecer a união e a ordem internas.

Do nosso ponto de vista com respeito a formas de reverência, ligação e gratidão ao plano divino, as práticas e oferendas dos povos antigos parecem chocantes e fora de propósito, mas elas existiram em várias tradições, como a hebraica, a hindu, e do Oriente Médio, e na sociedade greco-romana, celta e asteca. O próprio cristianismo passou por períodos de extrema barbárie e violência, como foram os da Inquisição, das Cruzadas, da luta contra os protestantes e do extermínio cultural dos povos primitivos pagãos. Em alguns países, ainda existem atualmente sacrifícios de animais, realizados em um contexto religioso e com propósitos sagrados. Podem ser citadas as sangrentas cerimônias de adoração no templo da deusa Kali, na Índia, e os ritos de iniciação nas seitas afro-brasileiras, quando os neófitos são aspergidos ou ungidos com o sangue dos animais oferecidos aos Orixás; esse mesmo procedimento é usado para a cura e a sintonização mediúnica, visando benefícios pessoais ou materiais.

Por mais distantes entre si que estejam os lugares dessas práticas, foi comprovada a existência de registros tribais arcaicos preservados no inconsciente coletivo e que podem ser ativados por crenças, costumes ou ritos contemporâneos. No entanto, as atuais tradições neopagãs fundamentadas na mitologia e na magia nórdicas não usam sacrifícios de animais, mas exigem dos praticantes somente o seu "sacrifício" pessoal no estudo, aprimoramento psíquico e alinhamento espiritual, respeitando e praticando as Nove Nobres Virtudes e as Metas Sêxtuplas.

O ressurgimento atual das antigas tradições nórdicas

Alguns estudiosos interpretaram o abandono e o esquecimento do legado espiritual ancestral nórdico como a concretização do Ragnarök, "o crepúsculo dos deuses", o fim do mundo pagão e sua substituição pelo cristianismo. Os antigos deuses, porém, não "morreram", os seus arquétipos, mitos e valores apenas submergiram nas profundezas do inconsciente – individual e coletivo –, à espera de serem trazidos novamente à luz da consciência.

Depois da conversão ao cristianismo – imposta à força aos povos teutônicos e escandinavos –, seguiu-se o período de "dupla fé" ou dualidade religiosa, em que as tradições e costumes pagãos continuavam sendo mantidos, principalmente nas regiões mais remotas da Noruega e da Suécia. Na Islândia, foram os próprios monges que se empenharam em coletar e transcrever lendas e contos folclóricos, preservando assim o antigo legado. Muitas das histórias dos santos católicos são inspiradas nos mitos dos deuses pagãos. As lendas foram "cristianizadas", assim como os rituais, e as igrejas, erguidas sobre os antigos locais sagrados ou sobre as ruínas dos poucos templos pagãos encontrados.

As datas de antigos festivais como *Yule* e *Ostara* foram transformadas em festas cristãs – Natal e Páscoa –, e muitos dos seus antigos costumes (como a reverência a uma árvore sagrada e a prática da troca de presentes e dos ovos pintados) continuam em uso até hoje, por não ter sido possível erradicá-los da memória popular. Os nomes das divindades regentes dos dias da semana (Tyr, Thor, Frigga) foram preservados, apesar da oposição cristã. O nome de Odin era o mais perseguido e considerado tabu, por isso mudou-se o nome em alemão da quarta-feira, dia dedicado a Odin, chamado de *Wodestag* (preservado em inglês como *Wednesday*) para *Mittwoch* ("o meio da semana"). Motivos ornamentais, contos de fadas e costumes folclóricos preservaram uma boa parte da sabedoria ancestral, oculta nos símbolos, nos personagens e nas ditas "superstições" populares. Devido à sua associação com o "demônio" e o "castigo divino" dos seus adeptos, as práticas mágicas, curativas e oraculares foram as mais perseguidas e poucas conseguiram permanecer nas tradições familiares ou disfarçadas de superstições.

O primeiro movimento do renascimento teutônico ocorreu em 1500, com a criação do *Storgoticism* na Suécia, pelas obras de Johannes Bureus, que incentivavam o estudo da mitologia gótica e a aplicação dos símbolos rúnicos. Apesar das boas intenções e do fato de ser o precursor do despertar nacionalista, o movimento do *Storgoticism* era apenas uma miscelânea de ideias teutônicas e noções emprestadas do judaísmo e do cristianismo.

Entre 1700 e 1800, surgiu o movimento internacional do romantismo, que na Alemanha levou à necessidade de regeneração do espírito nacionalista, fundamentado nos antigos valores teutônicos. Escritores e artistas começaram a se interessar pela herança nacional, e estudiosos e pesquisadores iniciaram investigações para recuperar a antiga tradição, soterrada no ostracismo durante quase mil anos após a cristianização. Os mais importantes expoentes do novo espírito romântico e do renascimento teutônico foram os irmãos Grimm, pioneiros na incipiente ciência da religião comparada, da mitologia e da linguística (demonstrando a relação entre as línguas indo-europeias e a alemã). Eles investigaram com afinco o folclore, coletaram inúmeros contos de fadas (lidos até hoje por crianças do mundo todo) e publicaram uma monumental *Mitologia Teutônica*, em quatro volumes. A Alemanha foi a grande divulgadora da riquíssima cultura nórdica (pela literatura, arte, música, grupos de estudos ocultos), por ter assimilado e preservado muito bem o conjunto de mitos, tradições e lendas escandinavos.

O interesse público pela antiga Escandinávia foi reforçado pela tradução para o inglês de antigos poemas e sagas islandesas, dos *Eddas* e de outros textos e coletâneas. Os artistas também começaram a produzir obras com enredos inspirados na mitologia, sobressaindo-se as famosas obras musicais de Wagner, influenciadas pelo passado mítico (*O Ciclo do Anel*) e medieval (*O Ciclo do Graal*), que tocaram milhares de espectadores com o seu poder dramático e matizes espirituais.

Até o início do século XX, foram erigidas as bases acadêmicas, artísticas e culturais de um verdadeiro "Renascimento Teutônico", tanto na Alemanha quanto na Escandinávia e na Inglaterra, com a formação de vários grupos empenhados em resgatar os valores ancestrais. Paralelamente ao surgimento do ocultismo, do espiritismo e da teosofia, vários estudiosos, escritores, místicos e artistas começaram a se empenhar em descobrir e divulgar as antigas crenças e valores dos seus antepassados.

Na Alemanha e na Áustria, o Movimento Pangermânico visava levar a sociedade de volta às suas raízes pré-cristãs, reavivando a mitologia e a ética germânicas. Um dos representantes mais importantes deste movimento foi Guido Von List (1848-1919), que escreveu várias obras e criou um novo alfabeto rúnico de dezoito caracteres, denominado Armamen e que serviu como base para a criação de uma ordem oculta com o mesmo nome. Após sua morte, outros grupos neogermânicos continuaram a praticar e expandir seus ensinamentos, porém preservando a filosofia religiosa. Foi fundada a Liga de Pesquisas Rúnicas para coordenar as investigações mágicas e criada a yoga teutônica, constituída por uma série de posturas chamadas *stödhur*, que expressavam fisicamente o traçado das runas e canalizavam seus poderes para a vida dos praticantes.

Na década de 20 do século passado, membros de uma sociedade secreta chamada Thule –*Thule Gesselschaft* –, fundada em 17 de agosto de 1918 e tendo uma suástica cravada por uma adaga como símbolo, começaram a desvirtuar a simbologia rúnica, dando-lhe uma acentuada conotação ultranacionalista, pangermânica e ariosófica. Essa sociedade, na verdade, foi a real e oculta criadora do Partido Nazista, que ela usou como artifício para disseminar sua filosofia no meio político. Ironicamente, porém, esse partido só começou a ganhar destaque quando adotou a suástica usada pela Thule e as runas de forma desvirtuada, para expandir o seu poder.

Hitler era um convicto seguidor da ariosofia (doutrina esotérica racista criada por Jörg Lanz Von Liebenfels), fervoroso admirador dos símbolos teutônicos e obcecado pela ideia da supremacia da raça ariana, predestinada segundo ele a dominar o mundo e eliminar os não arianos. Ele escolheu a runa solar da vitória (Sowilo ou Sigel) como emblema da juventude hitlerista, duplicando-a para a *Schutzstaffel*, a temida SS, e a suástica invertida e inclinada como seu estandarte e principal símbolo. A suástica era um antigo símbolo indo-europeu que representava a roda solar e a energia vital, e supostamente atraía sorte e prosperidade. No entanto, em vez da vitória almejada pelo nazismo, a alteração da suástica e o uso desvirtuado dos antigos símbolos sagrados canalizaram as forças sombrias da destruição contidas nesses símbolos e aceleraram o fim da tenebrosa e mortífera campanha e ditadura hitleristas.

Depois do fim da guerra, em 1945, a associação negativa das runas e dos valores teutônicos com o nazismo desencadeou, tanto nos países escandinavos quanto nos anglo-saxões, uma onda de pavor e rejeição por tudo o que podia lembrá-los, relegando ao ostracismo símbolos, mitos e práticas mágicas ancestrais. O nazismo certamente atrasou muitas décadas o real renascimento teutônico e tornou tabu qualquer interesse ou estudo nessa área.

Apenas depois de transcorridas mais de duas décadas, reiniciou-se lentamente a conscientização da população com respeito ao necessário resgate das raízes místicas e espirituais dos povos ancestrais, sem, no entanto, o viés nacionalista, extremista ou doutrinário. Em 1969, foi reativada a extinta Armanen Orden, uma ordem orientada para o estudo do misticismo alemão e da magia rúnica. A partir de 1970, o interesse pelo simbolismo e o uso mágico das runas ultrapassou as fronteiras da Alemanha e chegou à Inglaterra e aos Estados Unidos, onde foram criados vários grupos de estudo das antigas tradições e dos valores nórdicos, que dali se espalharam para a Europa, a América do Sul e a Austrália.

O mundo anglo-saxão despertou para o chamado do legado nórdico por meio das obras de J. R. Tolkien, cristão convicto e filólogo especialista em línguas germânicas. Nos seus livros *O Senhor dos Anéis* e *O Hobbit*, ele menciona as runas, descreve elfos, anões e *trolls* e cria situações semelhantes às encontradas nas antigas lendas. Outros autores que se inspiraram na mitologia germânica foram C. S. Lewis, que incluiu vários elementos místicos na série *Nárnia*; Robert Howard, cujos heróis são calcados no modelo germânico; e Poul Anderson, que escreveu várias obras de ficção científica usando personagens das sagas.

Nos Estados Unidos, surgiram vários grupos de estudos das tradições pré-cristãs, como o Odinist Fellowship, em 1969, na Flórida, e o Viking Brotherhood, em 1971, que se transformou, em 1976, na Asatru Free Assembly. Na Inglaterra, foi fundado, em 1973, The Odinic Rite, enquanto, em 1973, o Parlamento islandês reconheceu o Asatrú como religião oficial. Inspiradas no paganismo escandinavo e teutônico, surgiram organizações que praticam e ensinam as antigas tradições. Em 1987, o escritor Edred Thorsson criou a organização Troth no Texas, e seu livro *A Book of Troth* tornou-se o documento básico da organização chamada The Ring of Troth, que postula um código de comportamento e de práticas ritualísticas fundamentadas nos princípios e valores tradicionais escandinavos.

O termo *Troth*, que significa "fé, confiança, lealdade", foi usado a partir do século XIX para definir o culto dos deuses Aesir. Vários outros nomes definem outras divisões conceituais e ritualísticas dentro do paganismo nórdico e teutônico, como *Theodism, Odinism, Irminism, Forn Sidhr (*os velhos caminhos*), Forna seden* (caminho dos anciãos), *Germanic Reconstructionism, Seax* ou *Norse Wicca*. O *Theodism* é baseado nas práticas anglo-saxãs e europeias tribais; sua organização é mais formal, hierárquica e solene, envolvendo juramentos e votos. *Vanatrú* é uma vertente promovida pelo escritor Edred Thorsson, e seus cultos são dedicados aos deuses *Vanir*, com elementos da Wicca (reverencia-se a polaridade deus/deusa representada por Frey e Freyja e não todo o panteão nórdico, como no Asatrú).

Para melhor esclarecer as diferenças entre elas, vou citar os principais tópicos.

Em primeiro lugar, a Wicca é arquetípica e dualista, enquanto o Asatrú é politeísta. A Wicca descende em parte da magia cerimonial e mágica medieval, requerendo uma preparação mais elaborada nos rituais e celebrando os Sabbats (cerimônias da Roda do Ano) e Esbats (plenilúnios). No Asatrú, a conexão com a Roda do Ano é menor; seu enfoque é a herança mítica e as fontes históricas, e ele exige, portanto, mais estudo e menos *insights* e intuições. Na Wicca, segue-se a Lei Tríplice e valoriza-se "o que não deve ser feito". No Asatrú, divulgam-se as Nove Nobres Virtudes e as Metas Sêxtuplas e ensina-se "o que deve ser feito".

Enquanto os grupos de Wicca têm uma postura mais liberal e tolerante no nível comportamental, social e sexual, os do Asatrú são centrados em valores tradicionais, familiares e comportamentais. Na Wicca, o ponto-chave dos rituais é a criação do "círculo mágico", que não é fundamental no Asatrú, no qual os preparativos são focados nos arquétipos dos deuses, nos seus mitos e nos elementos nórdicos (fogo e gelo).

Os grupos da Wicca se chamam *covens*, enquanto a organização do Asatrú inclui núcleos de *kindreds* (aparentados), *hearths* (lares), *garths* (encontros na natureza). Enquanto na Wicca existe a polaridade sacerdote e sacerdotisa e os integrantes passam por iniciações, no Asatrú a liderança pode ser eletiva (escolha de um *gothi* ou *gythja* – sacerdotes) ou feita por revezamento. No início, as organizações do Asatrú tinham um perfil masculino e guerreiro, mas atualmente um número crescente de mulheres se interessa em participar e assumir papéis de destaque e liderança, assim como também cresce a participação das famílias nos festivais sazonais, nos *sumbles* (encontros com fins cerimoniais em homenagem a deuses, heróis e ancestrais) ou *blots* (cerimônias com propósitos específicos e festivos). A celebração dos antigos festivais é considerada um ato de respeito e amor com relação aos deuses, aos seres da natureza e aos ancestrais; os rituais buscam o alinhamento com as forças e os ciclos da natureza, as transformações externas se refletindo no psiquismo e na vida humana.

No movimento Asatrú, existem várias tendências ritualísticas e conceituais, porém o denominador comum é a atual reconstrução religiosa das crenças e práticas dos povos germânicos e escandinavos. Enfatizam-se os cultos das divindades arcaicas, dos seres sobrenaturais e dos ancestrais; o aprendizado e as práticas rúnicas e mágicas; e os encontros com comemorações e reverência com base nas antigas celebrações da Roda do Ano. As variações nas práticas pagãs devem-se às localizações geográficas e à adaptação das tradições ancestrais, existindo uma afinidade religiosa em função de fatores comuns como genética, cultura, passado histórico, costumes e idiomas. Por isso, os noruegueses tiveram facilidade para "exportar" seus deuses, imagens e mitos para a Islândia e os emigrantes europeus os levaram para o Novo Mundo.

Na Escandinávia, foi reconstruída a antiga tradição fortalecida pela herança familiar, a conexão com a terra nativa e o conhecimento das sagas. Os alemães também têm uma forte conexão linguística e cultural com a sua pátria, porém as distorções nazistas dificultaram o renascimento das antigas práticas pagãs. No Reino Unido, existem várias vertentes de paganismo devido à ascendência anglo-saxã e à tradição celta. Nos Estados Unidos, há diferenças entre as práticas da Costa Leste e da Oeste, que são mais liberais, enquanto no interior do país se prezam a hierarquia e a estrutura conservadora.

Os grupos pagãos se diferenciam – além do foco cultural e a organização – pela sua atitude perante a religião e a identidade étnica dos seus participantes. Alguns praticantes consideram suas práticas religiosas como uma consequência da sua identidade cultural e nacional e uma forma de conexão com a herança ancestral. Os grupos podem ter uma conduta diferenciada: *inclusiva,* aceitando pessoas de outras nacionalidades e opções religiosas; ou *restritiva,* abrindo a participação apenas para aqueles que têm uma origem ou descendência nórdica ou germânica.

Segundo a autora Galina Krasskova (vide bibliografia), o movimento neopagão atual, empenhado na reconstrução das antigas práticas religiosas nórdicas e teutônicas, e na conexão e troca de energias com as divindades, pode ser dividido em quatro grupos.

Os *Universalistas* (*Universalisten*) são liberais e aceitam variações nas crenças e ritos, desde que sejam inspirados nos antigos textos; rejeitam a hierarquia social e uma autoridade centralizadora.

Os *Populistas* (*Folkish*) postulam a necessidade da origem ou descendência nórdica ou germânica dos seus membros, sem se considerarem racistas, mas com o desejo de preservar a pureza da tradição ancestral.

Os *Tribais (Stammes)* procuram recriar não apenas a religião, mas também a cultura e tentam formar grupos com estruturas sociais e rituais modelados de acordo com os ancestrais; são hierárquicos e têm padrões rígidos de comportamento, que impõem aos seus integrantes.

Os *Tradicionalistas* (*Traditionelle*) são cidadãos europeus que cresceram em famílias conservadoras ou foram educados para seguir as antigas tradições e os costumes familiares, mesmo tendo sido batizados como cristãos; de certa maneira eles são mais fiéis à religião nativa, apesar de as suas práticas não seguirem estritamente os antigos textos.

As polêmicas e as divergências entre os grupos são agravadas pela presença de outras duas vertentes, dos ditos *pagãos nórdicos* e das duas vertentes da *Wicca nórdica* e *Seax*. A fronteira entre os primeiros quatro grupos é mais tênue do que entre os dois últimos, que seguem a estrutura ritualística e hierárquica da Wicca e não as diretrizes originais das tradições nórdicas e teutônica.

Também existem praticantes do *xamanismo nórdico*, inspirado nas tradições nativas das tribos sami e siberianas, como a sauna sagrada; o *seidhr* oracular e o *spae*; a *utiseta,* a comunicação com os espíritos; as curas e os encantamentos, entre outras técnicas, descritas com maiores detalhes no livro *Mistérios Nórdicos*.

Uma importante contribuição no resgate da antiga prática xamânica *seidhr*, tradicionalmente reservada às mulheres, foi dada pelo grupo Hrafnar, de San Francisco (EUA), dirigido pela pesquisadora Diana Paxson, autora de vários livros, entre eles *Essential Asatru*, (*Asatrú – Um Guia Essencial para o Paganismo Nórdico*, publicado pela Editora Pensamento), *Trance-Portation* e *Taking up the Runes*. Diana Paxson e seu grupo empenham-se no resgate e na reconstrução oracular de *seidhr* em sessões públicas, a serviço da comunidade neopagã. A técnica por eles criada foi adotada por outros grupos de estudos e práticas nórdicas em vários países, inclusive no Brasil.

Escritora renomada, Diana é uma sacerdotisa consagrada na tradição Asatrú desde 1982, além de cofundadora de outras organizações, editora do jornal *Idunna*, autora de vários artigos sobre as religiões pagãs e líder reconhecida do atual movimento religioso nórdico. Juntamente com Freya Aswynn e outras escritoras, Diana veio colaborar para enriquecer a compreensão e a prática da tradição nórdica pelo acréscimo de valores e arquétipos sagrados femininos.

Dessa maneira, foram ultrapassadas as conotações machistas e racistas anteriores associadas às práticas teutônicas e escandinavas, e o paganismo europeu passou a ser divulgado como um caminho aberto, tanto espiritual quanto socialmente, amplo e inclusivo, que reverencia igualmente deuses e deusas, sem, no entanto, seguir a ideologia Wicca, nem se prender a cânones acadêmicos. Para os leitores que se interessarem em conhecer melhor a tradição Asatrú, recomendo os livros citados na Bibliografia.

As runas: origem e uso oracular e mágico

No meu livro anterior, *Mistérios Nórdicos*, apresentei detalhadamente os diversos alfabetos rúnicos com a simbologia específica e o significado mágico e oracular de cada runa, bem como a confecção do oráculo rúnico e os vários métodos de leitura. Além de apresentar esses conhecimentos básicos e necessários para qualquer pessoa que queira conhecer e usar as runas – para leituras, rituais ou meditações –, esse livro detalha o uso mágico das runas, como a preparação do praticante, do ambiente e dos objetos mágicos e pessoais, bem como as tradições mágicas, as cerimônias específicas e os sigilos rúnicos. Para aqueles que querem se iniciar e se dedicar a uma divindade, o capítulo final desse livro descreve todas as etapas e práticas necessárias para proteção, ativação energética e conexão com os Mundos de Yggdrasil.

Portanto, na presente obra, vou me ater ao relato sucinto da origem e dos usos das runas para familiarizar os leitores com a sua mágica sabedoria. Àqueles que desejem se aprofundar nos seus mistérios e práticas específicas, recomendo que consultem *Mistérios Nórdicos* e outros livros indicados na bibliografia.

Origem

Popularizadas pelo uso oracular e consideradas erroneamente como um alfabeto viking, as runas representam, na verdade, um complexo sistema espiritual, cujos símbolos e sons expressam conceitos transcendentais. Sua origem é envolta em mistério, como seu próprio nome indica: *run* em norueguês arcaico significa "segredo", *runa* em alemão significa "sussurro", enquanto os termos saxões e góticos *roun, roon e raunen* significam "segredo ou sussurro misterioso", assim como a raiz indo-europeia *ru* (origem desses termos), que representa "algo misterioso". As runas são uma expressão da espiritualidade da antiga Europa nórdica, mas atualmente pessoas de todas as origens étnicas sentem-se atraídas pelo seu uso e estudo. Mitologicamente, elas são associadas ao deus Odin que, no entanto, não as criou, mas obteve-as por meio de um sacrifício voluntário (como será descrito no capítulo sobre os deuses).

Historicamente, as primeiras inscrições rúnicas datam do século II d.C., mas acredita-se que elas já fossem usadas pelo menos um século antes disso. Existem várias teorias sobre o seu lugar de origem, mas a que tem maior respaldo histórico assinala sua semelhança com as antigas inscrições rupestres europeias (denominadas escrita *Hällristinger*), associadas à linguagem simbólica e mágica utilizada pelos xamãs do período Neolítico. Essa escrita era composta de símbolos pictográficos de significado religioso – como círculos, rodas solares, suásticas, espirais, triângulos invertidos, árvores, mãos espalmadas, marcas de pés, barcos e ondas –, atribuídos aos cultos neolíticos da Deusa Mãe e da deusa solar. Foram encontradas runas gravadas nos períodos seguintes sobre pontas de flechas, escudos, elmos, medalhões, varetas de madeira, pentes, amuletos, ferramentas, pulseiras e chifres para beber. Posteriormente surgiram inscrições rúnicas sobre milhares de pedras memoriais e funerárias, espalhadas por toda a Escandinávia e em países como a Inglaterra, a Alemanha, a Polônia, a Hungria, a Romênia, a antiga Iugoslávia e a Rússia. A maioria das inscrições tinha finalidades mágicas e visava atrair a sorte, afastar o mal, possibilitar o intercâmbio com os espíritos ancestrais e invocar a ajuda das divindades.

Do ponto de vista *exotérico,* as runas foram consideradas um sistema fonético e gráfico usado até o século XVII na Islândia e até o XIX nas regiões remotas da Noruega e Suécia.

Do ponto de vista *esotérico*, elas constituem um sistema simbólico complexo, que permite a transmissão de significados místicos e mágicos, além de ser usado para transcrever palavras, conceitos e nomes (o que possibilitava a sua aplicação na magia talismânica).

O primeiro e mais conhecido sistema rúnico é o *Futhark Antigo,* composto de 24 runas divididas em três famílias de oito. Seu nome deriva das primeiras seis runas que o compõem e se acredita que ele tenha surgido em torno de 200 a.C. Como as inscrições mais antigas que datavam dessa época foram feitas sobre osso e madeira, poucas sobreviveram, a não ser as mais tardias, gravadas sobre pedras e metais.

Devido às modificações linguísticas e dos conceitos mágicos, surgiu na Escandinávia no século VII um novo sistema rúnico denominado *Futhark Novo*, que reduziu o número de runas, porém preservou os elementos tradicionais e a sequência original. Resultou assim o sistema simplificado composto de dezesseis runas, também divididas em três famílias, cada runa correspondendo a dois ou mais sons, o que dificultou a interpretação das inscrições encontradas posteriormente. Ao passar da Suécia para a Dinamarca, o *Futhark Novo* foi novamente reduzido, dando origem a outras duas versões, pouco usadas.

Das runas medievais que surgiram entre 1050 e 1450, foi desenvolvido o alfabeto gótico, usado até o século XVIII, principalmente em cartas e manuscritos religiosos e profanos. As runas também foram usadas no lugar de números nos antigos calendários escandinavos confeccionados em madeira.

Apesar de a sua utilização na Escandinávia ter ocorrido também durante o Período Viking (800-1100 d.C.), os alfabetos rúnicos não são símbolos vikings, conforme afirmam algumas fontes literárias. Não somente a sua origem é anterior, muito mais antiga, como também as runas representam arquétipos atemporais e sutis, que servem como portais mágicos de percepção sutil e expansão da consciência humana, tendo, portanto, amplas finalidades transcendentais.

Mudanças fonéticas ocorridas em outros dois países levaram ao acréscimo de novos símbolos aos alfabetos tradicionais. No litoral do mar do Norte, na antiga Frísia (constituída pela atual Holanda e a região oeste da Alemanha) surgiram duas runas novas para representar a mudança fonética do novo dialeto, dando origem assim ao alfabeto *Futhork.* Quando esse alfabeto foi levado por emigrantes para o leste da Inglaterra, a ampliação do vocabulário e as mudanças fonéticas lhe acrescentaram novos caracteres, dando origem ao sistema de 29 símbolos chamado *Futhork anglo-saxão.* Esse alfabeto foi bastante utilizado na gravação de moedas e pedras funerárias, em inscrições mágicas e em manuscritos religiosos e profanos. Por volta de 800 d.C., no norte da atual Inglaterra, foi criado outro sistema com maior número de caracteres – 33 – chamado *alfabeto de Northumbria*, que sofreu influências do alfabeto *ogham* celta, dele assimilando alguns conceitos.

Além dos alfabetos citados, também existiam runas pontilhadas, interligadas, ramificadas e em ziguezague, que não faziam parte de um sistema organizado, mas eram usadas principalmente em mensagens criptográficas e secretas. Além do seu objetivo sagrado ou mágico (nas inscrições e nos talismãs), as runas eram usadas também para fins profanos, inscritas em varetas de madeira, cartas e manuscritos. O conhecimento rúnico mais profundo foi preservado na prática mágica do *galdr*, sons mântricos associados às runas e transmitidos pelos xamãs apenas aos seus discípulos. Independentemente do tipo de alfabeto, o traçado dos símbolos rúnicos é sempre angular, sem cantos arredondados ou traços horizontais, em decorrência do material (madeira, osso, pedra, metal) e aos instrumentos utilizados para a sua gravação (machado, estilete, faca). O *Futhark Antigo* é o mais tradicional de todos os sistemas, mas os outros também podem ser usados para práticas oraculares e mágicas, se forem bem conhecidas a sua simbologia e sutilezas.

Depois da destruição dos monumentos rúnicos e da perseguição das antigas práticas e crenças pagãs promovidas pelo movimento reformista do protestantismo, o uso das runas foi condenado, depois proibido e oficialmente substituído pelo alfabeto latino. Durante a Idade das Trevas, os tribunais da Inquisição condenavam à fogueira todos aqueles que possuíssem runas ou usassem práticas mágicas ancestrais.

Apesar das perseguições da Igreja cristã, o alfabeto rúnico conseguiu sobreviver clandestinamente até os séculos XVIII e XIX, nos emblemas e brasões dos artesãos e comerciantes, para marcar animais, carroças, barcos e moinhos; desenhadas com o arado na terra antes do plantio; pintadas ou entalhadas nas vigas das casas; tecidas nas tapeçarias; gravadas em vidro, metal e joias; e usadas como decoração ou alfabeto nas pedras e nos monumentos funerários. As mandalas germânicas, pintadas em cores vivas sobre discos de madeira e cerâmica e usadas para a proteção dos ambientes ou como amuletos, eram embasadas no padrão hexagonal rúnico como a cruz ou a estrela de seis braços, símbolos encontrados na simbologia nórdica. No século XVIII, emigrantes alemães levaram essa tradição medieval para os Estados Unidos, onde ela continuou a ser usada como arte decorativa, sem que se desse destaque ao seu significado mágico ou simbólico.

O uso das runas permaneceu também nas práticas de grupos ocultistas, nos costumes populares e no folclore, em localidades distantes da Suécia, Noruega, Islândia, e nas gravações dos monumentos funerários. O Movimento Teutônico reavivou o estudo das runas, principalmente para fins mágicos e simbólicos e vários livros foram escritos no período entre as duas guerras mundiais. No entanto, assim como foi relatado anteriormente, a sua associação com o nazismo as mergulhou novamente no ostracismo depois da Segunda Guerra Mundial, o que resultou na negação dos seus atributos, valores, poderes e efeitos. Foi apenas a partir da década de 70 do século passado que o interesse pelo simbolismo e uso oracular mágico das runas foi reavivado, disseminando-se pela Inglaterra e Estados Unidos e chegando até a América do Sul e a Austrália.

Uso oracular das runas

A aquisição de um conjunto de runas não garante que o interessado saiba usá-las, mesmo seguindo as instruções resumidas que costumam acompanhá-las. O iniciante precisa entrar em sintonia e ressonância com as imagens primordiais que as representam e que se originaram do complexo e profundo sistema de crenças e conceitos dos povos nórdicos.

As runas representam imagens e símbolos arquetípicos que atuam como uma forma sutil de comunicação entre os vários aspectos do ser. Cada um dos caracteres de qualquer um dos alfabetos possui uma imagem arquetípica, um simbolismo complexo – oracular e mágico – e vários significados e associações, no nível físico e espiritual. Apesar da valorização dos assuntos ligados às condições ambientais e às preocupações existenciais dos povos que lhe deram origem, a sua aparente simplicidade oculta uma riqueza espiritual profunda. As runas atuam como chaves que despertam ou ampliam o potencial latente da percepção intuitiva, sintonizando o buscador com os fluxos sutis de energia cósmica, telúrica e ctônica.

Toda a tradição e prática rúnica eram transmitidas antigamente por via oral, por isso os poemas e encantamentos desempenhavam um papel importante no aprendizado. O *Futhark* foi sistematizado de maneira conceitual e gráfica para transpor as fórmulas vocálicas e a sabedoria arcaica nos versos que acompanham cada runa, cujas metáforas representam o significado essencial e conciso de cada símbolo. A cada runa corresponde uma letra (vogal ou consoante) e um som mântrico (*galdr*), que, juntos, representam a qualidade vibratória que reverbera no campo sutil. Além da complexidade simbólica das runas, o aprendiz falante da língua portuguesa vai enfrentar o desafio da pronúncia correta, o que motivou o guia apresentado no Apêndice.

Por não se conhecerem os métodos de leitura rúnica usados pelos povos nórdicos – além daquele citado pelo historiador romano Tácito no seu livro *Germânia* – e de algumas referências nas sagas e lendas, os atuais métodos oraculares contemporâneos são frutos dos estudos e das experiências de escritores, estudiosos e praticantes. Fica ao critério do praticante – e depende da afinidade daqueles que desejam aprender e experimentar os métodos propostos – escolher aqueles que lhes parecem mais fáceis ou compatíveis com seus interesses e conhecimentos. Assim como no tarô, a comprovação do método é obtida apenas com a prática e a experiência. É preciso conhecer profundamente os amplos significados e correspondências de cada runa, as palavras-chave, os seus aspectos construtivos e luminosos, bem como os sombrios e negativos (correspondentes à sua posição correta ou invertida em uma leitura).

O uso oracular das runas tem origem nas tradições orais do xamanismo nórdico; sua finalidade era oferecer soluções para os desafios cotidianos e orientar as atitudes e decisões das pessoas. As runas definem intenções e ações individuais sem detalhar os resultados, que dependem das escolhas, decisões e atitudes tomadas. A divinação rúnica não é fatalista, por levar em conta o fluxo permanente das energias cósmicas, dando margem assim ao exercício do livre-arbítrio, restrito, no entanto, pelos desígnios do *wyrd* (destino) individual e grupal. Como as runas atuam nos níveis físico, mental e espiritual, elas não definem o que irá acontecer, mas indicam a direção das ações específicas e os efeitos/consequências potenciais, seguindo assim a Lei das Nornes.

A eficácia do uso oracular das runas independe do sistema de crenças do consulente, mas do conhecimento e do grau de preparação do conselheiro. Para o aprendiz é indispensável o conhecimento do contexto espiritual, filosófico, simbólico e mágico da cultura que lhes deu origem. Mesmo tendo sido usadas no Período Viking, a sua origem e fundamentos são oriundos de uma época muito mais remota e seu uso arcaico visava a conexão espiritual em um contexto mágico e não somente a busca de orientações de ordem prática, como previsões sobre viagens, oferendas e sucesso nas guerras, como foram usadas pelos vikings.

Uso mágico das runas

A prática da magia – independentemente da sua natureza e propósito – é baseada no conhecimento e no uso de efeitos sincrônicos, atraindo, direcionando ou afastando energias existentes, sem criar algo preexistente, apenas proporcionando "coincidências" favoráveis ao mago. Todo tipo de magia deve ser praticado com conhecimento e responsabilidade, avaliando-se com honestidade e imparcialidade os motivos reais para se desejar, querer e buscar uma mudança ou realização.

Um verdadeiro mago jamais usa magia negativa ou destrutiva, pois, quando se diminui a força vital de uma pessoa e se interfere na teia cósmica que interliga todos os seres, o rebate energético atinge inexoravelmente aquele que iniciou ou ativou o processo. Portanto, em qualquer operação mágica deve-se fazer previamente uma profunda avaliação dos motivos e razões para o seu uso e a sua influência sobre o meio ambiente, tendo o cuidado de agir sempre para o "bem de todos e do todo" e principalmente, lembrando da antiga advertência rúnica: *"É melhor não pedir do que pedir demais, pois um presente requer outro presente"*.

O principal objetivo da magia rúnica (nórdica ou teutônica) é favorecer a integração do ser – corpo, mente e espírito – e permitir a expansão da consciência e da ascensão da alma. Para aqueles que se acham preparados para praticar a magia rúnica são indispensáveis as seguintes condições:

• uma profunda compreensão do micro e do macrocosmo e da complexa estrutura psicoespiritual do ser humano;

• um amplo conhecimento da cosmologia nórdica, dos significados, atributos e correspondências rúnicas, antes da preparação e da prática mágica propriamente ditas;

• lembrar que a magia nórdica é eminentemente prática e centrada em valores transcendentais e ecológicos, respeitando os ritmos e ciclos universais, naturais, biológicos; ela tem como objetivo mudar a mente consciente e inconsciente do praticante, para melhorar a tessitura do seu *wyrd*.

O conhecimento dos princípios transcendentais, dos conceitos e valores da tradição nórdica, bem como uma adequada preparação individual são requisitos essenciais para a prática da divinação e da magia rúnica.

Capítulo 2
COSMOGONIA

A criação do mundo

"No início dos tempos, o grande caos rugia.
Não havia mar, nem água, nem areia,
Nenhuma terra abaixo, nenhum céu acima,
Somente um vão profundo, em que nada existia."

"Völuspa" *Poetic Edda*

A epopeia da criação e da destruição do mundo, na tradição nórdica, é relatada no poema "Völuspa", de autor desconhecido, traduzido como "*As profecias – ou a visão – da vala*" (vidente, profetisa). Esse poema supostamente foi escrito em torno do ano 1000, quando as pessoas passaram a temer o fim do mundo depois de uma sucessão de três invernos rigorosos (que poderiam ser o prenúncio do *Fimbul,* "o inverno sem fim", e o prenúncio do Ragnarök, "o fim dos tempos"). Foi esse poema a principal fonte de inspiração para o relato do historiador Snorri Sturluson.

A cosmogênese nórdica é permeada de toques dramáticos e trágicos, e está centralizada no eterno e perpétuo conflito entre as forças positivas e negativas da natureza, representadas pela força expansiva do fogo e a contração e cristalização do gelo. Diferente da mitologia das culturas favorecidas por climas amenos, colheitas fartas e os benefícios do calor solar, os mitos nórdicos refletem a agreste natureza das montanhas, geleiras e vulcões, com a terra banhada pelas ondas furiosas do mar gelado, com breves interlúdios de verão ensolarado e vegetação abundante. O clima e a paisagem das terras nórdicas tiveram uma grande influência na modelação das crenças religiosas e dos conceitos, costumes e valores dos seus habitantes. Era natural que a difícil sobrevivência nos longos e rigorosos invernos árticos, a escassez de luz e de calor solar, que colocavam em risco a própria vida, criassem as imagens do gelo e da escuridão como monstros malévolos e ameaçadores.

O intricado drama cósmico inicia-se a partir de um abismo primordial, um incomensurável buraco negro e vazio, chamado *Ginungagap*. Nesse vazio desprovido de terra, mar, ar ou luz, sem forma, cor ou vida, surgiram após incontáveis *eons* (divisão de tempo geológico) duas regiões, distintas e separadas entre si.

Para o sul entendia-se *Muspelheim*, o reino do fogo cósmico, onde labaredas gigantes desprendiam um calor a que nenhum ser resistia, além dos gigantes de fogo, seus habitantes, que eram regidos pelo gigante Surt, o detentor de uma espada flamejante e letal. No extremo norte existia o reino de *Niflheim*, onde dominavam o frio e a escuridão, repleto de camadas de gelo sempre envoltas em neblina e assoladas pelas tempestades de neve. Do centro de Niflheim, jorrava a fonte *Hvergelmir* – o caldeirão borbulhante –, que alimentava onze rios gelados, chamados *Elivagar,* que se diferenciavam entre si pela largura, natureza, rapidez e turbulência da corrente. À medida que os rios alcançavam a imensidão do abismo de Ginungagap, eles congelavam e formavam enormes blocos de gelo, que rolavam ruidosamente para dentro do abismo, preenchendo aos poucos o espaço central.

Esses dois mundos antagônicos foram deslizando lentamente e se aproximando um do outro, até que, depois de milênios, encontraram-se no meio de Ginungagap. Embora o centro de Niflheim fosse gelado, a extremidade próxima a Muspelheim foi esquentando aos poucos; com o passar dos milênios e a lenta aproximação de Muspelheim, fagulhas incandescentes das suas chamas, levadas pelo vento, foram caindo sobre os blocos de gelo, produzindo, um som sibilante e derretendo alguns. O vapor formado se condensava em uma espuma, que foi se solidificando em camadas sobrepostas preenchendo o espaço central. À medida que as ondas de calor tocavam o gelo, ele começou a derreter gradativamente e, das gotas espumantes e salgadas, a vida foi se formando lentamente.

Pelo seu movimento incessante, as forças primevas do fogo e do gelo criaram a fricção necessária para ativar o potencial não manifestado de Ginungagap e o impregnaram com a centelha geradora da vida. Surgiram assim dois seres primordiais: um gigante hermafrodita chamado *Ymir,* a personificação do oceano congelado e o ancestral de todos os gigantes do gelo (denominados *Jötnar, Thurs,*

Hrim) e uma vaca gigantesca – *Audhumbla*. Ymir começou a perambular pelas redondezas e, ao encontrar Audhumbla, saciou sua fome com o leite que escorria abundantemente das suas nove tetas. Movida pela fome, Audhumbla começou a lamber um bloco de sal congelado, até que suas lambidas desvelaram outro ser sobrenatural, imponente, translúcido e com feições humanas, chamado *Buri*.

Enquanto isso, Ymir adormeceu deitado no beiral do abismo e, aquecido pelas lufadas de ar quente vindas de Muspelheim, começou a suar. Do suor que brotou das suas axilas plasmou-se um casal, uma moça e um rapaz; das virilhas surgiu um ser gigantesco de seis cabeças, *Thrudgelmir,* e dos pés, uma família de gigantes. Buri teve um filho, *Bor* (talvez gerado apenas por Buri, que era hermafrodita, ou da união com a moça nascida da axila de Ymir), e Thrudgelmir gerou *Bergelmir,* o precursor de todos os gigantes de gelo.

Quando os filhos de Ymir perceberam a presença dos seres divinos, Buri e Bor, partiram para a luta, pois, como deuses e gigantes, representavam forças opostas e em conflito; não havia possibilidade de um convívio pacífico e harmonioso.

A batalha continuou por muito tempo sem que fosse definido o vencedor, até que Bor se casou com *Bestla* – filha do gigante *Bolthorn* (descendente de Ymir e possivelmente também hermafrodita) – e juntos eles geraram três filhos poderosos. Eram eles, *Odin (Wotan),* simbolizando "espírito"; *Vili (Will),* indicando "vontade"; e *Vé (Wish),* sinônimo de sagrado (em outra versão seus nomes são *Odin, Hoenir e Hodur)*.

Apesar da sua parcial descendência de gigantes, os três deuses se uniram ao seu pai Bor na luta contra os gigantes e finalmente venceram, matando o temido e sagaz Ymir. Os rios de sangue que jorraram das feridas de Ymir causaram um dilúvio, no qual morreram afogados todos os gigantes, com exceção de Bergelmir, que escapou nadando e se refugiou junto com a sua família em uma região afastada chamada *Jötunheim* (o lar dos gigantes). Ali eles procriaram, gerando inúmeros descendentes, que mantiveram a inimizade, os confrontos e as disputas com os deuses e seres humanos, e estavam sempre prontos para invadir e cobiçar o território e os bens dos deuses. A sua cidadela chamava-se *Utgard* e seu mundo era separado do mundo humano pelo rio Iving, que jamais congelava.

Odin, Vili e Vé decidiram aproveitar o imenso corpo de Ymir e, depois de triturá-lo no grande Moinho Cósmico, usá-lo como matéria-prima para modelar um novo mundo, melhor do que o seu árido e vazio habitat. Dos seus tecidos construíram a própria Terra, chamada *Midgard* (o jardim do meio), colocando-a no centro do espaço vazio e cercando-a por baluartes feitos das sobrancelhas de Ymir e por um vasto oceano formado do sangue e do suor do gigante. Os deuses modelaram montanhas e colinas dos seus ossos, rochedos e pedras dos dentes, florestas e bosques dos cabelos encaracolados. Depois suspenderam o seu crânio, formando a abóbada celeste, e salpicaram os miolos no céu à guisa de nuvens.

Para sustentar o pálio celeste, os deuses escolheram quatro anões fortes – *Nordhri, Austri, Sudhri* e *Vestri* – e os posicionaram nos quatro pontos cardeais, cujos nomes deles derivaram: Norte, Leste, Sul e Oeste. Os anões tinham surgido do corpo esfacelado de Ymir como criaturas minúsculas e rastejantes, e receberam dos deuses feições humanas, inteligência e habilidades. Foram divididos em dois grupos. Os escuros, astutos e traiçoeiros foram exilados em *Svartalheim*, no mundo subterrâneo, de onde não podiam sair com o risco de serem petrificados pela luz solar. Abrangendo vários tipos e com nomes diferenciados, eles exploravam os recursos e riquezas ocultas da terra, colecionando metais e pedras preciosas e guardando-os em esconderijos nas fendas da terra ou sob rochas e colinas. A outra classe de anões, de natureza bondosa e energia luminosa, foi enviada para *Alfheim,* no reino dos elfos claros, situado entre o céu e a terra, e encarregados de cuidar de plantas, flores, insetos e pássaros.

Para iluminar o novo mundo, os deuses usaram fagulhas luminosas das chamas de Muspelheim para criar estrelas no firmamento celeste. Duas grandes faíscas – uma dourada e uma prateada – foram escolhidas como luminares e colocadas em carruagens, ambas puxadas por cavalos. Para conduzir as carruagens, os deuses escolheram os filhos do gigante *Mundilfari,* que, por serem muito belos, tinham recebido os nomes de *Sol* (*ou Sunna*) e *Mani* (Lua), nomeação considerada uma ofensa e por isso punida com as tarefas a eles designadas.

A carruagem solar era puxada por dois cavalos: *Arvakr* (o madrugador) e *Alsvin* (o veloz), protegidos do intenso calor por selas recheadas de ar gelado. Na frente da carruagem foi fixado um escudo, *Svalin*, (o resfriador), que evitava a queima da terra e dos seres vivos que nela iriam habitar.

A carruagem lunar era puxada por um único cavalo, *Alsvidar* (o ligeiro) e o seu condutor, Mani, tinha a tarefa de coordenar as fases e os ciclos da lua. Para ter companhia, Mani pegou duas crianças de Midgard, *Bil* e *Hjuki*, que sofriam muito com os maus-tratos do pai. *Bil* foi elevada posteriormente à condição divina e reverenciada como deusa lunar junto do coregente Mani. A deusa *Sol,* ou *Sunna,* reinava sozinha e precisava se defender de dois lobos ferozes – *Skoll* (repulsa) e *Hati* (raiva) –, que a perseguiam, tentando abocanhá-la, e conseguiam fazer isso de vez em quando, ocasionando os eclipses. Como os seres humanos temiam que a escuridão (solar ou lunar) se tornasse permanente, eles batiam tambores e gritavam para afastar os lobos. Assustados com o barulho, os lobos largavam suas presas e se escondiam por um tempo, recomeçando depois a eterna perseguição, que duraria até o Ragnarök (fim dos tempos), quando finalmente iriam engolir o sol, mergulhando a terra na temida escuridão e no frio permanente.

Narvik, um dos gigantes de Jötunheim, tinha uma filha diferente dos demais, com cabelos, pele e olhos pretos. Chamada *Nott* (noite), ela se casou três vezes. Do primeiro marido, Naglfari, teve o filho *Aud*, do segundo marido, *Annar*, teve a filha *Jord* (terra); e do terceiro marido, o brilhante *Delling*, teve um filho belo e luminoso chamado *Dag* (dia). Odin colocou Nott e Dag em carruagens puxadas por cavalos e lhes deu como tarefas a divisão do tempo em dia e noite. O cavalo de Nott era *Hrimfaxi* (crina de gelo), cujo bafo e suor se condensavam em gotas de orvalho e cristais de granizo sobre a terra, enquanto *Skinfaxi,* o cavalo de Dag, tinha uma crina brilhante, que iluminava todos os recantos da terra durante o dia.

Para finalizar sua obra, Odin, Vili e Vé ampliaram a divisão do dia, criando o Crepúsculo e a Alvorada, a Manhã, a Tarde, o Meio-dia e a Meia-noite; depois dividiram a passagem do tempo em duas estações principais: Inverno e Verão, que eram marcadas pelos solstícios. O Verão era amado e honrado por todos, com exceção do Inverno, filho dos ventos gelados e seu inimigo eterno.

Odin conduziu depois os deuses para a grande planície de Idawolf, bem acima da terra, do outro lado do rio Ifing. No centro desse espaço foi estabelecido o reino dos deuses Aesir, chamado *Asgard,* onde todas as divindades se reuniam nos seus concílios. Nesse mundo era proibido verter sangue e lutar, e todos deviam se empenhar em preservar a paz e a harmonia. Foram construídos palácios resplandecentes de ouro para servirem como moradas e iniciou-se a chamada Idade de Ouro.

Quando contemplavam sua obra-prima e se regozijavam com ela, a tríade divina percebeu, ao olhar ao redor, que faltavam os habitantes do mundo que lhes tinha sido destinado –*Midgard* ou *Manaheim* –, a morada da humanidade. Caminhando à beira-mar, os deuses encontraram dois troncos de árvores trazidos pela maré, com formas semelhantes ao corpo humano, e tiveram a ideia de usá-los como matéria-prima. Do tronco de freixo modelaram o homem, *Askr,* e do olmo, a mulher, *Embla.* Depois de lhes insuflar o sopro da vida, Odin conferiu-lhes espírito e consciência; Vili, os movimentos e a capacidade mental; e Vé, a fala, a circulação sanguínea, a aparência e os sentidos. Dessa forma, o primeiro casal humano dotado de pensamentos, sentimentos e capacidade de falar, agir, trabalhar, viver, amar e morrer foi instalado em Midgard, que foi, aos poucos, povoado com seus descendentes e protegido dos gigantes pelos seus criadores divinos.

Análise do mito

Sem nos atermos às metáforas e a algumas descrições incongruentes, podemos perceber e compreender melhor a complexa simbologia metafísica do mito da criação analisando detalhadamente os seus elementos.

Ginungagap é o útero primordial, o receptáculo em que surge a manifestação da energia vital pelo encontro dos princípios polarizados: o calor brilhante do fogo e a energia densa e escura do gelo e do sal nele contido.

Os dois seres primordiais são personificações primevas da matéria e da energia: Ymir representa a protomatéria, Audhumbla a protoenergia, ambos atuando como cocriadores no processo de formação da vida. Da fonte tripla (constituída pela mescla do fogo e do gelo cósmico que formou Ymir e nutrida pela energia feminina de Audhumbla) surgiu um ser hermafrodita, ao mesmo tempo deus e gigante. Os filhos de Buri – Odin, Vili e Vé – matam Ymir e da sua matéria cósmica bruta remodelam o cosmo estático e o transformam em um sistema vivo e dinâmico. Em outra passagem do mito aparece novamente uma tríade divina, desta vez Odin, acompanhado de Hoenir e Lodur, que criam o primeiro casal humano a partir de troncos de árvores. Os seres humanos não foram criados diretamente pelos deuses, pois eles já existiam como formas orgânicas mais simples (árvores flutuando na água do mar); tornaram-se humanos quando receberam as dádivas divinas: o sopro vital, o espírito, a consciência e as funções da mente, os sentidos e os movimentos do corpo físico.

Na visão da escritora Monica Sjöo, Ymir representava a terra congelada (da era do gelo), que derreteu sob a ação dos raios solares personificados por Audhumbla. Esta, ao alimentar Ymir com seu leite, tornou-se sua mãe e coparticipante no processo da criação, que se desenrolou ao longo de milênios.
Alguns episódios e personagens da cosmogênese nórdica faziam parte das tradições pré-cristãs germânicas e assemelham-se aos mitos de outras culturas.

O sacrifício do ser primordial – para que dele fosse formada a terra – tem paralelos no mito da deusa suméria Tiamat, assassinada pelo seu filho Marduk, que usou o seu corpo para criar a terra e o céu, antes de se declarar criador e senhor do seu trono. No mito greco-romano, a deusa Gaia surgiu do caos e, ao se unir com o céu (Urano), criou os titãs (gigantes) e os deuses, seus filhos. Na mitologia egípcia, existe a descrição de um vasto oceano primordial do qual se originou o céu, a terra e todos os seres vivos. A deusa criadora é representada como uma Vaca Celestial (assim como na mitologia pré-védica e egípcia), cujo leite sagrado respingou no céu, criando a Via Láctea, e o corpo servia de abrigo para as almas antes de seu nascimento.

O nome de Ymir é associado ao sânscrito *Yama,* que significa "hermafrodita". Em outros mitos nórdicos existem referências sobre partes de um corpo de gigante sendo dispersos no céu e formando estrelas. No mito do gigante Thiazi, conta-se que Odin – para vingar o rapto da deusa Idunna – permitiu a sua morte pelos deuses, mas depois, para consolar a filha dele, Skadhi, jogou os olhos de Thiazi no céu, onde se transformaram em duas estrelas. Em outro mito, relata-se que Thor usou o dedão congelado do gigante Aurvandil para transformá-lo na estrela de mesmo nome.

A combinação de água, sal e fogo é associada a determinados locais sagrados da Alemanha, como as fontes salgadas do rio Saale perto de Strassfurt, um lugar onde se acreditava que as preces humanas eram ouvidas e atendidas pelos deuses quando a água do rio colocada sobre a madeira incandescente resultava em sal, um resultado visível e com significado mítico da mescla de fogo e água salgada.

Um exemplo concreto da combinação do fogo e gelo criando novas formas de vida é encontrado na Islândia, onde as erupções vulcânicas com chamas, a lava incandescente e os vapores derretem as geleiras, que descem como enchentes desastrosas sobre os campos, mas ao mesmo tempo irrigam e adubam a terra com as cinzas vulcânicas.

Ao contrário dos mitos egípcios, greco-romanos e persas, não há nenhuma menção nas fontes nórdicas sobre a criação do mundo a partir de um ovo primordial, com exceção da lenda finlandesa de Ilmatar e Väinamöinem, possivelmente trazida pelas tribos indo-europeias e incorporada aos mitos nativos.

A escritora e pesquisadora Diana Paxson, apoiada por outros pesquisadores e estudiosos da tradição nórdica, considera os gigantes *(Jötnar)* como uma metáfora dos poderes naturais dos elementos e do ambiente em que viviam (montanhas, rochedos, geleiras, vulcões, mar). Eles eram os regentes ancestrais dos reinos, das forças primordiais (fogo e gelo) e dos espíritos elementares da natureza, ligados ao habitat em que viviam. Diana afirma que "*necessitamos da benevolência dos gigantes além da proteção dos deuses*", por isso devemos respeitar o seu habitat e evitar a degradação da natureza. Os deuses representariam a evolução da consciência e o poder de manipulação e transmutação dos elementos naturais. A interação entre deuses e gigantes pode se manifestar como conflito ou domínio das forças da natureza, levando à destruição ou sobrevivência da terra e de todos os seres que nela vivem. Os povos antigos temiam e respeitavam os "gigantes", sabendo que a sua sobrevivência dependia da clemência e colaboração das forças e dos ciclos naturais. Eles invocavam a ajuda dos deuses para que a destruição e os desastres naturais fossem evitados e faziam a sua parte, respeitando os recursos da Mãe Terra e dela retirando e usando apenas o necessário; garantiam-se assim os recursos naturais indispensáveis para a sobrevivência e segurança dos seus descendentes e de todos os seres da Criação.

O equilíbrio entre controle e poder é extremamente delicado e instável; se o poder tiver objetivos de destruição e ganância, e usar os recursos da terra sem respeitar os limites e os ciclos da ordem natural, o desequilíbrio planetário é inevitável e o mundo poderá se desintegrar e retornar a seus elementos primordiais, como descreve o mito do Ragnarök.

Ragnarök, O Crepúsculo dos Deuses, O Fim dos Tempos

"O sol fica escuro, a terra afunda no mar,
Estrelas brilhantes somem da abóbada celeste.
O vento e o fogo entrelaçam-se enraivecidos
Até que as chamas gigantes alcançam o céu (...)
"Irmãos vão lutar e matar uns aos outros
E os filhos das irmãs trairão seus parentes.
Em todo o mundo o sofrimento dominará.
Uma era de espadas e escudos quebrados seguirá
Antes de o mundo ruir, nenhum homem outro poupará"...

"Völuspa" *Poetic Edda*

Vários mitos nórdicos são permeados pela profunda compreensão e a resignada aceitação dos desígnios do destino, da transitoriedade da vida e da inexorabilidade da morte, às cujas leis eram submetidos todos os seres vivos e os próprios deuses. Por terem sido criados pela união de elementos opostos, gelo e fogo, gigantes e deuses, as divindades nórdicas não eram perfeitas nem eternas, tendo em si a semente da morte, assim como os seres humanos.

A cosmogênese tem um perfil dramático, que segue em etapas até alcançar o clímax e depois se encerra de maneira trágica, mas entremeada pela justiça cósmica, com as inerentes punições e recompensas, como prenúncios de uma nova era. Os mais comoventes versos dos *Eddas* contidos no poema "Völuspa" são os que descrevem o dramático fim dos tempos, denominado *Ragnarök* ou *Götterdämmerung* em alemão (O Crepúsculo dos Deuses), título de uma ópera famosa do compositor Wagner.

Um longo inverno, escuro e tenebroso, que se prolongou durante três anos – chamado *Fimbulvetr* – ocorreu após a trágica morte do deus Baldur, acompanhado por manifestações de ódio, violência, crimes, incestos, estupros, destruição da terra e guerras entre os homens. As leis e regras humanas foram infringidas e a ordem estabelecida pelos deuses no início do mundo foi distorcida e deturpada. Os desequilíbrios humanos provocaram e aceleraram cataclismos naturais, como secas ou inundações, terremotos, erupções vulcânicas e tempestades violentas. A neve caía sem parar, camadas de gelo cobriram a terra, os ventos sopravam de todas as direções, o sol e a lua foram alcançados e devorados pelos ferozes lobos que os perseguiam. A terra estremeceu, as estrelas se desprenderam da abóbada celeste e todos os mundos de Yggdrasil mergulharam na escuridão e no caos.

Acordada pelo tumulto geral, a Serpente do Mundo – *Jörmungand* – saiu do seu esconderijo marinho e começou a se contorcer, levantando ondas imensas que causaram maremotos e dilúvios. Essa turbulência colocou em movimento o navio *Nagilfar* (construído com as unhas de todos os mortos), trazendo os gigantes liderados pelo vingativo Loki. Os galos de Midgard e o pássaro vermelho da deusa Hel alertaram com seus cantos o deus Heimdall, que soou sua corneta para dar o temido alerta: "Ragnarök está começando", enquanto o galo vermelho *Fialar,* de Asgard, dava um grito agonizante. Imediatamente, todos os deuses e os guerreiros de elite de Odin *(Einherjar)* sacaram suas armas, montaram seus cavalos e atravessaram a galope a ponte do Arco-Íris, seguindo na direção da planície de Vigrid, palco da batalha final. Do norte, em meio a uma imensa neblina, chegava outro navio conduzido por Hrym, trazendo os gigantes de gelo. Niddhog começou a sacudir suas asas, criando pânico geral, enquanto os monstros Fenrir e Garm se libertaram dos seus cativeiros e saíram sedentos de vingança e ódio. Surt conduzia os gigantes de fogo e, brandindo sua espada flamejante, foi atear fogo nos palácios dos deuses de Asgard, despedaçando na sua passagem a ponte do Arco-Íris. Antes do combate, Odin tinha ido à fonte de Urdh para obter uma orientação ou presságio das Nornes, mas elas permaneceram em silêncio e com os rostos velados. No campo de batalha os combatentes se alinharam: de um lado os deuses e os Einherjar, do outro os gigantes de fogo e de gelo, Loki e suas crias monstruosas (Hel, Garm, Fenrir, Jörmungand).

O embate final foi catastrófico; os deuses estavam em desvantagem apesar de lutarem com todas as suas forças e coragem. Odin tinha apenas um olho e, apesar dos seus atributos divinos, não sobreviveu ao ataque do mal personificado pelo lobo Fenrir, que assumiu proporções gigantescas e, com suas mandíbulas, abarcou o espaço entre o céu e a terra. Os outros deuses não puderam socorrer Odin, pois todos estavam em situação crítica e o Pai Supremo foi engolido pelo monstro. Embora tivesse apenas um braço, Tyr conseguiu dominar o cão infernal Garm, mas não resistiu aos ferimentos. Thor venceu finalmente sua inimiga, a terrível Serpente do Mundo, mas sucumbiu ao seu veneno. Frey não estava mais de posse de sua espada (que ele tinha oferecido para conquistar a deusa Gerd) e, lutando apenas com os chifres de alce, logo foi vencido pelo gigante Surt. Loki e Heimdall – velhos rivais e inimigos – cruzaram armas em um prolongado duelo, mas ambos caíram mortos. Nenhum dos outros deuses ou dos guerreiros Einherjar sobreviveu ao massacre; somente os filhos de Odin – Vali e Vidar – e de Thor – Magri e Modhi – escaparam, após terem vingado a morte dos seus pais, matando o lobo Fenrir e o cão Garm. Vidar tinha escancarado a boca do lobo Fenrir, colocando nela seu pé com um calçado mágico especial e assim conseguiu rasgá-la.

O dragão Niddhog, que roía as raízes de Yggdrasil, a árvore cósmica, desde o início dos tempos, renovou seus esforços, cortando de vez as raízes da árvore, que começou a trepidar e finalmente caiu. Os Nove Mundos se despedaçaram e pereceram nas chamas dos incêndios provocados por Surt e a sua horda de gigantes. A morada da humanidade –Midgard – foi totalmente queimada pelo calor das fogueiras e tudo o que nela existia e vivia foi reduzido a cinzas e, devagar, submergiu nas ondas revoltas do mar. A tragédia cósmica tinha chegado a seu fim e o Ragnarök levou o mundo de volta ao caos primordial.

No entanto, como os antigos povos nórdicos acreditavam na eterna alternância dos ciclos naturais de vida, morte e regeneração, eles refletiram essa crença na continuação do mito, seguindo a universal "lei do retorno", conceito existente também em outras religiões e culturas. Assim sendo, após uma demorada purificação pelo fogo e pela imersão na água do mar, a terra emergiu lentamente das ondas e, aos poucos, a sua superfície foi se cobrindo com o manto verde da vegetação. Como a deusa Sunna tinha dado à luz a uma filha um pouco antes de o lobo Skoll tê-la devorado, a nova deusa solar apareceu conduzindo o sol, menos cáustico do que o anterior, em uma nova carruagem dourada. De um esconderijo – talvez uma gruta ou o oco de um rebento de Yggdrasil – apareceu um jovem casal, Lif e Lifthrasir, que tinha sobrevivido à catástrofe, mergulhado em um sono letárgico e nutrido apenas pelo orvalho. Com o passar do tempo, seus descendentes povoaram novamente a terra e retomaram os antigos cultos e oferendas aos deuses.

Os filhos sobreviventes dos deuses Odin e Thor: Vali e Vidar, Magni e Modi – que haviam resgatado o martelo mágico do pai – se juntaram a Baldur, que surgiu brilhante junto ao irmão Hodur, vindos do reino dos mortos. Eles tinham se reconciliado após a trágica participação de Hodur na morte de Baldur e nenhuma mágoa ou amargura do passado permaneceu entre eles. Juntos com a jovem Sunna voltaram para as ruínas daquilo que tinha sido o seu reino divino – Asgard – e descobriram que *Gimli*, o palácio mais alto, tinha permanecido milagrosamente intacto no meio dos escombros, na planície de Idavoll. Lá eles se refugiaram e retomaram suas atribuições, continuando as tarefas dos seus pais; assim reconstruíram as moradas celestes e restabelecerem a ordem cósmica. Eles designaram novas habitações para os anões e gigantes, por não terem sido eles os responsáveis diretos por um fim de ciclo programado pelas Senhoras do Destino, desde o começo dos tempos. Os anões foram morar nas montanhas e colinas e os gigantes numa região com temperaturas mais amenas, pois o poder destrutivo do gelo tinha sido anulado.

Análise do mito

Como todos os mitos, Ragnarök pode ser analisado sob vários ângulos e compreendido em níveis diferentes. O enfoque principal, porém, será sempre o processo cíclico de destruição e reconstrução, de morte e renascimento, assim como também é a jornada da alma, que passa por etapas de finalização e recomposição, para assim alcançar novos patamares de evolução.

Alguns escritores fazem um paralelo entre o Ragnarök e o Apocalipse bíblico, sincretizando Baldur com Cristo, Loki com o Diabo e a corneta do deus Heimdall com a trombeta do anjo. Mesmo que tenha recebido adaptações e retoques cristãos – na transcrição ou tradução (pelos monges) do texto original –, não se pode afirmar que o Ragnarök seja um plágio cristão, pois as influências cristãs e as descrições apocalípticas (dos livros e as proferidas nos sermões após a conversão), não possuíam a base mítica e mágica das crenças pagãs nórdicas, que as precederam por séculos.

Além da existência de conceitos semelhantes sobre o fim do mundo em outras culturas e tradições – como a iraniana ou a celta –, o desenlace do Ragnarök representa o fim inevitável de um universo múltiplo, criado pela união de forças opostas e antagônicas: fogo/gelo, gigantes/deuses. Tanto nos poemas e sagas islandesas, quanto nos *Eddas*, no folclore dinamarquês e sueco, encontram-se crenças populares sobre o fim do mundo, como o navio feito das unhas dos mortos, os monstros que devoram o sol e a lua, a queda das estrelas, a destruição do mundo por um gigante que se libertou do cativeiro, a terra submersa no mar, entre outras semelhanças como as descritas no poema "Völuspa".

Outros povos antigos também temiam o fim do mundo e o melhor vaticínio é encontrado em um ensinamento dos druidas que diz: "A alma e o mundo são indestrutíveis, porém virá um dia em que o fogo e a água irão prevalecer".

A destruição pelo frio ou o calor intenso e a submersão da terra por inundações eram temas corriqueiros na vida da população da Islândia, onde geleiras, gêiseres, lagos de água quente e erupções vulcânicas faziam parte do cenário natural. A presença quase permanente do frio intenso, das chamas e das nuvens de fumaça, além das ondas gigantes invadindo as praias, eram lembranças reais das catástrofes naturais e habituais na Islândia. Às imagens reais foram acrescentadas, com o passar do tempo, a mitos e histórias, enriquecendo a compreensão e aceitação da verdade histórica e do substrato mitológico. Os mesmos elementos míticos que tinham criado o mundo – fogo e gelo – podiam se tornar agentes da sua destruição, que seria seguida de uma reconstrução. A descrição poética da emergência de um novo mundo, purificado de todos os males e regenerado para começar um novo ciclo, pode ser vista como uma mensagem de esperança e sabedoria, que expressava crenças pagãs pré-cristãs e revelava o desejo universal de renascimento da alma após a morte física.

Além das inscrições rúnicas pré-viking sobre pedras memoriais, encontradas em Skarpaler, na Suécia – citando a inevitável destruição do mundo –, existem pedras gravadas com cenas que evocam as descrições do Ragnarök, como as encontradas no norte da Inglaterra, em Gosforth, originárias do século X. Nas cenas gravadas, são vistos monstros amarrados, um guerreiro abrindo a boca de um monstro com a mão e o pé (assim como Vidar fez para estraçalhar o lobo Fenrir, que tinha matado Odin, seu pai), um homem tocando uma corneta, outro lutando com serpentes, dois grupos de guerreiros se enfrentando, entre outras semelhanças com as descritas no poema "Völuspa".

Acredita-se que, no século X, existisse um amplo acervo de lendas, informações míticas e folclóricas sobre o fim do mundo e o extermínio de deuses e seres humanos, que serviu como fonte de informação popular, pagã e pré-cristã para o "Völuspa".

Na Islândia algumas cavernas vulcânicas se chamam *Surtshellr* e havia várias histórias sobre Surt, um gigante dos vulcões que provocava sua erupção, jogando chamas e fumaça para o céu. A erupção do vulcão SkaptarYökul, em 1783, lembra a sequência de eventos descritos em "Völuspa": tremores de terra, a desaparição do sol debaixo de nuvens de fumaça e cinzas, as chamas derretendo as geleiras, que inundavam os campos, e as ondas do mar, subindo e cobrindo a terra. Essa catástrofe real era idêntica à descrição do poema, por isso é fácil compreender por que a elaboração do mito surgiu na Islândia, onde a interação de calor e frio, vida e morte era um elemento da realidade cotidiana. Mesmo que a destruição pelo fogo e pela água fizesse parte dos temores atávicos de vários povos, ela era mais presente nas regiões distantes do norte europeu, onde havia longos e gélidos invernos, mares tempestuosos, erupções vulcânicas ocasionais, e persistiram durante séculos as antigas lendas sobre o fim do mundo e o seu renascimento do mar.

Embora seja fácil observar e compreender a semelhança entre os fatores ambientais, as circunstâncias naturais e sua assimilação e adaptação no poema "Völuspa", permanecem alguns enigmas e fatos inexplicáveis na narração dos episódios relacionados à participação das divindades. São mencionados os atos heroicos e a morte dos principais deuses e a sobrevivência de alguns dos seus filhos. No entanto, apenas uma deusa – Sunna – é citada, a sua mãe tendo sido morta pelo lobo que a perseguia e a filha com o mesmo nome assumindo a missão materna no Novo Mundo. Nenhuma outra deusa, nem mesmo as Valquírias, são mencionadas na batalha final, nem nos eventos subsequentes a ela. Essa omissão é estranha e surpreendente, dando margem a diversas suposições e questionamentos sobre a ausência das grandes deusas como Frigga e Freyja, as regentes da terra – Erda ou Nerthus – e principalmente, as Senhoras do Destino, as Nornes, que tudo sabiam e teciam fatos e tempos na sua intrincada teia cósmica e telúrica. Essa lacuna torna-se inexplicável dada a riqueza de detalhes dos outros eventos narrados pela vidente.

Existe uma menção, no mito *Vafthrudhnismal* sobre a sobrevivência das divindades Vanir e a morte dos Aesir, que descreve a chegada de três grupos de mulheres sábias vindas do além-mar e tornando-se protetoras da terra. Talvez elas tenham sido as Nornes, as Disir e as Valquírias; no poema "Völuspa" menciona-se a chegada ao início do mundo de três mulheres gigantes, sábias e poderosas, cuja função era determinar o destino, englobando fatos positivos e destrutivos. Acredita-se que, além da possível omissão voluntária dos colecionadores e tradutores (monges cristãos) dos textos originais, estava implícita na visão da vidente a permanente existência das deusas, sendo elas expressões e manifestações do princípio divino feminino, responsável pela geração, nutrição e sustentação da vida.

A comprovação está na continuidade do planeta Terra, que, purificado pelo fogo, renasceu renovado do oceano, o ventre primordial gerador da vida. O casal que sobreviveu depois de se abrigar em uma gruta (útero da Mãe Terra) ou nos galhos de Yggdrasil (a Árvore do Mundo) se tornou responsável pela população da terra, sendo protegido e abençoado pelas forças celestes e telúricas em um novo ciclo. O fato mais importante e evidente é que nenhuma deusa provocou ou participou da guerra e da destruição do Ragnarök, pois se sabe que, desde sempre, as mulheres – por serem as que geram e protegem a vida dos filhos – relutavam em enviar seus filhos para serem mortos ou feridos nas guerras. Elas mesmas somente participavam das batalhas para defender a si próprias ou as suas famílias dos ataques, saques ou violências dos invasores.

Yggdrasil, a Árvore Cósmica

"Conheço um freixo chamado Yggdrasil,
uma árvore imensa em meio a bruma branca,
dela escorre o orvalho que cai nos vales.
Firme, mantém-se sempre verde
acima da sagrada fonte de Urdh."

"Völuspa" *Poetic Edda*

O conceito de uma "Árvore da Vida ou do Mundo", de um "Eixo, Coluna ou Pilar Cósmico", existia em diversas culturas e religiões antigas e era uma imagem mítica muito antiga, dominante na Europa e Ásia, encontrada nos mitos escandinavos, bálticos, germânicos, fino-úgricos e celtas. Nas tradições xamânicas de várias tribos siberianas (samoiedos, iacutos, tungues, tártaros, altaicos, mongóis), da Melanésia e do Pacífico, além dos outros povos (fino-úgricos, turcos, ibéricos, eslavos e celtas), é comum a representação de uma árvore que liga o céu, a terra e o mundo subterrâneo e que serve como uma escada ou ponte entre diversos mundos. Esses mundos ou planos sutis (dos deuses, seres sobrenaturais, ancestrais, espíritos e homens) podiam ser alcançados pelos xamãs em estado alterado de consciência ou pelos sensitivos em projeção ou desdobramento astral. A função da árvore era ligar o céu à terra, a águia celeste à serpente telúrica. Por ser uma imagem de "outro mundo" além do tempo e do espaço, não se podem definir os detalhes da localização exata, nem os termos racionais de direção e distância.

Os xamãs eram treinados para se "deslocar" em viagens astrais para outras realidades ou mundos, desdobramento descrito de forma metafórica como uma "subida" feita por degraus cortados no tronco, por uma escada ou ponte, levados por um pássaro totêmico ou aliado. Nessa jornada, eles podiam atravessar portais, perambular por vários mundos, ascender ao mundo divino ou descer até o reino dos mortos, seus ancestrais.

A "árvore" ou o "pilar" marcava o centro do universo e unia as diversas regiões cósmicas. Seus detalhes e suas características diferiam de uma cultura para outra, mas tinham como traços comuns os galhos que tocavam o céu, as raízes mergulhando no mundo subterrâneo, o tronco sustentando vários mundos e as folhagens ocultando figuras indefinidas. Essas figuras podiam ser almas à espera do renascimento, animais aliados ou ferozes (representando as forças contrárias que tentavam destruir a árvore) ou seres sobrenaturais. O número de galhos variava entre sete, nove ou treze e o dos mundos podia chegar até 33 ou 99 (múltiplos de números sagrados). Uma característica básica da Árvore do Mundo é o fato de sua vida ser destruída e renovada continuamente; por isso ela se tornou símbolo da constante e eterna regeneração do universo. Algumas tribos siberianas acreditavam que os deuses se alimentavam dos seus frutos e que as almas viviam entre os seus galhos e folhagens. Na tradição nórdica contava-se que nas folhas de Yggdrasil eram escritos os destinos dos homens pelas Nornes com runas, e embaixo dos seus galhos se reuniam os concílios dos deuses.

Yggdrasil era descrita como uma imensa árvore (freixo ou teixo) cujos galhos se estendiam sob a terra e alcançavam o céu. Seu tronco era sustentado por três raízes, uma chegando até o mundo dos deuses Aesir, outra até a morada dos gigantes de gelo e a terceira penetrando no reino dos mortos, regido pela deusa Hel. A visualização linear das três raízes é difícil, mas ela é metafórica, representando as três fontes de poder e origem de Yggdrasil: o mundo superior, mediano e subterrâneo. O topo da árvore, chamado *Lerad* (doador da paz) sombreava o salão de Odin, enquanto o restante dos galhos cobria os mundos.

No poema "Völuspa", a vidente (*völva* ou *vala*) enumera nove mundos intercalados no espaço, em vários níveis e separados por montanhas, desertos desolados pelo frio e a escuridão, rios, vales e pontes, a mais famosa sendo a do Arco-Íris, *Bifrost* ou *Asabru,* que ligava o céu e a terra e parecia uma estrutura metálica brilhando nos matizes do arco-íris. As outras pontes podiam ser frágeis e suspensas sobre abismos, finas como a lâmina da espada (que exigia um poder sobrenatural de quem tentasse atravessá-la) ou resistente como *Gjallarbru,* a "ponte do eco", que levava ao reino da deusa Hel.

Bifrost era constituída de fogo, água e ar e servia de passagem para as divindades que se deslocavam de Asgard (sua morada) para Midgard e os outros mundos, com exceção de Thor, proibido de atravessá-la para não provocar sua queda com seus passos pesados e seus gritos trovejantes. Bifrost – talvez originariamente a Via Láctea – era guardada pelo deus Heimdall, dono de uma espada resplandecente, dotado de visão e audição extraordinárias e cuja corneta iria anunciar o início do Ragnarök e a destruição da ponte pelos gigantes de fogo. Na ponte Bifrost havia um portal chamado *Helgrind* ou *Valgrind,* que separava o plano dos vivos do reino dos mortos e que se abria para a passagem dos xamãs nos seus deslocamentos, bem como para o retorno dos mortos que visitavam Midgard em datas específicas.

Sob cada uma das três raízes de Yggdrasil brotava uma nascente, com nomes e funções diferentes. A nascente de *Urdh* ou *Wyrd* nascia sob a raiz superior e pertencia às Nornes, as Senhoras do Destino. Diariamente elas tiravam água da fonte, molhavam as raízes da árvore e as cobriam em seguida com argila branca, para manter a umidade e conservar a vitalidade da árvore. As Nornes decidiam os destinos e os traçavam em runas sobre as folhas e os galhos de Yggdrasil ou as gravavam sobre os galhos. Ao redor da fonte de Urdh as divindades Aesir se reuniam todos os dias em busca de orientação, conselhos e presságios futuros conferidos pelas Nornes; lá também era a sede dos seus concílios, que visavam apaziguar conflitos ou disputas e resolver problemas.

Sob a segunda raiz de Yggdrasil nascia a fonte de Mimir, considerada a "fonte do conhecimento", repositório da sabedoria e da memória ancestrais. Nela o guardião Heimdall guardava sua corneta (ou um dos seus ouvidos) e era lá que se encontrava a cabeça decapitada do deus Mimir, preservada por Odin com ervas e encantamentos rúnicos e que o aconselhava em suas decisões e ações. Essa nascente guardava também as runas, que eram a própria essência da sabedoria e magia universal; foi ali que Odin sacrificou um olho para poder beber dela e alcançar esse conhecimento pela autoimolação. A fonte de Mimir fornecia informações e auxílio àqueles que dela bebiam, fossem eles deuses ou seres humanos devidamente preparados e com a consciência ampliada.

A terceira nascente – *Hvergelmir* – jorrava da raiz inferior de Yggdrasil e dela originavam-se 11 (ou 12) rios – *Elivagar* –, que se espalhavam sobre os campos de Midgard. Em seu espelho d'água nadava um casal de cisnes, cuja harmonia e integração simbolizam a união da polaridade feminina e masculina.

Em uma gruta, na proximidade da nascente, escondia-se o aterrorizador dragão *Nidhogg*, que roia incessantemente a raiz da árvore, ajudado nessa tarefa destruidora por inúmeras criaturas peçonhentas (serpentes, répteis ou dragões), a derrubada de Yggdrasil sendo o sinal para o fim dos deuses e a destruição dos mundos. As forças destrutivas visavam a exterminação da Árvore da Vida, na tentativa de impedir o nascimento de novos mundos e espécies, enquanto a fonte de Hvergelmir simbolizava o cerne dos processos de geração e a energia da expansão.

As três fontes podem ser vistas em conjunto como uma só fonte tripla – do *Wyrd* – e são responsáveis pelas forças da criação (*Hvergelmir*), definição da sua evolução (*Mimir*) e determinação do destino (*Urdh*), de acordo com as leis das Nornes. As fontes, as raízes e o mundo subterrâneo eram cobertos por uma extensa relva verdejante, que separava a árvore dos outros planos e níveis. O orvalho retido na relva alimentava enxames de abelhas, cujo mel servia para a preparação do hidromel pelos deuses.

Vários animais habitavam entre as folhagens e nos galhos de Yggdrasil, alguns deles citados também nos mitos de outras culturas como a iraniana, mesopotâmica, siberiana ou dos nativos da Indonésia (citados anteriormente). No topo da árvore ficava *Aar,* uma águia, que tudo enxergava e cujo bater de asas causava os ventos e em cuja testa se apoiava um falcão, que lhe servia de mensageiro. Existia uma inimizade perpétua entre a águia e o dragão Niddhog e um esquilo – *Ratatosk* –, que corria para cima e para baixo da árvore, levando mensagens, possivelmente hostis, tentando acirrar a disputa entre eles.

O combate entre uma serpente e uma águia é um fato natural e seu uso como símbolo é óbvio: a águia é um pássaro celeste e a serpente ou dragão, uma criatura terrestre, portanto são polos opostos. O esquilo representa o xamã, viajante entre os mundos que atua como intermediário entre o céu e a terra, assim como a própria árvore conecta essas dimensões, polarizadas como princípios e energias (masculina e feminina).

Entre as folhagens sempre verdes de Yggdrasil pastavam quatro cervos (*Dain, Dvalin, Duneyr* e *Durathor*), um bode e uma cabra, *Heidrun*, de cujas tetas escorria o hidromel. Enquanto o bode e os cervos devoravam as folhas e os galhos e roíam a casca da árvore – representando outra tentativa de destruição –, o leite da cabra era puro mel e dos seus chifres pingavam gotas de orvalho sobre o gramado ao redor, que iam alimentar as abelhas. Observamos novamente uma polaridade – destrutiva/nutriz, bode, cervos/cabra – que contribui para a manutenção do equilíbrio e assegura a sobrevivência da árvore. Representações dos monstros da escuridão – serpente, dragão – existem nas inscrições do Período das Migrações (na ilha de Gotland) e se tornaram predominantes no culto de Odin, substituindo a sua antiga simbologia ligada à cura e proteção dos mortos

O significado do nome de Yggdrasil é objeto de controvérsias. A interpretação mais comum é como "cavalo de Ygg", sendo *Ygg* usado como um dos nomes de Odin e uma referência à sua autoimolação. "Cavalgar a forca" era uma expressão familiar nas línguas arcaicas (norueguesa e inglesa) e equivalente a "morrer enforcado". Outros nomes de Yggdrasil eram: *Leradr* (abrigo), *Hoddmimir* (tesouro de Mimir), *Minameidr* (pilar de Mimir), nomes que reforçam o simbolismo de proteção, sustentação e nutrição da árvore.

Um dos aspectos mais importantes dessa árvore sagrada é sua capacidade de gerar e sustentar a vida, simbolizada pelo orvalho transformado em mel pelas abelhas e que servia para a preparação do hidromel, considerado pelos deuses o elixir da juventude e da sabedoria. Yggdrasil também era abrigo das almas à espera do seu renascimento, cujos destinos eram inscritos pelas Nornes nas suas folhas. Portanto, cada vez que uma folha caía, um homem morria. Esse simbolismo era muito importante nos sonhos iniciáticos e oraculares dos xamãs de diversas tribos da Ásia nórdica e central.

A imagem da Árvore do Mundo na mitologia nórdica é reminiscência da existência das antigas florestas seculares, apesar de não ser muito encontrada na arte viking. Existe, no entanto, uma impressionante pedra memorial de 500 d.C. sob o piso de uma igreja em Sanda, na ilha de Gotland, que representa um diagrama do cosmos, mesmo que não corresponda a uma realidade linear. Nela aparece um disco maior e dois menores cercados por serpentes, representando possivelmente o dia e a noite, a roda do sol e da lua. No centro há uma árvore e sob ela um tipo de dragão e um navio, talvez simbolizando a viagem dos mortos para o Além.

Na tradição saxã, o equivalente de Yggdrasil era o Pilar Cósmico (*Irminsul*), associado com o deus Irmin, cuja estátua foi destruída por Carlos Magno em 772. Irmin era equiparado com Odin e acreditava-se que ele possuía uma carruagem de bronze, cujo barulho era percebido pelos seres humanos como o ruído do trovão e com a qual percorria a Via Láctea, denominada pelos antigos germânicos de "caminho de Irmin". Outras fontes identificam Irmin com Heidall, Hermod e Tiwaz.

Na conversão para o cristianismo, a imagem da Árvore do Mundo nórdica foi substituída pela da cruz cristã; originariamente existia um simbolismo oculto da Árvore do Conhecimento do Jardim de Éden, que personificava a dualidade do bem e do mal, mas ela foi depois transformada em símbolo de sofrimento e dor, pela transgressão de Eva ao comer os seus frutos proibidos.

Os Nove Mundos de Yggdrasil

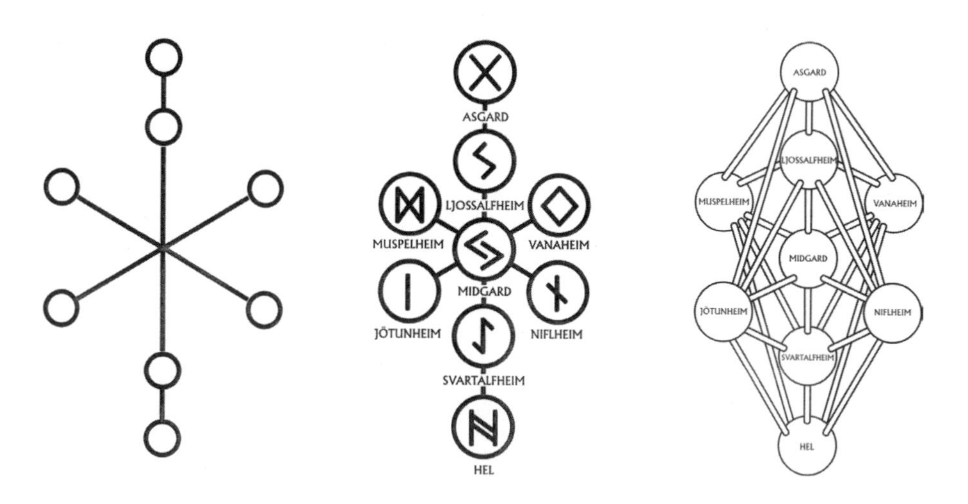

Yggdrasil, conforme Thorson, Edred (1987); Meadowns, Kenneth (1996); Thorson, Edred (1987).

O tronco de Yggdrasil sustenta e atravessa vários mundos, considerados parte da árvore, ou se estendendo para além dela em diversos níveis, porém permanecendo conectados entre si por caminhos e passagens. O mapa exato da localização dos Nove Mundos de Yggdrasil é bastante complexo e aparece com os mundos aparentemente sobrepostos, pois eles não são lineares, mas entrelaçados e sem estrutura geométrica definida.

No centro de Yggdrasil, para onde convergem todas as linhas de comunicação entre os planos, está *Midgard*, a Terra do Meio, o próprio planeta Terra, que une e funde o poder dos outros mundos, com os quais se conecta pelas raízes, galhos e o tronco de Yggdrasil. Midgard é cercado por um mar em cujas profundezas habita a temível Serpente do Mundo, *Midgardsomr,* enroscada ao redor de si mesma e mordendo a própria cauda.

Midgard é o mundo da realidade física e material, das experiências emocionais e sensoriais, do desenvolvimento intelectual e do aprimoramento espiritual. É condicionado pelos fatores do tempo e do espaço, as forças do bem e do mal sendo iguais em intensidade; cada ação, a consequência de uma escolha ou decisão. Midgard resultou da interação entre o fogo de Muspelheim e o gelo de Nifelheim, mas seus aspectos negativos – raiva, violência, cobiça, maldade, estagnação – o aproximam de Jötunheim. É localizado acima da raiz terrestre de Yggdrasil, embaixo da qual nasce a fonte de Mimir, sendo a morada da humanidade e visitada através da ponte Bifrost pelas divindades e seres sobrenaturais de outras dimensões. Seu elemento é a terra, suas cores, tons de marrom e verde, seu simbolismo é a mudança e o movimento da Roda do Ano. Midgard é regido pelas divindades da terra que fornecem o desenvolvimento do ser e sua evolução espiritual.

Acima de Midgard, no eixo vertical, encontra-se *Ljossalfheim*, a morada dos elfos claros e a dimensão mental. Os elfos claros têm uma estrutura etérea sutil, que os torna invisíveis aos seres humanos, com exceção dos sensitivos, videntes e xamãs. Ljossalfheim é o reino da imaginação, criatividade e expansão mental, onde os pensamentos conscientes podem se transformar em atos positivos. É regido pela deusa solar Sunna e pelo Frey, o deus da fertilidade, seu guardião sendo *Delling*, o elfo da aurora, consorte de Nott, a deusa da noite e pai de Dag, o dia. Suas cores são amarelo, azul e verde claro; seus elementos, o ar e a luz solar. Ljossalfheim representa a iluminação da mente e a hiperconsciência, que se estende para além do tempo e espaço. Por seu intermédio é feito o intercâmbio entre as frequências humanas mais elevadas e as vibrações mais acessíveis das divindades.

Oposto a ele e abaixo de Midgard, no interior da terra, encontra-se *Svartalfheim,* o reino dos elfos escuros e dos anões. É o plano de modelação e transmutação da matéria bruta telúrica em materiais mais refinados, como metais, cristais e pedras preciosas. Os elfos escuros temem a luz solar, que pode petrificá-los, e por isso vivem em grutas, rochedos e florestas. Tanto eles quanto os anões habitam em comunidades solidárias e unidas contra a aproximação humana. Esses seres representam a inteligência primária que plasma aquilo que será manifestado depois em Midgard. Seus elementos são: terra, metais e cristais, pedras preciosas e as cores a eles correspondentes. O guardião é o anão *Modsognir,* e Svartalfheim pode ser equiparado ao aspecto subconsciente da psique, colocado a serviço do Eu consciente.

Na base de Yggdrasil, em seu nível mais profundo, conhecido como o Mundo Subterrâneo, existe o reino da deusa *Hel* ou *Nifelhel*, a morada dos mortos (daqueles que não morreram nos campos de batalha, mas de doenças e velhice). *Hel* é um plano de silêncio, repouso e espera do renascimento, considerado o portal para a regeneração e recriação da vida após a morte. *Hel* está em oposição exata a Asgard e pode ser alcançado através da ponte *Gjallarbru* "a ponte do eco", que passa por cima do escuro e caudaloso rio *Gjoll* e é guardada pela auxiliar de Hel, *Mordgud*. Enquanto Bifrost é uma ponte estreita e flamejante, Gjallarbru é larga e escura e tem um portal – *Helgrind* ou *Valgrind* – que é aberto para os mortos que vão visitar Midgard, mas permanece fechado para os vivos que querem ir até *Hel*.

No nível psicológico, *Hel* simboliza o inconsciente, a sede dos impulsos e dos instintos atávicos, dos aspectos sombrios e ocultos do ser. Ele tem a natureza dupla da própria deusa, cuja metade é uma linda e jovem mulher, enquanto a outra metade, é uma velha (ou uma caveira), sendo a personificação dos dois portais: da morte (o túmulo) e da vida (o útero), as portas de saída e entrada do espírito no mundo material. Seus elementos são granizo, o frio, a escuridão; suas cores, marrom, cinza, preto.

No topo do eixo vertical de Yggdrasil situa-se *Asgard*, o reino celeste, a moradia das divindades, regido por Odin e Frigga. Sinônimo do céu, plano divino ou mundo superior, *Asgard* representa a evolução da consciência, o eu superior, o crescimento espiritual, que pode ser alcançado apenas por um esforço consciente e persistente, com determinação, fé e a ajuda de um guia espiritual, de uma Disir (ancestral) ou Valquíria. Asgard corresponde à raiz superior de Yggdrasil (que abriga a fonte de Urdh), situada no centro e acima de Midgard, oposta a Hel. Seu elemento é o éter, suas cores, ouro, prata, branco; seu guardião, o deus Heimdall, que permite ou proíbe a passagem pela ponte Bifrost. O mundo de Asgard é dividido em 12 reinos constituindo as moradas dos deuses Thor, Ullr, Odin, Frigga, Skadhi, Baldur, Heimdall, Freyja, Forsetti, Njordh e Vidar, além da fortaleza de Valhalla (maiores detalhes nos respectivos verbetes das divindades).

Os outros quatro mundos estão situados em eixos horizontais, na diagonal sobre o tronco e interligados por caminhos entrelaçados conforme mostrado na figura.

Na direção Norte, acima da raiz subterrânea (a mais profunda) está situado *Niflheim* (não confundir com *Nifelhel*), um mundo frio, escuro e coberto de névoa, que participou junto com Muspelheim da criação de Midgard, do vazio primordial de Ginungagap; é dali que sai no Ragnarök o navio dos mortos, Naglfari, conduzido por Loki. Niflheim é um mundo de ilusão, um estado indefinido entre o real e o irreal, o tangível e o intangível, o espaço vazio da mente e do corpo. Os seus elementos são: gelo, névoa e água; as cores, cinza e preto; seu guardião é o dragão Nidhogg (que rói as raízes de Yggdrasil).

Para o sul, na diagonal em relação ao eixo de Yggdrasil, encontra-se *Muspelheim*, o reino do fogo, polo oposto e complementar de Niflheim, cocriador de Midgard. Sua energia é expansiva, intensa, luminosa, mas em excesso torna-se explosiva e calcinante. Muspelheim é o habitat dos gigantes do fogo, *Muspilli*, possuidores de um imenso potencial transformador ou destruidor, que irão iniciar a destruição dos mundos no Ragnarök conduzidos por Surt, o guardião da espada flamejante. Seu elemento é o fogo; as cores, vermelho e laranja; o regente, o gigante Surt.

Na direção Leste, acima da fonte de Mimir e de Midgard, mas situado na diagonal, localiza-se *Jötunheim* ou *Etin-Home*, a morada dos *Jötnar*, *Etin* ou *Thursar*, os gigantes de gelo e inimigos dos deuses Aesír. Esse é um mundo estagnado, desprovido de crescimento mental e espiritual, em que prevalece a desmotivação que leva à acomodação e inércia, impedindo o desenvolvimento dos recursos existentes em cada ser e a expansão da consciência. Os elementos são: gelo, rochas, vento; as cores, cinza e vermelho escuro; o regente é o gigante Thrym.

Diferentes dos gigantes ocupados apenas com roubos, intrigas e guerras, as gigantas ultrapassam os bloqueios e as limitações e evoluem espiritualmente, algumas delas recebendo o *status* de "deusas" pelos seus dons ou por se casarem com deuses.

No lado oposto de Jötunheim, na direção Oeste e também conectado com Midgard, situa-se *Vanaheim*, a morada das divindades Vanir, regentes da fertilidade, sexualidade e plenitude. Esse mundo é a sede das forças modeladoras dos processos orgânicos, das qualidades de prosperidade, paz e potencial mágico.

Os seus elementos são terra e água; as cores, verde, azul-escuro e vermelho dourado; seus regentes, Frey e Freyja.

Os Nove Mundos de Yggdrasil existem como realidades subjetivas e objetivas, exploradas ou ocultas, no nosso universo interior. Yggdrasil pode ser vista como uma metáfora de todos os aspectos da vida, dos ciclos e fases da existência, dos mistérios espirituais e das fontes ancestrais de sabedoria.

Depende da nossa postura e do nosso empenho no caminho espiritual escolhermos uma dessas opções: permanecermos apenas no mundo material de Midgard, ficarmos bloqueados pela estagnação de Jötunheim, mergulharmos nas sombras de Hel ou nos elevarmos às riquezas de Asgard. Os caminhos existem, precisamos encontrar os portais, passarmos pelos testes para receber a permissão de abri-los, oferecendo em troca a nossa transformação e dedicação para ampliarmos nossa percepção, visão e consciência.

O mito do Ragnarök pode ser analisado e compreendido em vários níveis. Para o buscador ou iniciado, ele descreve a jornada cíclica da alma, com as suas fases de destruição e regeneração, etapas inerentes e necessárias para maior expansão e evolução. A possibilidade de melhoramento em cada ciclo depende das forças envolvidas no conflito, da determinação e do esforço permanente para garantir a transmutação e renovação, aceitando-se a morte do "velho" e o nascimento do "novo" (como um estado de consciência, estágio de evolução ou fase da vida).

Capítulo 3

O PANTEÃO NÓRDICO

"Os povos germânicos não confinam seus deuses dentro de paredes, nem os representam com traços humanos. Seus locais sagrados são as florestas e os campos, sua presença sutil sendo percebida apenas pelos olhos da reverência, que define assim seus nomes e qualidades".

Tácito, *Germania* 9

Os comentários de Tácito no século I d.C. surgiram das suas observações sobre os poderes divinos cultuados pelos povos germânicos, que, diferentemente dos romanos, não tinham templos elaborados, nem representações materiais das divindades, que adquiriram formas humanas somente sob a influência da cultura e da mitologia romanas. As suas histórias e mitos descreviam qualidades, defeitos e atitudes inerentes à natureza dos seres humanos e que os aproximavam dos povos que os cultuavam. Seus locais de culto eram simples e formados por lugares naturais cercados com estacas ou pedras, suas construções e estátuas eram toscas, feitas de madeira ou entalhadas em pedra. As divindades nórdicas eram associadas com as forças da natureza, os fenômenos celestes e telúricos e se comportavam ora de forma benévola, ora destrutiva, sendo imprevisíveis ou acessíveis, outorgando dádivas, mas também impondo testes e desafios que colocavam à prova a lealdade e coragem dos seus adoradores. As suas múltiplas manifestações podem ser compreendidas como vórtices energéticos existentes em uma cultura e, também, nas pessoas que a ela pertencem e a qual são ligadas por laços ancestrais ou espirituais.

É importante lembrar que os tradutores cristãos realçaram os traços menos nobres dos deuses pagãos, dando-lhes conotações de corrupção, estupidez, ganância e lascívia. Episódios cômicos foram exagerados em caricaturas ridículas e os conflitos descritos com ênfase na violência.

Sabe-se que muitas lendas e histórias originais foram perdidas e que certas narrativas dos poemas e textos pré-cristãos são obscuras e confusas, o que dificultou a sua tradução. Nem todos os poemas dos *Eddas* são lineares, alguns reproduzem diálogos, como em "Gylfaginung", em que o rei Gangleri usou um disfarce para viajar até Asgard para receber informações, que lhe foram dadas por três seres enigmáticos chamados: "*O altíssimo, o do meio e o terceiro*".

As diferenças e variações entre as versões devem-se também às fontes traduzidas ou transcritas, algumas mais antigas e incompletas, outras mais recentes e recontando as lendas originais. A coleção mais completa feita por Snorri Sturluson é contida nas suas obras (*Prose Edda*, *Ynglinga Saga*), enquanto outras histórias são descritas apenas por Saxo Gramaticus (em *Gesta Danorum*), que teve acesso a fontes dinamarquesas. Sturluson visava instruir os jovens poetas, colocando a seu alcance as fontes com a métrica e linguagem original. Diferente dele, Saxo era um convicto cristão, imbuído de preconceitos que o levaram a omitir ou distorcer episódios por ele considerados "nocivos para a alma cristã", devido à sua licenciosidade e imoralidade.

Levando em conta todas essas considerações e limitações do contexto e da linguagem, precisamos compreender os mitos como elementos que fazem parte de um panorama cósmico, em que deuses, gigantes, seres e animais sobrenaturais desempenhavam papéis diversos e eram integrados em um cenário geográfico e climático específico.

A diversidade e a multiplicidade dos nomes dos personagens e lugares (moradas de divindades, seus atributos, rios, pontes, seres sobrenaturais) são atribuídas às modificações dos mitos originais, contados a viva voz ao longo dos tempos por xamãs, poetas e videntes, nos encontros comunitários, e que receberam depois acréscimos na sua transcrição.

Nos séculos XII e XIII, alguns escritores tentaram entrelaçar temas isolados dos textos originais para criar um conjunto unitário e mais coerente. Essa iniciativa louvável na aparência levou a uma sobreposição de descrições, às vezes contraditórias e confusas, causando novas controvérsias e dúvidas. O próprio Sturluson deu uma interpretação pessoal à origem das divindades (no prefácio de *Prose Edda*), sugerindo que elas vieram de Troia, conectando assim o norte europeu à mitologia grega. No decorrer da narrativa, porém, ele atribui as informações aos três seres misteriosos acima citados (em "Gylfaginung"), que descreveram toda a criação do mundo, os nomes e atributos dos deuses e suas moradas. O estratagema usado por Sturluson permitiu-lhe se isentar da responsabilidade pelas suas afirmações ao apresentar um material pagão, mas que não era de sua autoria e provinha de textos antigos.

Apesar de certas discrepâncias nas transcrições e nas diversas controvérsias acadêmicas em relação à autenticidade das fontes, o vasto e complexo panorama nórdico nos oferece um rico material mítico e simbólico, permeado pela sabedoria ancestral e colorido com descrições de aventuras e façanhas de deuses, gigantes e heróis.

Precisamos lembrar que a estrutura dos mitos pertence aos povos do noroeste europeu, que foram influenciados pelo contato com povos vizinhos e preservaram elementos das práticas e costumes nativos. Por viverem em constante turbulência e movimento, a sua vida se refletiu nos conceitos míticos e no imaginário religioso. O padrão predominante é das guerras, amenizado pela atuação de seres e eventos benéficos, entremeados com festas, alegria e cenas de amor. Enquanto a influência cristã eliminou ou distorceu episódios dos textos originais, os contadores de histórias e os poetas usaram os temas e lendas dos seus ancestrais em novas apresentações, mantendo assim vivo o antigo acervo de tradições e costumes.

Mesmo com a interferência contínua da Igreja cristã, condenando superstições e reminiscências pagãs, as histórias e lendas sobre seres sobrenaturais continuaram entretendo a imaginação de leitores até séculos depois da conversão. A sabedoria e a força numinosa da religião nórdica correspondem às aspirações e necessidades espirituais de homens e mulheres durante milênios, mantendo unidas as comunidades que cultuavam as mesmas divindades e fortalecendo-as na luta pela sobrevivência.

Abstraindo-nos das dificuldades representadas pela grafia e a diversidade dos nomes inusitados, poderemos mergulhar no vasto e multifacetado universo nórdico com a certeza das recompensas intelectuais e espirituais que iremos encontrar, por mais árdua que seja a nossa caminhada.

ARQUÉTIPOS DA MITOLOGIA NÓRDICA

O mundo sobrenatural nórdico era regido por várias forças e seres com poderes e características variadas, cujas manifestações e atributos foram determinados pelo clima, o habitat e o conceito dos mundos interligados, mesmo alguns sendo antagônicos e estando submetidos às inexoráveis leis do destino. Do panteão nórdico faziam parte as divindades (Ases e Vanes), os seres sobrenaturais (gigantes, elfos, anões), os espíritos guardiões (da natureza, das pessoas, das moradias) e os ancestrais.

DIVINDADES

Na tradição nórdica, as divindades eram consideradas personificações da inteligência sutil existente nas forças e fenômenos da natureza, bem como nos processos universais de criação, manifestação, desintegração e renovação. Para que a expressão dessas forças invisíveis pudesse ser compreendida pelos homens, foram-lhes atribuídas personalidades e comportamentos semelhantes aos dos seres humanos. Dessa maneira, as divindades se tornaram reais e tangíveis, o que possibilitou uma conexão mais fácil com os homens.

Os dons que os deuses conferiram ao primeiro casal humano no início da criação (vide "O mito da criação"), representam os elos que nos unem a eles. Graças a essa ligação, podemos considerar os deuses e as deusas como nossos ancestrais divinos, cuja existência está impressa na psique coletiva ou individual e que é fortalecida e mantida pela energia psíquica e mágica de rituais, invocações e orações. Os antigos povos nórdicos viam os deuses como pais, mães, avós, irmãos, amigos, companheiros, conselheiros ou mestres a quem podiam apelar ou recorrer em casos de necessidade. Cada uma das divindades personificava atributos, qualidades, defeitos e características facilmente compreendidos e aceitos pelos seres humanos. Seus nomes e manifestações eram múltiplos, diferentes grupos tribais tinham protetores específicos e as experiências religiosas eram infinitas. A humanidade percebia a conexão e a ajuda conferida pelas divindades como resultado de seus próprios aprendizados e práticas religiosas, de acordo com a ação do *wyrd* individual.

Os arquétipos divinos da tradição nórdica – escandinava e teutônica – refletem as qualidades, os atributos e os valores específicos e essenciais para os povos dos países onde se originaram. Os mitos revelam não somente a exuberância dos relatos épicos, a forma metafórica dos poemas, mas também a árdua e permanente luta do homem contra as forças hostis da natureza, o respeito temeroso pelos poderes cósmicos e o empenho em viver e agir em concordância com os ciclos naturais. Em decorrência de condições climáticas e geográficas desafiadoras, as fronteiras entre a vida e a morte, a luz e a escuridão, a paz e a guerra eram extremamente frágeis e mutáveis, o que requeria, acima de tudo e sempre, a ajuda e a proteção dos deuses e dos seres sobrenaturais. Para canalizar essas forças e atender aos pedidos na medida da necessidade e do merecimento dos suplicantes, eram realizados rituais e cerimônias específicos, além de práticas individuais para o aprimoramento dos dons extrassensoriais e o fortalecimento físico, mental, moral e espiritual.

Para tornar o amplo e complexo panteão nórdico mais acessível aos leitores, serão descritos a seguir os arquétipos de deuses e deusas, suas características, atributos e mitos.

Os deuses eram descritos como fazendo parte de uma mesma comunidade. Não existem indicações sobre o culto arcaico de uma divindade suprema, mas apenas o termo *Regin*, que se referia aos deuses principais que atuavam na vida dos seres humanos. O conceito sobre a existência de uma "companhia divina" existia nas tribos germânicas desde o Período das Migrações, tendo sido mencionado por Tácito e Júlio César.

No Período Viking, os deuses eram reverenciados nas festas religiosas em grupo e também invocados dessa maneira em casos de traição, quebra de juramentos e derrotas, devido aos seus poderes de amarrar ou unir (*hopt* e *bond*). Esses poderes eram associados às leis básicas criadas por eles, mas dependiam dos desígnios do destino, dos quais todos os seres, até mesmo os deuses, eram submetidos. A ajuda e a proteção divinas eram invocadas nos festivais religiosos por meio de rituais, sacrifícios e a comunhão com os poderes sobrenaturais. Os cultos visavam "colaborar" com os deuses para manter a ordem cósmica, evitando a destruição e o caos e assegurando assim a sobrevivência humana. Os povos nórdicos tinham plena consciência das permanentes atuações e ataques dos "gigantes" (as forças naturais causadoras de cataclismos e desequilíbrios climáticos) e realizavam ritos regulares para contribuir com a manutenção do equilíbrio do seu habitat. Métodos divinatórios eram usados para se saber os desígnios divinos e prever eventos futuros, bem como para aconselhar e proteger os indivíduos.

Mesmo considerados uma coletividade, os deuses eram conhecidos e reverenciados por suas características e atributos pessoais. Além dos deuses regentes dos diversos interesses da comunidade, existiam protetores sobrenaturais cultuados separadamente por famílias e classes sociais, além dos guardiões individuais e dos *Land-vaettir*, os espíritos associados com determinados locais e elementos da natureza (rochedos, montanhas, florestas, fontes, lagos, grutas). Isso resultou em uma diversidade de arquétipos sobrenaturais, cultuados com oferendas, sacrifícios, rituais e celebrações, de acordo com a região e a estação do ano.

Representações dos seres divinos e cenas dos seus mitos foram encontradas gravadas em pedras funerárias e memoriais do período pré-cristão. Supõe-se que cenas míticas também foram esculpidas em madeira e usadas para decorar altares e salões de reis e nobres, mas elas não resistiram à ação do tempo. Após a cristianização era comum a associação nos monumentos de símbolos cristãos (cruzes, figura de Jesus) com cenas pagãs como as do Ragnarök, encontradas em algumas pedras rúnicas. Amuletos com o martelo de Thor continuaram a ser usados até os séculos X-XII, substituídos depois pelos crucifixos ou usados em conjunto.

Um conceito que prevalecia nas descrições do plano sobrenatural era a importância da vida dos seres humanos, condição essencial para a sobrevivência em um mundo perigoso e cheio de imprevistos. Nas guerras, caçadas, expedições, assentamentos e cultivo de novas terras, apenas o homem "com sorte" podia vencer ou se adaptar ao mundo natural, contando com a ajuda dos poderes que o regiam. Se ele fosse protegido pelos espíritos da terra, iria prosperar como fazendeiro; se fosse apoiado pelas divindades da guerra, iria se tornar famoso e vencedor nas permanentes demandas. Auxiliado pelos deuses da inspiração, ele podia usar as palavras para convencer e influenciar os outros, tornar-se conhecido como poeta ou contador de histórias. Os homens permanentemente expostos aos perigos e desafios físicos precisavam ter sorte e, para isso, recorriam aos rituais, aos amuletos e às oferendas para obter a proteção divina. Apenas as habilidades e o domínio da sua profissão não eram suficientes para proteger um homem se ele fosse azarento ou desprovido de boa sorte. Um dos argumentos usado pelos padres cristãos na conversão dos nórdicos era que "o culto de Jesus garantia mais sorte do que os antigos deuses pagãos".

As dádivas divinas não se restringiam apenas à proteção, vitória nas guerras ou fartura das colheitas, elas incluíam os dons da inspiração, sabedoria, magia e profecia. Os guardiões da tradição ancestral eram os poetas e contadores de histórias; conheciam-se mais narradores e videntes famosos do que uma classe sacerdotal organizada ou sacerdotes devidamente preparados. Geralmente era o rei ou o chefe do clã que agia como intermediário entre as pessoas e os deuses nos encontros festivos, em determinadas datas fixas ao longo do ano. Essas celebrações variavam em função da região, mas as mais importantes eram as que marcavam o início do novo ano, conhecidas como as Noites de Inverno e que duravam vários dias (semelhante ao *Samhain* celta). Pelo fato de dividirem o ano em duas metades, começando com o inverno, a outra data mais significativa era o começo do verão, no final de abril, marcada por ritos de fertilidade.

Snorri Sturluson se refere a três festas importantes acompanhadas de sacrifícios: uma no começo do inverno, quando se faziam as oferendas para assegurar a sobrevivência; outra no meio do inverno, invocando a sorte nos plantios e a fartura das colheitas; e uma no verão, para garantir vitórias nas guerras e expedições. Era no início do verão que os vikings saíam nas suas campanhas, assim como os mercadores começavam suas viagens comerciais. O elemento essencial nessas ocasiões era a festa e a refeição comunitária partilhada com os deuses, com brindes feitos com hidromel oferecidos em chifres de auroques. Segundo o texto, eram feitos três brindes: um a Odin, pedindo poder e vitória; o segundo a Njord e Frey, para fartura e paz; e o último reverenciava os ancestrais mortos. Os deuses eram saudados em conjunto e os alimentos, escolhidos entre os animais consagrados aos deuses: javali, touro e cavalo, todos eles animais corajosos para juramentos e leitura de presságios (pelos seus movimentos na hora da morte). É evidente que as nações guerreiras buscavam o apoio e a proteção dos seus deuses e para isso faziam sacrifícios humanos, conforme relatado no capítulo I.

A classificação mais simples das divindades nórdicas as divide em duas categorias: os regentes do céu, da guerra e de defesa (*Aesir* ou *Ases*) e os guardiões da terra, do mar e do mundo natural (*Vanir* ou *Vanes*).

Os primeiros preservavam a ordem cósmica, ordenavam o movimento do sol, da lua e a passagem do tempo. Eram associados com o céu, o vento, o trovão, os raios, o fogo, a guerra, a caça e a conquista; eles transmitiam aos homens conhecimentos, dons criativos e mágicos e ampliavam sua consciência. Presidiam as leis, orientavam por meio de oráculos e sinais a escolha dos governantes e chefes, testemunhavam os compromissos e juramentos e puniam os transgressores e perjuros.

Os segundos regiam a terra, a água, a família e poderes orgânicos da natureza como a fertilidade e a abundância, a proteção e a nutrição de todos os seres. Sendo mais próximos da humanidade e mais benévolos, eram responsáveis pelo dom da vida e sua preservação; como regentes da terra, o seu culto incluía a reverência aos ancestrais e sua prioridade era a manutenção da paz.

Os *Ases* eram de origem indo-europeia com alguns acréscimos de outras culturas, principalmente de elementos xamânicos das tribos siberianas. Os *Vanes* eram envoltos em mistério, e supõe-se que fossem oriundos dos cultos nativos das tribos que habitavam o norte europeu, antes da chegada dos conquistadores vindos do leste. Seus poderes foram se mesclando com o passar do tempo, formando uma comunidade divina com dois polos energéticos, que definiam a natureza das experiências humanas. Alguns escritores e estudiosos adotaram o modelo da estrutura tríplice – de proveniência indo-europeia – proposto por George Dumézil e usado também na descrição das funções e classes sociais da antiga sociedade nórdica, encontrado na mitologia hindu e celta.

A primeira função (da soberania, autoridade e sabedoria) pertencia aos líderes, juízes e sacerdotes, representando o controle do poder mágico e religioso e o estabelecimento das leis. A segunda função (da força física, coragem e da luta) era expressa pelos guerreiros, enquanto a terceira (da fertilidade, sustentação e proteção) pertencia aos camponeses e artesãos, protegidos por inúmeras divindades masculinas e femininas.

No poema "Rigsthula" dos *Eddas*, as três classes sociais são definidas como *earls* (combinando a função dos reis e guerreiros), *carls* (produtores e trabalhadores agrícolas) e *thralls* (escravos e serviçais). Essas mesmas forças podem ser reconhecidas no nível individual, porém integradas, tendo apenas um dos aspectos como característica principal (soberania/magia, guerreiro, trabalhador/artesão) que orientava a sua vida.

A maior dificuldade em aplicar o sistema de Dumézil ao sistema de crenças nórdicas é a complicação que surge ao se tentar enquadrar os principais deuses em uma só categoria. Por terem vários aspectos e atributos, não é possível separar suas funções, como aconteceu com as divindades greco-romanas. Uma grave falha no conceito descrito é a inclusão de todas as deusas na terceira categoria, sabendo-se da multiplicidade das suas atuações, que abrangem todas as três classes.

Uma modificação desse sistema é a adição de uma nova categoria proposta por Lyle (no livro *Archaic Cosmos: Polarity, Space and Time,* citado por Hilda Davidson) e que seria presidida pela deusa como regente do povo e não apenas de uma classe social. A importância da deusa nas antigas religiões foi colocada em evidência nos trabalhos de Marija Gimbutas sobre a Europa antiga. Ela considerava os indo-europeus como sendo dominados pelos deuses guerreiros, enquanto os cultos nativos reverenciavam a deusa, como senhora da vida e da morte.

Pessoalmente não sou adepta de enquadramentos fixos e hierárquicos, pois tanto as divindades, quanto as divisões sociais, podem abranger, entremear e participar de várias funções. Porém, a título informativo, cito a sugestão do autor Kveldulf Gundarsson em *Teutonic Religion,* que divide apenas os atributos, sem enquadrar divindades e classes sociais, integrando sem hierarquizar.

1. Liderança, julgamento, sabedoria, magia, artes.
2. Força, combate, proteção, defesa.
3. Paz, fertilidade, prosperidade, segurança e bem-estar material, familiar e grupal.

Citando o mesmo autor, os três grupos de funções podem ser associados aos ciclos das estações e aos arquétipos sobrenaturais. Os deuses Aesir seriam modeladores e detentores do poder, responsáveis pela criação; os deuses Vanir, encarregados da preservação, nutrição e proteção; enquanto os gigantes provocariam a destruição pelo uso negativo dos seus poderes de expansão e contração (fogo e gelo).

Essas três forças interagem continuamente à medida que o cosmos evolui e a maior parte das divindades possui os três aspectos, enquanto alguns gigantes ajudavam e se associavam com as divindades. A divisão didática mais comum é considerar as divindades Aesir (ou Ases) correspondendo às Idades do Bronze e Ferro, ao período Neolítico (os Vanes) e à Idade da Pedra (os gigantes).

Segundo Sturluson, os deuses Aesir moravam em Asgard e estavam relacionados entre si por laços familiares, aventuras, conselhos e festividades, sendo Odin o líder e o pai da maioria. Existem relatos sobre uma guerra antiga entre os Ases e Vanes, sem ser explicada a sua causa, iniciada por Odin ao arremessar sua lança e atacar as terras dos Vanes. A guerra se prolongou por muito tempo sem nenhum dos grupos vencer ou se render, até que cansados de tanto lutar os deuses fizeram um armistício e trocaram reféns. Os Vanir enviaram o deus Njord e seus filhos Frey e Freyja, enquanto os Aesir cederam dois deuses enigmáticos: o belo e silencioso Hoenir e Mimir, que era sábio, mas não partilhava seus conhecimentos e opiniões. Insatisfeitos com a troca, os Vanir decapitaram Mimir e depois enviaram sua cabeça para Asgard, onde Odin a preservou com ervas e encantamentos rúnicos, consultando-a para divinações e orientações nas suas decisões e em situações de perigo.

O armistício tinha sido selado com um método comum entre os povos antigos: todos os deuses cuspiram em uma vasilha e da saliva conjunta, após fermentação, resultou um ser sábio e gigante chamado Kvasir. Porém, ele foi morto por dois anões, que prepararam do seu sangue misturado com ervas e mel o elixir da inspiração (*Odhroerir,* descrito no verbete de Odin). Kvasir personificava o poder extático da inspiração (*Kvas* significava bebida fermentada), enquanto Mimir era considerado um gigante guardião da fonte da sabedoria, localizada sob a Árvore do Mundo, em que Odin ofereceu como sacrifício um dos seus olhos para adquirir em troca a sabedoria.

O significado oculto da guerra pode ser o reconhecimento da competição e a incompatibilidade entre os dois cultos: dos indo-europeus (que chegaram à Escandinávia nos primeiros séculos d.C.) e o autóctone, dos habitantes nativos. A integração das duas tradições é representada pelo envio dos deuses Njord, Frey e possivelmente Freyja para Asgard, a permanência dos outros Vanes em *Vanaheim* e o fato de os outros seres, ligados aos poderes da terra e do mar, se retraírem para os mundos inferiores. O conflito mostra o empenho de uma nova religião para substituir crenças e valores antigos e a sua fusão posterior, eliminando mitos, adaptando conceitos e símbolos para uma complementação que beneficiasse a humanidade. O mito da Primeira Guerra (no nível cósmico e arquetípico) personifica a estrutura bipolar presente na mitologia indo-europeia; as polaridades são opostas, mas não representam termos absolutos (bem/mal) e por isso, foram integradas pelo "armistício".

Após o pacto firmando a paz entre Ases e Vanes, conflitos posteriores revelam o antagonismo primordial entre deuses e gigantes, fomentado pela ambivalência e as trapaças de Loki. Geralmente os deuses vencem, às vezes até mesmo auxiliados pelo próprio Loki, mas ocasionalmente sofrem perdas como no caso de Tyr (cuja mão foi esfacelada pelo lobo Fenrir), da morte de Kvasir e de diversos acidentes nas expedições dos deuses para o reino dos gigantes, que culminaram com a morte de Baldur, causada pela maldade de Loki. Paralelamente ao antagonismo, porém, são descritos episódios de parceria, amor e união entre deuses e gigantas, deuses, anões e seres humanos, entremeando cenas de humor, paixão, traição e violência.

Diferente de todas as divindades – Aesir ou Vanir – é a misteriosa figura de Loki, descrito ora como deus, ora como gigante e aparecendo em inúmeros mitos como um trapaceiro, com o dom da metamorfose (podendo trocar de sexo e forma), ocasionando confusão ou prestando auxílio, sem ser totalmente bom ou mau. Ao mesmo tempo roubando os tesouros dos deuses e ajudando depois na sua recuperação, ele cria situações embaraçosas e desleais. Ao ofender os deuses e revelar seus segredos, ele atua às vezes como catalisador de acontecimentos e desenlaces, influenciando atitudes e comportamentos de deuses e gigantes. Não existem registros sobre algum culto ou celebração a ele direcionados, apesar de certos seguidores atuais de Asatrú se declararem seus devotos ou sacerdotes.

Quanto às divindades Aesir, Sturluson menciona que 12 moravam em Asgard, além do casal Odin e Freyja, que atuavam de forma preponderante nas atividades e eventos divinos. Existiam muitas outras divindades ditas menores, com atributos e mitos específicos, mas que, por não terem cultos organizados, foram caindo aos poucos no esquecimento ou tendo suas características incluídas na descrição das funções e aspectos das divindades principais.

No caso das deusas, elas são apresentadas de várias formas nos mitos e nas sagas, como entidades independentes e atuantes, consortes ou parceiras dos deuses, protetoras dos eventos humanos – como os ritos de passagem – ou dos locais e seres da natureza. Suas representações permaneceram no imaginário dos povos que as cultuaram como personagens de contos de fada, madrinhas espirituais ou espíritos familiares ancestrais. Elas também podiam aparecer em grupos como as Valquírias, protetoras nas batalhas e acompanhantes das almas dos guerreiros mortos para conduzi-los para Valhalla, como a constelação das acompanhantes da deusa Frigga, protetoras das famílias como as Matronas ou ancestrais divinizadas como as Disir, as conselheiras sábias e guardiãs dos ciclos da vida feminina. O arquétipo feminino se manifestava também no seu aspecto desafiador, nas figuras hostis nos testes e adversidades, como guardiãs associadas com o reino dos mortos ou gigantas sedutoras e poderosas. Como elos entre o passado e o presente, as protetoras dos clãs e das famílias asseguravam a continuidade da família e do legado ancestral. As Nornes eram as Senhoras do Destino cujas leis regiam o universo e atuavam na vida de deuses e seres humanos, representando a própria passagem do tempo e entrelaçando passado, presente e futuro em um contínuo e eterno movimento.

No poema "Völuspa", a comunidade dos deuses é descrita morando em Asgard, uma fortaleza cercada por muralhas e cujo acesso era feito pela ponte Bifrost, vigiada e protegida pelo deus Heimdall, posicionado na torre *Himigbjorg* (a guarita do céu). Asgard era situada em uma ilha, no meio de um rio largo e escuro, que nascia de Hvergelmir e cercava Yggdrasil, tornando impossível o acesso pelas muralhas que protegiam a fortaleza. No centro de Asgard localizava-se *Valaskjalf*, a assembleia suprema e corte de julgamento, onde os deuses discutiam os problemas e tomavam decisões relativas a eles e à humanidade. O enorme salão era coberto com placas de prata e as paredes tinham pátina de ouro. O trono de ouro de Odin era cercado por 12 assentos também dourados e reservados a 12 deuses, enquanto *Vingolf* (o local dos amigos) era um belo santuário reservado às deusas. Também em Asgard encontrava-se a oficina metalúrgica dos gnomos e dos elfos escuros, entre os quais se destacavam os filhos de Ivaldi – Völund e seus irmãos – e os gnomos chefiados por Sindri. Tanto em Asgard, quanto em *Vanaheim*, cada divindade tinha o seu próprio salão, sendo que Odin possuía dois: *Valhalla* (dos guerreiros) na floresta Glasir e *Valaskialf*, de onde ele vigiava os Nove Mundos, sentado no seu trono *Hlidskialf*. Em um dos poemas dos *Eddas* – "Grimnismal" – são citadas várias construções cobertas com telhas douradas, entre as quais se sobressai *Valhalla*, o enorme salão de Odin, com quinhentas portas, onde eram recepcionados os heróis mortos em combates pelas Valquírias, que lhes ofereciam chifres repletos de hidromel e os conduziam até Odin. Essa cena foi retratada em gravações sobre pedras do século VIII, na Ilha de Gotland.

Segue uma relação sucinta dos nomes e os senhores dos outros palácios.

• Bilskinir – "O relâmpago", a moradia do deus Thor e de sua esposa Sif.

• Breidablikk – "A vista abrangente", a residência luminosa do deus solar Baldur e de sua esposa Nanna.

• Folkvang – "O campo dos guerreiros" constituído por nove castelos onde a deusa Freyja recebia a metade das almas dos guerreiros mortos em combates, a outra metade sendo de Odin.

• Fensalir – "Os salões dos mares", a residência da deusa Frigga e de suas 12 acompanhantes.

• Gladsheim – "O lar resplandecente" com Valhalla, o salão de reunião dos Einherjar, na proximidade ficava o salão de âmbar *Glaesir*.

• Glitnir – "O salão do esplendor" com pilares de ouro vermelho e telhado de prata pertencia a Forsetti, deus da justiça.

• Himminbjorg – "O salão celeste", morada de Heimdall, o brilhante guardião da ponte Bifrost.

• Landvidi – "A terra branca", o retiro do silencioso deus Vidar, filho de Odin.

• Noatun – "O ancoradouro do navio" pertencia ao deus marinho Njord.

• Sessrumnir – "Muitas cadeiras", o salão de Freyja em Asgard.

• Sokkvabekk – "O rio dos tempos e dos eventos", local cercado pelo murmúrio da água onde residia Saga, visitada diariamente por Odin em busca de conselhos e sabedoria.

• Thrymheim – "A casa do trovão", residência da deusa Skadhi.

• Valaskjalf – "O saguão prateado", com telhado de prata, onde se encontrava o trono de Odin e a morada de Vali, seu filho e vingador da morte de Baldur.

• Ydalir – "O vale dos teixos", que abrigava a cabana de Ullr, o deus caçador e arqueiro.

Asgard era considerado o reino das divindades Aesir, embora representantes dos Vanir – Njord, Frey e Freyja – tenham ido morar em Asgard após o armistício. As outras divindades Vanir habitavam *Vanaheim* e algumas, o mundo subterrâneo, devido à ancestral ligação entre os Vanes e os espíritos da natureza que habitavam as colinas, rochedos, rios e mares, bem como a sua associação com os elfos, o deus Frey sendo o regente de Alfheim, seu reino.

Apesar das descrições amplas dos arquétipos divinos em lendas, mitos, sagas, narrativas e histórias, suas qualidades e apresentações são variáveis e incertas, fluindo e se modificando com a passagem do tempo e a diminuição dos seus cultos e adeptos. O propósito desse livro é fornecer informações que facilitem a compreensão da mitologia nórdica no seu contexto histórico, cultural, religioso e folclórico, descrevendo os mitos enriquecidos pelas antigas tradições, práticas e costumes, que fizeram uso, registraram e assim preservaram as memórias dos arquétipos ancestrais.

Gigantes

Os povos nórdicos acreditavam que os gigantes foram as primeiras criaturas que surgiram nos icebergs primordiais e que preencheram o vasto abismo de Ginungagap (conforme descrito no mito da criação). Desde o começo dos tempos, os gigantes foram rivais e oponentes dos deuses, representando a antítese da bondade e beleza divinas com a sua maldade, grosseria e feiura. Nenhum mito explica os motivos das eternas batalhas, sempre vencidas pelos deuses, independentemente da força e astúcia dos gigantes. A maior incógnita é o assassinato de Ymir, o gigante primordial, pelos deuses Odin, Vili e Vé. Descrito como um ser hermafrodita, do seu corpo despedaçado foi criada a terra, o que nos revela que, além da metáfora do mito, é evidente a representação do poder telúrico original modelado pelas forças divinas, dando origem a todos os seres e reinos da criação.

A competição entre deuses e gigantes pode ser vista como uma alegoria da conquista e subjugação dos conceitos geocêntricos e matrifocais das tribos nativas pelos valores dos deuses patriarcais e guerreiros cultuados pelos povos invasores. Assim como em outras culturas, na tradição nórdica a terra também era feminina, sempre disputada e conquistada, como vemos nos mitos que exaltam a vitória de alguns deuses sobre os gigantes, enquanto outros tentam conquistar e possuir as gigantas. Muitas gigantas – além de belas e dotadas de muita força física – representavam energias primais, que contribuíram para a criação e a ordem do universo. Nott era a giganta que regia a noite, mãe do Dag (o dia), Audr (a riqueza) e Jord (a terra); Skadhi – que personificava a natureza guerreira e erótica das gigantas – se deslocou para Asgard querendo vingar a morte do pai, mas acabou se tornando "a luminosa noiva dos deuses", quando se casou com Njord e depois com Ullr.

Enquanto em outros mitos de outras culturas (como, por exemplo, a sumeriana) os deuses matavam a própria mãe e do seu corpo criavam o universo ou a terra, o mito nórdico combina, no ato cósmico da criação, o sacrifício do princípio gerador masculino e a metamorfose do feminino. Por ser hermafrodita, Ymir continha em si as duas polaridades: a geradora e a criadora. É importante lembrar que, apesar dos eternos combates travados entre gigantes e deuses, alguns dos deuses mais famosos como a própria tríade – Odin, Vili, Vé – eram filhos dos gigantes Bestla e Bor, filhos de Ymir. Tyr era neto de uma giganta e enteado de um gigante, enquanto Heimdall era filho das Donzelas das Ondas e neto da giganta Ran. Odin manteve inúmeros relacionamentos amorosos com as gigantas – como Rind, Skadhi, Jord e Gunnlud – gerando vários filhos. Frey ficou deslumbrado com a beleza da giganta Gerd e fez o possível para conquistá-la, enquanto os deuses Njord e Baldur se casaram também com gigantas.

As gigantas são descritas como mulheres lindas, poderosas e corajosas, detentoras de poderes mágicos e sabedoria. Elas são cobiçadas pelos deuses que as admiram e desejam pelo seu poder de sedução, pela sabedoria dos seus conselhos e pelos dons proféticos e mágicos. Mesmo após a cristianização, o culto delas continuou em certos lugares, como no caso das irmãs Thorgerd Holgabrudr e Irpa, em cuja honra o rei norueguês Hakon de Halogoland ergueu um templo no século X para obter vitória nos combates. Considerada as consortes divinas do rei, Thorgerd e Irpa são descritas como gigantas com aparência assustadora, que lançam flechas sobre os inimigos do rei e provocam uma tempestade de granizo que levou à sua derrota. No templo erguido por Hakon, havia uma estátua de uma mulher ricamente vestida, em cuja frente o rei se prosternava e ofertava pedaços de prata para obter sua ajuda. A giganta Nanna era casada com Baldur, o mais belo e luminoso deus, e o amava tanto, que morreu quando viu seu corpo sem vida. Outra giganta, Skadhi, era considerada a madrinha da Escandinávia, reverenciada por sua sabedoria; enquanto Goi era a padroeira do festival de purificação no fim do inverno, semelhante ao Sabbat celta *Imbolc*.

O mais ferrenho adversário dos gigantes foi Thor, que os massacrava com seu martelo mágico; porém, com as gigantas, ele mantinha um relacionamento ambíguo, ora de raiva e vingança, ora de paixão. Existem vários mitos que descrevem as aventuras e os contratempos de Thor com os gigantes; em um deles Thor matou a giganta Gjalp, atirando uma pedra em sua vagina quando descobriu que ela estava tentando impedi-lo de encontrar seu pai, ao provocar a enchente do rio com seu fluxo menstrual. Em seguida Thor esmagou Greip, a irmã dela, quebrando-lhe a coluna com seu bastão mágico. A amante de Thor, a giganta Iarnsaxa, apelidada de Alfange de Ferro, tornou-se mãe do seu filho Magni, enquanto a mãe de Thor era Jord, amante de Odin.

O termo genérico "gigantes" designava três categorias de seres:

– *Risar* (plural de *Risi*) eram os verdadeiros gigantes das lendas e histórias, apresentados como seres de grandes proporções que simbolizam os habitantes pré-históricos do norte europeu. Sua aparência era austera, mas agradável, e a sua natureza, benévola, podendo auxiliar os seres humanos, às vezes se casando com eles e gerando filhos.

– *Thursar* (plural de *Thurs*) representavam as forças brutas e inconscientes que visavam neutralizar as forças conscientes, sendo, portanto antagônicas aos deuses e aos seres humanos. Sua hostilidade devia-se à sua essência de entropia e estagnação, pois não eram intrinsecamente maus, apenas arquétipos das forças cósmicas e naturais e dos seus efeitos destrutivos. Eram mais velhos do que os deuses e por isso poderiam lhes transmitir sabedoria, que, no entanto, tinha de ser despertada por uma força consciente. De natureza diversificada, eles apareciam como gigantes do gelo que habitavam Jötunheim, na região gelada do cosmos; como gigantes do fogo dirigidos por Surt e morando em Muspelheim e nos vulcões; ou como habitantes de lugares áridos e íngremes, e dos desertos da terra.

– *Etins* ou *Jötnar* (plural de *Jötun* ou *Jätte*) eram seres primevos de grande sabedoria e idade avançada. No conflito entre as forças conscientes e inconscientes do universo, eles tinham uma posição neutra, podendo se aliar com qualquer uma das facções. Podiam ter dimensões variadas, enormes ou pequenas, e eram notáveis pelo apetite descomunal e a força física. Alguns se tornaram aliados dos deuses que escolhiam as gigantas, muito belas e poderosas, como esposas ou amantes. Outros se juntavam aos *Thursar* e eram combatidos pelos deuses, principalmente Thor, o arqui-inimigo dos gigantes. Ligados ao mundo dos mortos, eram considerados "devoradores de cadáveres" e supunha-se que morassem nas câmaras subterrâneas.

Os povos antigos acreditavam que os gigantes eram criaturas imensas e vagarosas, que se moviam apenas na escuridão e em meio à névoa e ficavam petrificados quando eram tocados pelos primeiros raios solares que atravessavam a neblina e as nuvens. A principal cadeia de montanhas na Alemanha tem o seu nome – *Riesengebirge* (a montanha gigante) –, enquanto na Islândia o pico mais alto chama-se *Jokul*, uma modificação da palavra *Jötun*. Na Suíça, antigas histórias atribuíam aos gigantes as avalanches, devido aos seus gestos bruscos ao sacudir o gelo dos ombros e da cabeça.

Os gigantes personificam o gelo, a neve, o frio, as pedras e o fogo subterrâneo e eram considerados descendentes diretos de Ymir, que teria tido três filhos: Hler, o mar; Kari, o ar e Loki ou Loge, o fogo. Essa trindade primeva teve como descendentes os gigantes do mar Mimir, Gymir e Grendel, os gigantes das tempestades Thiassi, Thrym e Beli e gigantes do fogo e da morte como Surt, o lobo Fenris e Hel. Como todas as dinastias reais se consideravam descendentes de seres míticos, os merovíngios afirmavam que seu ancestral era um gigante do mar, que se ergueu das ondas, assumindo a forma de um touro; ao encontrar a rainha caminhando na praia, fez amor com ela e gerou Meroveus, o fundador da primeira dinastia dos reis francos. Além das inúmeras lendas antigas, os gigantes reaparecem nas histórias e contos de fada. Eles manifestavam desagravo com os sons dos sinos e os cânticos dos monges, jogando pedras contras as igrejas. Quando tocados pela luz solar, se transformavam em rochedos ou colinas, o que teria dado origem às dunas de areia do norte da Alemanha e da Dinamarca.

Lendas alemãs contam que, na terra, os gigantes habitavam a sua fortaleza em Utgard muito antes dos seres humanos, aos quais deram, a contragosto, a permissão de morar; muito relutantes, eles se retraíram depois para locais ermos e distantes da terra para criarem suas famílias em completo isolamento. Conta-se que uma vez a filha de um gigante, passeando longe de casa, achou um estranho "brinquedo vivo", que recolheu no seu avental e levou para sua família. Seu pai pediu-lhe para devolver imediatamente o camponês, seu arado e cavalo para o local de onde ela os havia retirado e lhe explicou que aquelas criaturas que ela vira como brinquedos iriam, com o passar do tempo, afugentar todos os gigantes, tornando-se donos da própria terra.

A título informativo, serão relacionados abaixo alguns gigantes.

• Angrboda (a que avisa do perigo ou que traz desgraça) – amante do deus Loki, gerou com ele seres monstruosos: o feroz lobo Fenrir e a Serpente do Mundo, Jormungand, que cercavam o mundo dos homens para que eles não escapassem do inevitável fim no Ragnarök. Era também mãe de Hel, a senhora do mundo dos mortos. Usando um disfarce, Angrboda tornou-se camareira de Freyja e espiã dos gigantes.

• Aurboda – mãe de Gerd, a linda giganta cobiçada por Frey.

• Bergelmir – neto de Ymir, filho de Thrudgelmir, junto com Bestla gerou todos os gigantes, por serem os únicos sobreviventes ao dilúvio causado pelo sangue de Ymir.

• Bestla – giganta ancestral do gelo, descendente de Ymir, mulher de Bor; com ele gerou os deuses Odin, Vili e Vé, a tríade divina.

• Billing – pai de Rind.

• Bor – filho de Buri, marido de Bestla e pai da tríade Odin, Vili, Vé.

• Buri – ser sobrenatural ancestral dos deuses, pai de Bor, que apareceu do gelo pelas lambidas da vaca primordial Audhumbla.

• Farbauti – "o cruel", gigante do fogo, pai de Loki, marido de Laufey.

• Fenia e Menia – representavam o poder destruidor da água salgada e faziam parte das Donzelas das Ondas.

• Gerd – filha de Aurboda, forçada a se casar com o deus Frey, adquiriu assim o *status* de deusa.

• Geirrod – inimigo mortal de Thor.

• Gjalp e Greip – filhas de Geirrod, mortas por Thor por tentá-lo impedir a chegar até seu pai.

• Giganta da Floresta de Ferro – progenitora dos lobos Skoll e Hati que perseguiam as carruagens do sol e da lua.

• Grid – amante de Odin, com ele gerou Vidar, que sobreviveu ao Ragnarök. Ela deu a Thor seu cinto mágico e suas luvas de ferro para vencer Geirrod.

• Groa – esposa de Aurvandil, regente dos pântanos, curadora e maga, padroeira dos xamãs e curandeiros.

• Gunnlud – filha de Sutung, guardiã do elixir da inspiração, foi seduzida por Odin metamorfoseado em serpente e cedeu-lhe o elixir após três noites de amor.

• Gymir – o pai de Gerda

• Hel ou Hella – filha de Angrboda e Loki, recebeu de Odin o controle do mundo subterrâneo e do reino dos mortos, tendo sido transformada em deusa, metade clara, metade escura.

• Hindla – famosa feiticeira, conhecida por sua sabedoria e poder profético, aparecia vestida com peles, segurando um bastão e cavalgando um lobo.

• Hrugnir – adversário de Thor, o mais forte dos gigantes.

• Hymir – "o escuro", seu enorme caldeirão serviu para preparar o hidromel, tendo sido roubado por Thor.

• Hyrokkin – conhecida pela extraordinária força física, regente das tempestades de inverno, foi a única que conseguiu mover o barco funerário encalhado de Baldur. Sua figura aparece em uma pedra memorial de Hynnestand, na Suécia e acredita-se que fosse invocada nos ritos funerários.

• Iarnsaxa – conhecida como "Alfange de ferro", amante de Thor e mãe de seu filho Magni.

• Jord – amante de Odin, mãe de Thor, filha de Nott, era uma das manifestações da Mãe Terra.

• Laufey – giganta de fogo, mãe de Loki.

• Ran – controla a força vital das criaturas do mar e da terra, por representar a energia da água com poder vitalizador ou destruidor. O oceano onde fica o seu palácio cerca Midgard.

• Saga – giganta elevada à condição de deusa da sabedoria.

• Skadhi – filha de Thjazi, quis vingar a morte do pai causada por Thor; acabou casando com o deus Njord, depois com Ullr, tornando-se assim uma deusa.

• Surt – o adversário dos deuses no Ragnarök, responsável pela destruição dos Nove Mundos. Gigante do fogo subterrâneo e da lava incandescente era o Senhor de Muspelheim e possuía uma espada flamejante com qual incendiou os mundos. No Ragnarök ele luta com Frey e o vence.

• Sinmara – esposa de Surt, mãe de Eimyria, regente das cinzas, possuía também uma espada flamejante com a qual iria matar os pássaros que avisariam os deuses sobre o início do Ragnarök.

•Thokk – giganta de gelo, metamorfose de Loki.

•Thjazi – pai de Skadhi, morto pelos deuses.

•Thrym – o gigante que roubou o martelo mágico de Thor.

•Utgard-Loki – o rei dos gigantes do reino de Utgard.

Alguns dos *Etins* benéficos tinham cultos organizados como Skadhi e Gerda, elevadas à condição de deusas, assim como Thorgerd Holgabrud e Irma, que eram reverenciadas na Islândia. Os regentes marinhos Aegir, Ran e suas nove filhas, as Donzelas das Ondas, personificavam os poderes benéficos ou destrutivos dos oceanos e eram invocados e reverenciados por viajantes e marinheiros, que pediam sua proteção. Algumas gigantas têm nomes ligados ao sagrado, como *Helga* (abençoar), *Horgatroll* (altar pagão) ou com o prefixo *dis* (ancestral) como *Bergdis, Eydis, Skjaldiss, Thordis*, reverenciadas na Alemanha com sacrifícios.

Nos mitos germânicos, conta-se que as ondulações da superfície da terra tinham sido criadas pelas pegadas dos gigantes, enquanto a terra estava recém-criada e maleável. Os rios teriam aparecido das lágrimas das gigantas ao ver as maldades e violências feitas pelos gigantes e os próprios seres humanos, que não respeitavam as forças e os locais sagrados da natureza.

Um tipo diferente de gigantes malévolos ou de aparência desagradável eram os *trolls*, que moravam nas frestas e lugares escuros da terra, de onde saíam para roubar mulheres ou crianças. Em muitas lendas islandesas são descritos seres humanos maldosos ou feios chamados *Half-trolls,* que seriam filhos dos *trolls* e de seres humanos que teriam feito sexo com eles. Os *trolls* eram um pouco maiores ou menores do que os seres humanos, tinham feições agradáveis ou ferozes e temiam a luz solar, que os petrificava. Na Noruega, existem as famosas colinas *Troll, Tindterne* (os picos dos *trolls*), que teriam surgido durante o combate entre dois bandos de *trolls*, que, por não perceberem a aproximação da aurora no calor da batalha, foram transformados em rochedos, que se sobressaem na encosta da montanha. Apesar da sua má reputação, no folclore islandês existem relatos sobre a amizade entre *trolls* e seres humanos; na Suécia, conta-se que um *troll* podia ser cativado com comida, depois obrigado a trabalhar para o seu dono. Nos locais ermos das montanhas e florestas onde residiam os *trolls,* havia o costume de se deixar comida para apaziguá-los, no entanto eles jamais foram cultuados como entidades protetoras.

Elfos (*Alfar*, *Alfen*, *Elfen*, *Elvs*)

Os elfos formavam um grupo complexo de entidades de natureza etérea, intermediários entre os seres humanos e as divindades, e que agiam de maneira ambivalente (benéfica ou não). De estatura diminuta e aparência luminosa ou escura, eles personificavam os corpos mentais e astrais dos ancestrais e se comunicavam por telepatia com pessoas sensitivas, paranormais e crianças. Na classificação feita por Snorri Sturluson, os elfos se dividiam em duas classes com características opostas: claros/escuros, celestes /telúricos, bons/ maus, feios/ bonitos.

Os *elfos claros* – *Ljossalfar* – seres aéreos e luminosos, "vestidos" com cores brilhantes, tinham feições suaves e formas graciosas. Seu nome tinha a mesma raiz que o termo latino para branco (*albus*). Eles moravam em *Alfheim* (ou *Ljos-salfheim*) perto de Asgard, um reino regido pelo deus Frey (senhor da terra, chuva e luz solar) que o recebeu de presente quando lhe nasceram os dentes definitivos. (Na antiga sociedade nórdica, as crianças recebiam nessa ocasião um presente, chamado *teething gift*.) O assistente de Frey era *Skirnir*, um elfo cujo nome significava "brilhante" e a rainha dos elfos, a deusa solar, Sunna, saudada diariamente por eles como *Alfrödhul*, "a luz dos elfos", no nascer e no pôr do sol. Os elfos claros gostavam de música e dança e deslizavam pelos raios da lua para rodopiar nas clareiras, onde deixavam marcas circulares definidas pela cor mais intensa da grama e as flores e cogumelos que ali nasciam; esses círculos eram chamados de *fairy rings*, "anéis das fadas". Se um mortal entrasse na dança ele não podia parar e morria de exaustão.

Como moradores do espaço entre o céu e a terra, os elfos se relacionavam bem com os deuses Aesir e os seres humanos e flutuavam no meio dos pássaros e borboletas, aparecendo nas celebrações das deusas Ostara e Sunna em forma de mulheres vestidas de branco. Eram representados na maioria das vezes com formas femininas e considerados mestres e guardiões da inspiração e da sabedoria, transmitindo esses dons para os seres humanos (merecedores do seu auxílio) como lampejos de luz, ideias brilhantes e intuição. Acreditava-se que certos elfos viviam tanto quanto a árvore da qual cuidavam ou onde moravam, e ficaram conhecidos como "mulheres-árvore" ou "donzelas-musgo", descritas no folclore escandinavo como seres benévolos. Para obter sua ajuda lhes eram ofertados cristais de quartzo, pedras brancas, metais (ouro, prata, bronze, cobre), essências e óleos aromáticos, flores, mel, manteiga, leite, bem como poemas e canções. No Período Viking as oferendas passaram a ser de pequenos animais, substituídos depois por metais, pedras semipreciosas, especiarias, mel, leite e vinho, e constituíam o cerne do antigo festival *Alfblot*, no fim da colheita, em que eram feitos agradecimentos e pedidos novos favores. Tanto os elfos claros, quanto os escuros, eram honrados como protetores domésticos e suas imagens e nomes eram gravados nos pilares e postes das residências.

Os antigos nórdicos acreditavam que seres humanos com dons especiais se transformavam em elfos após a morte, como no caso do rei Olavo, que continuou zelando por seu povo após ter sido enterrado em uma colina. As oferendas para eles eram colocadas nas câmaras subterrâneas e nas marcas circulares pré-históricas existentes nas rochas e pedras e acompanhadas de rodas solares, uma clara alusão ao culto dos elfos associado à luz solar, existente desde a Idade da Pedra e do Ferro. Pedia-se a bênção dos elfos despejando leite ou vinho nessas *cupmarks* nos menires, enterrando pão ou bolo no primeiro sulco feito pelo arado no início dos plantios (devido à sua ligação com a fertilidade da terra). A sua beleza deu origem ao termo anglo-saxão *allfsciene*, "brilhante como um elfo" e era usado como elogio para a beleza feminina. Os elfos claros são seres gentis e prestativos, sempre prontos a ajudar a humanidade; no entanto, com o passar dos tempos se tornaram pouco visíveis, e só apareciam quando solicitados, na forma de lampejos de luz nos lugares altos, próximo ao equinócio da primavera (celebração da deusa Ostara e da Páscoa). Os elfos claros mais conhecidos eram *Billing*, do crepúsculo; *Delling*, da aurora, marido da deusa Nott e pai de Dag, o dia; *Skirnir,* amigo e assistente de Frey.

Os *elfos escuros – Svartalfar*, *Swart Alfs* ou *Dvergar* – se confundem e sobrepõem aos anões (*dwarfs*); eles tinham feições grosseiras, aparência grotesca, estaturas atarracadas, pele escura ou muito pálida, quase cadavérica. Sua morada era o reino sombrio de *Svartalfheim* e sua origem teria sido semelhante a dos anões, surgindo como larvas do corpo decomposto do gigante Ymir e recebendo feições quase humanas dos deuses, que os confinaram depois no seu habitat. Por temerem a luz do dia ou do sol, que podia petrificá-los ou queimá-los, eles se refugiavam sob a terra, em grutas, cavernas e frestas nos rochedos, no oco das árvores, em túmulos e em câmaras subterrâneas.

Semelhantes aos anões, eles apareciam na maioria das vezes com formas masculinas, e sua reprodução era difícil, o que os fazia roubar crianças recém-nascidas, criando-os como se fossem seus filhos. São citados vários casos de troca de crianças, nos quais os substitutos se revelavam pelas feições estranhas e o comportamento desagradável ou grosseiro. Num conto islandês, uma mãe após ter descoberto que o seu pretenso filho era um *Changeling* (trocado) começou a espancá-lo até que uma mulher estranha apareceu na frente dela, trazendo seu verdadeiro filho e pedindo que fosse feita a troca, sem mais violências. Os gnomos e elfos escuros se tornam visíveis aos seres humanos à noite, durante o inverno e nas festas da metade escura do ano (do equinócio de outono até a primavera).

Apesar de todos os elfos serem artistas e magos, os *Swart Alfs* são os maiores e melhores artesãos, peritos na arte da modelagem de metais e criadores dos "tesouros" dos deuses, como a flecha de Odin, o martelo de Thor, o navio de Frey, o cabelo de Sif, o colar de Freyja, o anel mágico Draupnir, bem como as armas e obras de arte de vários reis por eles protegidos. A interação com elfos escuros podia trazer recompensas, mas esse intercâmbio implicava em riscos e imprevistos, devido à facilidade com que se sentiam ofendidos, injustiçados ou irritados. Eles são muito rigorosos na troca de favores, seguindo à risca o ditado rúnico "*um presente requer outro*"; uma vez recebendo um agrado, ficam ao redor do doador, insistindo em receber outro e perturbando ou confundindo a mente humana. Assim como os anões, são interesseiros e avarentos e se vingam daqueles que invadem seus territórios em busca de riquezas, sem pedir sua permissão, nem lhes fazer oferendas. Aqueles que trabalham com metais devem honrar e agradar os donos das riquezas da terra e buscar sua colaboração na arte e nos ganhos, sob o risco de perder tudo o que tinha sido ganho ou recebido. Muitas histórias relatam o recebimento de favores pelos seres humanos em forma de moedas ou metais, mas que podiam se transformar em folhas secas e torrões de terra caso não fossem cumpridos os acordos firmados com seus doadores, ou os humanos transgredissem as leis da Mãe Terra, desrespeitando e destruindo seus sítios sagrados. Os tesouros recebidos – ou perdidos – são metáforas dos dons do conhecimento e da sabedoria, nem sempre reconhecidos ou valorizados, mas sendo o verdadeiro "ouro dos sábios".

Vários nomes de elfos escuros e anões são citados na obra *Poetic Edda,* como em outros textos inspirados no folclore nórdico, principalmente nos livros de Tolkien. De acordo com a tradição nórdica, *Dvalin* era o regente dos *Swart Alfs* e considerado o pai de todos, enquanto na Alemanha o dirigente era *Alberich*. Dvalin ensinou as runas aos elfos e anões e era o mestre artesão mais famoso. Alguns dos elfos escuros eram muito próximos aos mortos, às vezes eles mesmos personificações de pessoas mortas, agindo como intermediários entre a humanidade e o reino dos mortos, regido por Hel. Na tradição alemã, uma das suas raças era chamada de nibelungos, "os moradores da escuridão enevoada", o mundo próximo a Niflheim.

Dos deuses, apenas Frey e Sunna tinham ligação com eles; apesar da associação parecer paradoxal, é uma prova da integração e complementação dos polos opostos, da luz e sombra, do céu e da terra. Frey fazia parte dos Vanir, os seres ancestrais, e era regente da fertilidade da terra. Os elfos escuros eram os guardiões das riquezas subterrâneas e representantes da memória ancestral, absorvida e guardada no plano etérico da terra. A ligação dos elfos escuros com a deusa Sunna deve-se à jornada noturna da carruagem solar, que, após mergulhar nas entranhas da terra ao pôr do sol, continuava a viagem durante a noite no sentido inverso ao daquele percorrido de dia (ou seja, do oeste para leste) emergindo ao alvorecer no leste, "de dentro da terra". As lendas e os contos escandinavos e saxões mencionam outros tipos de elfos (semelhantes aos espíritos guardiões, que serão descritos em seguida), dos quais se sobressaem as mulheres-elfo. Esses seres etéreos, femininos em suas formas, apareciam somente para os homens, atendiam aos seus pedidos e desapareciam depois. Às vezes geravam filhos após esses encontros, como no caso do nascimento dos reis noruegueses Olaf e Magnus, ambos filhos de *Elf Women* (conforme afirma a escritora Sheena McGrath).

O escritor Kveldulf Gundarsson cita no seu livro *Teutonic Magic* outra classe de elfos, os *Dokkalfar*, com características semelhantes às ancestrais femininas *Disir*, podendo ser vistos como suas contrapartes masculinas. Eles habitavam o interior das colinas e eram invocados para atrair as bênçãos para as colheitas e a cura das doenças, honrados como grandes mestres em magia e procurados nas horas do entardecer, pois não gostavam da claridade. Os Dokkalfar apareciam como seres distintos, vestidos como nobres, belas feições, muito pálidos e irradiando poder mágico; podiam ser percebidos nos sonhos, depois de terem sido feitas oferendas para os honrar e agradar. Às vezes, eles podiam solicitar a ajuda humana e retribuir depois com magnanimidade.

Anões (*Dwarfs*, *Zverge*)

No poema "Völuspa" descreve-se o surgimento de pequenas criaturas rastejantes, semelhantes a larvas, que apareciam aos poucos do corpo despedaçado do gigante Ymir. Os deuses ficaram surpreendidos com a sua aparição e aprimoraram suas formas, dando-lhes feições semelhantes as dos seres humanos e inteligência sobre-humana e dividindo-os em duas classes.

Os seres escuros, traiçoeiros e ladinos foram enviados para *Svartalheim*, a morada subterrânea dos elfos escuros, e proibidos de sair durante o dia, sob o perigo de sofrer petrificação. Eles foram denominados *anões* e passavam seu tempo explorando os recantos secretos da terra, coletando metais e pedras preciosas que escondiam em frestas, de onde podiam retirá-los à vontade para o seu uso ou para entregar aos elfos ferreiros.

O restante dessas pequenas criaturas, que eram claras, boas e úteis, foi chamado de elfos, silfos e povo das fadas (*Bean sidhe*). Estas foram morar no reino aéreo de *Alfheim* (junto com os elfos claros), situado entre o céu e a terra, de onde saíam flutuando para cuidar das plantas e voar junto com borboletas e pássaros, ou brincar nos campos em noites de lua cheia. Em vários versos são mencionados nomes catalogados de anões (mais numerosos do que os das divindades), que revelam a sua associação com mortos, batalhas, sabedoria, arte e artesanato, metais, pedras preciosas, plantas, animais, magia e o mundo sobrenatural.

No esquema geral do panteão nórdico, os anões estão mais próximos dos gigantes do que dos deuses. O fluxo de dádivas é sempre dos anões para os deuses e não o contrário, às vezes com episódios de hostilidade ou imposição, como no caso de Loki obrigando o anão Andvari a lhe entregar o ouro do rio Reno. Em outro episódio, o anão Alvis deseja se casar com a filha de Thor e é punido pela sua ousadia com a morte, assim como aconteceu com os gigantes Thrym e Thjazi, que tentaram conquistar as deusas Freyja e Idunna. No entanto, a giganta Nott casou-se com o elfo Delling, ela escura como a noite e ele claro e brilhante.

Conforme descrevem várias lendas, o conceito de anões como moradores de cavernas, rochedos e montanhas é muito antigo. Com o passar do tempo, os anões perderam a sua importância mítica como guardiões das direções e sustentadores da abóbada celeste – mencionada pelo historiador Snorri Sturluson – e tornaram-se estereótipos semelhantes a outros tipos de gnomos da literatura europeia. Nos mitos e lendas nórdicas mais antigas, os anões eram seres telúricos, que moravam nos subterrâneos de Midgard e no reino de Svartalfheim (junto com os elfos escuros) e se mostravam às vezes aos seres humanos, na proximidade de grutas, cavernas e minas. Eram descritos como homenzinhos de cabeça grande, longas barbas grisalhas, tronco atarracado, pernas curtas e rosto enrugado. Vestiam-se com roupas de couro, aventais com bolsos para guardar suas ferramentas e gorros vermelhos que lhe conferiam o dom da invisibilidade, podendo desaparecer de repente no meio de uma névoa. Podiam ser prestativos e amáveis, ajudando os seres humanos em certas tarefas, como moer grãos, fazer pão, preparar cerveja e plantar, colher e armazenar os mantimentos. No folclore norueguês, seus nomes indicam suas atribuições: os *Tomte* cuidavam dos cavalos; os *Tusse*, das fazendas; os *Haugbo*, da terra; os *nisse*, dos barcos; os *Gruvra* e *Gruvfröken*, das minas e os *Nokk*, dos rios. Se fossem humilhados ou agredidos, os anões se vingavam prejudicando os agressores, escondendo objetos, roubando animais, estragando produtos, pregando peças ou provocando doenças (como crises de ciática, doenças infecciosas, tonturas). Não há relatos de anãs e por isso são comuns as cópulas dos anões com deusas e mortais, em troca das joias por eles confeccionadas, como no caso do colar da deusa Freyja.

No nível sutil, eles simbolizam a força elementar telúrica e as qualidades a ela associadas (destreza, tenacidade, laboriosidade, longevidade), bem como os seus defeitos (egoísmo, mesquinhez, avareza, cobiça, avidez por riquezas, astúcia). Os anões escuros e os gnomos dos mitos celtas regem os poderes mágicos e alquímicos, a habilidade da modelagem e transformação da matéria bruta (metais) em lindos objetos (joias, armas) e o conhecimento das riquezas ocultas no ventre da Mãe Terra, da qual são guardiões. Sua função era criar ou modelar, plasmando a ideia, a intenção ou o desejo de uma divindade, um mago ou xamã. Sua habilidade manual e artística provém dos registros etéreos de dons ancestrais, aliando também o dom da onisciência, da premonição e da sabedoria mágica. Eram sempre os deuses que recebiam presentes, jamais os anões. Foram os anões os responsáveis pela preparação do elixir da inspiração (misturando ao sangue de Kvasir, mel, frutas e ervas) e pela confecção dos tesouros dos deuses (junto com os elfos escuros). Vários deuses receberam dois objetos e armas mágicas, um de ouro, outro de ferro, como a lança encantada de Odin, que jamais errava o alvo, e o anel mágico Draupnir, que se multiplicava nove vezes a cada nove noites; o poderoso martelo *Mjöllnir* de Thor, que voltava às suas mãos após ser arremessado; o javali *Gullinbursti,* com pelo de ouro; e o barco mágico de Frey, que podia se tornar uma miniatura; o cabelo de ouro da deusa Sif; o palácio inacessível da curandeira Mengloth; o famoso colar *Brisingamen* de Freyja (obtido após ter feito sexo com eles e aprender alguns dos seus feitiços); além do seu próprio javali dourado. Além desses tesouros, Odin pediu aos anões a corda mágica para amarrar o lobo Fenrir.

Acreditava-se que o eco fosse criado pelos anões escondidos nas cavernas das montanhas, que se divertiam imitando a voz humana. Sabia-se, através de lendas e histórias antigas, que a morada dos anões era no reino de Nidavellir e que eles gostavam de receber oferendas de metais, moedas, cristais, pedras semipreciosas, pirita, leite com mel e gengibre, pão e manteiga, ervas aromáticas e especiarias. Os povos nórdicos conheciam o pavor dos anões de objetos pontiagudos e de ferro e de figuras grotescas, por isso os vikings retiravam da proa dos seus navios as gárgulas e carrancas quando se aproximavam da terra.

Alguns dos anões mais conhecidos são Andvari, Brokk (excelente joalheiro que confeccionou junto com Eitri o javali de ouro de Frey, o anel de Odin e o martelo de Thor); Sindri, Dain e Dvalin, Fjalarr e Galarr, que mataram Kvasir e do seu sangue fizeram o elixir da inspiração; Regin e Fafnir, que mataram o pai, Hreidmar, para roubar o tesouro. O seu rei – conhecido por diversos nomes, como Andvari, Alberich, Gondemar, Oberon – tinha o dom da metamorfose e era colecionador de ouro. Ele morava em um magnífico palácio subterrâneo, repleto de pedras preciosas, e comandava equipes de ferreiros e ourives, que confeccionavam armas e joias cobiçadas por deuses, gigantes e mortais. Além do seu gorro mágico – *Tarnkappe* –, ele possuía um anel mágico, uma espada invencível e um cinto que lhe conferia força e coragem.

Quando os antigos cultos foram esquecidos e os arquétipos não mais foram honrados ou reverenciados, os anões também se afastaram das suas moradas e lugares prediletos, refugiando-se nos mundos sutis e invisíveis aos olhos humanos, de onde aparecem ocasionalmente e se tornam visíveis apenas para crianças ou pessoas sensitivas. Eles foram reduzidos a meros personagens em inúmeras fábulas, histórias e contos de fada, recebendo nomes e descrições diferentes, conforme o país de origem.

OUTROS SERES SOBRENATURAIS

Além das divindades, das gigantas, dos elfos e dos anões, os povos nórdicos honravam e reverenciavam outros seres, os guardiões da natureza, das pessoas e das moradias, que eram imbuídos de poderes sobrenaturais, sem, no entanto, fazer parte de uma das categorias acima mencionadas. Há referências sobre sua existência nas sagas islandesas e nos escritos de Snorri Sturluson, porém muitas das lendas pagãs ancestrais foram modificadas ao longo do tempo, sua distorção ou a negação da sua existência histórica e mítica culminando com a perseguição e a condenação pela Igreja cristã. A maior parte dos personagens do folclore, dos costumes populares e das lendas passou a ser associada com a bruxaria e os cultos satânicos, principalmente depois que santa Birgitta, no século XIV, alertou os fiéis sobre o "perigo dos cultos e oferendas aos espíritos pagãos".

A partir do século XIII, a importância e a grandeza dos seres sobrenaturais passaram por um declínio progressivo, o seu verdadeiro significado foi minimizado e as suas apresentações originais, ridicularizadas. Assim, um gigante telúrico tornou-se um *troll* amedrontado ou um brilhante elfo foi reduzido a um diminuto *nisse*. Confundiram-se *trolls* e gnomos ou se sobrepuseram suas características, e os poderosos *Land-vaettir* foram transformados em caricaturas de fantasmas, que roubavam crianças desobedientes e deixavam os próprios filhos no lugar. Durante o século XIX, historiadores e pesquisadores redescobriram, compilaram e resgataram várias lendas antigas, acrescentando elementos míticos da cosmologia alemã, francesa e celta. Portanto, apesar da nociva perseguição cristã, as crenças animistas escandinavas e alemãs sobreviveram até hoje, tendo sido preservadas nos contos de fadas, assim como permaneceram reminiscências da reverência e gratidão aos seres sobrenaturais, mostradas pelos habitantes dos campos nos seus costumes populares e nas lembranças das histórias ancestrais.

Espíritos da natureza (*Land-vaettir*)

Os *Land-Vaettir* eram seres guardiões ou protetores do habitat natural (florestas, montanhas, rochedos, rios, cachoeiras, lagos, bosques), considerados os habitantes arcaicos da terra da Islândia, semelhantes aos elfos e gnomos das lendas mais tardias, embora não se confundissem com eles. Eles apareciam para os sensitivos, xamãs e crianças ou nos sonhos das pessoas sob várias formas; às vezes tinham feições humanas, outras vezes assumiam características de *trolls* ou animais, mas eram amistosos e prestativos com os seres humanos, desde que estes respeitassem o seu habitat. Se alguma pessoa quisesse remover pedras grandes do seu terreno, cortar árvores nativas, mudar o curso de um riacho, escavar a terra virgem para construir, aterrar pântanos ou desmatar florestas, devia sempre pedir permissão aos "donos verdadeiros" dos lugares e avisar com antecedência sua interferência, para que os seres sutis tivessem tempo de se mudar do seu habitat para outros lugares. Os islandeses respeitavam as pedras, consideradas moradas dos *Land-Vaettir* ou das *Disir*, não permitindo perto delas barulho ou brincadeiras. Até hoje, muitos fazendeiros nórdicos guardam os antigos costumes e aram ao redor das grandes pedras dos campos, sem tirá-las do lugar, nem permitir que as crianças perturbem os seres que nelas habitam. Desde a Antiguidade, aqueles que dependiam da terra para viver sabiam que o sucesso dos plantios e a fartura das colheitas dependiam da boa vontade dos *Land-vaettir*. Se eles ficassem assustados ou aborrecidos, a terra não ia produzir e a boa sorte não ia permanecer nas suas vidas. Eram-lhes atribuídos os dons da sorte e prosperidade, que eles conferiam àqueles que os honravam, bem como certo conhecimento do futuro, manifestado por avisos nos sonhos ou visões.

Os espíritos da natureza abominavam derramamento de sangue, barulhos e violências contra animais e pássaros; também temiam figuras grotescas como carrancas e gárgulas, o que levava os vikings a remover as imagens de dragões e serpentes das proas dos seus navios quando se aproximavam do litoral dos territórios não explorados. Histórias antigas relatam o auxílio e a amizade desses espíritos com certos seres humanos, principalmente na Islândia, onde as próprias leis pagãs os protegiam e, em troca, eles traziam boa sorte e prosperidade. Para agradá-los, as pessoas deixavam oferendas de alimentos e bebidas próximas às pedras dos círculos de menires ou dos rochedos, agradecendo sua ajuda e procurando intuir sua presença ou mensagens. Um antigo costume nórdico recomendava partilhar dessas oferendas, conversar com esses seres e derramar um pouco de vinho ou cerveja sobre as pedras, saudando a sua essência e força sobrenatural.

Protetores das moradias (*House-wights*)

O folclore nórdico relata a presença de seres sobrenaturais menores no ambiente doméstico, os quais se apegavam à família e a acompanhavam quando mudavam de casa. A sua presença podia ser benéfica ou não, dependendo na maioria dos casos do tratamento recebido dos seres humanos. Muitos desses seres dispunham-se a ajudar nos trabalhos caseiros, na jardinagem, no preparo dos alimentos e conservas ou nos deveres escolares das crianças. Às vezes, querendo acelerar o ritmo ou o rendimento do trabalho humano, eles espetavam, beliscavam ou faziam cócegas nos preguiçosos. Os trapalhões escondiam ou quebravam objetos, irritavam os seres humanos ou extraviavam animais domésticos; os amistosos podiam ajudar a achar coisas perdidas, acalmar gatos e cachorros e aumentar a produtividade da terra. Na Suécia, seres chamados *Durr-Karink* protegiam as casas e os seus moradores, abrigando-se sob as portas por não gostarem de luz, enquanto, na Alemanha, os *Drude* e *Hexen* perturbavam o sono das pessoas e faziam feitiços.

Alguns espíritos protetores cuidavam dos bens e das terras, afastando os *trolls* e os elfos escuros. Na Alemanha, era comum o hábito de confeccionar pequenas estatuetas de madeira chamadas *Kobolds,* que serviam como pontos de fixação para os protetores domésticos e locais onde se deixavam vasilhas de cerâmica com oferendas de alimentos e bebidas, principalmente na véspera de Natal, considerada data sagrada para eles. Essas oferendas eram deixadas fora de casa, em um local protegido de animais; se depois de 24 horas, os alimentos ainda estivessem no mesmo local, a oferenda devia ser recolhida e substituída por outra, alguns dias depois, com mais respeito e dedicação para que fosse aceita e a ajuda solicitada por eles concedida.

Convém fazer uma distinção entre os espíritos protetores das casas e famílias e certos seres fluídicos zombeteiros ou trapalhões, que nelas permaneciam e se divertiam, causando discórdia e confusão. Histórias islandesas descrevem um casal – *Mori* e *Skotta* – que usavam roupas antigas e perturbavam as pessoas se não recebessem comida todas as noites.

O povo de Huldru (*Huldrefolk* ou *Elle folk*)

Estes seres, intermediários entre os *land-vaettir* e os *trolls*, moravam nas florestas, grutas e colinas, mas não eram prejudicados pela luz solar. A sua origem é muito antiga, sendo considerados como descendentes das mães e mulheres da floresta, divindades silvestres arquetípicas que representam aspectos da Mãe Natureza. Uma das apresentações do povo de Huldru era como *Skogsfru* ou *Skosgrä* (mulheres da floresta) e *Talemaja* (moças dos pinheiros), seres femininos da floresta, com características semelhantes a alguns aspectos das deusas Holda e Huldr. Apareciam como lindas mulheres quando vistas de frente, mas as costas eram formadas por troncos ocos de árvores e tinham caudas de raposa. Muitas vezes se apresentavam como camponesas, com uma beleza cativante, mas diferente. No folclore escandinavo, a palavra *Huldra* era originária de um termo que significava "coberto, escondido" e os seres desse grupo podiam ser terrestres (*Skogsrä*) ou aquáticos (*Sjöra* e *Havsrä*) ou das grutas e minas (*Bergsrä*). *Solvmorra*, a mãe da prata, era uma linda mulher que governava o "povo escondido" e protegia os mineiros, desde que eles não retirassem mais minério do que deveriam, e quando os punia provocava acidentes. Na Noruega e na Suécia, contava-se que existiam espíritos protetores dos moinhos – *Kvarngubben* –, que apareciam como velhos benévolos.

Conta-se que as Huldras cantavam e dançavam, tocando harpa, atraindo os homens para as florestas e fazendo sexo com eles; mas, se não ficavam satisfeitas com o seu desempenho, os matavam. Podiam também raptar crianças e deixar os seus no lugar, casar-se com os seres humanos e perderem a cauda, tornando-se dedicadas esposas. Se fossem traídas ou maltratadas, elas se vingavam, infligindo doenças e trazendo azares. Bem tratadas, elas auxiliavam nos perigos ou nas doenças com seus conselhos, e protegiam os animais domésticos, os doentes e as crianças. Na forma masculina, eram chamados de *Huldrekall*, associados com os seres subterrâneos *Tusser*. Esses seres tinham o dom da metamorfose, pareciam sedutores e bonitos, mas eram na realidade feios, com as costas ocas cobertas de casca e caudas de gado ou raposa, e atraíam moças ingênuas para as florestas com a intenção de fazer sexo com elas.

Todos esses seres mencionados no folclore escandinavo e alemão podiam ser benéficos ou não, dependendo da sua disposição e temperamento e do tratamento dispensado pelos seres humanos. A sua sabedoria era profunda, abrangendo o conhecimento mágico de ervas e plantas curativas, e eles podiam ensinar aqueles que os reverenciavam e ofereciam algum tipo de comida, em troca da sua ajuda e proteção.

Mulheres-freixo (*Askefruer*)

Semelhantes às dríades ou ninfas da mitologia grega, estes seres moravam nos troncos de freixo (a árvore sagrada dos escandinavos representando *Yggdrasil*, a Árvore do Mundo) e eram dotadas de poderes curativos e mágicos. Apresentavam-se como mulheres peludas com cabelos de raízes, seios volumosos, rostos enrugados, vestidas com musgo. As *Fangge* eram ninfas da floresta, enquanto as *Sgogsnuivar*, mulheres-árvores com voz doce e corpo peludo, cuidavam dos animais selvagens e podiam ajudar os caçadores, permitindo o abate de certos animais, desde que recebessem oferendas de alimentos e moedas nos pés das suas árvores. As *Waldmichen* eram ninfas servidas por coelhos, que iluminavam seu caminho e seguravam a barra dos seus vestidos. Elas tinham uma gruta para cuidar dos bebês não nascidos e um moinho para moer os velhos e torná-los jovens. Antigamente eram celebradas em 3 de agosto com oferendas de bebidas, mel, perfume, flores e frutas.

Mulheres-arbusto (*Buschfrauen*)

Guardiãs das florestas seculares europeias e protetoras dos viajantes, apareciam como mulheres com corpo feito de troncos (às vezes ocos nas costas), pele enrugada, seios caídos, cabelos esbranquiçados e emaranhados, e pés cobertos de musgo. Na Alemanha, existia o *Moss People,* espíritos que moravam dentro das árvores e se vestiam com musgo, as *Weisse Frauen* e os *Waldgeist,* espíritos femininos, anciãs e sábias, protetoras das florestas e dos viajantes perdidos, sendo *Bushgrossmutter* sua rainha, de cabelos brancos e pés de musgo. Todas viviam dentro de árvores velhas e cuidavam das florestas e daqueles que as honravam e respeitavam seu habitat. Eram comemoradas no dia 13 de janeiro com oferendas de maçãs assadas com mel, cidra, fitas coloridas e moedas. Protegiam as mulheres desde que não tirassem a casca das árvores por elas protegidas, não usassem nas oferendas de pão sementes de cominho (que elas detestavam) ou contassem seus sonhos e visões aos homens. Se fossem devidamente honradas, ensinavam os segredos das plantas curativas, dançavam nos campos, fazendo as plantas crescerem, e davam novelos de lã às tecelãs.

Vittra (*Skogsra, Skogssuva, Talh*)

No folclore sueco, existem muitas histórias sobre criaturas míticas associadas à Mãe Terra, que se apresentavam como espíritos guardiões da floresta ou mulheres selvagens, que seduziam os homens e eram responsáveis pelos acontecimentos bons ou ruins das comunidades. A origem deles é muito antiga, desde a época em que o norte europeu ficou coberto de gelo durante milênios e quando a força criadora e destruidora da natureza era reverenciada como aspectos da Grande Mãe. A força feminina primordial era selvagem, livre e erótica, não podia ser controlada ou dominada e assumia várias manifestações e nomes em função da área onde era cultivada.

A *Vittra* aparecia perto da água ou escondida no meio de bétulas, com corpo de mulher, olhos de gato e rabo de raposa, nua ou vestindo uma túnica em tons de verde, azul, amarelo ou branco. Sensual e sedutora, ela atraía os homens para ter sexo com eles, recompensando-os com sua ajuda se eles fossem do seu agrado; se alguém a desrespeitasse ou desagradasse, porém, sua fúria e vingança tinham consequências perigosas. Às vezes a *Vittra* roubava crianças humanas e deixava no lugar os seus e podia aprisionar os homens nas cavernas. Ela morava em comunidade, envelhecia com o passar do tempo e se vestia de vermelho (quando era infeliz) ou de branco (mostrando bom humor).

Os *Sami*, povos nativos do norte da Escandinávia, reverenciavam os espíritos e as donzelas e mães da floresta com nomes e descrições diferentes. O traço comum dessas entidades – nomeadas de *Tava-Ajk*, *Ganis*, *Skogsjungfrau* ou *Vir-ava* – era a sua apresentação como mulheres, lindas de frente, mas com as costas de troncos ocos, caudas e pés de raízes, cabelos de musgo ou chapéus de agulhas de pinheiros, mantos de liquens ou vestidas de folhas. Às vezes se aproximavam dos caçadores e pastores e os seduziam, fugindo depois de fazerem sexo com eles. Elas cuidavam das renas para não se perderem e as protegiam durante o inverno. Outra criatura mitológica era a *Elder Woman*, a mulher sabugueiro, que cuidava dos sabugueiros, considerados árvores sagradas e com poderes mágicos.

Os *Aslog* eram espíritos do ar, que faziam a conexão entre as divindades e os seres humanos; em forma de corvos eram chamados de *Krähe*, nome que imitava o seu grasnar. *Fangge* eram espíritos protetores das árvores, que morriam se a árvore fosse cortada, mas fortaleciam suas raízes e galhos enquanto recebessem oferendas de pães e frutas.

Espíritos das águas (*Nökk*, *Näcken*, *Nicker*, *Nixie*, *Nixen*)

Assim como nas crenças e lendas de outros povos, na tradição nórdica também são mencionados diversos espíritos aquáticos que moravam nos rios, lagos, córregos e cachoeiras e que se apresentavam com formas humanas ou de animais (cavalos, peixes, serpentes). Eles tinham uma natureza ambígua, podendo agir de maneira benéfica ou malévola em relação à humanidade.

Os *Näcken*, *Nokken*, *Nicker*, *Nixen*, *Strömkarlen*, *Grim* ou *Fossegrim* apareciam como lindos jovens, às vezes nus ou vestidos com roupas elegantes, tocando violinos com maestria e inspiração. Suas lindas canções enfeitiçavam mulheres e crianças, que os seguiam fascinados para dentro da água, onde morriam por afogamento. Esse comportamento não era necessariamente maldoso, mas resultado da busca de companhia humana para a sua solidão aquática. Podiam se metamorfosear em lindos e mansos cavalos brancos – quando recebiam o nome de *bäcka-hästen* ou "cavalos do rio" –, que se deixavam montar pelos homens e crianças e depois galopavam para as profundezas da água, afogando seus incautos cavaleiros. Às vezes podiam ser domesticados para ararem as lavouras, mas por pouco tempo, pois não sobreviviam longe da água. A voz melodiosa e a sua aparência sedutora eram perigosas principalmente para as mulheres grávidas e as crianças pequenas, mais ainda nas proximidades das celebrações dos solstícios, datas imbuídas de poder mágico. Se fossem louvados e recebessem oferendas de vinho e sangue de animais, podiam ensinar os músicos a tocar as suas melodias mágicas ou fazer profecias. Na transcrição cristã, foi atribuída ao canto dos *Näcken* a tristeza da sua solidão e o desejo de terem uma alma, o que eles conseguiriam se fossem batizados e se tornassem "filhos de Deus".

As *Nixen* tinham corpos femininos e uma aparência bela e sedutora, adorando a música e a dança. Podiam ser reconhecidas pela barra molhada dos seus vestidos, quando apareciam para dançar nas festas humanas nas noites de lua cheia. Eventualmente podiam se casar com homens e serem boas esposas, desde que eles não perguntassem sua origem e lhes permitissem o contato com a água, cuja ausência as fazia definhar até morrer. Se o juramento não fosse cumprido ou se fossem desrespeitadas ou traídas, elas desapareciam para sempre, às vezes se vingando dos agressores. Os espíritos que habitavam o rio Elba se chamavam *Elb,* enquanto um ser velho, pai do rio Reno, tinha inúmeras filhas, que apareciam sentadas nas pedras, atraindo com seu canto os pescadores, que, enfeitiçados pelo seu canto, seguiam para as suas cavernas embaixo da água e morriam afogados. O grito de uma *Nixie* parecia uma advertência para assinalar os locais perigosos dos rios; porém seu fascínio induzia os homens a segui-la até se afogarem.

Nas histórias do século XIX de Jacob Grimm, as *Nixies* assemelham-se às sereias gregas, a mais famosa delas sendo *Lorelei*, que ficava numa pedra no rio Reno e atraía pescadores e marinheiros com suas canções, até que eles se afogassem ou morressem encalhados nos rochedos. No ciclo de óperas *O Anel dos Nibelungos,* de Richard Wagner, as Donzelas do Reno são as protagonistas descritas como as guardiãs do "ouro de Reno", um tesouro enterrado no fundo do rio, cobiçado pelo anão Alberich, que o roubou e dele forjou um anel, amaldiçoando aqueles que viessem usá-lo. As donzelas tentam resgatar o anel e quebrar a maldição, mas nem mesmo Odin e o herói Siegfried conseguem anular a sua força maléfica. No fim do ciclo dos nibelungos, o anel é purificado nas chamas da pira funerária da heroína Brünhilde.

Espíritos do mar

Os habitantes sobrenaturais do mar, no folclore escandinavo, eram denominados *mermaids* (semelhantes a sereias gregas), *mermen* (seu equivalente masculino), *draug* ou "fantasmas do mar", os espíritos de afogados (que, por não terem sido devidamente enterrados continuavam vagando como mortos- vivos) e as mulheres-foca (*seal women*).

As sereias apareciam com corpo de mulher, nuas e um rabo de peixe, e uma inusitada beleza: olhos verdes e longos cabelos dourados ou esverdeados. Eram vistas nas noites de lua cheia penteando os cabelos e contemplando um espelho, muitas vezes tocando harpas e entoando lindas canções. Era a sua voz que as tornava perigosas para os marinheiros, que, enfeitiçados pelos acordes pungentes e atraídos pelo seu encanto, acabavam naufragando nos rochedos ou se afogando nos redemoinhos. Às vezes, o seu canto se fundia com o uivo do vento e elas eram vistas dançando no meio da tempestade, pois uma das suas características era o amor pela dança. A água-marinha era a pedra consagrada às sereias e ela tinha o poder de proteger todos que navegavam ou pescavam no mar, desde que invocassem a sua proteção.

O seu arquétipo existe em todas as culturas e seus nomes variam de acordo com o país; na Alemanha, eram chamadas de *Meerfrauen* (mulheres do mar) ou *Meriminni*; na Islândia, de *Marmenill*; na Escandinávia, de *Maremind*, *Haffine* ou *Havfrue*, detentoras de poderes proféticos. As sereias são criaturas mágicas famosas e existem muitas referências à sua presença misteriosa no mar, na arte, na literatura, na música, na pintura, na escultura e nos filmes. A mais conhecida representação é a estátua existente em Copenhagen, baseada no conto da *Pequena Sereia* de Andersen, que preferiu ela mesma morrer a matar o príncipe pelo qual tinha se apaixonado.

No folclore escandinavo e alemão, existem histórias sobre donzelas-cisne (*swan-maidens*), espíritos aéreos meio imortais que aparecem ora como mulheres, ora como cisnes. A metamorfose depende da posse de uma roupagem de penas de cisne ou de um par de asas, que ao ser retirado, permitia a sua transformação em lindas mulheres. Mas, se fossem surpreendidas por homens que escondessem seus mantos, elas podiam se casar com eles, sempre procurando suas penas, mesmo que fossem felizes e tivessem filhos. Achado o manto, elas o vestiam imediatamente e voavam, sem jamais voltar para a sua família humana. Acredita-se que elas fossem seres meio aéreos, meio aquáticos, que tiravam suas penas para poder dançar e nadar nos lagos nas noites de lua cheia. Outra apresentação das sereias nórdicas é como *Sjöra*, lindas moças com cabelos verdes, dourados ou prateados, que seduziam os homens ou salvavam marinheiros e pescadores dos naufrágios.

Nas ilhas Faroe existe uma lenda das *seal women*, que relata a transformação das focas em lindas mulheres, a cada nove noites, quando elas dançavam a noite toda nas praias. Se algum homem roubasse e escondesse sua pele, a mulher-foca era obrigada a segui-lo e se casar com ele, porém sempre buscando sua pele para voltar ao mar, pois longe dele elas definhavam até morrer. Na Escócia há a lenda das *Selkies*, mulheres-foca, com história e desfecho semelhante. Ao roubar sua pele, o homem adquiria poder sobre ela e podia torná-la sua esposa e mãe dos seus filhos, mas ela terá muita saudade do mar, ao qual procurará voltar. A união de uma sereia com um ser humano sempre termina de maneira triste ou trágica; ou ela acha seu manto – ou pele – e volta para o mar, ou então morre de desgosto. Na versão cristã da história das sereias, atribui-se a sua nostalgia à ausência da alma, que a privava da salvação cristã.

Existiam também os monstros marinhos chamados *Niccors* ou *Neckar,* as *Havfru* ou *Avfruvva,* espíritos femininos que ajudavam os pescadores desorientados pela neblina e devolviam os afogados às suas famílias.

Mãe do Mar (*Mere-Ama*, *Vete-Ema*)

Na mitologia finlandesa é descrita a representação da essência da água – do oceano, dos mares, lagos e rios – como uma mulher madura, com longos e sedosos cabelos prateados. Ela protegia os animais aquáticos e as plantas, e regia a reprodução humana, animal e vegetal. Para atrair sua proteção e assegurar o sucesso nas pescarias, derramavam-se bebidas alcoólicas no mar. Os pescadores oravam para que *Mere Ama* conduzisse os peixes para suas redes, no entanto, temiam que fossem seduzidos e raptados por ela e evitavam pescar ou se banhar no mar perto do meio-dia (sua hora mágica).

Quando uma mulher se casava e se mudava para uma nova casa, a primeira coisa que fazia era levar oferendas de pão, queijo, pano e lã para Mere Ama, no córrego mais perto da sua moradia. Invocando sua bênção, ela lavava o rosto, os cabelos e as mãos, como um gesto de reverência, mesmo no inverno quando precisava quebrar o gelo, e pedia proteção para sua casa nas tempestades ou inundações.

Gnomos (*Tomte*, *Nisse*, *Kobolds*)

No ano 1200, foi encontrada na casa de um pescador em Trondheim (Noruega) uma estátua de madeira de 15 centímetros de altura, que trazia gravadas estas palavras: *Nisse*, *riktig större* (gnomo, estatura real). Exames radiográficos comprovaram que a estátua tinha mais de 2.000 anos, tendo sido entalhada na raiz de uma árvore muito resistente e com a inscrição acrescentada séculos depois.

As referências aos gnomos começaram a aparecer nos Países Baixos após o Período das Migrações, provavelmente após 449, quando o posto romano de Britânia foi ocupado pelos anglo-saxões e jutos. Em uma carta de 470, um sargento romano descreve a aparição de uma pequena criatura com chapéu vermelho, barbas brancas e calças verdes, que alegou ser descendente de uma raça antiga chamada *Kuwalden* e gostava de leite e cuidar de animais. Após a derrota do Império Romano, a figura do gnomo se estabeleceu na Europa nórdica e central, nos Bálcãs, Rússia e Sibéria e fez parte da tradição de vários países, até o reinado de Carlos Magno (768-814) e a conversão ao cristianismo.

De acordo com a região habitada por eles, os nomes variavam entre *gnomes, kobolds, boggans, brownies, corrigans, goblins*, *pucks* (Reino Unido), *tomte* ou *nisse* (Escandinávia), *donovoi* (Rússia), *heinzelmännchen* (Alemanha), duendes (península ibérica), *pitici* (Romênia). Em termos gerais, os espíritos domésticos mais comuns na Escandinávia (a sua pátria original) eram *tomte* e *nisse*, semelhantes aos *brownies* e *hobgoblins* ingleses e os *kobold* alemães. Originários do folclore europeu, confundiam-se com a figura dos anões, seus precursores (ou se sobrepunham a ela), e diversificaram -se ao longo do tempo, recebendo mais detalhes e histórias de acordo com a inspiração e imaginação dos escritores medievais. A partir da década de 1970, as figuras míticas dos gnomos e das fadas reapareceram em um amplo contexto comercial, mas depois foram aos poucos caindo no esquecimento. Todavia, a sua presença invisível para nós é constante nos reinos da natureza, onde pode ser sentida e percebida através da visão sutil.

Os povos antigos acreditavam que os espíritos domésticos raramente prejudicavam os seres humanos; as suas proezas se limitavam a brincadeiras inofensivas como tirar ou mudar as coisas do lugar, bater portas, puxar as cobertas ou correr atrás de cachorros e gatos. As crianças pequenas podiam vê-los, desde que não fossem desacreditadas ou censuradas pelos adultos. Esses seres podiam se tornar auxiliares valiosos para as donas de casa e os camponeses, pois existem relatos sobre a ajuda que davam para lavar louças, cuidar dos animais e das plantas, brincar com as crianças ou ensinar a elas alguma atividade artística.

As lendas escandinavas consideravam o *tomte* o espírito do primeiro proprietário de uma casa ou fazenda e por isso ele era empenhado em zelar pela preservação dos bens dos herdeiros e os cuidados com a residência (chamada *tomte* em sueco). Apesar do seu tamanho pequeno, o *tomte* se aborrecia ou se ofendia facilmente quando as pessoas o ridicularizavam, não acreditavam nele ou não cuidavam dos animais e das plantas. Para agradá-lo, os camponeses nórdicos lhe deixavam um prato com mingau de aveia, um copo de leite e pão com manteiga, em um lugar especial reservado para ele, dentro ou fora de casa.

As imagens antigas o retratavam como um ser pequeno e idoso, mas robusto fisicamente, com barba e roupas camponesas de outras épocas. A partir do século XIX, livros e revistas passaram a lhe atribuir características natalinas e assim acabou surgindo o *jultomte* ou *julenisse*, que se parecia com o Papai Noel e trazia presentes no Natal (a versão cristã da celebração pagã de *Yule*). Os *tomtes* partilhavam traços comuns com os *land-vaettir*, mas, diferentemente destes, eram seres solitários. De acordo com a região onde agiam, eram denominados *gardbro* ou *gardvord* (guardião da fazenda), *tunkall* (tomava conta do quintal), *god bond* (o bom camponês), *gardsrä* (cuidava dos jardins) ou *armadur* (zelador da lareira). Por serem muito apegados às tradições, eles não gostavam de mudanças e inovações tecnológicas, detestavam barulhos, gritos, palavrões e a falta de respeito. O seu animal preferido era o cavalo e a sua morada, os antigos túmulos e monumentos pré-históricos, nas casas e moinhos antigos. A sua desaparição progressiva deveu-se à modernização do trabalho agrícola, à construção de estradas e edifícios e ao crescente distanciamento do homem das forças e dos seres da natureza.

Uma classe semelhante aos gnomos eram os *Uldras*, criaturas subterrâneas encontradas apenas na Lapônia. Acreditava-se que viviam em grupos familiares e exerciam autoridade sobre os animais de grande porte, como renas, lobos, ursos e alces, que lhes obedeciam. Eram considerados seres cordiais, mas, se fossem maltratados, se vingavam, provocando desordem e doenças entre as renas ou brigas entre os homens. Devido à devastação crescente das florestas nativas do norte da Europa e a extinção de muitas espécies de plantas e animais, são cada vez mais escassos os relatos sobre a aparição ou o auxílio desses pequenos, mas poderosos seres sobrenaturais.

Fantasmas e mortos-vivos (*Living dead* e *Draugar*)

Em várias lendas escandinavas e germânicas, são mencionados fantasmas, ou seja, espíritos sem corpo físico, mas que ainda possuíam uma parte da sua estrutura sutil e energética. No mito da criação, descreve-se como o deus Lodhur deu ao primeiro casal humano a aparência, os movimentos, a saúde e a cor do corpo físico. Quando ocorre a morte, o veículo físico para de funcionar e seus componentes físicos retornam à natureza. Ao redor do corpo físico existe um envoltório sutil, que reproduz sua forma e que pode se distanciar, mas continua preso ao corpo físico por um cordão prateado. No momento da morte, esse veículo etérico pode se deslocar e permanecer por algum tempo como um fantasma ou *draugar*. Se ele preservar resquícios do seu corpo mental, serão guardadas algumas memórias e lembranças da vida individual, que podem ser compartilhadas com os descendentes. Se, ainda em vida, acontecer um desdobramento voluntário e consciente entre o corpo físico e o etérico, este pode se manifestar como *vardoger*, o mensageiro, com forma humana ou de animal, que anunciava a chegada ou a morte de uma pessoa próxima.

Segundo as crenças populares e relatos dos povos nórdicos, a continuidade do corpo mental e do corpo sutil era mantida após a morte, por isso os mortos-vivos continuavam a interagir com os vivos, e suas atitudes variavam desde a comunicação cautelosa até a hostilidade explícita. Essa é a explicação do medo atávico dos seres humanos com relação aos mortos, do temor que demonstram das vinganças ou perseguições do além (alguém que não pagou as dívidas e é cobrado pelo morto, a vítima que vem assombrar o criminoso, um rito de passagem que não foi bem feito pelos familiares). As histórias sobre os mortos refletiam as antigas crenças pagãs, porém mescladas com dogmas, medos e castigos cristãos.

Nas sagas islandesas, são descritas aparições, nas festas de *Yule,* de marinheiros afogados, com roupas molhadas e restos de algas nos cabelos, mas desejando beber junto com seus familiares. Em outra saga, relata-se como um mago convocou os espíritos de alguns mortos para conhecer a causa da sua morte; apesar de eles não falarem, seus gestos e aparências explicavam como tinham sido assassinados.

Os fantasmas também apareciam sem forma humana, como chamas ou lampejos, devidos aos seus resíduos etéricos, mas desprovidos de consciência. Devido à falta de energia para a sua sustentação física, eles podiam roubar fluidos vitais das pessoas presentes, provocando nelas arrepios, mal-estar e frio, sugerindo assim uma vampirização. Uma criatura similar era o *haugbo* (*o morador da colina*), cujo corpo continuava no túmulo, deslocando-se apenas o espírito e atacando passantes, ou aparecendo coberto de algas, ao lado de barcos e navios afundados.

Os mais temidos fantasmas eram os *draugar*, mortos-vivos cujo corpo não se decompunha, mas ficava inchado, pesado e roxo. O *draug* era muito forte, mas faminto pela energia vital (*hamingja*) dos seres vivos; sua aproximação provocava frio, fraqueza, mal-estar, prostração, conforme foi descrito em várias histórias e lendas. Ele podia aparecer acidentalmente, quando uma parte da energia etérica ficava retida no cadáver. Às vezes seu túmulo era aberto e, ao sair, ele matava tudo o que encontrava no seu caminho, batendo nas portas das casas e tentando entrar. Este ser possuía o corpo físico sustentado pela energia etérica e a força vital, mas era desprovido de consciência.

Somente um verdadeiro herói tinha coragem e força para se opor a esse adversário formidável, sem tentar usar armas, por não agirem contra ele, mas forçando-o a voltar ao túmulo e cimentando a tampa do caixão. Um autêntico *draugr* não reconhecia seus familiares ou amigos, nem podia falar e era imune a todos os tipos de armas. Para prevenir a aparição e manifestação nefasta desses "vampiros" energéticos, recomendava-se a prevenção com o método antigo também usado na Romênia (onde existiam as lendas dos *strigoi* e dos famosos vampiros) e nos países eslavos: fincar uma estaca gravada com símbolos rúnicos no coração dos cadáveres, decapitar ou submeter o falecido à morte tríplice (enforcar, atravessar com lança ou estaca e em seguida cremar).

Na saga de *Grettis,* descreve-se um caso atípico de *draugr*, que assumia características de *Dokkalfar* (os ancestrais benéficos). Ele agia de forma violenta, matando e destruindo as fazendas vizinhas, mas queria proteger o filho contra os concorrentes e fazê-lo enriquecer. A explicação seria a preservação de uma parte da mente consciente, pela forma astral, que orientava e protegia seus atos. Diferente dos *draugar*, os *dokkalfar* mantinham a consciência, o discernimento e a capacidade de comunicação, que lhes permitia interagir com seus descendentes por meio de comunicações telepáticas, mensagens e avisos nos sonhos ou visões.

Protetores individuais (*Fylgja*, *Fetch* e *Hamingja*)

Em norueguês arcaico, *fylgja* significava "acompanhar" e "placenta", enquanto "*fulga*" e "*fela*" eram equivalentes de "esconder" ou "cobrir". Deduz-se que havia uma relação entre *fylgja* e a placenta (a cobertura do feto), que era tratada com respeito e enterrada ritualisticamente sob uma árvore frutífera. A definição mais simples da *fylgja* é a sua atuação como um espírito guardião individual (esse conceito foi adotado pelo cristianismo e transformado na figura do anjo guardião), que se conectava ao corpo físico no momento do nascimento, acoplandose a uma parte do corpo etéreo. Ela permanecia ao lado da pessoa por toda a sua vida, muitas vezes agindo no plano mágico ou astral para protegê-la ou defendêla, sendo um elo intermediário entre os ancestrais e seus descendentes.

A *fylgja* – ou *fylgjukona* (companheira) – aparecia nos sonhos ou para os clarividentes, pois normalmente tornava-se visível apenas no momento da morte, assumindo uma forma etérea indefinida – como uma névoa – e que se afastava com a última expiração. A *fylgja* podia se apresentar também com feições femininas, como uma forma abstrata ou como um animal, que representava a natureza interior e a condição energética da pessoa. Seu afastamento repentino devido a um choque psíquico ou físico provocava doenças, insanidade ou morte. A *fylgja* podia se deslocar durante o sono e voltar para o corpo no ato de acordar, sendo assim uma forma diferente de projeção astral ou desdobramento.

Muitas vezes confunde-se a *fylgja* com as Disir e as Valquírias, porém elas são entidades independentes com características próprias, fazendo parte das divindades auxiliares. Em uma saga islandesa encontrada em um manuscrito do século XIV (mas proveniente de um relato do século XII, antes da conversão da Islândia ao cristianismo), descreve-se um combate entre nove mulheres sobrenaturais, que chegavam cavalgando na corte do rei, vestidas de preto e vindo do norte, e nove vestidas de branco e vindo do sul. Um profeta presente deduziu que as mulheres de preto eram as *Disir* ancestrais cobrando a continuidade dos antigos rituais (que tinham sido interrompidos) e as de branco, as *fylgjur* da família real, simbolizando a nova fé cristã adotada pelo rei. Independentemente da interpretação antiga do texto, pesquisadores modernos concluíram que entre o século XII e XIV os historiadores não faziam mais distinção entre *fylgjur* e *Disir* e passaram a interpretar o significado dessa história como a oposição entre a fé antiga (escura, negativa) e a nova fé cristã (branca, benéfica), uma equivalência da oposição entre as cores e qualidades das Valquírias e Disir.

Outro equívoco surge ao se equiparar a *fylgja* à *hamingja*, que representa o potencial pessoal de energia vital e poder, sendo a fonte energética da *fylgja*. Ambos os conceitos estão interligados, pois a *hamingja*, que é a energia vital ígnea, define as características energéticas da *fylgja*. O conceito nórdico da *hamingja* é complexo e difícil de ser transposto para a nomenclatura e compreensão moderna. Ela simboliza o atual campo energético individual, impregnado com o poder mágico herdado de existências passadas e influenciado pelas ações da vida presente. Por ser a representação da energia vital, a *hamingja* fortalece e sustenta o corpo astral, somando assim a vitalidade energética ao poder espiritual e mágico. Na sua constituição foram identificadas três componentes: a sorte (ou seja, o poder magnético pessoal), o espírito guardião (responsável pela sorte) e a capacidade de metamorfose ou apresentação diferente. A relação entre *fylgja* e *hamingja* baseia-se no abastecimento mútuo com o poder específico de cada uma. Como reservatório da energia vital e mágica, a *hamingja* necessita da *fylgja* para fixar os efeitos, formando assim um conjunto harmonioso e poderoso, que era reconhecido e honrado por todos.

Os povos nórdicos acreditavam que *hamingja* (simbolizando sorte e poderes especiais) era um atributo de reis, chefes guerreiros ou sacerdotes e que podia ser transmitido – por tempo limitado – para seus súditos ou adeptos. Nessas transmissões energéticas e espirituais eram transferidas parcelas da própria *hamingja* do doador (que precisava fazer depois sua reposição com os recursos da natureza) para o campo energético do receptor. Para aumentar a *hamingja* pessoal eram necessárias práticas de fortalecimento físico e energético, atos de coragem e determinação (fortalecimento da vontade) e procedimentos mágicos específicos.

Capítulo 4

O PRINCÍPIO MASCULINO. OS DEUSES E SEUS MITOS

SENHORES DO CÉU E DAS BATALHAS

Odin (*Odhinn*)/Wotan (*WodaNaz*, *Woden*), O Pai Supremo

A violência e as batalhas sempre fizeram parte da vida das comunidades pagãs do oeste e norte europeu. Por isso, desde tempos remotos, conheciam-se arquétipos e cultos dos deuses da guerra, que, apesar de nomes diferentes, tinham em comum certas características, nomes e cultos.

Wodanaz surgiu como a figura arcaica de um gigante furioso, regente das tempestades, inicialmente conhecido como *Wode*, palavra equivalente à "fúria" (*wütte* e *wodjan,* em alemão moderno e arcaico), um deus misterioso, que cavalgava nas noites escuras junto com uma horda de guerreiros mortos em combate. Ao longo da sua evolução histórica, ele passou a ser visto como um sábio legislador, que orientava as atividades humanas, um eloquente poeta e mago habilidoso. Mesmo sendo conhecido pela postura justa, ele mantinha a sua maneira imprevista de favorecer alguém e depois retirar a sua ajuda. Wodanaz tinha ataques súbitos de raiva e era afeito a inúmeras e efêmeras ligações afetivas e aventuras sexuais. Em virtude da sua conexão com o tempo e a colheita, seus elementos eram o vento, a água e a terra. As origens do seu culto são desconhecidas e, com o passar do tempo, ocorreram mudanças sociais e culturais nos povos que o reverenciavam, que se refletiram também nos seus atributos e funções. Supostamente, Wodanaz era seu nome de origem indo-europeia, semelhante ao *Vata*, o Senhor dos Ventos, do poema hindu "Rig Veda".

Semelhante a *Teiwaz* (precursor do deus Tyr), *Woden* ou *Wotan,* adquiriu novas características, tornando-se senhor da guerra e condutor das almas, por ele recolhidas na Caça Selvagem, além de detentor de conhecimentos mágicos e de cura. *Odin* sobrepujou Tyr como Pai Celeste e absorveu dele alguns atributos, bem como conquistou novos dons: da inspiração, inteligência, mutabilidade, comunicação, sabedoria (através das runas) e habilidade de enganar. Os invasores romanos equipararam Odin a Mercúrio, ambos sendo psicopompos, mestres sábios e hábeis na arte da metamorfose e da trapaça. Como reflexo das mudanças nas sociedades nórdicas, Odin teve seu *status* modificado: do condutor dos mortos tornou-se o deus que escolhia aqueles que iriam morrer (*Valfadhir*, o pai dos escolhidos) e assim determinava a vitória para seus protegidos. A elevação de Odin para o trono do Pai Supremo correspondeu à expansão da magia rúnica entre os povos nórdicos, prevalecendo sobre os cultos das divindades Vanir e a crescente importância dos *Skalds*, os poetas cujo padroeiro era Odin.

No início um deus do povo, aos poucos Odin foi elitizado e considerado o padroeiro exclusivo de reis, chefes, heróis e guerreiros, que veneravam Odin em vida e juravam servi-lo após a morte, lutando junto dele na batalha final do Ragnarök. *Valhalla* – o paraíso almejado por todos os homens – era reservado apenas para os nobres e heróis, escolhidos por Odin para fazerem parte de *Einherjar*, a tropa de elite que acompanharia Odin na batalha final do Ragnarök. Imagens de jovens guerreiros nus, usando espadas, lanças e capacetes com chifres em forma de bicos de águia (como os encontrados num elmo sueco do século VI, numa fivela do século VII e nos famosos chifres de Gallehus) representavam os emissários corajosos e fiéis de Odin nos campos de batalha. Após realizarem uma dança ritual, eles se ofereciam em sacrifício para Odin, almejando fazerem parte dos *Einherjahr*.

Como "Senhor da magia e dos encantamentos rúnicos", Odin tinha o poder de "amarrar ou soltar", conforme mencionado em alguns episódios, quando os inimigos ficavam em pânico ou estupor, sem revidar aos ataques. O poder que Odin tinha sobre a mente humana não se limitava à paralisação temporária dos inimigos provocada pelas "amarras mágicas", mas se manifestava pelo furor estático dos *berserks*. Eles lutavam nus ou cobertos de peles de lobos ou ursos, sem armas, imunes ao perigo, ao medo e à dor. Os *berserks* faziam parte de uma classe social à parte, que não seguia as leis estabelecidas, vivendo livres e reclusos. Eles eram submetidos a uma rigorosa disciplina, com regras especiais de conduta, e passavam por longos e árduos treinamentos e ritos xamânicos. Dotados do dom da metamorfose (*hamrammr* ou *shapeshifting*), a eles transferido por Odin, realizavam uma dança que os colocava num estado de transe e assumiam a aparência e as características de animais nos campos de batalha, enquanto seus corpos permaneciam inertes nas suas casas. Resgatados dos pântanos e guardados nos museus, inúmeros elmos, fivelas e bainhas de espadas são inscritos com figuras de homens nus, usando elmos, espadas e lanças e assumindo posições de danças guerreiras. Nos combates, os *berserks* lutavam com fervor e valentia, sem temer feridas ou a morte, pois tinham certeza da sua invencibilidade e imortalidade, dádivas a eles conferidas por Odin. Anteriores aos vikings, os *berserks* faziam parte de uma longa tradição de artes marciais, cujos adeptos serviam nas cortes reais escandinavas.

A tradição guerreira nórdica se originou da magia da caça e da luta permanente contra as intempéries e invasões, que se desenvolveu depois em uma arte com características marciais e espirituais, que visava trazer à tona as forças latentes de poder sobrenatural existentes em cada homem e canalizava a energia vital *önd* (equivalente do *chi, ki* ou *prana* da tradição oriental). Os guerreiros treinavam autoconfiança, autocontrole e coragem perante a morte, com o apoio de práticas xamânicas e ritos religiosos. Existiam cultos animais nas artes marciais que honravam os poderes do urso, do lobo e do javali; os *berserks* usavam a pele de urso para atrair sua força por meio de ritos iniciáticos. Essa simbologia foi mantida nos chapéus dos guardas reais dinamarqueses e ingleses. Os guerreiros que usavam peles de lobo se chamavam *ulfhednar* e diferiam dos *berserks* por serem lutadores solitários. As máscaras de animais serviam como captadores xamânicos de poder; os sacerdotes-guerreiros de Frey usavam máscaras de javalis e lutavam em uma formação chamada *Svinfylking*, "cabeça de javali", sendo mestres do disfarce na arte de escapar. Os registros escritos fornecem descrições detalhadas dos casos em que Odin retirava sua proteção de alguns heróis ou reis, o que levava ao seu trágico fim. Esse comportamento desleal do deus a quem os guerreiros dedicavam sua lealdade e empenho contribuiu para inúmeras histórias em que Odin é descrito como embusteiro e traiçoeiro, tornando seus protegidos invencíveis, mas só até o momento em que ele mesmo recolhia seus espíritos dos campos de batalha.

A natureza de Odin é paradoxal e misteriosa, ele é Senhor dos juramentos e da traição, da invencibilidade e da determinação da morte, das certezas e das dúvidas, sendo assim o Mestre que ensina pelos testes e desafios, pois cada passo na sua senda envolvia uma luta, externa ou interna. Era um deus cultuado e temido, porém pouco amado, sendo reverenciado por aristocratas, *berserks*, poetas e mestres na arte da magia rúnica. A principal característica de Odin é a sabedoria, mas desprovida de serenidade e quietude, sendo uma busca inquieta e contínua de conhecimento, em plena ascensão e diversificação. Ele sacrifica a si mesmo para alcançar as runas, abre mão de um olho para poder beber da fonte de Mimir, percorre os mundos para descobrir novos horizontes e habilidades e adquire a sabedoria ancestral do reino dos mortos.

Para compreender melhor a atuação de Odin como deus da guerra, é necessária uma breve descrição dos valores e costume das antigas sociedades nórdicas.

No período patriarcal pré-cristão, os povos e as tribos estavam permanentemente envolvidos em batalhas, conflitos, invasões, disputas ou conquistas. A sociedade estava acostumada ao uso de armas e à violência para resolver as diferenças entre tribos ou indivíduos. O herói das sagas e histórias era o chefe guerreiro e seus leais seguidores, prontos para morrer defendendo ou conquistando terras, bens, gado, casas ou mulheres. Para assegurar a vitória, proteção ou sobrevivência, os homens veneravam deuses que iriam ajudá-los, mas que em troca exigiam algum tipo de sacrifício, conforme comprovam os terríveis ritos e sacrifícios dedicados a Tiwaz, Wotan e Odin, bem como aos deuses romanos Marte e Mercúrio e às divindades celtas. Os prisioneiros eram executados de forma atroz, cortando suas gargantas, recolhendo seu sangue e ofertando seus bens aos deuses que lhes deram a vitória. Nos ritos dedicados a Odin, exigia-se a morte tripla: pela lança, pela forca e pela fogueira, para que fosse imitado o exemplo do deus, que passou pela autoimolação para alcançar a sabedoria oculta.

Até o século XI encontraram-se na Suécia evidências de sacrifícios sangrentos de homens e animais para honrar Odin no seu aspecto de "arremessador de lança" e "deus dos enforcados" (a forca era denominada de "corcel de Odin"). As vítimas enforcadas e empaladas com a lança eram cremadas junto com todos os seus pertences, incluindo os cavalos, pois se acreditava que tudo iria junto com o dono para Valhalla. Apesar de surpreendente, pode ser compreendida a destruição de armas, armaduras, escudos e joias das vítimas como um ato de gratidão e oferenda aos deuses, mesmo em uma época em que esses objetos eram valiosos e de difícil obtenção. A carnificina dos vencidos confirmava a crença na retribuição humana dos favores divinos, garantindo futuras vitórias e a sobrevivência dos descendentes. A frase "*agora eu entrego vocês a Odin*" era dita pelos chefes antes dos combates, ao mesmo tempo em que lançavam uma flecha por cima das tropas inimigas e evocando o poder vitorioso de Odin. As evidências históricas confirmam que todos aqueles que morriam de forma violenta, nos combates ou sacrifícios, recebiam o direito de irem para Valhalla, inclusive as mulheres. São mencionados sacrifícios voluntários de esposas ou escravas que pediam – ou aceitavam – seguir com os maridos ou senhores para o além, após serem enforcadas, apunhaladas e cremadas junto com eles na pira funerária.

Valhalla – o paraíso dos escolhidos – ficava no meio de uma floresta com folhas de ouro vermelho, *Glasir*. Foi descrito como um imenso salão com 545 portas para permitir a livre passagem dos guerreiros em caso de ataque. O telhado era feito com escudos dourados, as paredes de lanças brilhantes e decoradas com armas e armaduras. Na entrada, uma águia vigiava os quatro cantos dos mundos. Os guerreiros escolhidos e escoltados pelas Valquírias recebiam delas os tradicionais chifres com hidromel e, após brindarem, ajoelhavam-se perante Odin, que lhes dava as boas-vindas. Os *Einherjar* (lutadores solitários) passavam o dia todo lutando, morrendo e ressuscitando à noite para festejar junto com Odin, comendo carne de javali (sacrificado diariamente, mas renascendo no dia seguinte). Lutar e festejar eram os entretenimentos permanentes dos hóspedes de Odin, fato que explica a extrema dedicação e fé na vida pós-morte dos guerreiros.

Expandindo a apresentação mais recente e conhecida por meio das histórias do Período Viking, a simbologia mais profunda e complexa de Odin revela aspectos múltiplos, fazendo jus a um dos seus nomes: "*Aquele que muda de forma*". A estrutura básica de Odin é representada pelas tríades: Wodhanaz– Wiljon–Wihaz, Odin–Hoenir–Lodur ou Odin–Vili–Vé, que resumem seus atributos de guerreiro, xamã e psicopompo, ou suas qualidades de inspiração, poder mágico e transformação.

A escritora Freya Aswynn dá uma interpretação mitológica à transição de Odin de guerreiro a xamã. A guerra entre os *Æsir* e os *Vanir* teria sido consequência da decisão de Odin de queimar a giganta Gullveig, que apareceu repentinamente em Asgard e despertou nos deuses a cobiça pelo ouro. Apesar de representar um aspecto escuro da deusa (a cobiça), o ato de queimá-la três vezes originou as Nornes e deu início a uma série de eventos irreversíveis. Odin ainda não tinha adquirido suas habilidades mágicas e sua ampla sabedoria, que acabaram por transformá-lo em xamã, depois de sua autoimolação na Árvore do Mundo, com o sacrifício de um olho na fonte de Mimir, e de ter aprendido a arte *Seidhr* com a deusa Freyja. Ao transcender a morte durante seu sofrimento, ao ficar empalado e pendurado na Árvore do Mundo por nove dias, Odin adquiriu a habilidade de atravessar as fronteiras entre a vida e a morte e assumiu a condição de xamã, conforme descrito no poema "Havamal".

Odin "*entrega seu ser a ele mesmo*", ou seja, se entrega totalmente ao sofrimento, mergulha no escuro reino de Hel (o inconsciente, a morte xamânica) e, num lampejo de consciência expandida, alcança o mistério das runas. É nessa fusão da luz com a escuridão, do consciente com o inconsciente, que nasce a essência supraconsciente de Odin e ele transpõe a sabedoria assim alcançada para o código rúnico. Sua dádiva para a humanidade foi tornar compreensíveis os mistérios cósmicos aos quais ele teve acesso, revelados nos símbolos das runas, no dom da poesia, na eloquência da linguagem e na habilidade artística. Odin tornou-se, assim, o *mestre da inspiração, o senhor da sabedoria mágica,* que ele revelava e conferia aos seus adeptos, ao conduzi-los pelas mudanças dos estados de consciência para alcançar sua realização e integração espiritual.

Para nossa mentalidade racional e alicerçada em diferentes valores espirituais, parece muito difícil compreender e aceitar a jornada iniciática de Odin como mero aprendiz e não um deus. Devemos, no entanto, lembrar que os deuses nórdicos eram mortais (não fossem as maçãs mágicas da deusa Idunna) e seus mitos descreviam experiências e conquistas inerentes à existência humana, servindo de exemplo para os homens. Odin não nasceu deus onisciente e poderoso, ele foi se aperfeiçoando e progredindo, saindo de uma posição inferior na hierarquia divina e se elevando, graças à sua determinação e aos sacrifícios feitos para alcançar a sabedoria, da condição de *Odin* para a de *deus Odin*.

Odin personifica o arquétipo universal e eterno do xamã, que adquiriu sua sabedoria de três maneiras:

– pelo sacrifício iniciático na Árvore do Mundo durante nove dias e nove noites (nove sendo múltiplo de três e ambos, números mágicos e sagrados);

– pelo sacrifício do seu olho (da razão) para obter a permissão de beber da fonte de Mimir (sendo que Mimir representava a memória ancestral e sua fonte era o repositório de todos os conhecimentos dos antepassados, alcançados pela intuição e pela visão interior);

– pela ingestão diária de *Odhroerir*, o elixir da inspiração, a essência da consciência divina dos *Ases* e *Vanes*, roubado da giganta Gunnlud (conforme descrito no mito do *Odhroerir*).

Odin busca também outras fontes de informação: seus dois corvos – *Huginn* (pensamento) e *Muninn* (memória) – simbolizam a expansão permanente de suas habilidades perceptivas e cognitivas além das fronteiras conhecidas. Ele aprendeu com Freyja a arte da magia *seidhr*, prática baseada em rituais sexuais, transe divinatório e metamorfose. Cavalgando Sleipnir, o cavalo de oito patas (que representa os carregadores de um féretro), Odin desloca-se para o mundo subterrâneo, até o portal do reino de Hel (exemplo clássico de viagem xamânica, na qual se assume a forma de um animal), para obter informações de uma sacerdotisa morta (prática denominada necromancia). Um dos poemas antigos descreve a insistência com a qual Odin obriga a relutante *völva (*ou *vala)* a lhe responder.

Na qualidade de xamã, Odin desempenhava a missão de *psicopompo*, ou seja, o condutor das almas, por ele encontradas, recolhidas e conduzidas durante as peregrinações pelos mundos montando Sleipnir. Essa missão foi distorcida e apresentada nos contos medievais como a fúnebre cavalgada noturna de fantasmas chamada a Caça Selvagem (*Wilde Jagd*), e Odin, chamado de *Grimnir*, "o encapuzado", foi equiparado ao diabo pela Igreja cristã, que baniu até mesmo o seu nome do dia da semana a ele dedicado.

Como patrono dos dons da inspiração e da sabedoria, Odin se apresentava como um sábio idoso, com longos cabelos grisalhos, envolto em um manto azul-escuro, com um capuz ou chapéu de abas largas cobrindo a órbita vazia do olho perdido, um dos corvos pousado no ombro e o outro voando ao seu redor. Ele usava um cajado inscrito com runas e falava somente em versos, usando palavras belas e tocantes.

O fascínio que Odin exercia sobre a mente dos homens lhe conferia o poder de colocar e de soltar amarras (como o medo da morte ou o fluxo da inspiração). Os símbolos desse poder são o *trefot*, o *valknut*, os nós triplos, a lança, a espada e a serpente (forma que assumiu para perfurar a montanha onde era guardado o elixir da inspiração e, copulando com Gunnlud, após reassumir sua apresentação divina, dela obteve permissão para beber três goles do elixir e levar o resto consigo).

Dos guerreiros mortos nos campos de batalha eram escolhidas as almas daqueles que mais haviam se destacado pela coragem e nobreza, escoltadas pelas Valquírias e conduzidas aos salões de Odin ou de Freyja (que dividiam entre si os heróis mortos). Nas lendas mais antigas, as Valquírias tinham uma atuação maior e desfrutavam de livre-arbítrio. Nos mitos mais recentes, principalmente aqueles do Período Viking, enfatiza-se seu aspecto bélico e sanguinário. Existem alguns relatos celtas e nórdicos sobre entidades femininas vistas na véspera das batalhas, despejando sangue nos campos ou tecendo teias fúnebres com entranhas e caveiras. Elas apareciam nos sonhos dos homens e anunciavam quem iria vencer ou perder. Suas representantes na terra eram as "sacerdotisas da morte", mulheres encarregadas dos ritos sacrificiais e da preparação das vítimas para irem "ao encontro de Odin" no ritual da morte tripla. O culto de Odin contém inúmeros elementos e influências do xamanismo siberiano e ártico, exceto o uso do tambor, das danças e das curas. É evidente, em todos os seus mitos, sua importância como psicopompo, mago, mestre desafiador e condutor nos testes iniciáticos, sendo um verdadeiro catalisador de expansão da consciência.

No poema "Havamal", Odin conta como se autoimolou, ficando dependurado na Árvore do Mundo por nove dias e nove noites, ferido por sua própria lança, sem comer, beber ou dormir. No final da nona noite, as runas surgiram na sua consciência, após terem sido por ele avistadas no abismo de Niflheim e agarradas por um ato de vontade e com um grito de triunfo. Esse sacrifício voluntário almejava a aquisição do conhecimento secreto e oculto nas profundezas de todos os mundos de Yggdrasil. A Árvore do Mundo representava o centro da cosmologia xamânica, enquanto o rito de iniciação de várias tribos nativas (siberianas, sami ou nativas americanas) era a encenação ritualística da morte e do renascimento dos neófitos para se tornarem xamãs. O sofrimento físico e psíquico dessas cerimônias era um sacrifício exigido para obter a sabedoria, que iria lhes permitir atuar como magos, xamãs e curandeiros, intermediários entre os seres humanos e as divindades. A "morte" ritualística era induzida por jejum, meditação, isolamento, votos de silêncio, testes árduos de resistência, tenacidade e sofrimento físico, além das experiências alucinatórias e das visões obtidas pelo contato com ancestrais e seres sobrenaturais.

Assim como os xamãs, Odin também buscava conhecimento pela comunicação com os mortos; no episódio do poema "Baldrs Draumar", ele "desperta" uma vidente morta e a obriga a responder-lhe sobre o destino do seu filho Baldur, enquanto o poema "Havamal" descreve como Odin conheceu encantamentos que obrigavam os mortos a se levantar e falar com ele. Ele também consultava a cabeça decepada de Mimir e ofereceu seu olho para beber da fonte onde ela estava guardada, a qual representa o repositório dos conhecimentos e memórias ancestrais. No poema "Völuspa", Mimir (*Memor*, memória) é descrito como o "guardião da fonte da sabedoria" em cujas profundezas apareciam todas as lembranças do passado e até mesmo vislumbres do futuro. Odin pediu a sua permissão para tomar um gole, mas Mimir exigiu como troca que ele oferecesse um dos seus olhos para obter o conhecimento oculto. Odin não hesitou e arrancou seu olho, entregando-o para Mimir, que o mergulhou na fonte, onde ele continuou brilhando suavemente nas águas escuras. Em um poema antigo, cita-se que "o olho restante de Odin é o sol, que todos almejam, enquanto seu olho ofertado na fonte é a lua, cujo brilho é menos intenso, mas mais profundo". Para marcar esse acontecimento importante da sua vida, Odin pegou um galho de Yggdrasil e dele confeccionou a sua poderosa lança, Gungnir.

"A cabeça falante saindo de uma fonte" é um antigo motivo encontrado nos mitos celtas e nas lendas irlandesas. Na Escandinávia foram encontradas inúmeras representações de cabeças nas esculturas dos pilares, nos amuletos para atrair sorte e proteção, nos bracteatas e broches. Ao sacrificar o olho da razão, Odin abriu sua visão interior e ativou a intuição e percepção expandida. Os dois corvos que o acompanham simbolizam a mente (*Huginn*) e a memória (*Muninn*), que sobrevoam os mundos durante o dia e ao anoitecer sussurram nos seus ouvidos tudo o que viram ou ouviram (imagens com forte conotação xamânica). O cavalo com oito patas – Sleipnir, montaria preferida de Odin – é um elemento comum nas viagens xamânicas, o xamã cavalgando algum animal ou pássaro nos seus deslocamentos astrais e no contato com o mundo dos mortos.

Como *psicopompo,* condutor das almas do mundo dos vivos para o além, lhe era atribuído também o poder de trazer de volta os mortos, crença que deu origem à temida Caça Selvagem. Esta era uma cavalgada tenebrosa e amedrontadora de fantasmas, conduzidas por um cavalheiro encapuzado, montado sobre um cavalo gigante, acompanhado de cães pretos com olhos vermelhos e provocando tempestades e escuridão à sua passagem. Odin era conhecido, portanto, como "o caçador selvagem", que trazido por rajadas de vento, aparecia acompanhado pelo uivo dos cães e cuja passagem era temida como prenúncio de fome, epidemias ou guerras. Aqueles que caçoavam da cavalgada lúgubre eram arrastados por ela, enquanto aqueles que a honravam, recebiam presentes repentinos. O objetivo da Caça Selvagem variava; podia ser para perseguir um javali, um cavalo selvagem fantasmagórico ou as ninfas da floresta. "Mulheres da floresta" ou "donzelas-musgo" representavam as folhas de outono arrancadas pelos rodopios dos ventos, mais fortes no outono e no inverno, o que fez ser esta a estação preferida de caça de Odin. O período mais temido era a metade escura do ano, entre as Noites de Inverno (solstício de inverno) e Ostara (equinócio da primavera), quando as pessoas evitavam sair depois de escurecer, temendo a loucura ou a morte se fossem arrastadas pelos espíritos. Principalmente entre *Yule* e a 12ª noite, os camponeses costumavam deixar próximo aos estábulos feno e grãos para o cavalo de Odin.

Após a cristianização, Odin foi equiparado com o diabo, as noites escuras e assoladas pelos ventos e inverno sendo um sinônimo de perigos e desgraças sobrenaturais, enquanto na Idade Média ele foi identificado com o flautista de Hamelin. Nessa história um flautista conduziu os ratos que infestavam uma cidade para se afogarem no rio. Porém, como os moradores não honraram o pagamento combinado, ele se vingou, levando consigo todas as crianças do lugar, enfeitiçadas pelo som mágico da flauta, até entrarem nas colinas e nunca mais voltarem. Nesse conto Odin é o flautista e os sons agudos da flauta representam o assobio do vento, enquanto os ratos são as almas dos mortos e o rio ou a colina, a passagem para o Além. Alguns povos antigos acreditavam que a alma saía do corpo na forma de um rato, podendo voltar quando a pessoa dormia ou estava em estado de transe.

A característica de Odin como mediador entre vivos e mortos lhe conferiu o título de *deus ancestral*, que favorecia o renascimento e a continuidade da linhagem familiar, trazendo os poderes dos ancestrais representados pela *hamingja* (sorte herdada). Além de ser honrado como guia das almas, Odin foi considerado ancestral de vários clãs, reis e heróis e por isso aclamado como *All Father*, "o pai de todos", o deus mais velho e sábio de Asgard.

O símbolo mais importante de Odin é o *walknut* ou *valknut*, formado pelo entrelaçamento de três triângulos. Usado sobre objetos mágicos ou riscado para abençoar pessoas ou espaços, ele liga magicamente os mundos e seus habitantes; usado como amuleto ou talismã ele simboliza a entrega do portador ao Odin, na vida e no além. O *walknut* aparece em muitas pedras funerárias de Gotland (entre 750-850 d.C.) junto com desenhos de cavalheiros, pássaros e mulheres ofertando brindes. Na pedra *Stora Hammar,* vê-se com nitidez uma cena sacrificial: um homem perto de uma árvore com uma corda no pescoço, outro deitado à espera de ser atravessado por uma lança e pássaros (corvos ou águias) voando acima de um *walknut*.

Com o passar do tempo, Odin passou a ser cultuado principalmente como patrono da inspiração e da sabedoria, sendo invocado por todos aqueles que lidam com palavras, escritas ou faladas e que precisam de inspiração, eloquência e criatividade. Apesar de Odin ter conseguido o dom da poesia e da música ao roubar e ingerir o hidromel sagrado, ele o usava raramente e o transferiu para seu filho Bragi.

Mitos de Odin

Odhroerir, o elixir da inspiração

No armistício que pôs fim à guerra entre os deuses Aesir e Vanir, eles cuspiram dentro de uma vasilha cerimonial para firmar o pacto, um antigo costume para selar acordos. Da fermentação da saliva conjunta dos deuses, nasceu um ser chamado Kvasir, renomado pela sua sabedoria e que percorria os mundos respondendo a perguntas e dando conselhos. Dois anões – *Fjalarr* e *Gallar* – invejaram esse conhecimento profundo e, ao encontrar Kvasir dormindo, o mataram e guardaram seu sangue em três vasilhas. Após misturá-lo com mel e ervas aromáticas, a bebida fermentada ficou conhecida como o "elixir da inspiração", que poderia conferir a quem o bebesse o dom da poesia, da criatividade e da arte. Os anões esconderam o líquido precioso, mas tiveram que entregá-lo como resgate ao serem aprisionados pelo gigante *Suttung*, cujos pais tinham sido mortos pelos anões de forma perversa e maldosa. Suttung entregou a valiosa bebida para sua filha *Gunnlud*, que o levou para sua morada, uma caverna em uma montanha distante, e passou a vigiar dia e noite esse tesouro. Porém, Odin ficou sabendo da sua existência através dos corvos e foi buscá-lo, pois além da sabedoria rúnica e dos conselhos de Mimir e Saga, ele desejava adquirir também o dom da inspiração. Após algumas peripécias, Odin chegou até uma gruta de estalactites vermelhas e quartzo brilhante, totalmente fechada por blocos de rocha e inacessível. Odin usou uma artimanha para convencer um gigante a furar a rocha e assumiu a forma de serpente para passar pelo orifício. Uma vez dentro da gruta, Odin reassumiu sua forma divina e seu esplendor, seduzindo a inocente Gunnlud. Após passar com ela três noites, Odin usou de malícia e astúcia para obter a permissão de tomar um gole do elixir de cada um dos recipientes. Porém, ele sorveu todo o conteúdo dos recipientes, transformou-se em águia e saiu voando para Asgard, escapando da perseguição de Suttung. Ali chegando, Odin regurgitou o hidromel dentro de dois vasos preparados pelos demais deuses, chamados *son*, expiação e *boden*, oferenda. Na pressa, algumas gotas caíram e se espalharam sobre a terra, tornando-se assim o manancial de inspiração de poetas, escritores, artistas e sábios, que podem obter a permissão de Odin e a bênção divina para "ingerirem" a bebida sagrada. O restante do elixir foi reservado para o consumo dos próprios deuses, principalmente de Odin.

A fonte de Mimir

Para obter a grande sabedoria que o tornou famoso, Odin foi pedir a Mimir, o guardião da fonte (que detinha todo o conhecimento do passado e a definição do futuro) para tomar um gole da mágica água da sua fonte. Porém, Mimir se recusou, a não ser que Odin fizesse um sacrifício, ofertando um dos seus olhos. Odin não hesitou. Tanto ele prezava o conhecimento que arrancou sem titubear seu olho, que foi colocado por Mimir na fonte, de onde continuou brilhando com um reflexo prateado. Como simbolismo, o olho da fonte pode ser considerado como sendo a lua, enquanto o outro que restou, o sol, metáfora que explica a ativação do poder cognitivo e racional de Odin por ele ter aberto mão da sensibilidade e percepção lunar.

Apesar de ter conseguido o conhecimento que almejava, Odin ficou triste percebendo a natureza transitória de todas as coisas e tendo a revelação da morte dos deuses no Ragnarök, incluindo a sua. Para testar a sabedoria obtida, Odin decidiu visitar o gigante Vafthrudnir e convocá-lo para uma competição de conhecimentos.

A visita de Odin a Vafthrudnir

Aconselhado por Frigga, Odin se disfarçou de andarilho com o nome de Gangrad e convidou o gigante para o teste. Vafthrudnir questionou o visitante sobre os cavalos que carregavam o sol, a lua, o dia e a noite pelo céu, sobre o rio que separava Asgard de Jötunheim (Ifing), bem como o nome do local da última batalha (a planície de Vigrid). Odin respondeu prontamente e na sua vez começou a interrogar o gigante, que também acertou a origem do céu e da terra, a criação dos deuses e a guerra entre eles, os atributos das Nornes, a finalidade de Valhalla e os governantes que iriam substituir os Aesir após o Ragnarök (os filhos de Odin e Thor). Mas quando Odin perguntou baixinho o que o Pai todo poderoso sussurrou ao seu filho morto Baldur antes de acender a pira funerária, o gigante reconheceu seu divino hóspede e declarou que ninguém a não ser o próprio Odin poderia dar a resposta certa. E por ter entrado sem pensar em uma competição com o rei dos deuses, merecia perder a cabeça como castigo pela derrota.

Como outros mitos nórdicos, este também acaba abruptamente e sem informar se Odin matou seu rival, nem revelar a resposta à sua última pergunta. Alguns mitólogos supõem que a palavra sussurrada por Odin no ouvido de Baldur – para consolá-lo da sua morte precoce – foi "ressurreição".

A descoberta das runas

"Suspenso na Árvore assolada pelo vento,
Durante nove dias e nove noites fiquei.
Trespassado por uma lança, uma oferenda para Odin,
Eu mesmo me sacrificando e oferecendo-me a mim.
Amarrado e suspenso estive naquela Árvore
Cujas raízes têm uma origem desconhecida aos homens
Ninguém me deu pão para comer,
Ninguém me deu algo para beber.
Ao espreitar as profundezas abaixo de mim,
Agarrei avidamente as runas,
E apossei-me delas, dando um grito feroz.
Depois caí da Árvore, perdendo os sentidos.
(...)
Bem-estar eu alcancei com as runas, sabedoria também,
Amadureci e alegrei-me com o meu crescimento.
Cada palavra conduziu-me a novas palavras,
Cada ato proporcionou-me novos atos e escolhas."

"Havamal", *estrofes 138 e 139*

Assim como a sabedoria foi conseguida por meio de um sacrifício, também as runas – o conjunto mágico e misterioso de símbolos sagrados – foram avistadas por Odin após permanecer por nove noites e nove dias pendurado de cabeça para baixo na sagrada árvore Yggdrasil. Se autoimolando e atravessado pela própria lança, Odin vislumbrou na profundidade escura da fonte as misteriosas runas e com um grito de triunfo apossou-se delas.

Após ter absorvido completamente essa sabedoria primordial, Odin entalhou as runas na sua lança Gungnir, nos dentes do seu cavalo de oito patas, Sleipnir, nas garras do urso e sobre inúmeras outras coisas animadas ou inanimadas. E por ter ficado enforcado acima do abismo de Niftheim por tanto tempo, ele tornou-se o padroeiro de todos os condenados a serem enforcados ou atravessados pela lança.

Depois de ter obtido a dádiva do conhecimento e da sabedoria mágica das runas – que lhe davam o controle sobre o todo –, Odin quis buscar o dom da inspiração e da eloquência, que ele alcançou, conforme foi descrito no mito de *Odhroerir*.

O mito de Geirrod e Agnar

Como Odin se interessava pelos afazeres humanos ele gostava de observar as crianças, junto com Frigga. Os filhos do réu Hrauding – Geirrod e Agnar – de 8 e 10 anos, respectivamente, lhes chamaram a atenção. Enquanto os meninos estavam pescando, uma tempestade repentina empurrou seu barco até uma ilha, onde foram recebidos por um casal idoso, que na realidade era um disfarce usado por Odin e Frigga, para ficarem mais próximos dos seus protegidos. Odin passou a ensinar o uso de armas para Geirrod, enquanto Frigga brincava e mimava Agnar.

Todos permaneceram durante os meses frios de inverno e, na chegada da primavera, Odin os levou em um barco para a sua terra natal. Porém, antes de o barco atracar, Geirrod pulou na água e saiu correndo para o palácio paterno, enquanto Agnar foi levado para o alto-mar pelo barco. Geirrod não falou ao pai a verdade sobre a ausência dele e como Agnar foi considerado morto, ao se tornar adulto Geirrod sucedeu ao pai como governante.

Anos se passaram e, num dia, Odin se lembrou da temporada passada na ilha e começou a elogiar a grandeza de Geirrod e a pobreza de Agnar, que tinha casado com uma giganta, sem ter se sobressaído em nenhuma área da vida. Frigga retrucou, dizendo que era melhor ser pobre do que mesquinho e agressivo e acusou Geirrod de falta de hospitalidade, uma das mais graves falhas na sociedade nórdica. Ao ouvir essa acusação, Odin decidiu provar a falsidade dos boatos, e, assumindo o disfarce do andarilho, foi para o reino de Geirrod. Porém, Frigga imediatamente enviou um mensageiro para alertar o rei sobre um homem vestindo um manto e um chapéu de abas largas, que seria um maldoso feiticeiro querendo prejudicá-lo. Por isso, ao chegar ao palácio, Odin foi preso e interrogado, mas, ao se identificar como Grimnir, ele recusou-se a responder, o que confirmou as suspeitas de Geirrod e despertou a sua conhecida violência e crueldade. Para punir o "bruxo", Geirrod mandou amarrar Odin entre duas fogueiras, onde ele teve que permanecer oito dias e oito noites, em silêncio e jejum. Como Agnar tinha retornado em segredo ao palácio, assumindo uma posição social inferior, ao presenciar a tortura foi movido pela compaixão pelo sofrimento do preso e lhe ofereceu um chifre com hidromel. No nono dia, enquanto Geirrod se divertia com a tortura do prisioneiro, Odin começou a cantar, no início baixinho, depois cada vez mais alto, entoando uma profecia sobre a morte do rei, antes favorito do deus. Com os últimos sons, as correntes caíram e Odin assumiu a sua forma real, majestosa e divina. Geirrod tinha puxado sua espada para matar o insolente cantor, mas, quando viu a transformação de Odin, perdeu a empáfia, tropeçou e caiu sobre a espada, morrendo pela sua própria mão, assim como Odin tinha previsto. Para recompensar Agnar, Odin o empossou como rei e o abençoou com a prosperidade do reino.

Durante outra ausência de Odin, seus irmãos Vili e Vé (considerados por alguns mitólogos como personificação de Odin) se apoderaram do trono e até mesmo acredita-se que se casaram com Frigga. Mas, na volta de Odin, os usurpadores sumiram e, para comemorar seu retorno, os pagãos nórdicos lhe dedicaram os festejos do dia 1º de Maio (*Majfest*), com procissões e a coroação do Rei de Maio, vencedor do seu rival, o Rei do Inverno.

Como personificação do céu, Odin era cônjuge da Terra, que por ter um aspecto tríplice, foi representada por várias deusas como Jörd (mãe de Thor), Frigga (mãe de Baldur, Hermod e Hödur) e Rinda, a deusa da terra congelada, que se tornou mãe de Vali (emblema da vegetação). Suas outras esposas foram Grid (mãe de Vidar), Gunnlod (mãe de Bragi) possivelmente Saga (que ele visitava diariamente para juntos beberem da água cristalina do rio das memórias) e as nove Donzelas das Ondas, que se tornaram mães de Heindall. Odin era filho dos gigantes Bestla e Bor, casado com a deusa Frigga e junto com ela considerado o progenitor do clã dos Aesir. Teve inúmeras aventuras extraconjugais com deusas e gigantas, gerando inúmeros filhos com elas.

A aparência de Odin

Como Pai Universal, o mais nobre e sagrado dos deuses nórdicos, Odin representava o espírito universal todo-abrangente, personificando vitória e sabedoria, condução e proteção dos guerreiros e nobres. Do trono *Hlidskialf* em Asgard (reservado apenas para Odin e Frigga), ele supervisionava e vigiava tudo o que acontecia no mundo das divindades, gigantes, elfos, anões e seres humanos. Além do seu salão *Gladsheim*, com móveis e objetos de ouro e prata, onde se reuniam os deuses em concílio, Odin tinha outros palácios como *Valaskialf*, onde ficava o trono *Hlidskjalf* e o palácio de Asgard, no meio da maravilhosa floresta *Glasir*.

Geralmente Odin era representado como um homem alto, vigoroso, de meia-idade, com longos cabelos e uma barba grisalha. Como vestimenta usava roupas cinza e um manto com capuz, de cor azul (claro ou escuro), com manchas cinza e brancas, reproduzindo o céu e as nuvens. Portava sua lança mágica, de três lâminas e com a ponta em forma de corvo, inquebrável e invencível, chamada *Gungnir*; um cajado inscrito com runas e o anel milagroso *Draupnir*, emblema da fertilidade. Gungnir determinava a vitória nos combates em função da direção que tomava ao ser lançado no início do confronto. Draupnir simbolizava as bênçãos de Odin e era reproduzido nos colares usados pelos guerreiros; três anéis entrelaçados eram associados com o *walknut* e simbolizavam o poder de Odin para amarrar e soltar.

Quando Odin aparecia armado nos combates, portava um tapa-olho de metal, usava um elmo de ouro em forma de águia e um escudo branco; mas quando peregrinava na terra assumindo feições humanas, um chapéu de abas largas escondia a órbita vazia de um dos seus olhos. Os dois corvos, Huginn e Muninn, ficavam pousados nos seus ombros e saíam durante o dia para observar o que se passava nos mundos. Aos seus pés permaneciam os dois lobos, Geri e Freki, alimentados apenas pelo seu dono. Odin raramente comia mesmo nos fartos jantares de Valhalla, mas ingeria diariamente hidromel, fornecido em abundância pelas tetas da cabra Heidrun, que se alimentava com as folhas e os brotos de Yggdrasil. Quando Odin participava de guerras, ele montava seu cavalo de oito patas, Sleipnir, e usava um escudo de metal branco. Às vezes ele lançava flechas do seu arco mágico, que jamais erravam o alvo. A primeira flecha lançada sobre a cabeça dos inimigos e o grito "*vocês pertencem a Odin*" assinalava o início da batalha.

Por serem suas características multifacetadas e devido à capacidade da metamorfose, seus *nomes* eram inúmeros, em torno de duzentos, cada título descrevendo uma das suas atividades. O seu nome principal – Wotan ou Odin – que significava "fúria", referia-se ao transe extático por ele causado nos *berserks*. Outros títulos mais significativos são: *Grimnir* (o encapuzado), *Yggr* (o terrível), *Sigfadhir* (pai da vitória), *Valfadhir* (pai dos escolhidos para morrer), *Harbardr* (barba grisalha), *Har* (o altíssimo), *Hroptr* (o malvado), *Herjan* (o senhor), *Fimbultyr* (deus poderoso), *Hrjotr* (o trovejante), *Svipall* (o mutante), *Hangagod* (deus dos enforcados), *Geirvaldr* (senhor da lança), *Oski* ("realizador dos desejos"), *Sangetal* (aquele que encontra a verdade), *Galdrfadhir* (pai dos sons mágicos), *Svithur* (o sábio), *Drauga Drottin* (senhor dos fantasmas), *Gangleri* (o peregrino), *Herteit* (aquele que ama a guerra), *Omi* (aquele cuja voz ressoa), *Svafnir* (aquele que adormece os homens), *Glapsvidr* (o sedutor), entre muitos outros.

Alguns autores afirmam que os ditos irmãos de Odin – Vili e Vé, ou Hoenir e Lodur –, eram na realidade aspectos da sua natureza múltipla, mesclando assim os elementos de ar, água e fogo, presentes também na ponte Bifrost. Nessa triplicidade Odin fornece à raça humana o sopro da vida, Hoenir o pensamento e a memória (qualidades personificadas pelos corvos) e Lodur a força vital e a *hamingja* (herança genética e sorte).

Os animais totêmicos de Odin são: lobo, corvo, águia, cavalo, serpente e o dragão. Outros símbolos de Odin eram: lança, espada, escudo, cajado, anel, manto azul com capuz, nós em movimentos serpentíneos, *fylfot* (a cruz de Wotan) e a suástica (símbolos quádruplos), *trefot* (símbolo tríplice), bastão em forma de serpente, as estrelas Capella, Corona Borealis e a constelação Ursa Maior.

A maior dádiva de Odin para a humanidade foi tornar compreensíveis os mistérios cósmicos aos quais teve acesso durante o seu rito xamânico de profunda entrega e doação, em que transcendeu a morte ao se autoimolar na Árvore do Mundo e mergulhar no escuro reino de Hel (o inconsciente). Ao se abrir para a fusão da luz e da escuridão, do consciente com o inconsciente, Odin expandiu sua consciência e pelo seu esforço e merecimento alcançou a compreensão dos mistérios das runas, tornando-se assim um verdadeiro Senhor da Sabedoria Mágica. O fato de ter Odin agido como aprendiz – e não como deus onipotente – na busca da sabedoria, realça o seu aperfeiçoamento e progresso na hierarquia divina, saindo de uma posição inferior e se elevando por meio da sua determinação e seus sacrifícios, dando exemplo a todos aqueles que buscam o aprimoramento, a expansão da consciência e a elevação espiritual.

Odin como personagem histórico

Existem várias interpretações e versões sobre personagens e figuras míticas ou semi-históricas com o nome de Odin, assumindo as virtudes, poderes e aventuras do seu predecessor. Como chefe dos Aesir, habitantes da Ásia Menor, ele os teria conduzido em 70 a.C. na migração para a Europa, para escapar ao jugo e escravidão impostos pelos romanos. Conta-se que esse Odin teria conquistado a Rússia, a Alemanha, a Dinamarca, a Noruega e a Suécia, deixando em cada país um filho seu para governar. Recepcionado na Suécia pelo rei Gylfi, teria dele recebido uma parte do país para reinar e fundado a cidade de Sigtuna, onde construiu um templo e introduziu um novo culto. Ao se aproximar seu fim, ele convocou seus seguidores e se cortou nove vezes no peito com sua lança, avisando que iria voltar para a sua terra natal, Asgard. Em outro relato o rei Gylfi, tendo ouvido falar sobre o poder dos Aesir, habitantes de Asgard, teria viajado para verificar a veracidade dos fatos. Ao chegar ao palácio de Odin, foi recebido por três divindades sobrepostas e sentadas no trono. O guardião Gangleri respondeu a todas as suas perguntas e lhe deu uma longa explicação sobre a mitologia nórdica, assim como está descrita nos textos dos *Eddas*.

Pode ser deduzido desses relatos que, após a cristianização, os antigos mitos foram sendo transformados em eventos e personagens históricos, preservando fatos e atributos de Odin, mas desprovidos da sua essência divina. Até mesmo as suas estátuas foram desaparecendo, principalmente durante o reinado de Olavo, o Santo, que se empenhou em erradicar todos os vestígios pagãos e abolir a reverência aos antigos deuses e as memórias da rica mitologia nórdica.

Porém o código de leis e comportamento dado por Odin ao seu povo permaneceu registrado para sempre no poema "Havamal", que forma uma parte dos *Eddas*. Nesse texto Odin fala sobre as fraquezas humanas e incentiva as virtudes de coragem, temperança, independência, verdade, lealdade, respeito pelos idosos, hospitalidade, caridade e alegria, ensinando também o culto dos mortos.

Nos verbetes específicos dos deuses serão mencionados os mitos em que Odin participa junto deles (Thor, Loki, Baldur).

Tyr (Tiwaz, Tiw, Dieus, Tei, Tuisco, Ziu), O Senhor da Batalha

Os mitos e cultos de Tiwaz, predecessor de Tyr, são muito antigos, sendo oriundos dos povos indo-europeus, depois adotados e adaptados pelos povos escandinavos e teutônicos e perdendo aos poucos sua relevância, ao serem substituídos pelos herdeiros das suas qualidades – Odin e Thor. Os nomes *Tei* e *Ziu* têm como origem a palavra indo-europeia *djevs*, sinônimo de "céu" ou "luz", que também originou o latino *dieus* e o grego *Zeus* e a raiz *ass* ou *oss* nas línguas protogermânicas, equivalentes a "deus". *Teiwaz*, portanto, representava o deus celeste associado ao poder solar e à luz do dia, transformado depois em deus da guerra, conforme comprovam as inscrições da palavra *teiwa* em elmos e espadas.

Supõe-se que *Tiw* era a versão germânica do "Pai Celeste" indo-europeu, cuja posição de chefe dos deuses foi usurpada por Wodan. No entanto, ele não foi equiparado pelos romanos com Júpiter ou Zeus, mas considerado *Mars Thingsus*, o dirigente divino das assembleias Thing, que estabeleciam as leis, mas também solucionavam as disputas. Teiwaz era cultuado como deus protetor das leis, dos contratos, da ordem, bem como regente da guerra. O dia da semana a ele dedicado era terça-feira, chamado em latim *dies Martis* (dia de Marte), traduzido como *Dienstag* e *Tuesday*.

Apesar de reger as batalhas, Teiwaz não tinha um aspecto sanguinário e era invocado nos duelos oficiais, aos quais se atribuíam os augúrios divinos, que definiam os culpados (nos litígios interpessoais) ou os vencedores (na véspera das batalhas, quando lutavam entre si os representantes das duas tribos). Tiw era tão importante para os saxões quanto Odin era para os nórdicos; apesar da semelhança estabelecida pelos romanos com Marte, Tiw era o Pai Celeste, enquanto Marte era patrono dos soldados e incentivador das disputas. As modificações posteriores do seu arquétipo exaltaram as qualidades guerreiras e introduziram os sacrifícios sangrentos, para que assim Tiw concedesse a vitória nos combates. Ele foi transformado em um deus sedento de sangue, a quem se ofertavam as cabeças dos inimigos vencidos.

O sucessor de *Tiwaz*, *Tyr*, também era invocado para conceder coragem, vitória e justiça. Era em seu nome que se faziam os juramentos solenes sobre a espada, que não podiam ser quebrados sob risco de punição divina. A vida dos guerreiros dependia das suas armas e jurar sobre elas, era a prova máxima da sinceridade e fé.

Os juramentos tinham um papel importante na sociedade nórdica, para criar e manter os elos em um grupo ou clã, pois eles entrelaçavam os destinos individuais e grupais. O juramento era visto como uma afirmação, cuja essência e implicações eram colocadas na fonte de Urdh, tornando-se parte integrante do *orlög* e do domínio das Nornes. Assumir e honrar os compromissos, bem como cumprir os juramentos feitos, eram meios pagãos, poderosos e arcaicos, para que os homens se alinhassem com o fluxo do *wyrd* e atraíssem a sorte e a proteção divina.

Supõe-se que Tyw teria sido o deus celeste a quem foi dedicado o Pilar Sagrado saxão – *Irminsul*, correspondente à Arvore do Mundo, no nível cósmico e aos pilares de sustentação das casas, no plano humano. Tanto Irminsul quanto Yggdrasil representam o eixo central do Universo, que sustenta e conecta todos os níveis e mundos. Esse atributo é mostrado na forma da runa Tiwaz, representando a flecha do deus ou o pilar celeste. No verbete dessa runa, no poema anglo-saxão, Tyr é descrito como uma *estrela-guia, que jamais falhava na condução dos marinheiros e viajantes*. Seus lugares sagrados eram no topo das montanhas, próximo ao céu.

Principalmente no Período Viking, o deus Tyr era invocado para garantir a vitória no combate, decidida antes de começar a luta pelo duelo ritualístico *holmgang*, em que se confrontavam os chefes guerreiros dos dois exércitos. Seu culto foi eclipsado com o passar do tempo pelos de Odin e Thor e pouco se sabe da sua real origem, apenas que era o deus regente dos assuntos legais, sua lança sendo o emblema da autoridade jurídica, por ele ser o padroeiro das assembleias *Thing*. Era um deus corajoso e justo, nobre e prudente, cujas características ligadas aos planetas eram mais próximas de Mercúrio, do que das de Marte que lhe foram atribuídas, principalmente pela influência da cultura romana e o seu culto aos deuses guerreiros.

Tyr era honrado como exemplo de integridade e autossacrifício para o bem comum, sendo invocado para auxiliar nas decisões, processos e disputas e no cumprimento dos juramentos e promessas, devendo ser reverenciado por todos aqueles que lidavam com leis e o cumprimento das decisões judiciais. Seus símbolos eram a mão ou a luva, a estrela, a cor vermelha, a runa Tiwaz (ou uma flecha) e o pilar.

Tyr era descrito como um homem alto e forte, com cabelos louros ou grisalhos trançados, olhos azuis acinzentados; ele usava uma malha metálica e um manto vermelho, um elmo com chifres, botas de pele de lobo, uma corda com nós em lugar de cinto e a espada gravada com a runa Tiwaz. Às vezes usava um tapa-olho de couro preto, por também faltar-lhe um olho, além da mão.

Filho da deusa Nerthus, consorte de uma desconhecida deusa dos grãos, Ziza (ou *Kornmutter* da Alemanha), Tyr era conhecido também como *Tuisco*, pai de Ingvio, Irmio e Istvio, os progenitores das três tribos germânicas primordiais, ancestrais de todas as outras e que deram origem às castas. Como deus celeste, Tyr era associado a várias estrelas, principalmente a Sirius, cujo nome em persa arcaico era *tir* e significava "flecha" e à Estrela Polar, descrita como *tyr* e honrada como guia dos navegadores nórdicos. Nesse contexto, a runa Tiwaz a ele atribuída e que representa a flecha que aponta o caminho, confirma a associação de Tyr com "céu" e "luz".

Supõe-se que *Saxnot* (seu nome derivado de *Sax*, espada), a divindade suprema dos saxões, em cuja honra eram feitos sacrifícios humanos e oferendas com as espadas dos guerreiros vencidos, tenha sido o equivalente de Tiwaz. Ele era representado pela imagem da espada e para honrá-lo, eram feitas danças com espadas, o chefe dos guerreiros sendo erguido no final pela união de todas as espadas.

A amarração de Fenrir pelo deus Tyr

O mito mais conhecido de Tyr é sua atuação na amarração do feroz lobo Fenrir (ou Fenris segundo outras fontes), filho de Loki e da giganta Angrboda e irmão da terrível Serpente do Mundo e da deusa Hel. Apesar de Loki ter mantido em segredo a existência dos animais monstruosos, Odin os avistou do seu trono celeste e, preocupado com a ameaça que eles representavam para Asgard, decidiu afastá-los. Ele concedeu a Hel a regência dos nove reinos dos mortos no mundo subterrâneo e jogou a serpente *Jörmundgand* no mar, onde ela cercou *Midgard* (a terra) com seu imenso corpo. Esperando que Fenrir permanecesse dócil se fosse bem tratado, Odin o levou para Asgard, mas nenhum dos deuses ousou se aproximar e alimentar a fera, com exceção de Tyr. Porém, o lobo foi aumentando em tamanho, ferocidade e voracidade, e, reunidos em conselho, os deuses decidiram amarrá-lo para evitar que criasse problemas com sua fúria destrutiva. Para conseguirem sua captura eles encomendaram aos anões ferreiros uma corrente mágica, aparentemente frágil e fina, mas constituída de materiais impalpáveis como: o som das pisadas do gato, fios da barba de uma mulher, a raiz da montanha, a voz dos peixes, os sonhos do urso e a saliva dos pássaros. Desconfiado da aparente leveza da corrente, denominada *Gleipnir,* Fenrir temeu uma cilada e aceitou ser amarrado, desde que um deus colocasse a mão na sua boca, em sinal de confiança e boa-fé. Os deuses recuaram perante a proposta, mas Tyr se ofereceu como garantia e aceitou o desafio. Fenrir foi amarrado, mas quando ele percebeu que, apesar dos seus esforços, não conseguia romper a corrente, decepou a mão de Tyr, que passou a usar depois disso a mão esquerda para segurar a espada. Unindo seus esforços, os deuses arrastaram o lobo amarrado e o prenderam no mundo subterrâneo, de onde ele sairá somente no Ragnarök, enfrentando seus milenares inimigos, os deuses Aesir. Acredita-se que a mão de Tyr continuava nas mandíbulas de Fenrir, assim como o olho de Odin permanecia na fonte de Mimir até o seu heroico fim no combate e a catástrofe final do Ragnarök.

Como deus da justiça e padroeiro das leis e juramentos, o paradoxo mostrado na punição de Tyr pelo seu perjúrio, ressalta a nobreza do seu caráter, sacrificando sua mão para manter a promessa feita. Enquanto Odin ofereceu um olho para obter conhecimento, Tyr não buscou benefícios pessoais, seu sacrifício sendo um ato altruísta. Mesmo assim, ele foi punido por prestar um falso juramento e infringir a lei por ele representada. Existem divergências nos mitos – antigos e mais recentes – sobre o verdadeiro adversário de Fenrir no Ragnarök: Tyr ou Odin. No mito mais conhecido, Tyr morreu no combate final após enfrentar o cão Garm, o guardião do mundo subterrâneo; o feroz lobo Fenrir após conseguir matar Odin (em um confronto gigante de dois adversários corajosos e poderosos, em que nem mesmo o Pai Supremo conseguiu vencer a força do mal representada pelo lobo), é vencido pelo filho deste, Vidar, devidamente preparado pela sua mãe (vide o verbete Vidar).

A imagem do "deus que amarra" – descrita nos mitos de Wotan, Odin e Tyr – originou o costume de amarrar as vítimas que eram sacrificadas aos deuses da guerra. Inscrições rupestres da Idade do Bronze, na Escandinávia, retratam figuras masculinas com apenas um braço, empunhando uma arma. Esses vestígios comprovam a antiguidade do culto de Tiwaz, transformado depois em Tyr, "o deus com um só braço". Além do mito acima descrito, são poucas as referências escritas sobre ele, além da sua designação como símbolo do autossacrifício em prol da comunidade.

Thor (Thunor, Thunar, Donnar, Donner, Perkun), O Deus do Trovão

As mais antigas imagens de Thor são oriundas da Idade do Bronze, encontradas nas inscrições rupestres que mostram homens com falo ereto e segurando machados. Amuletos de âmbar em forma de machado foram achados nas oferendas enterradas nos pântanos dinamarqueses. Na mudança para a Idade de Ferro, o machado usado pelos povos nórdicos desapareceu, sendo substituído pelo martelo; no entanto, o machado continuou desempenhando um importante papel na mitologia escandinava e germânica com respeito ao trovão e aos deuses a ele associados. Pedras com formato de machado eram consideradas poderosos talismãs de força e proteção, principalmente se tivessem sido achadas após uma tempestade. Os machados de pedra e também outras armas de pedra (pontas de flechas, martelos) eram valorizados como detentores do poder do trovão e símbolos de *Thunar*, cujo nome significava "trovão". Acreditava-se que o trovão era causado pela passagem da sua carruagem e os raios, provocados pelo seu martelo, que, no início do seu culto, era considerado um meteorito caído do céu, posteriormente atribuído à arte dos gnomos ferreiros. Thor era associado com Júpiter devido à sua habilidade de lançar raios, porém como características astrológicas ele se assemelha mais com Marte, por ser um deus guerreiro, impulsivo, belicoso e irascível.

O culto de Thor era muito antigo e persistiu até o século XI, sendo o deus mais amado e invocado pelos povos nórdicos, vários lugares guardam até hoje seu nome, assim como famílias das Ilhas Faroe se consideravam seus descendentes. Ele era invocado no seu principal festival, de *Yule*, fazendo uma enorme fogueira com troncos de carvalho – sua árvore sagrada – pedindo que concedesse ao povo suas bênçãos para um ano favorável. As noivas usavam sempre roupas vermelhas, a cor a ele dedicada, e os anéis de noivado tinham pedras vermelhas, por ser Thor o deus que abençoava com seu martelo as uniões.

Diferente de Odin – visto como deus dos nobres e guerreiros – Thor era o padroeiro dos trabalhadores braçais, fazendeiros ou camponeses, viajantes e comerciantes, até mesmo dos escravos. Descrito como um deus celeste, regente do trovão e do relâmpago, era também a personificação da força e do poder do guerreiro, que lutava sem cessar com os gigantes, protegendo Midgard, a morada da humanidade, da destruição. Amplamente cultuado e reverenciado, Thor era o protetor dos vários aspectos da vida humana e dos ritos de passagem masculinos, defendendo as comunidades dos cataclismos naturais e proporcionando a fertilidade da terra. Foram encontrados mais templos e altares a ele dedicados do que a qualquer outra divindade; amuletos com o seu símbolo sagrado – o martelo, pendurado em uma corrente de ferro, aço ou prata – continuaram a ser usados até depois da cristianização, coexistindo com o crucifixo, até que, finalmente, os amuletos pagãos foram substituídos pela cruz cristã. No final da era pagã, Thor passou a ser visto como o principal adversário de Cristo e um sério empecilho na cristianização dos povos nórdicos, seu culto sendo proibido e seus adeptos, perseguidos.

Thor era filho de Odin e Jord, a Mãe Terra; do seu pai herdou os poderes do ar, vento e tempestade; da sua mãe recebeu o seu imenso poder, representado pelo cinturão mágico *Megingjardh* (*megin* significando "poder sobrenatural"). Desta forma, ele uniu o céu com a terra através do relâmpago e da chuva, e era invocado pelos camponeses para trazer as tempestades benéficas que acordavam e fertilizavam a terra, afastando as tempestades com granizo que destruíam as colheitas.

Seu mito o descreve como o "defensor de Asgard", atento às investidas dos gigantes, zeloso pelo bem-estar e a segurança das divindades e da humanidade. Mas ele é também aquele que sustenta os pilares dos templos e das casas, sendo guardião da ordem social. Como sucessor do antigo deus celeste Tiwaz, dele recebeu alguns atributos, mas a ordem e as leis que Thor defende não são conceitos rígidos, mas simbolizam a ordem natural, livre de agressões e interferências: externas (personificadas pelos gigantes) e internas (reproduzidas pelos embustes e trapaças de Loki). Thor representava, portanto, o espírito da lei, enquanto Tyr interpretava e zelava pelo cumprimento da lei.

Thor era considerado um deus benévolo e por isso ele foi amplamente cultuado, tendo inúmeros altares e locais de culto a ele dedicados, como em Uppsala, Gotland, Moeri, Hlader, Godey e outros lugares. Suas imagens em madeira eram colocadas em lugar de honra nos templos, em Uppsala elas ficavam no meio entre as de Odin e Frey, todas tendo sido destruídas pelo fervor dos cristãos (durante o reinado de Olavo, o Santo), que aproveitaram os ornamentos e oferendas pagãs de ouro e prata, para os adornos das estátuas dos santos. Frequentemente, os pilares dos templos e das casas eram esculpidos reproduzindo sua imagem ou cenas dos seus mitos, ou eram a ele dedicados, fincando neles fileiras de pregos; estes pregos serviam para criar faíscas ao serem batidos com martelo e acender assim os fogos sagrados. Os pilares simbolizavam o domínio de Thor sobre o céu e a terra e a madeira que servia para a sua confecção era o carvalho (árvore a ele consagrada, por ser a mais atingida pelos raios). Reminiscências do antigo simbolismo dos pilares consagrados a Thor permaneceram nas igrejas medievais da Noruega, algumas existindo até hoje nos lugares afastados do interior do país, construídas de madeira, com pilares feitos de troncos e cabeças rudes esculpidas neles e nas paredes.

Devido à sua natureza simples, telúrica, sensorial e instintiva, Thor não é um arquétipo sutil, nem possui facilidade para se expressar ou enganar os outros com palavras. Ele não busca sabedoria, mas luta ou defende quem dele precisa para proteção ou justiça. Seu intelecto não é versátil ou criativo, mas baseado no bom senso e na praticidade, as soluções por ele dadas aos problemas são simples e diretas. Por essas características, em muitas lendas e histórias, Thor é descrito como um grandalhão, não muito inteligente, até mesmo bastante simplório e facilmente irritável. Mas ele era o defensor ideal dos deuses, pois obedecia sempre às suas ordens sem questionar, tinha a força física similar a dos gigantes, seus eternos adversários, e que ele matava sem pensar muito e sem titubear.

Sua aparência era de um homem enorme, corpulento, vigoroso, com barba e cabelos cor de fogo, penetrantes olhos azuis e cuja risada parecia o estrondo do trovão. Usava túnica e botas de pele de urso, seu famoso cinturão de força e poder, luvas e elmo de ferro, andando em uma carruagem pesada de bronze, puxada por enormes bodes pretos, de cujos cascos saíam fagulhas de fogo. O seu apetite era renomado pela gula e voracidade, compatível com a sua grande vitalidade e força física; ele devorava até mesmo os bodes da sua carruagem, devolvendo-lhes a vida em seguida ao impor seu martelo sobre eles. O seu prazer em comer e beber era compatível com a sua vitalidade, força e vigor físico. As suas peregrinações pelo mundo dos gigantes e seres humanos são marcadas pelas lutas contínuas e a vitória sobre seus adversários. O seu método de luta era simples e direto, sem nenhum rodeio ou sutileza, simplesmente esmagando os crânios inimigos com seu martelo, assim como fazia com os rochedos e obstáculos do seu caminho.

Os atributos de Thor – tanto protetores, quanto destrutivos – eram simbolizados pelo seu martelo, *Mjöllnir,* o esmagador. O martelo protegia e agia contra as forças do mal, mas também atraía tempestades e raios. Ele era tão sagrado para os nórdicos, que era por eles usado nas bênçãos, riscando seu traçado sobre si mesmos, sobre objetos e nos diversos espaços, consagrando-os em nome de Thor e afastando assim as energias prejudiciais. Seu martelo era mágico, confeccionado pelos gnomos ferreiros; pela interferência maldosa de Loki (que, metamorfoseado em mosca varejeira, ferrou o artesão chefe durante a fundição) o cabo do martelo ficou muito curto. *Mjöllnir* – que após ser arremessado voltava sozinho às mãos do dono – era a arma mais preciosa de Asgard, por representar a defesa contra os gigantes. Ele fazia parte do vestuário mágico de Thor, que incluía o cinturão *Megingjard* (que dobrava seu poder) e *Jarngreip*, suas pesadas luvas de ferro.

O martelo era um objeto mágico, usado pelos nórdicos para definir fronteiras quando arremessado (o lugar onde caía estabelecia os limites na disputa de terras), selar juramentos, consagrar a pira funerária dos sacrifícios, abençoar casamentos, batizados e enterros, promover a fertilidade (da terra nos plantios e dos noivos quando colocado no colo deles durante a bênção). O seu formato era semelhante ao machado com duas lâminas das culturas antigas da Europa e representava o relâmpago lançado pelo deus. Associadas ao martelo eram a roda solar e a suástica, que evocavam o poder de Thor para enviar para a terra o calor do sol ou a chuva fertilizadora. Esses símbolos são encontrados nos tambores dos xamãs da tribo sami e também foram achados no culto anglo-saxão do deus Thunor, gravados sobre urnas funerárias e armas. Outros símbolos de Thor eram o *armring*, uma pulseira de aço que ele usava no braço e cujas réplicas eram usadas para serem feitos os juramentos sobre elas, um atributo herdado por Thor do seu antecessor Tiwaz. Suas árvores sagradas eram o carvalho (que agia como canal para atrair os raios e o poder do deus para a terra) e a sorveira (cuja ação era contrária, protegendo contra relâmpagos, incêndios e magias).

Nos tempos antigos, o culto de Thor (assim como o de Zeus) era realizado nos bosques de carvalho e no seu altar simples de pedra havia um fogo perpétuo. Como equivalente do carvalho era usado o pilar principal dos templos primitivos feitos de troncos de madeira, pilar que simbolizava a proteção e a segurança da comunidade, dons garantidos pelo deus ao qual era dedicado. Na construção das casas, assim que a cumeeira era terminada, fincava-se nela um galho de carvalho como defesa contra raios; no final da construção colocava-se um martelo real, ou estilizado, acima da porta e plantava-se uma sorveira na frente da casa. Na antiga Alemanha, na "festa da cumeeira", eram feitas orações e oferendas para Thor e servidas comidas e bebidas para os operários, incluindo carne assada de boi ou carneiro e muita cerveja.

Ao saírem da Noruega, os imigrantes que procuravam novas terras para morar, levavam nos seus barcos pilares de madeira dos templos ancestrais e um pouco de terra retirada em baixo das estátuas de Thor. Invocando a proteção e os poderes do deus, eles lançavam os pilares ao se aproximarem das costas da Islândia, esperando que eles lhes mostrassem o lugar certo para desembarcar. Lá eles erguiam um novo templo – para Thor – usando os materiais locais junto com os pilares trazidos. À medida que fincavam ritualisticamente nos pilares pregos batidos com o martelo eles invocavam as bênçãos de Thor para a nova pátria, estabelecendo assim as bases de uma nova comunidade. Nos pilares eles esculpiam imagens dos mitos de Thor e no altar colocavam a terra trazida, o anel dos juramentos e a vasilha cerimonial para colher o sangue dos sacrifícios.

Thor era invocado ao longo dos tempos pelos seus atributos de coragem, proteção, força para enfrentar desafios (físicos ou espirituais), proteger as casas durante as tempestades ou as florestas contra incêndios. Assim como os deuses greco-romanos a ele associados (Zeus e Júpiter), Thor regia a quinta-feira e seu nome está contido nos nomes desse dia, como a palavra alemã *Donnerstag* e a inglesa *Thursday.* A runa *Thurisaz,* que significava "gigante" definia os atributos do deus Thor, resumidos nesta simples frase: *"Thor mantém sob controle, com seu poder e sua arma mágica, os gigantes, que são os representantes das forças do caos".*

Thor foi primeiro casado com uma giganta – Iarnsaxa, apelidada de "alfange de ferro" – e depois com a linda deusa Sif, cujos cabelos dourados representavam as espigas de trigo amadurecidos pelos raios das tempestades de verão, que eram gerados pelo casal nos seus momentos de amor. Seus filhos personificam as três dádivas de Thor para a humanidade: *Thrudh* (força), *Modhi* (coragem) e *Magni* (poder), dons que incentivavam a coragem do guerreiro para confiar no seu poder (físico e psíquico) e na sua força (mental e espiritual). Thor morava no reino de *Thrudheim*, onde construiu um enorme palácio – *Bilskirnir* (relâmpago) – com 540 salões para acomodar os escravos *(thralls)*, que após a sua morte eram recebidos e tratados tão bem por Thor, quanto eram seus donos por Odin em Valhalla. Devido aos seus passos pesados e à sua natureza trovejante, Thor não tinha permissão de passar pela ponte Bifrost, para não destruí-la. Para chegar até a fonte de Urdh e participar do concílio junto com os outros deuses, ele precisava atravessar vários rios a pé, pois nenhuma ponte aguentava o seu peso.

Por ter uma origem muito antiga ele foi chamado de *Old Thor,* representado às vezes portando uma coroa com pontas de chamas ou estrelas brilhantes, que envolviam sua cabeça com uma auréola de fogo, seu elemento. Evidências sobre a importância e a permanência prolongada do seu culto são encontradas nos inúmeros nomes de pessoas e lugares, na Islândia, Noruega, Suécia e Irlanda, inspirados em seus nomes ou usando a sílaba *Thor*. Os vikings foram apelidados pelos irlandeses de "povo de Thor", devido à sua coragem ao enfrentar e combater os inimigos, ao seu vigor e aspecto físico, bem como apetite renomado por comida e bebida.

Mitos de Thor

A maior parte dos seus mitos relata lutas e matanças de gigantes, até mesmo de gigantas, que representavam a natureza feminina das forças de destruição. Com frequência, Thor é descrito atravessando rios, o que simboliza a passagem de um mundo para outro, bem como lembra a associação dos gigantes com a força indômita das águas. Thor viajava acompanhado às vezes por Loki, outras vezes por *Thjalfi,* um ser humano, fato que comprovava a proximidade de Thor com a humanidade, ligação reforçada pelos símbolos do martelo usados pelos seus devotos. Suas maiores lutas foram com a Serpente do Mundo, Jörmungand, que ele apenas consegue vencer na batalha final do Ragnarök, esmagando-a com o seu martelo, antes de sucumbir devido ao seu veneno. A serpente do mundo personificava as energias arquetípicas e destrutivas do mar, que ameaçavam permanentemente os habitantes da terra. Se Thor fosse vencido por ela, a destruição do mundo seria inevitável, fato que aconteceu durante o Ragnarök.

Além dos gigantes, Thor também matou alguns anões, como no caso de Alvis, que solicitou de maneira atrevida casar-se com Thrudh, a linda filha de Thor. Inesperadamente Thor não usou o seu martelo, mas sua astúcia, intimando o anão a responder a 13 perguntas enigmáticas. Para testar os poderes mentais do anão, Thor o questionou na língua dos deuses Aesir e Vanir, dos elfos e anões, fazendo perguntas que abrangiam vários assuntos, como definições sobre céu, terra, sol, lua, universo, vento, mar, fogo, floresta, noite, serpentes e hidromel. As respostas envolviam o uso de sinônimos e metáforas e o duelo verbal se prolongou até o amanhecer, quando o anão, envolvido pela competição, esqueceu do perigo e ficou petrificado pelos raios solares. Nesse mito Thor revela uma faceta pouco conhecida da sua sabedoria ancestral e múltiplos conhecimentos, o que comprova uma origem mais antiga, em que seu arquétipo não era restrito apenas às qualidades guerreiras, à truculência e à força física. Na competição com o anão, Thor usou a astúcia para prolongar o diálogo, mas também demonstrou seu lado mais sábio, que serviu como um alerta para eventuais ousadias de outros anões.

Os gigantes mortos por Thor não tinham características especiais além de serem enormes e poderosos, cobiçando e invejando os bens dos deuses e esperando uma chance para atacar Asgard, a fortaleza dos deuses Aesir. A luta de Thor visava também o bem-estar da humanidade, protegendo as moradas e as terras dos camponeses que o veneravam, por trazer ventos favoráveis para os viajantes e chuvas fertilizadoras para os campos. Eles selavam seus juramentos com o poder do seu anel e consagravam templos e espaços com o seu martelo. No entanto, Thor não era imune às magias e às armadilhas dos gigantes, como relatam alguns dos seus mitos.

A jornada de Thor para Utgard-Loki

Em uma viagem feita junto com Loki, ao chegarem a uma fazenda onde pararam para comer, Thor matou os bodes da sua carruagem para que tivesse bastante comida para eles e a família pobre que os hospedou. Como sempre fazia, após a refeição impôs seu martelo sobre as peles e ossadas dos bodes que ressuscitaram, porém, um dos bodes tinha ficado manco. Este fato devia-se a um dos meninos que, atiçado por Loki, tinha quebrado um osso para chupar o tutano e aleijou desta forma o bode ao qual pertencia o osso. Thor ficou tão enfurecido ao ver isso, que o camponês em pânico ofereceu seus filhos *Thjalfi e Roskva* para serem seus servos. Os deuses e as crianças seguiram viagem e após algumas peripécias chegaram perto de Utgard, a terra dos gigantes, decidindo pernoitar em uma caverna, devido a um forte terremoto. Thor descobriu depois que o tremor tinha sido causado pelas passadas e o ronco de um gigante chamado *Skrymir,* "o grandalhão", em cuja enorme luva eles passaram a noite pensando que fosse uma gruta.

Skrymir se ofereceu para acompanhá-los e apesar das tentativas de Thor em esmagá-lo com seu martelo enquanto dormia, ele ficou ileso, achando que as marteladas tinham sido folhas caídas na sua cabeça. Antes de chegarem a Utgard, Skrymir se afastou, não sem antes alertar Thor da existência em Utgard de gigantes maiores e mais fortes do que ele. Ao entrarem no imenso salão da fortaleza eles foram recebidos pelo rei chamado *Utgard-Loki,* que os submeteu a uma série de competições: de corrida, apetite e força, em que os visitantes foram derrotados: Thjalfi na corrida, Loki na comida e Thor no teste da força. Primeiramente Loki teve que competir com um gigante, *Loge,* para ver quem acabava mais rápido os pratos colocados na sua frente, mas apesar de comer apressadamente, Loki perdeu a aposta, o gigante tendo engolido além da carne também as vasilhas que a continham. Thor teve que mostrar sua força no teste da bebida, tendo que esvaziar um enorme chifre, mas depois de três tentativas o nível da bebida tinha descido muito pouco. Depois ele foi intimado para levantar um grande gato cinza, mas com toda sua força proverbial, Thor mal conseguiu levantar uma das suas patas. Finalmente, após Thialfi (renomado pela sua velocidade) perder a corrida com outro menino, Thor teve que lutar com a velha mãe adotiva de Utgard-Loki. Apesar de sua aparência decrépita, Thor não conseguiu derrubá-la, enquanto a velha o forçou a se ajoelhar. Depois desses testes e a humilhação sofrida, os viajantes foram recompensados com várias regalias e uma excelente hospedagem.

No dia seguinte foram acompanhados pelo rei até a saída de Utgard, quando tiveram a revelação dos fatos acontecidos, descobrindo que tinham sido enganados pelo uso da magia, que alterou a aparência dos eventos. Skrymir era de fato o próprio Utgard-Loki e as marteladas de Thor tinham sido magicamente direcionadas para uma colina, onde abriram três grandes fendas na terra. O oponente de Loki era o próprio fogo elemental (personificado pelo deus arcaico Loge), que consumia tudo mais rapidamente do que qualquer deus ou ser humano, portanto era invencível. Na corrida, Thjalfi concorreu com *Huginn* (pensamento), mais rápido do que qualquer ser humano. A ponta do chifre oferecido a Thor estava presa no fundo do oceano e os goles de Thor baixaram apenas um pouco o nível das marés. O gato era na realidade a própria Serpente do mundo e a proeza de Thor em levantá-la, mesmo um pouco, assustou a todos, que se deram conta da real força do deus. A sua decrépita oponente na luta era *Elli* (a velhice), que vence mesmo os mais poderosos. Quando Thor enfurecido pelas descobertas e os enganos quis destruir a fortaleza, ela desapareceu misteriosamente e Thor teve que aceitar que o poder da magia era maior do que a sua força física.

Esta longa e detalhada história parece uma mescla de sátira e alegoria, mas revela a natureza do deus e de seus oponentes. Thor é mais forte que os gigantes e tem poder sobre o universo, mas podia ser anulado pelas espertezas, a magia e as armadilhas. Confirma-se assim que os deuses não detinham um poder absoluto e eram sujeitos ao destino e às forças do fogo, do oceano, da serpente, da mente e da idade.

As pescarias de Thor

Para se vingar da humilhação sofrida em Utgard, Thor se disfarçou em um jovem rapaz e foi visitar o gigante *Hymir*, convidando-o a pescarem juntos. O gigante debochou de Thor, achando que não tivesse bastante força para acompanhá-lo, mas Thor quis mostrar-lhe o contrário e cortou com um golpe a cabeça de um dos bois do gigante para usá-la como isca. Em lugar de ficar no mar próximo a praia, Thor remou o barco com muita rapidez até o meio do oceano, apesar dos alertas de Hymir, assustado com a possibilidade de perturbarem a Serpente do Mundo, ficando acima de sua morada. O gigante pescou apressadamente duas baleias para o jantar e deu a pesca por encerrada, mas Thor não quis desistir de pegar a serpente. De fato, quando Thor lançou a sua isca, ela foi logo abocanhada pelo monstro e Thor teve que usar toda a sua força e poder para segurar a vara de pescar; pelo esforço feito ele rompeu o fundo do barco com seus pés e teve que fixá-los no fundo do mar. Ao começar a puxar a serpente, esta olhou fixamente com seus olhos flamejantes e aterrorizantes para o seu arqui-inimigo, que não se assustou; mas com esta visão o gigante Thrym ficou tomado de pânico e, antes que Thor elevasse seu martelo para matar a serpente, ele cortou a linha para que o barco não virasse e eles fossem devorados pelo monstro. A serpente mergulhou de volta no mar e Thor enfurecido desferiu um golpe de martelo na cabeça do gigante, acreditando que o tivesse matado. Voltando decepcionado sem ter conseguido aniquilar o temido adversário (o que explica a sua reaparição no Ragnarök), Thor descobriu que o gigante ainda estava vivo, tendo nadado até a praia e lá esperando por ele. Em seguida começou uma longa competição entre os dois adversários para que provassem a sua força física, que é descrita no mito do deus Aegir. Após inúmeras peripécias a luta parecia terminada com a derrota do gigante, mas antes dele morrer, tinha caído sobre Thor prendendo sua perna sob seu enorme corpo. O filho de Thor, Magni, apesar da sua tenra idade conseguiu puxar o gigante e libertar o pai; como recompensa recebeu o cavalo do gigante. Acredita-se que esta história era baseada num ritual ou rito de passagem masculino.

Ilustrações parciais desse mito são encontradas gravadas sobre pedras do Período Viking na Suécia (em Altuna) e na Dinamarca, em que Thor aparece no barco segurando a serpente engolindo a cabeça do boi, o pé de Thor atravessando o piso do barco e estando firmemente fincado no mar.

O duelo de Thor com Hrugnir

Perante a provocação do gigante Hrugnir – que ameaçou destruir Asgard e raptar as deusas Freyja e Sif –, Thor decidiu lutar com ele. Para auxiliar Hrugnir, os gigantes confeccionaram um homem de argila para servir de adversário a Thjalfi, o acompanhante de Thor. Hrugnir possuía uma cabeça de pedra, um coração triangular de rocha e lutava com um escudo de granito e uma pedra de amolar.

Quando Thor lançou raios e o seu martelo enquanto o gigante jogava a pedra, as armas se chocaram no ar, a pedra foi despedaçada, assim como a cabeça de Hrugnir, mas um pedaço da pedra de amolar se alojou na testa de Thor. Thialfi despedaçou a figura de argila sem dificuldade (o estratagema visava afastá-lo de Thor), mas Thor teve que recorrer a uma giganta curandeira para tentar tirar o estilhaço da sua cabeça. Ela iniciou um longo encantamento, mas parou antes de terminar, pois ficou enfurecida ao ouvir Thor se gabando que num encontro anterior com os gigantes, ele tinha jogado o dedão congelado do seu marido Orvandil no céu, onde tinha se transformado numa estrela. Por isso, Thor continuou com a pedra alojada na sua testa até o seu fim.

A visita de Thor a Geirrod

Em outra aventura, Thor quis resgatar Loki da prisão do gigante Geirrod, que tinha exigido como preço da sua libertação a presença de Thor, porém sem trazer consigo o martelo e o cinturão mágico. Loki tinha sido capturado pelo gigante enquanto voava despreocupado usando o manto de penas de falcão da deusa Freyja, que lhe permitia metamorfosear-se em pássaro. Preso em uma caixa durante três meses, Loki acabou revelando sua identidade e aceitou pedir a Thor que aceitasse a barganha.

Thor concordou, mas no caminho foi alertado pela giganta Grid sobre os perigos à sua espreita; para protegê-lo ela lhe emprestou suas próprias luvas de ferro, seu cinto e bastão mágico. No percurso, Thor quase se afogou no rio Vimir, até descobrir que a súbita enchente tinha sido provocada pelo fluxo menstrual de *Gjalp* a filha de Geirrod, que estava tentando impedir Thor de chegar até seu pai. Enfurecido, Thor lançou uma pedra na cabeça (ou vagina) dela provocando sua morte e, assim, conseguiu sair com a ajuda de um tronco de sorveira (árvore mágica). Quando Thor chegou ao salão de Geirrod e sentou-se numa cadeira, sentiu que estava sendo levantado e pressionado contra o telhado forrado com lanças pontiagudas. Ele forçou a descida da cadeira com a ajuda do bastão mágico de Grid, esmagando assim as costas das outras duas filhas do gigante que estavam empurrando a cadeira. Em seguida, Thor encontrou *Geirrod* que lançou uma bola de ferro incandescente na sua direção, mas Thor pegou-a usando as luvas de ferro de Grid. Finalmente, Thor achou Geirrod escondido atrás de um pilar, que ele usou para esmagar o seu crânio e livrar-se dele para sempre.

Histórias semelhantes reproduzem o poder de Thor para rachar pedras e rochedos. O inexplicável nessa história é a ajuda dada por Grid, uma giganta, a Thor, o eterno inimigo e matador dos gigantes, ajuda que provocou a morte das filhas e do próprio Geirrod. A explicação dessa incongruência está na sobreposição de vários mitos, que distorceram a história original, na qual Grid, por ser amante de Odin e mãe do seu filho Vidar, havia sido coagida (obrigada ou enganada) por Odin a entregar seus objetos mágicos a Thor, sem prever os perigos que ameaçavam o pai e as filhas, seus compatriotas.

O roubo de Mjöllnir

Quando Thor descobriu o sumiço do seu martelo mágico, ele pediu a ajuda de Loki para encontrá-lo, como retribuição pelo seu resgate da prisão de Geirrod. Loki tomou emprestado novamente o manto de penas de falcão da deusa Freyja e saiu voando, até descobrir que o martelo estava enterrado nas profundezas da terra. O gigante Thrym se recusou a devolvê-lo, a não ser que recebesse em troca a deusa Freyja como sua esposa. Esta situação causou um grande alvoroço em Asgard, o martelo sendo uma preciosa arma de defesa dos deuses. Freyja ficou extremamente irritada e para apaziguá-la, o deus Heimdall sugeriu um plano engenhoso, sem colocar Freyja em perigo. Para isso Thor devia usar um martelo e véu de noiva e viajar até Jötunheim como sendo a própria Freyja, acompanhada da sua dama de honra, o disfarce usado por Loki. Thor custou a aceitar por se sentir insultado se aparecesse como mulher, mas cedeu vendo que sem o martelo, Asgard iria sucumbir perante os gigantes.

Ao chegar a Jötunheim, no meio de uma forte tempestade provocada pela carruagem de Thor, a "noiva" e sua acompanhante foram recebidas com muita alegria e um farto banquete. Porém, o voraz apetite da "noiva" causou muito espanto e desconfiança, até Loki argumentar que a "noiva" tinha devorado um boi e oito salmões devido à sua ansiedade pré-nupcial, que a tinha feito jejuar por oito dias. Quando Thrym tentou beijar a noiva, ficou assustado com o brilho feroz dos olhos que o fulminaram através do véu, mas Loki novamente explicou que Freyja não tinha conseguido dormir há oito noites por estar tão ansiosa em se casar. Para apressar o casamento, o martelo foi trazido e, conforme o costume, colocado no colo da "noiva" para selar o matrimônio. Assim que Thor o teve nas mãos, levou pouco tempo para matar os gigantes convidados para a festa, incluindo o próprio Thrym, retornando em seguida triunfante para Asgard.

Nessa história cômica e com episódios bastante implausíveis, podemos reconhecer a dedicação de Thor e seus esforços para proteger os deuses e Asgard, até mesmo sacrificando temporariamente sua famosa agressividade e proverbial masculinidade. Thor age como um verdadeiro xamã, mantendo a integridade da comunidade, protegendo-a das agressões externas e se movimentando entre os mundos usando diversos disfarces ou metamorfoses. Seus vários títulos definem suas atribuições, sendo conhecido como *Guardião de Midgard, Deus dos camponeses, Thrudugr* (o poderoso), *Thrudvald* (o grande protetor), *Senhor da fúria justificada, Amigo da humanidade, Matador dos gigantes, Campeão de Asgard, Dono do cinto de poder, Thunar Karl* (o velho Thunar), *O vingador, O deus trovejante.*

Nascido da terra, Thor protegia e dava estabilidade, ele revigorava e centrava seus adeptos e seguidores, conferindo tenacidade e perseverança, segurança e coragem. Percebendo o seu escudo, a força do seu cinturão mágico e a defesa conferida pelo seu martelo, possibilitava aos guerreiros nórdicos ver Thor como um valioso amigo e aliado, guardião e protetor contra injustiças, agressões e maldades.

Os gigantes – inimigos eternos de Thor – eram também representados pelas calamidades naturais, os desequilíbrios climáticos e ecológicos, a ganância dos proprietários de terra, as injustiças e desigualdades entre as classes sociais e com os povos nativos, os permanentes conflitos com os vizinhos, entre as tribos e os familiares, a corrupção de monarcas e chefes guerreiros, em suma o caos e a violência, em todos os níveis e formas de agir, que foram crescendo e se expandindo até desencadear o cataclismo do Ragnarök.

REGENTES DA TERRA E DO MAR

Frey (Freyr, Frodhi, Frö, Ingvi, Ing), O Senhor, o fértil

Nas fontes escritas Frey era descrito como o soberano da abundância e da prosperidade. De acordo com Adam von Bremen, a sua imagem no templo de Uppsala era fálica e ele era invocado nos casamentos para conferir paz e fertilidade.

Na descrição de Saxo Grammaticus do festival *Fröblod* dedicado a Frey, eram incluídos sacrifícios humanos e nos seus rituais encenavam-se dramas ritualísticos "acompanhadas de gestos efeminados e tilintar de sinos". Devido aos preconceitos e distorções cristãs existentes nos escritos de Saxo, é fácil perceber a referência aos antigos ritos realizados para despertar a fertilidade da terra com toques e sons e a encenação simbólica do *hieros gamos*, o casamento sagrado divino.

Outros autores confirmam que o sacrifício humano fazia parte do culto das divindades Vanir, evidência encontrada nos relatos sobre a morte repentina e violenta de vários reis suecos. Considerados representantes da paz e da prosperidade do seu povo e "consortes" das deusas da fertilidade da terra, os reis eram destinados a uma morte sacrificial, quando o seu reinado chegava ao fim ou em situações emergenciais (como seca, pragas, epidemias, invasões dos inimigos). Apesar das referências escritas, não foram encontradas evidências arqueológicas sobre esses ritos sacrificiais para Frey na Suécia (seu habitat).

Frey era associado ao culto dos cavalos, que eram muito bem cuidados, honrados e consagrados em todos seus templos. As lutas entre cavalos descritas em várias sagas, e que eram muito apreciadas na Islândia, eram oriundas deste antigo culto.

Outro animal ligado a Frey (e à sua irmã Freyja) era o javali, cuja imagem foi encontrada em inúmeros objetos cerimoniais, de decoração e peças de vestuário, bem como sobre os elmos e armaduras dos guerreiros nórdicos e celtas (que acreditavam nos seus atributos de proteção e preservação da vida). Algumas tribos germânicas usavam máscaras de proteção e elmos com formato de javali, costume adotado também pelos reis suecos, cujos elmos se chamavam "porco guerreiro" ou assumiam os nomes dos javalis sagrados de Frey e Freyja: *Gullinbursti* e *Hildisvin*. Apesar dos Vanir não serem deuses da guerra, a proteção por eles conferida se estendia para épocas de paz e guerra e era simbolizada pelas máscaras de javali, usadas pelos xamãs e chefes nos rituais dedicados a eles.

Além do cavalo e do javali, um importante símbolo de Frey era o navio, representando *Skidhbladnir*, o navio mágico, grande o suficiente para nele caberem todos os deuses, mas que podia ser diminuído até caber no bolso de Frey. Esse navio tinha sido construído pelos anões e podia se deslocar em qualquer direção, sem precisar de ventos favoráveis. Resquícios desse antigo símbolo nórdico permaneceram nas procissões e nas réplicas de barcos guardadas nas igrejas escandinavas até os tempos modernos. Alguns desses barcos eram usados nas cerimônias de bênção da terra, comprovando a continuidade da antiga tradição no contexto cristão. O navio era um antigo símbolo religioso, usado desde a Idade do Bronze principalmente nas cerimônias fúnebres dos povos nórdicos, como pira funerária ou receptáculo de oferendas (sendo enterrado depois nas colinas ou mergulhado nos lagos).

O culto de Frey foi levado da Suécia para a Noruega e a Islândia, onde vários lugares portam seu nome, com a intenção de atrair seu atributo de fertilidade para a terra. Como gratidão pelas suas bênçãos, ou para atraí-las, eram feitas inúmeras oferendas como comprovam os ricos achados das escavações arqueológicas do lago Skedemosse e das ilhas Öland e Gotland.

Não foram identificadas regras sobre o tipo de oferendas destinadas às divindades Vanir, consideradas um grupo familiar. Desse grupo faziam parte os pais, Njord e Nerthus, e os filhos, Frey e Freyja, regentes da fertilidade da água, terra, animais e seres humanos. Essas oferendas incluíam, além de animais e armas, objetos de ouro como anéis, moedas e colares. O ouro era denominado "fogo da água e da terra" e usado como uma forma de atrair pelo seu oferecimento riqueza, paz e plenitude. Outras oferendas incluíam ferramentas agrícolas, objetos de cerâmica e madeira, tecidos, lã, meadas de linho, alimentos, cera, especiarias. A presença de ornamentos, tecidos, fios e comidas indicavam a presença de mulheres e o culto de deusas associadas com locais naturais específicos (mar, lago, rio, fonte, árvores, rochas, grutas).

Não havia um rito específico ou uma apresentação formal das oferendas para as divindades, ofertava-se aquilo que as pessoas consideravam valioso e em função das suas possibilidades. Por isso, era comum a partilha das comidas e bebidas das festas com as divindades, um ato de gratidão, alegria e celebração. A carruagem era um antigo símbolo dos Vanir e aludia às procissões feitas pelos deuses Ingvi, Nerthus e Frey para levar paz e prosperidade aos seus povos. A runa Ing, ou Ingwaz, era atribuída aos deuses Ingvi (consorte de Nerthus, a Mãe Terra ancestral) e a Frey (possivelmente seu filho). Ambos regiam a fertilidade da terra como doadores da luz solar, da chuva e do orvalho, da paz e da abundância. O nome *Frodhi* (o fértil) foi atribuído pelos daneses a vários reis que personificavam os poderes dos deuses Frey ou Ing.

Diferente do culto de Odin, nos templos de Frey era proibida a entrada de armas e cavalos (apenas éguas) por serem a ele consagrados. Havia uma supervisão severa para que nos lugares sagrados a ele consagrados não fosse derramado sangue, nem houvesse disputas. Frey era associado também com o sol, o casamento, a fertilidade humana e o nascimento das crianças, além de trazer alegria e inspirar a devoção.

A importância de Frey como ancestral dos reis e de grandes tribos – como a dinastia real sueca dos *Inglings* e a germânica dos *Ingvaeones* – é visível no nome da runa *Ing* e seu verso do poema anglo-saxão: "*Ing foi visto primeiramente pelos daneses do leste, sobre as ondas, seguindo em sua carruagem. Por isso, os guerreiros o chamaram de herói*". Frey era associado à ideia da peregrinação da alma pelo mar; em várias lendas, conta-se a chegada de um rei pacificador do além-mar, que depois de governar por um tempo de paz e prosperidade desapareceria no mar deixando o reino para seu sucessor.

Apesar de Frey ter sido um deus da soberania e fertilidade da terra, promotor da paz e proteção do povo, ele era considerado também um deus guerreiro e protetor dos deuses. Por ter cedido a sua espada e seu cavalo para se casar com Gerd (episódio descrito no seu mito), Frey é associado com a arte do combate sem armas, honrando assim o seu poder e coragem ao enfrentar o gigante Surt no embate final do Ragnarök, desarmado, mas valente.

Por ser o cavalo um animal consagrado a Frey e associado com *Frey faxi* (o totem do deus), ele não era sacrificado nas oferendas, mas cuidado e mantido nas dependências dos templos. Frey cavalgava apenas seu javali *Gullinbursti* (bigodes de ouro) cujos pelos brilhavam no escuro e que tinha sido confeccionado pelos anões Ivaldi e Brokk (que também tinham feito o anel Draupnir de Odin e Mjöllnir, o martelo de Thor), usando um lingote de ouro e uma pele de porco. Os elmos famosos de reis e os achados nos sítios arqueológicos (os de Sutton Hoo e Benty Grange), com detalhes dourados e olhos de rubis, mostram que Frey tinha adeptos entre os guerreiros e nobres. O javali como símbolo de proteção associado com os Vanir era conhecido no tempo de Tácito, assim como também era usado para selar juramentos e votos de lealdade.

Frey recebeu como presente da troca dos dentes de leite (*teething gift*, costume comum no norte europeu significando a passagem para a adolescência) o reino dos elfos, *Alfheim*. A associação de Frey com os elfos revela uma característica pouco divulgada – a sua regência das câmaras mortuárias e dos espíritos ancestrais que nelas residiam, pelo fato de os ancestrais serem reverenciados nesses túmulos e associados com os elfos. Nas sagas, Frey aparece como o guardião da soberania da terra e suas bênçãos preservam e protegem as terras dos seus adeptos, enquanto sua raiva afasta os invasores. A soberania nos tempos antigos era ligada à fertilidade, o vigor físico do rei sendo a garantia da vitalidade do seu reino, o que explica os suicídios ou mortes sacrificiais de alguns soberanos para ativar ou renovar as dádivas da terra.

Existem outros arquétipos masculinos semelhantes a Frey, com nomes diferentes. Um deles era representado pelo rei dinamarquês *Frodhi*, cujo reino foi extremamente próspero e pacífico e que após sua morte era levado em uma carruagem para abençoar a terra. Ele era equivalente do deus Frey cultuado na Suécia, possivelmente um deus arcaico humanizado após a cristianização. Em *Ynglinga Saga,* o escritor Sturluson conta sobre um rei chamado Frey, muito amado pelo seu povo e cuja morte foi mantida em segredo por três anos. Durante esse tempo os sacerdotes de Frey colocavam os tributos de ouro e prata na câmara mortuária do rei – pelas aberturas laterais – para garantir a paz e a prosperidade. Quando a sua morte foi revelada, o cadáver não foi cremado para que as bênçãos de Frey continuassem permeando a terra. O túmulo tornou-se local de peregrinações e de vigília noturna (denominada *utiseta)*, pela identificação do rei com o próprio Frey.

Outro personagem, histórico e mítico, foi o anglo-saxão *Ing*, citado anteriormente e mencionado no poema rúnico. O seu culto migrou do sul da Suécia para a Dinamarca e de lá para o continente, onde foi considerado fundador de várias dinastias reais. É possível que Ing fosse um dos nomes de Frey – como Ingvi, ancestral dos reis suecos, os Inglings, que reinou em Uppsala e trouxe prosperidade e paz. Quando ele morreu os seus sacerdotes o colocaram numa câmara mortuária cavada numa colina (*burial mound*) e informaram o povo de que "Frey tinha ido para as colinas", expressão que se tornou sinônimo de morte. Um ancestral real dos daneses que veio de além-mar e lhes trouxe paz e prosperidade era *Scyld*, descrito no poema inglês "Beowulf" como um jovem que trouxe um navio cheio de riquezas e se tornou rei da Dinamarca, indo embora no fim do seu reinado (possivelmente morto e entregue no seu navio ao mar de onde tinha vindo).

Filho de Nerthus e Njord, irmão gêmeo de Freyja e marido de Gerda, Frey era um deus extremamente benéfico para a natureza e a humanidade, sendo invocado para trazer bom tempo, calor e luz solar, fertilidade, abundância, boa sorte e paz. Seu título era *The Lord* (o Senhor), enquanto o de Freyja era *The Lady* (a Senhora) e é nesta complementação de polaridade que eram reverenciados e cultuados nos antigos ritos de passagem e de fertilidade. Enquanto a Senhora era a fonte de geração, nutrição e sustentação da vida, o Senhor era o guardião e distribuidor das riquezas da terra; juntos eles proporcionavam a sobrevivência e a continuidade da vida humana, telúrica (animal, vegetal, mineral) e aquática. Nos antigos rituais a eles dedicados agradeciam-se os recursos e a abundância da Mãe Terra, representada pela sua mãe, a deusa Nerthus, bem como os do seu pai o deus marinho Njord, ambos honrados como os detentores e doadores da riqueza da terra e do mar.

O mês de dezembro no antigo calendário nórdico era consagrado a Frey e eram realizadas festas para celebrar o seu retorno no solstício de inverno, chamado *Yule*, que significava "roda", por se acreditar que nesse dia o sol girava no céu; em sua homenagem eram acesas rodas de palhas e galhos, roladas colinas abaixo até caírem em um curso de água. Como *Yule* era a maior festa do ano, comemorada com danças, comidas e brindes de bebidas para as divindades, os missionários cristãos a transformaram na festa de Jesus; na ceia de Natal continuava sendo servido o javali de Frey (substituído depois pelo leitão) coroado com alecrim, louro e maçãs assadas. Frey era invocado pelos casais para viverem em harmonia, *Fro* significando "alegria".

Como regente da força vital, Frey era cultuado como deus da agricultura e da virilidade humana. Seu culto persistiu muito tempo após a cristianização, sendo chamado de *Veraldar God* (deus do mundo). No templo de Uppsala, na Suécia, Frey era reverenciado no solstício de inverno com um grande festival chamado *Fröblot*, incluindo sacrifícios, encenação de dramas rituais, danças, toques de sinos e palmas, atitudes vistas com desdém pelos guerreiros, que consideravam esse comportamento dos sacerdotes como afeminado e indigno. Do culto de Frey faziam parte os ritos de fertilidade, cujo objetivo era "despertar" a terra e incentivar fartas colheitas e a procriação (animal e humana). Esses ritos foram condenados pelos padres cristãos que os proibiram, considerando-os "orgias sexuais" associadas com o diabo, personificado pelo Frey, com seu adorno de chifres e falo ereto.

As representações de Frey reproduziam os antigos ídolos e os desenhos rupestres neolíticos, ou seja, figuras masculinas com enormes falos eretos. Essa característica de virilidade aparecia também nos amuletos de prata mencionados nas sagas e em algumas histórias sobre o embalsamento e a reverência ritualística feita a um falo de cavalo. Chamado de *Völsi*, o falo simbolizava o poder fertilizador masculino invocado para fecundar a terra. Existe um elo entre o cavalo e o culto de Frey, os cavalos sendo ofertados para que ele assegurasse boas colheitas e escolhidos entre os vencedores dos combates feitos entre si. Foram encontrados esqueletos de cavalos nas escavações de Skedemossse e em outros locais da Suécia; o couro, a cabeça e os cascos eram guardados e a carne consumida nas festas que se seguiam aos sacrifícios.

Frey era descrito nos mitos e nas histórias como um belo jovem, com cabelos na cor do trigo maduro (sendo o deus dos grãos e da colheita), tendo um temperamento jovial e alegre, que gostava de festas e celebrações, em cujos antigos altares eram ofertados produtos da terra (grãos, frutas, sementes), chifres (símbolo de fertilidade e seu atributo que mostra a semelhança com Cernunnos, o deus chifrudo celta e o fálico deus grego Pã) e sinos que eram usados para anunciar a sua chegada. Apesar da sua explícita virilidade (representada de maneira plástica nas imagens), ele teve apenas uma ligação afetiva, com a deusa Gerd (relatada no mito a seguir). Nas estátuas dos seus templos Frey era representado nu, com um chapéu pontudo, sentado e com o falo ereto em evidência. Também era retratado como um homem forte e ágil, com barba e cabelos ruivos, olhos verdes, usando botas e cinto de couro preto, túnica e calça branca e várias pulseiras de prata nos braços. Às vezes ele era descrito cavalgando seu javali de pelos dourados, com um adorno de chifres de cervo na cabeça e empunhando uma espada luminosa e flamejante, que desferia golpes com o comando da sua voz, a única arma capaz de deter os avanços do Surt, o gigante do fogo destruidor. Frey cedeu-a junto com seu cavalo para conquistar a sua amada (descrição no mito a seguir) e por isso no Ragnarök ele irá lutar desarmado contra Surt, usando apenas um par de chifres de alce. Entre os vários nomes atribuídos a Frey podemos mencionar: *Argud* (deus da colheita), *Bjart* (brilhante), *Bödfrod* (sábio gurreiro), *Dear* (sacerdote), *Fegjafa* (doador da riqueza), *Mattug* (poderoso), *Folkvaldi* (governante do povo), *Frodhi* (fértil), *Veraldar God* (deus do mundo).

O Mito de Frey e Gerd

O grande destaque da vida de Frey – descrito em um poema dos *Eddas* – é seu amor exaltado por *Gerd*, a linda filha do gigante Gymir. Durante uma das peregrinações de Odin pelos mundos, Frey sentou-se no seu trono – *Hlidskjalf* – de onde sua vista alcançava todos os recantos e esconderijos dos mundos de Yggdrasil. Perscrutando Jötunheim, Frey avistou uma linda giganta e ficou perdidamente apaixonado por ela, até o ponto de ficar "doente de amor", pensando incessantemente nos braços resplandecentes de Gerd. O assistente de Frey, *Skirnir,* foi encarregado de encontrar a moça e pedir-lhe que casasse com seu amo, mas Gerd recusou o pedido. Skirnir tentou convencê-la oferecendo-lhe uma dúzia de maçãs douradas da juventude, depois o anel mágico Draupnir, um dos tesouros dos deuses Aesir, mas em vão, pois Gerd não queria se casar com um deus.

Devido ao fracasso dos pedidos e dos presentes recusados por Gerd e preocupado com o estado de Frey, Skirnir passou às ameaças, primeiro de violência física, e depois do uso de magia. Ele afirmou que iria transformar Gerd em um monstro lascivo e repelente, obrigada a se casar com um gigante com três cabeças, vivendo perto da entrada dos mortos no reino de Hel e bebendo urina de bode. Antes que Skirnir riscasse as runas de maldição, Gerd cedeu, mas pediu em troca um prazo de nove noites, a espada mágica e o cavalo de Frey, que ela entregou ao seu pai, primo do gigante Surt, que irá usá-los no Ragnarök lutando contra os deuses. Frey conseguiu realizar seu sonho de amor, mas perdeu a espada e o cavalo, perda que o levou a lutar desarmado contra Surt e seus companheiros, os gigantes de fogo, sendo derrotado. A derrota possibilitou aos gigantes destruírem os Nove Mundos de Yggdrasil, conduzidos pelo triunfante Surt.

Esse mito pode ser interpretado como uma metáfora que descreve o casamento sagrado entre o deus da fertilidade e a deusa da terra, Gerd significando "campo" e sua união resultando na colheita abundante. A aparência radiante de Gerd (que iluminava o céu e o mar) e a presença de Skirnir (o brilhante) sugerem uma conexão com a jornada do sol pelo céu e a sua travessia noturna pelo mundo subterrâneo. O rito do casamento sagrado era ligado com a reaparição do sol na primavera depois da escuridão do inverno, apesar de que Frey não era um deus solar. Skirnir seria a força dos raios solares que derreteu a resistência da terra congelada durante os meses de inverno (simbolismo das nove noites de espera) e Frey representando o vigor da fertilidade, que despertava a vegetação no desabrochar da primavera. Visto sob outro ângulo, esse mito descreve a eterna luta entre os deuses e os gigantes, em que os deuses vencem, conseguem vantagens ou auxílio através das gigantas. Nesse caso, a giganta cobiçada por um deus foi conquistada através da astúcia e das ameaças, a conotação machista sendo suavizada pela presença do amor e da entrega de Frey, que não hesitou em abrir mão da sua espada, símbolo precioso e indispensável a qualquer guerreiro nórdico.

Njord (Njördhr), Deus dos Navios e da Riqueza

Njord era um deus do clã Vanir, que foi cedido aos Aesir, junto com seus filhos gêmeos Frey e Freyja, como parte do armistício que pôs fim à longa batalha entre os dois grupos de deuses. Considerado regente do mar e dos ventos, Njord morava em *Noatun*, "o recinto dos navios" e concedia aos que o veneravam e cultivavam seus dons: abundância nas pescas, bom tempo nas viagens marítimas, ventos favoráveis e proteção durante as tempestades. Como todos os deuses Vanir, seus atributos eram ligados à abundância e fertilidade, da terra e da água, sendo considerado também um deus do comércio e das trocas. Ele era invocado por pescadores e marinheiros para proteção, boa sorte e prosperidade, sendo reverenciado ao longo do litoral da Noruega, na embocadura dos rios, nos fiordes, nos lagos e nas ilhas, como sugerem os nomes de vários locais a ele associados. Um dos locais dedicados ao seu culto era a ilha de *Njardalog* (atual Tysnesoen) que significava "o banho de Njord" e era situada dentro de um lago, reforçando a associação entre os rituais de Njord e da deusa Nerthus (sua consorte e representação da terra).

O nome Njord é derivado etimologicamente de *Nerthus*, a deusa descrita por Tácito e equiparada com *Tellus Mater*, a Mãe Terra. A equivalência etimológica sugere que em algum tempo, durante o primeiro milênio d.C., o sexo da divindade foi mudado ou que ela era hermafrodita. Mais plausível é a versão que sustenta a existência de um casal divino, formado de irmãos com nomes semelhantes, cuja união considerada incestuosa fazia parte dos costumes antigos.

No poema "Lokasenna", Loki acusa Njord de ter gerado Frey e Freyja com sua irmã Nerthus, sendo culpado, portanto, de incesto. Porém é possível que este fato, mesmo tendo sido costumeiro nas sociedades antigas, tanto para os deuses quanto para os reis, tenha sido uma interpretação maldosa da complementação das polaridades de gêmeos idênticos. Tanto Njord quanto Nerthus tinham templos rústicos com altares simples de pedras em ilhas e eram responsáveis pela fertilidade e pela riqueza do mar e da terra. Unidos, eles regiam as misteriosas profundezas, a abundância e a sabedoria oculta, qualidades encontradas no simbolismo do pântano, onde a água e a terra se encontram para gerar a vida e a receber de volta no fim do seu ciclo.

O navio era o meio para passar de um reino para outro, sendo um símbolo tanto das cerimônias fúnebres, quanto da ativação da vida, quando era levado nas procissões de bênçãos da terra. Pelas mesmas razões, as divindades Vanir eram associadas com a riqueza, os mortos sendo enterrados com seus bens valiosos, fato que tornou o reino dos Vanir símbolo da riqueza. Sturluson descreve Njord como "muito rico e abençoado, podendo ceder aos homens plenitude e bens, se for devidamente invocado e honrado".

A conexão dos Vanir com o navio é originária do Neolítico, representada nas inscrições rupestres da Idade do Bronze, amplamente conhecida e descrita no mito de Frey. A associação do navio com cavalo e rodas solares sugere também a sua conexão com os arquétipos da fertilidade. Em um sítio arqueológico na Dinamarca foram encontrados cem pequenos barcos, cada um deles inscrito com um símbolo, encaixados um dentro de outro e guardados em uma vasilha de barro. Durante a Idade do Ferro o navio tornou-se símbolo funerário, os túmulos – como os da ilha Gotland – tendo formato de barco, marcados por menires e erguidos sobre os restos cremados ou enterrados dos mortos e seus pertences. A partir de 600 d.C. os mortos passaram a ser cremados ou enterrados em barcos de verdade, como revelam os vestígios encontrados nos pântanos ou nos locais de cremação. Esse costume começou na Suécia e se espalhou para a Noruega e a Inglaterra anglo-saxã, conforme revelado pelo navio enterrado no cemitério real de Sutton Hoo. Nele foram encontrados joias valiosas, um cetro e o estandarte real, um elmo e escudo cerimoniais, uma espada dourada, uma harpa, várias taças, chifres de beber e objetos de prata. Nesse túmulo não havia nenhum corpo, talvez devido ao fato de o rei ter morrido num combate no mar ou por ser enterrado de maneira cristã, enquanto seus bens foram colocados dentro da terra seguindo o antigo costume pagão.

Mais tarde, no século IX, outro navio ricamente decorado e equipado foi enterrado em uma câmara mortuária em uma colina em Oseberg, Noruega. O túmulo foi saqueado e dele muitas coisas roubadas, mas uma série de belos objetos esculpidos em madeira foram recuperados e restaurados, confirmando a riqueza de um enterro muito bem elaborado. Os restos mortais eram de uma mulher, possivelmente uma sacerdotisa Vanir, ao lado de ossadas de cavalo e cães, assim como também foram encontrados em outros sítios na Noruega, Suécia e Dinamarca. Além desses enterros faustosos de nobres e guerreiros, as pessoas humildes também eram enterradas em barcos, em diferentes lugares da Escandinávia e das colônias viking (como em alguns cemitérios da Inglaterra).

A associação do navio com os mortos aparece em uma lei redigida pelo rei Frodi, que estabeleceu a cremação dos chefes nos seus próprios navios e dos guerreiros em grupos de dez em outros navios. Um relato muito detalhado de um funeral em navio é encontrado no poema "Beowulf", que descreve a cerimônia de Scyld, o primeiro rei dos daneses. O navio tinha sido equipado com armaduras e espadas, ao lado de muitos presentes e tesouros, cobertos com um estandarte dourado, enquanto a multidão lamentava a partida do governante para o reino do mar. Acredita-se que a justificativa para a queima ou o enterro de objetos valiosos e caros era a crença de que eles iam passar junto com os mortos para o misterioso mundo dos deuses. No mito de Baldur é descrito detalhadamente o seu funeral, sendo cremado junto com sua esposa e cavalo no seu navio, lançado ainda aceso no mar na presença de todas as divindades, confirmando assim a viagem dos mortos para além-mar.

Portanto, quando Njord é representado como o "deus dos navios" observa-se um padrão mítico antigo que relaciona o navio com os deuses regentes da plenitude e paz, pois o mar era uma importante fonte de nutrição e riqueza para os povos do norte europeu. Os homens oravam aos deuses pedindo a dupla colheita, do mar e da terra, entrelaçando assim os atributos de Njord com os de Nerthus.

Njord era descrito como um homem bonito (apesar das cicatrizes) com barba e cabelos grisalhos revoltos, olhos azuis, peito nu ou vestindo um colete verde, pés descalços e calça de pescador. Na cabeça usava uma coroa de conchas e algas marinhas ou um chapéu de abas largas, enfeitado com penas de águia e garça e carregava nas mãos um gancho e uma rede de pescar. Do seu lar à beira-mar, ele gostava de observar o voo de gaivotas e o gracioso deslizar dos cisnes, a ele consagrados e considerados suas aves favoritas. Ele se entretinha também observando as brincadeiras das focas, que adormeciam depois aos seus pés.

Njord era invocado para afastar as tempestades e acalmar os ventos turbulentos que assolavam as terras próximas ao mar nos meses de inverno, bem como para apressar a chegada do verão e extinguir as queimadas e as chuvas de granizo. Como a agricultura era praticada apenas nos meses de verão e, principalmente, ao longo das falésias e dos fiordes, Njord era invocado para favorecer plantios e colheitas, assegurando a prosperidade e a abundância. De acordo com algumas fontes, Njord teria sido casado com a deusa Nerthus, mas teve que se separar dela quando foi enviado para Asgard junto com seus filhos – Freya e Frey – como reféns após o armistício que colocou um fim à guerra entre os Aesir e Vanir.

O mito de Njord e de Skadhi

A história do casamento entre Njord e Skadhi envolve a participação de Odin e Loki na perseguição do gigante Thjazi e a recuperação da deusa Idunna e das maçãs douradas raptadas pelo Thjazi (a descrição completa será dada no mito de Loki, que, ao ser aprisionado pelo gigante, conseguiu sua liberdade oferecendo em troca Idunna e as maçãs).

Como a perseguição resultou na morte de Thjazi, este fato provocou a ira e o desejo de vingança de sua filha, a giganta *Skadhi*. Ela vestiu uma armadura, colocou o elmo e empunhou sua espada e lança, indo para Asgard para se vingar da perda do seu pai. Seguindo a tradição, que exigia um ressarcimento em troca de um crime, os deuses lhe ofereceram como compensação ouro, que ela recusou, e depois um marido, que ela podia escolher entre eles, mas de olhos vendados, vendo apenas os pés. Apesar de ser filha de um horrendo gigante do gelo, Skadhi era bonita, sedutora e atraente, ainda mais na sua apresentação como guerreira, vestida como uma armadura prateada, túnica curta branca, botas de pele e chegando imponente sobre seus esquis, fato que venceu a resistência dos deuses em se casar com uma das gigantas (que eles desejavam e tomavam como amantes, mas não queriam desposá-las).

No início, Skadhi recusou a ideia do casamento, continuando raivosa e desejosa de vingança. Para fazê-la sorrir e afrouxar sua resistência, Loki (o principal culpado da morte do seu pai) começou a fazer algumas brincadeiras, mas apenas quando amarrou uma corda nos seus testículos e na barba de um bode, se deixando puxar por ele, a situação grotesca fez Skadhi sorrir. Para melhorar seu mau humor, os deuses apontaram para o céu onde os olhos do seu pai tinham sido colocados por Odin e transformados em brilhantes estrelas, visão que fez Skadhi aceitar escolher um marido entre os deuses. Como ela tinha ficado atraída pela bela e luminosa presença de Baldur, acreditou que eram dele os pés mais bonitos e que foram por ela escolhidos. Porém, ao tirar a venda, ela descobriu, desapontada, ser Njord o dono dos lindos pés e, obrigada pelo compromisso assumido, casou-se com ele. Depois da lua de mel passada em Asgard, ao chegar a Noatun, Skadhi detestou o ambiente cinzento, com o som monótono das ondas, o assobio do vento e os gritos estridentes das gaivotas e das focas que a impediam de dormir. A saudade do seu habitat nas montanhas – com florestas verdes de pinheiros, a brisa suave passando entre as árvores, o som das cachoeiras e a imensidão branca de neve para esquiar – apressou a decisão de Skadhi para se separar.

Tentando manter a relação, Njord ofereceu-lhe ficar metade do ano em Noatun e a outra metade passarem juntos em Jötunheim, a terra dos gigantes, ou os nove meses de inverno em Jötunheim e os três de verão em Noatun. A proposta foi aceita por Skadhi, mas quem não conseguiu se adaptar foi Njord, irritado pelos uivos dos lobos, o vento cortante, o frio das geleiras e as permanentes ausências de Skadhi, que ia esquiar ou caçar. Após algumas tentativas de reconciliar as diferenças, a separação foi inevitável, e Njord voltou sozinho para Noatun. A incompatibilidade do casal é explicada pelos seus atributos diferentes: Njord era o padroeiro do verão, das riquezas da terra e do mar, enquanto Skadhi era associada com o inverno, as montanhas geladas, a terra árida, o esqui e a caça. Ambos podem ser vistos como personificações das estações (verão e inverno) que seguem se alternando; mesmo que por curtos períodos possam coexistir, suas diferenças são difíceis de conciliar ou integrar.

Alguns autores assinalam nesse mito uma inversão de papéis, Skadhi veste armadura e leva armas, podendo escolher o consorte, postura geralmente assumida pelos homens, que vão lutar – ou pagar – para conseguir a mulher que desejam. Enquanto Skadhi é a rígida guerreira, Njord tem um papel passivo e complacente, que foi atribuído ao seu encarceramento prévio pelos gigantes, tendo sido submetido a humilhações pelas gigantas, fato que levou a uma perda de *status*. Na realidade acredita-se que a baixa hierarquia deve-se à sua origem Vanir, tendo sido cedido como refém aos deuses Aesir no armistício, que pôs fim à guerra entre os dois grupos, mas não anulou as suas diferenças. Os Aesir podiam se casar entre si e ter amantes entre as gigantas, mas os Vanir deviam se restringir em se casar apenas com as gigantas, devido ao número menor de deusas Vanir. Outra explicação para a incompatibilidade de convívio de Njord e Skadhi é baseada na lembrança de um antigo festival de nove dias que celebrava a união complementar dos seus arquétipos, um regente das regiões férteis e o outro das colinas geladas.

Existem discrepâncias entre os vários mitos sobre Njord, principalmente por ele ser assimilado – ou equiparado – com a deusa Nerthus, o que explica porque alguns escritores o interpretam como uma divindade hermafrodita. Apesar dessas lacunas e distorções, Njord deixou sua marca em nomes de lugares e na prolongada reverência nórdica à força nutridora e sustentadora da vida representada pelo mar e pela terra.

Aegir (Ägir, Eagor, Gymir, Hler), Aquele que preparava o hidromel

Além de Njord e Mimir, que representavam o mar próximo à terra e a força do oceano primordial, os povos nórdicos reverenciavam o regente das águas profundas dos mares, chamado Aegir, ou Hler, cujo poder tanto podia beneficiar, quanto prejudicar os seres humanos. Semelhante ao deus grego Posêidon, ele controlava os ventos e as ondas e aparecia nos mitos como uma força destruidora, nomeada "as mandíbulas de Aegir", descrevendo assim a perda de vidas humanas nas tempestades e afogamentos. Os piratas saxões e os navegantes vikings lhe ofertavam seus prisioneiros atirando um décimo deles no mar para obter sua benevolência e proteção para suas viagens.

Acredita-se que *Aegir* (mar) – junto com seus irmãos *Kari* (ar) e *Loge* (fogo) – pertencia a uma dinastia divina mais antiga, pois ele não se enquadra nem entre os deuses, sejam eles Aesir ou Vanir, nem entre os gigantes. No entanto, os nomes das suas nove filhas, as Donzelas das Ondas, são típicas das gigantas como *Gjalp* (a que uiva) e *Greip* (a que abocanha). O culto de Aegir, e de sua esposa Ran, era muito antigo e ele era respeitado e temido pelos navegantes e pescadores nórdicos, pois dele dependiam sua sobrevivência e o sucesso das suas viagens e expedições.

Aegir era descrito como um velho vigoroso, com barba e cabelos brancos, olhos penetrantes e mãos fortes com dedos em forma de garras. Assim como Ran ele usava uma rede para recolher os afogados e as riquezas dos navios naufragados. Dizia-se que todos aqueles que levavam consigo pepitas ou moedas de ouro desfrutavam da sua hospitalidade – regada a hidromel – no seu palácio no fundo do mar. Quando ele aparecia durante as tempestades, seu único objetivo era perseguir e virar os navios, arrastando-os depois para a sua morada, onde se apossava de todos os tesouros e objetos valiosos, o ouro sendo considerado o "fogo de Aegir". Para os anglo-saxões Aegir era conhecido como Eagor, que eles saudavam em cada onda gigante; seus outros nomes eram *Hler* (aquele que abriga) e *Gymir* (o que esconde), por ocultar coisas nas profundezas do seu reino e não revelar segredos. Devido à aparência espumante das ondas, o mar era chamado de "caldeirão borbulhante de Aegir" e o navio como o "cavalo de Aegir".

O caldeirão era o objeto mágico de Aegir, onde ele preparava o hidromel para as festas das divindades, considerado também o receptáculo arcaico da criação, transmutação e destruição da vida. Seus auxiliares eram *Elde* e *Fungeng*, emblemas da fosforescência e mutabilidade do mar. Às vezes, Aegir saía do seu reino para visitar os deuses em Asgard, sendo bem recebido e entretido pelas aventuras e conquistas dos deuses contados pelo inspirado Bragi. Para retribuir a hospitalidade Aegir decidiu preparar uma grande celebração da colheita, descrita a seguir.

O caldeirão de Aegir

Surpreendidos com o convite inesperado, os deuses lembraram a Aegir que estavam acostumados a comer e beber abundantemente. Aegir assegurou que comida não iria faltar, mas confessou que o seu caldeirão era pequeno para preparar o hidromel necessário. Imediatamente Thor, o mais guloso, se ofereceu a buscar outro caldeirão maior e junto com Tyr se deslocaram para leste do rio Elivagar, na carruagem de Thor. Sabendo que o gigante Hymir possuía um imenso caldeirão, decidiram pernoitar na sua casa esperando a sua volta. Preocupada com a segurança dos visitantes, a velha giganta que os recebeu – e que era a avó de Tyr – sugeriu que eles se escondessem atrás de uns caldeirões, sabendo que seu marido, Hymir, era violento e impulsivo.

Quando Hymir chegou e soube da visita recebida, ficou tão irritado que, ao olhar para o esconderijo dos deuses, espatifou os caldeirões com seu olhar com exceção do maior. Porém com a insistência da giganta, ele concordou em preparar o jantar para os visitantes, sem, no entanto, conhecer sua identidade.

A partir desse ponto em diante o mito segue o relato da "pescaria de Thor", mas com um final diferente. Depois da tentativa frustrada de pescar a Serpente do Mundo, Thor voltou junto com o gigante para sua casa, onde foi por ele desafiado para um teste de força, cujo objetivo era a quebra de um enorme vaso. Apesar de Thor tê-lo arremessado contra os pilares e paredes da casa várias vezes, o vaso permaneceu intacto. Seguindo um conselho sussurrado pela avó de Tyr, Thor de repente jogou o vaso na cabeça do gigante, o único substrato mais duro do que o vaso, que foi assim despedaçado. Vendo a força de Thor, Hymir concordou em dar-lhe o caldeirão almejado pelos deuses, mas foi apenas com o esforço conjunto de Tyr e Thor que eles conseguiram levantá-lo do chão. Assim que eles saíram da casa de Hymir, ele convocou seus irmãos para seguirem e matarem os deuses, mas quando Thor percebeu que estavam sendo perseguidos, jogou seu martelo mágico e matou todos os gigantes. Triunfantes, os deuses entregaram o enorme caldeirão a Aegir, que se tornou assim o responsável por preparar o hidromel e fornecê-lo sempre aos deuses. Nas festas das colheitas, Aegir os recebia nas suas cavernas de corais e lhes oferecia as melhores iguarias do mar, regadas com o hidromel, o elixir sagrado e "néctar dos deuses".

Neste mito o caldeirão lembra as lendas celtas em que ele é símbolo da plenitude e das riquezas dos mundos aquáticos, o mar sendo um elo importante entre os celtas e os escandinavos, tanto nos mitos e arquétipos, quanto no seu estilo de vida.

REGENTES DA LUZ E DA SOMBRA

Heimdall (Rig, Gullintanni), O Deus Branco da Luz

A sua origem é misteriosa e vaga, pois o poema que relatava a sua história se perdeu, tendo permanecido apenas relatos parciais dos seus atributos. Imbuído de grande e enigmático poder, Heimdall não se enquadra em um arquétipo definido e pode ser considerado tanto um deus solar, quanto lunar, pertencendo aos deuses Aesir, mas tendo o dom da premonição como os Vanir. Sabe-se que ele era filho de nove mães, as Donzelas das Ondas e possivelmente de Odin, o amante delas. Alguns estudiosos consideram que o motivo das "nove mães" seja um indício de que foi morto e renasceu por nove vezes.

Sua principal missão era guardar Bifrost, a Ponte do Arco-Íris e anunciar com sua corneta *Gjallarhorn* qualquer aproximação dos inimigos, bem como alertar às divindades sobre o início do Ragnarök. Além de guardião, ele também era um sábio conselheiro nos concílios dos deuses, tendo uma percepção muito aguçada, uma visão expandida e habilidades premonitórias. Dotado de visão e audição extraordinárias (ele enxergava tão bem de noite, quanto de dia e ouvia a grama e a lã das ovelhas crescerem), Heimdall dormia pouquíssimo, permanecendo sempre alerta para perceber qualquer ameaça a Asgard. Por guardar um de seus ouvidos na fonte de Mimir (onde Odin tinha deixado seu olho em troca da sabedoria), ele também ouvia tudo o que se passava nos Nove Mundos e tinha obtido o conhecimento e a compreensão do passado e do presente, ampliando assim o alcance da sua sabedoria.

Heimdall era descrito como um homem alto e forte com dentes de ouro, o rosto vincado e os cabelos queimados pelo sol e pelos ventos; ele aparecia usando uma túnica branca, botas de pele de foca, pulseiras de ouro e prata nos braços e segurando uma pesada espada; seu cavalo chamava-se *Gulltop* (crina de ouro). Ele era conhecido como o Deus Branco, *Hallinskidi* (o carneiro) e *Gullintanni* (dentes de ouro), *Hindler* (protetor contra os ventos) e "aquele que ilumina o mundo". Sua morada era chamada *Himinbjörg* (a montanha no céu), de onde ele vigiava como uma águia pousada no seu ninho, nas alturas. Nos mitos, Heimdall age como inimigo de Loki, sendo por ele vencido na batalha final do Ragnarök. Em certas ocasiões Heimdall assumia características de animais, como foca para lutar com Loki e recuperar o colar de Freyja, ou carneiro, o animal a ele consagrado.

Mitos de Heimdall

A criação da humanidade

Uma atuação muito importante é a sua contribuição na criação e evolução da raça humana, conforme descrito no poema "Rigsthula". Usando o nome de *Rig*, Heimdall perambula pela terra e gera filhos em três famílias de classes sociais diferentes, tornando-se assim o pai da humanidade e das castas, intermediário entre os deuses e os homens.

A história conta como Heimdall estava viajando e, ao chegar em uma humilde cabana à beira do mar e se apresentar como *Rig*, foi hospedado por um casal muito pobre, vestido com farrapos e chamado *Ai* (bisavô) e *Edda* (bisavó). Após o jantar muito simples, ao redor da fogueira, composto de caldo ralo e pão de farelos, Rig convenceu o casal a deixá-lo partilhar do estrado sobre o qual dormiam, ficando no meio deles e permanecendo por três dias e três noites na choupana dos bisavôs. Após nove meses Edda deu a luz a um filho com pele escura, feio e deformado, mas forte e trabalhador, que após tornar-se adulto ficou cuidando da terra dos seus pais e vivendo precariamente. Chamado *Thrall*, tornou-se o ancestral dos servos e escravos.

Seguindo na sua caminhada, Rig chegou a uma fazenda onde foi bem recebido por *Afi* (avô) e *Amma* (avó) que lhe ofereceram um jantar arrumado sobre uma mesa de tábuas coberta com uma toalha, composto de pão de centeio, manteiga, carne de vaca e cerveja. Rig novamente obteve a aquiescência do casal para dormir no meio deles, em uma cama macia e com cobertor de peles. Ele permaneceu com eles três dias e três noites observando suas atividades: Afi estava cuidando do campo e dos animais e entalhava madeira, enquanto Amma fazia pão, plantava e tecia. Após nove meses nasceu *Karl*, um menino forte, de cabelos ruivos, pele e olhos claros, que seguiu o trabalho do pai, casou-se com uma moça prendada e tornou-se o ancestral dos fazendeiros e camponeses.

Na terceira parada Rig entrou em uma mansão que pertencia a *Fadhir* (Pai) e *Modhir* (Mãe), um casal belo e rico que não trabalhava, apenas se divertia. O homem cavalgava e caçava, a mulher cuidava da sua pele alva como a neve e se enfeitava com joias. O jantar foi servido em louça fina e o vinho em cálices de prata, acompanhando pratos com carne de caça e frutas exóticas. Na cama com travesseiros de penas de ganso e cobertas bordadas, Rig novamente dormiu no meio do casal durante três noites. Quando no devido tempo nasceu o filho *Jarl,* ele tinha pele branca, era alto, louro, com olhos azuis, vestido com roupas de seda e veludo. Ele aprendeu a manejar armas e cavalgar e, depois de adulto, foi treinado pelo próprio Rig para ser guerreiro e dirigente, aprendendo também os mistérios das runas. Após conquistar muitas terras, acumular riquezas e glórias, Jarl foi morar em um amplo castelo, onde um dos seus filhos, Konur, tornou-se o primeiro rei da Dinamarca e o outro, sacerdote de Odin. Acredita-se que da sua linhagem descenderam os reis da Dinamarca, mas não é certo, pois o manuscrito termina neste ponto da história.

Este mito se assemelha a um conto de fadas com suas variações e repetições tríplices nas descrições e diálogos. Ele fornece uma detalhada e pitoresca descrição das três classes sociais: servos, camponeses e nobres guerreiros, em que era dividida a sociedade no Período Viking. Mesmo fazendo parte da coletânea de poemas dos *Eddas*, é evidente a conotação racista, com o enaltecimento das qualidades dos aristocratas descendentes dos indo-europeus (altos e de pele clara) em contraste com a opressão e menosprezo aos nativos sami (baixos e de pele escura) obrigados a trabalhar como escravos. Os arianos chamavam os nativos (sami, inuits e esquimós) de *skraelings* ou "selvagens deformados". Visto de forma metafórica este mito descreve a evolução necessária da raça humana ao longo das gerações, até quando o filho de Deus torna-se aprendiz e sacerdote.

Uma história semelhante existia nas tribos germânicas no tempo de Tácito, que descreveu como o deus Mannus deu origem às três grandes tribos: *Ingvaeones* (perto do mar), *Hermiones* (no interior), *Istvaeones* (os demais). O nome Mannus significa "homem" (ser humano), possuidor de todos os atributos do intelecto e da sabedoria trazidos por Heimdall para a humanidade, personificados pela Ponte do Arco-Íris, que liga o plano divino ao humano no sentido espiritual e genético.

Na tradição celta da Irlanda existia uma lenda semelhante do deus Manannan Mac Lir, chamado "Filho do Mar" (o mesmo título de Heimdall) e regente da Ilha de Man. O nome Rig (assumido por Heimdall durante sua peregrinação) era idêntico à palavra celta significando "rei", indicando influências celtas no poema "Rigsthula". No mito do seu nascimento é descrito o encontro de Odin com nove lindas gigantes, as Donzelas das Ondas, chamadas Gialps, Greip, Egia, Augeia, Ulfrun, Aurgiafa, Atla e Tarnsara. Conquistadas pela eloquência e o charme de Odin, elas se tornaram suas amantes e juntas tiveram um filho, Heimdall. Ele foi nutrido com a força da terra, a umidade do mar, o calor do sol e assim cresceu com rapidez e vigor. Quando Heimdall se ofereceu para ser o guardião da ponte Bifrost – construída de ar, água e fogo –, os deuses de Asgard lhe conferiram uma audição tão aguçada que podia ouvir a grama e a lã das ovelhas crescer, bem como enxergar à longa distância, de dia e de noite. Ele recebeu também a corneta *Gjallarhorn* (para avisar a chegada dos inimigos), que tinha a forma de uma semilua e que ele guardava ora nos galhos de Yggdrasil, ora na fonte de Mimir.

Representado com uma armadura branca resplandecente, Heimdall era chamado de "Deus branco", um título encontrado em um mito fino-régrico sobre o "Jovem branco", o pai da raça humana, que tinha sido nutrido pelo leite e o espírito da Árvore do Mundo. Conhecido pela sua natureza luminosa, bela e bondosa, Heimdall era visto como a personificação da Árvore do Mundo e do arco-íris. Caracterizado como *Gullintani* (dentes de ouro) devido ao brilho dourado dos dentes, ele aparecia no alvorecer como mensageiro do dia e era chamado *Heimdellinger*.

Por ser conectado com o mar – pela herança materna das gigantas das ondas – era incluído às vezes entre as divindades Vanir, sendo dotado de muito conhecimento e sabedoria ancestral. Junto com o deus Bragi, Heimdall dava as boas-vindas aos heróis que chegavam em Valhalla, dedicando-lhes frases elogiosas sobre a sua coragem e valentia. Heimdall participou da construção do muro de Asgard, aconselhando os deuses como evitar que Freyja fosse dada como pagamento ao gigante construtor (episódio descrito no verbete de Loki). Outra cooperação de Heimdall foi sua participação no resgate do colar da deusa Freyja (a seguir).

O roubo de Brisingamen

A extrema acuidade auditiva de Heimdall o alertou em uma noite sobre passos furtivos e dissimulados de um intruso indo para Folkvang, o palácio de Freyja. Ao descobrir que era Loki, metamorfoseado em mosca, tentando roubar o mágico colar Brisingamem (emblema da fertilidade da terra), Heimdall aguçou a sua visão para ver os detalhes. Por não conseguir abrir o fecho do colar devido à posição de Freyja, Loki mudou de forma transformando-se em uma pulga, que mordeu o pescoço de Freyja. Sem acordar, ela mudou de posição e assim Loki conseguiu se apropriar do cobiçado tesouro. Heimdall iniciou a perseguição ao ladrão e ao encontrá-lo, tentou cortar-lhe o pescoço com sua espada, mas Loki rapidamente assumiu a forma de uma chama azul. Em um piscar de olhos Heimdall se metamorfoseou numa nuvem de chuva torrencial, para apagar a chama. Imediatamente Loki alterou sua forma para um urso polar, que engolia com rapidez a chuva. Heimdall também se tornou um urso e a luta entre ambos começou a colocar em perigo a sobrevivência de Loki, que tomou a forma de uma foca, assim como Heimdall. Enfim, Loki desistiu de lutar contra Heimdall e devolveu o colar, um dos tesouros mágicos de Asgard. Analisando o mito na sua forma metafórica vemos a representação de Loki como a secura provocada pelo calor do sol, retirando da terra (Freyja) a sua fertilidade (simbolizada pelo colar). Heimdall personifica a chuva que, após lutar contra a seca, a vence e devolve a riqueza à terra.

Existem poucos mitos associados a Heimdall além desses e não há indicações sobre algum culto a ele dedicado. Mesmo assim, a sua conexão com a proteção de Asgard e Bifrost, com a Árvore do Mundo e o mar, a sua descrição como progenitor da humanidade e das classes sociais, são menções que o colocam em evidência no panteão nórdico, como um arquétipo ligado tanto aos deuses Aesir, quanto aos Vanir.

No Ragnarök, ao soar a sua corneta para conclamar os deuses para a batalha final, Heimdall enfrentará Loki, seu eterno inimigo; após matá-lo, Heimdall sucumbirá também, em razão dos ferimentos causados pelo ferrenho embate.

Baldur (Balder, Baldr), O Brilhante, Belo e Amado Deus

Baldur é um arquétipo intrigante do panteão nórdico, seu destino sendo entrelaçado com o de Loki, tendo poucos registros sobre um eventual culto organizado dedicado a ele. Sua importância se resume à sua morte provocada pelo Loki e à fracassada tentativa de trazê-lo de volta à vida, bem como à sua ressurreição no Ragnarök participando junto com outros deuses da construção de um novo – e melhor – mundo.

Alguns estudiosos tentam defini-lo como um deus da fertilidade, cuja morte e renascimento seguem o ciclo das estações, ou como um deus solar celebrado no solstício de verão, a sua morte pressagiando o aumento da escuridão e a chegada do inverno. No entanto, nem a morte, nem o renascimento de Frey, são associados ao plantio, à colheita ou à abundância da terra, elementos básicos do seu mito e culto. No *Prose Edda* Frey é visto como a personificação do bem martirizado pelo mal, sendo, portanto um deus sacrificial, cuja morte anuncia o fim do mundo e a sua volta acontecendo após a purificação.

Na descrição de Saxo Grammaticus, Baldur aparece como um herói, semideus e filho de Odin, que disputa junto com o deus cego Hödur a mão da bela Nanna. Hödur é avisado das investidas amorosas de Baldur por algumas Valquírias e armado com uma espada mágica e o anel da fortuna (Draupnir, que pertence a Odin) cruza armas com ele e depois de várias lutas fere mortalmente seu rival (ajudado pelas mesmas Valquírias, que lhe fornecem o alimento mágico que sustenta Baldur). Odin gera um filho com a giganta Rind, Vali (que vingará a morte de Baldur). Nessa versão, Baldur aparece como um guerreiro poderoso e forte e não uma vítima, o nome *Baldur* sendo equivalente ao "Senhor" (assim como o de Frey). É possível que antes da versão cristianizada que o apresenta como um jovem pacífico e inocente, Baldur representasse o jovem herói guerreiro (semelhante aos guerreiros descritos em várias lendas). Mesmo jovem e inocente, Baldur teve visões e sonhos que o alertaram sobre a sua morte iminente, mas sem saber como ela iria acontecer. Um fato relevante é o autor da sua morte, seu irmão cego Hödur, cuja mão é guiada pelo invejoso Loki e que também lhe entrega a flecha mortal, confeccionada com uma planta mágica (visco).

Em outra interpretação, essa lenda representa uma iniciação de guerreiros no culto de Odin, em que o neófito ficava no meio de um círculo de homens que lhe atiravam diversos tipos de armas. Odin aparece com a forma de Hödur e ao jogar a flecha de visco, o neófito cai no chão, possivelmente em um estado de transe, do qual acorda "renascido" no meio do grupo de guerreiros. Para compreendermos melhor a extensão e as implicações do arquétipo de Baldur, devemos conhecer o seu mito na totalidade, conforme foi relatado por Sturluson, baseado nas sagas islandesas.

Baldur era filho de Odin e Frigga, amado e admirado por todas as divindades de Asgard por ser belo, bondoso, gentil, compassivo, eloquente, justo e resplandecente, um contraste evidente com seu irmão gêmeo Hödur, um ser sombrio, taciturno e cego. Baldur personificava bondade, inocência e luz radiante, Hödur, escuridão e ignorância. Baldur tornou-se adulto com uma espantosa rapidez e foi recebido ainda jovem no concílio dos deuses, onde passou a revelar seu conhecimento mágico através das runas e da cura pelas plantas. Ele morava em *Breidablikk*, um lugar puro e luminoso, num templo com teto dourado e pilares prateados, junto com sua esposa Nanna, uma encantadora deusa, porém pouco conhecida, cujo nome significava "flor". Baldur era descrito como um jovem louro, com olhos azuis e irradiando uma aura dourada ao seu redor. O seu mito é dividido em vários episódios que foram condensados por Sturluson em três partes: sua morte, seu funeral e a tentativa de resgatá-lo do mundo dos mortos e a punição de Loki pela sua morte.

O mito começa com sonhos repetidos e presságios nefastos recebidos por Baldur que o deixavam triste e deprimido. Para preservá-lo de qualquer mal,

Frigga – mesmo sabendo que o destino traçado pelas Nornes era imutável – age com seu amor materno e pede a todas as criaturas, animadas ou não, de todos os reinos da natureza e de todos os mundos, que façam votos se comprometendo em não prejudicar seu amado filho. Porém, Frigga esqueceu-se de incluir o modesto e escondido visco, e ao descobrir seu esquecimento o ignorou, acreditando ser inofensivo.

Para comprovar a invulnerabilidade de Baldur foi feito um teste: ele foi colocado em um círculo formado pelos deuses, cada um deles jogando vários tipos de armas, paus e pedras na sua direção, mas ele permaneceu ileso, para a alegria de todos.

Enquanto isso, Odin decidiu consultar uma profetisa acerca do destino do seu filho. Montado no Sleipnir, ele atravessou a ponte Bifrost e seguiu caminho até o reino de Niflheim, onde atravessou o portal guardado pelo feroz cão Garm e penetrou no escuro reino da deusa Hel. Com surpresa ele constatou que o lugar tenebroso estava sendo preparado e decorado para uma grande festa. Sem saber a razão, procurou o corpo inerte de uma renomada *vala* (profetisa) e, entoando encantamentos rúnicos, despertou o espírito da vidente do sono da morte e lhe fez várias perguntas, sem revelar sua identidade. Consternado, ele soube que o motivo da festa era a chegada de Baldur, junto com sua esposa Nanna – por ter sido morto pelo seu irmão cego Hödur. Indagando o que fazer para vingar esse ato cruel e inimaginável, a *vala* lhe disse que deveria gerar um filho com a giganta Rind e que seria este filho, Vali, o vingador da morte de Baldur. Sem dar mais detalhes, a *vala* mergulhou novamente no sono letal e, sabendo que as leis de *orlög* não podiam ser mudadas, Odin voltou triste para Asgard, mas sabendo das providências tomadas por Frigga, ficou aliviado, esperando que o mal pudesse ser evitado.

Porém o destino traçado continuou o seu curso inexorável. Como Loki ficou aborrecido com a invulnerabilidade de Baldur, ele procurou saber se não havia uma possível brecha na sua defesa. Disfarçou-se em uma velha e armou uma armadilha para Frigga que lhe contou – sem perceber quem era a velha – ter esquecido de pedir o juramento do visco. Imediatamente Loki confeccionou uma flecha de um ramo de visco e procurou o deus cego Hödur, atiçando-o para participar da brincadeira dos deuses. Hödur era um ser retraído, sombrio e solitário devido à cegueira e por isso recebeu o convite de Loki com alegria, aceitando que ele guiasse sua mão para lançar a flecha, que acabou matando o brilhante e inocente Baldur. Esse fato afetou profundamente todos os deuses, que sem poder vingar a injusta morte – por ter acontecido no local sagrado de Asgard – iniciaram os preparativos para o funeral de Baldur.

Ainda lutando para reavivar seu filho, Frigga pediu que um dos deuses fosse até o reino de Hel e pedisse o retorno de Baldur. O deus Hermod se ofereceu como mensageiro e cavalgando Sleipnir chegou à ponte de Gjallar guardada por Mordgud pedindo permissão para passar. No sombrio salão de Hel ele viu com consternação o espírito do seu irmão, Baldur, que lhe confirmou a impossibilidade da sua volta ao reino dos vivos. Mesmo assim, Hermod implorou a sua libertação à deusa Hel, que concordou desde que fosse cumprida a sua condição: "que todas as criaturas chorassem a morte de Baldur e implorassem por sua volta". Cheio de esperança Hermod levou essa boa nova aos deuses reunidos em Asgard, que imediatamente lançaram esse apelo a todos os cantos e recantos dos mundos. Porém, Loki novamente interferiu com outro gesto de maldade: disfarçado como uma velha escondida em uma gruta, chamada Thokk, recusou-se a derramar uma lágrima sequer e disse que "por ela, Baldur jamais iria voltar à vida".

Com essa recusa, mas decisiva, os deuses começaram a preparação da pira funerária de Baldur, assentada sobre o convés do seu navio *Ringhorn*, decorado com guirlandas de flores, armas e oferendas de valor, conforme a tradição. Todos os deuses começaram a se despedir do seu amado companheiro, mas quando sua esposa Nanna foi abraçá-lo, ela caiu fulminada pela dor da sua perda, sendo colocada na pira ao lado do seu consorte. Os deuses ofertaram na pira funerária objetos valiosos, Odin colocando seu próprio anel mágico Draupnir. Na hora de lançar o navio na água, o peso não permitiu seu deslocamento e apenas com a ajuda da giganta Hyrrokin – que chegou cavalgando um lobo e usando uma coleira de serpentes – conseguiram empurrar o navio e atear fogo à pira. Os deuses acompanharam com tristeza as chamas que engoliam o navio e tudo que nele existia, transformando o céu e o mar em uma imensa projeção de luz incandescente.

Quando os deuses descobriram que a inveja e maldade de Loki tinham causado a morte do bondoso e lindo deus, decidiram que tinha chegado o momento de acabar, em definitivo, com suas ações maléficas. Após várias peripécias e manobras conseguiram finalmente prendê-lo e mantê-lo em cativeiro, até o Ragnarök. Enquanto isso a profecia da *vala* consultada por Odin tornou-se realidade: o seu filho gerado com a giganta Rind matou Hödur com uma flecha, recebendo o título de Vali (guerreiro), "o vingador" e retificando dessa maneira o crime cometido com o sangue conforme escrito no código de honra nórdico.

Análise do mito

As diferenças entre as versões desse mito devem-se às interpretações feitas por historiadores a partir de antigas lendas e sagas. Mas alguns elementos são comuns como: a importância dos sonhos e presságios, a viagem de Odin para receber orientações do reino de Hel (técnica usada nas sessões de *Seidhr*), a importância dos encantamentos mágicos, a retificação de um crime com a punição dos culpados. Existem diferenças na relação dos atributos e funções de Baldur, visto como deus solar (associado com a jornada solar e reverenciado nos solstícios), deus da vegetação (sem muito respaldo histórico) e acima de tudo e sempre – como o mensageiro do Novo Mundo, que surgirá após a purificação pelo Ragnarök e assumirá o lugar do seu pai.

Uma explicação física desse mito pode ser vista no pôr do sol (simbolizando Baldur) quando o astro-rei mergulha no mar ou na terra ao ser perseguido pela escuridão, ou no final do curto verão escandinavo quando se inicia o longo reinado do frio e da escuridão. A morte de Baldur representa a vitória da escuridão e do inverno sobre o calor e a luz do verão; a vingança de Vali anuncia o retorno da luz após a derrota da escuridão. A morte de Baldur não é uma descida no desespero e na dor, mas uma medida do destino para promover o conflito final e a renovação após o Ragnarök, com a sua volta do reino de Hel, acompanhado pelo seu irmão Hödur, que foi perdoado por ter sido apenas uma peça na complexa trama cósmica.

As lágrimas derramadas por todos descrevem o degelo na primavera, apenas a velha Tokk não demonstra ternura ou compaixão, por ela simbolizar o carvão das entranhas da terra escura, que não precisa da luz solar. Das profundezas do submundo, Baldur (o sol) e Nanna (a vegetação) tentam alegrar Odin (o céu) e Frigga (a terra) enviando-lhes o anel Draupnir (emblema da fertilidade) e o tapete florido (o desabrochar da plantas). Baldur simboliza a alegria e a esperança da alma no renascimento, que segue após os inevitáveis testes, desafios, injustiças e sofrimentos da vida. Baldur e Hödur são personificações das forças do bem e do mal, da luz e da sombra, enquanto Loki é o trapaceiro, um mestre disfarçado atuando através de tentações, desafios e testes, um verdadeiro agente da transformação e renovação.

A celebração de Baldur era no solstício de verão, quando ele descia para o mundo subterrâneo e sua volta acontecia no solstício de inverno. Atualmente ele é celebrado nas festas juninas, com fogueiras e danças.

Loki (Loke, Lokje, Lodur), O Trapaceiro

Loki é a figura mais misteriosa, complexa, controvertida e de difícil compreensão do panteão nórdico. Tem características ambíguas, atuando ora como um trapaceiro, capaz de trazer mudanças, evolução e crescimento de formas inusitadas, ora como um inimigo dos deuses, provocando a morte de Baldur e conduzindo as forças do caos no combate final do Ragnarök. Ele age como um personagem cômico em episódios divertidos, mas também torna-se um catalisador de infortúnios, intrigas, situações embaraçosas ou eventos trágicos.

Nas descrições de Snorri Sturluson, apesar da ênfase dada aos seus aspectos negativos, nota-se que Loki é um ser astuto e travesso, criativo, mas pernicioso, invejoso e maldoso, sem ser total ou permanentemente ruim, maléfico, cruel ou perverso. Sua ambivalência aparece nos mitos de que participa, agindo tanto de forma criativa (auxiliando os deuses ou encontrando soluções em situações difíceis), quanto destrutiva, provocando perdas, prejuízos ou sofrimento.

Mesmo que muitas histórias sobre maldades sejam complementações tardias feitas por tradutores cristãos – dos textos antigos – em que foi equiparado ao Satã, o elemento presente em todos os mitos de Loki é a sua costumeira conduta como embusteiro, sabotador, ladrão ou fofoqueiro, contando calúnias sobre as deusas ou ofendendo os deuses. Semelhante a outros personagens de mitos ou fábulas, Loki é o trapaceiro arquetípico, egoísta, ardiloso e traiçoeiro, invejoso e caluniador, que prega peças ou cria farsas e confusões, mas também ensina pelos disfarces, brincadeiras, verdades e armadilhas. Assim como o bobo das cortes reais medievais, ele fala a verdade, sem medo de punição e cria situações constrangedoras, sem se preocupar com as regras ou conveniências morais e sociais. Loki é o inimigo da entropia, da acomodação ou inércia; ele usa o caos como uma fria e calculada estratégia para promover mudanças ou ampliar a compreensão, ativando o potencial inato dos espectadores e facilitando o crescimento individual. Como trapaceiro, ele força a exposição fria das verdades, promovendo o reconhecimento das máscaras e das sombras, cobrando o preço inerente aos desafios pela dor, tristeza ou vergonha. Dotado de características cômicas, Loki serviu como motivo e personagem em várias histórias populares e se tornou um herói, que trouxe benefícios à humanidade, além das lições que contribuíam para o crescimento pessoal.

Loki é um arquétipo liminar, ele não pertence por inteiro nem aos gigantes (por ser filho deles), nem aos deuses, com os quais viaja, mora junto em Asgard e participa das suas aventuras, problemas e conquistas. Loki é um agente do caos, mas ligado por um pacto de sangue a Odin, que assim o enquadra na ordem divina; por isso ele age como ele no mundo da ordem temporária com o ilimitado potencial das forças caóticas. Loki manifesta o seu poder desagregador principalmente no Ragnarök, quando ele conduz as forças do caos contra a ordem cósmica e divina, contribuindo para que o mundo voltasse ao caos primordial. Mas esta etapa faz parte do processo evolutivo, que requer a necessária destruição para a renovação e recriação de uma nova e melhor ordem.

No seu mito, Loki aparece como filho do gigante *Farbauti* (o cruel) personificando o relâmpago e de *Laufey* (ilha com folhas), sem se especificar se ela era giganta ou deusa. Como ele era conhecido como "filho de Laufey" (e não do Farbauti) supõe-se que por ser sua mãe uma deusa, este fato permitia sua permanência no Asgard – sendo considerado um dos Aesir – e explicava o estranho nome da mãe, associado com a vegetação da terra e as qualidades divinas.

Loki é uma figura sociável, participando de viagens e aventuras junto com os deuses e sentindo-se à vontade do meio deles, assim como junto dos gigantes e monstros. Dotado de poderes mágicos e da capacidade da metamorfose, Loki manifesta o seu lado sombrio na paternidade, sendo pai do lobo Fenrir, de Jörmungand (a Serpente do Mundo), ambos agentes destruidores nos eventos do Ragnarök. Apesar da masculinidade de Loki, que foi casado com a giganta *Angrbodda* (a destruidora) e viveu aventuras com algumas deusas (Sif, Skadhi e Ziza, esposa de Tyr), o tema da homossexualidade passiva (chamada de *ergi* pelos nórdicos) aparece em alguns episódios dos seus mitos, quando ele se transforma em uma égua e pare Sleipnir, o cavalo mágico de Odin, ou quando acusado de ter usado roupas de mulher. Como o pior insulto era chamar um homem de "égua" e o conceito de *ergi* sendo menosprezado pelos povos nórdicos como uma fraqueza ou covardia, presume-se que essa característica de Loki contribuía para piorar o seu caráter e fama. Porém, essa ambivalência (mencionada também quando ele usa o manto de penas de cisne de Freyja) depõe a seu favor se for vista como um ato de abnegação por parte de Loki, que sacrificou sua honra e se expôs à ridicularização, quando se metamorfoseou em égua no mito da construção do muro de Asgard e ajudou os Aesir ou se vestiu como camareira da suposta Freyja (o disfarce usado pelo Thor para recuperar seu martelo, roubado pelo gigante, relatado no mito de Thor). No mito de Baldur, Loki se metamorfoseia na velha giganta Thokk e também assume formas de mosca, pulga e salmão, realçando assim a sua facilidade de mudar de sexo e forma.

Assim como Loki, Odin também foi acusado de ambiguidade sexual por praticar a magia feminina *seidhr*, o que reforçou os elos entre ambos, consagrados como "irmãos de sangue" pelo pacto tradicional, que selou com o sangue de ambos sua irmandade.

De todos os deuses Loki é o mais próximo de Odin, fato interpretado por alguns escritores como Loki sendo um agente da vontade – explícita ou oculta – de Odin, ou mesmo personificando sua sombra, além de completá-lo, expressando senso de humor, leveza e diversão, traços inexistentes na personalidade de Odin.

Loki também aparece em muitos mitos como companheiro de Thor, que ele ajuda com sua astúcia e rapidez de raciocínio para sair de encrencas ou situações difíceis. Ambos atuam como agentes de mudança, um colocando limites nos exageros comportamentais do outro. Thor é o único deus que Loki realmente respeita, por temer a sua força irracional.

Devido à sua natureza dupla – não se pode ignorar a sombra, mesmo se ela é oriunda de uma luz (Loki era regente do fogo) – não existem evidências sobre algum culto dedicado a ele. Sabe-se apenas que Odin no pacto de sangue teria proclamado que para cada brinde feito a ele, Loki também devia receber um. No entanto, é necessária muita cautela e proteção para que seja feita esta homenagem em algum ritual ou cerimônia, tendo em vista os inúmeros relatos de eventos desastrosos, acidentes ou desavenças que ocorreram em seguida a esse tipo de brinde. Devido ao seu poder, relevância mítica e proximidade com Odin, Loki deve ser reconhecido e respeitado, mas a prudência e o bom senso recomendam não invocá-lo, nem reverenciá-lo. Autores recentes sugerem pingar algumas gotas da bebida (do chifre ofertado a Odin) no fogo, como uma forma respeitosa de honrar Loki.

É possível que ele tenha sido um deus arcaico, personificando o fogo e o calor vital anterior às dinastias Aesir e Vanir, pertencente à raça dos gigantes, regentes das forças destrutivas e incontroláveis da natureza. Como personificação do fogo e do relâmpago e equiparado com *Loge*, o gigante irmão de Kari (ar) e Hler (água) Loki casou-se com *Glut* (chama) e teve duas filhas: *Eisa* (brasas) e *Einmyria* (cinzas). Sucedidos e denegridos pelos deuses, os gigantes passaram a ser descritos como monstros maléficos, o que explicaria a ênfase dada às características de Loki, culminando com a sua participação destrutiva no Ragnarök.

Sua ligação com o mundo subterrâneo é evidente por ter gerado Fenrir, Jörmundgand – e segundo algumas fontes a própria Hel – além de ser ligado ao mundo dos mortos e representar os impulsos inconscientes e destrutivos da natureza humana. Em algumas fontes Loki é identificado como Lödur, participando assim da criação dos seres humanos, concedendo-lhes a aparência física, o calor vital, os sentidos e o dom da fala.

Loki tinha com terceira consorte Sigyn, conhecida pela sua dedicação e lealdade a Loki, permanecendo ao seu lado no cativeiro e tentando aliviar o seu sofrimento. Ele era descrito como um homem bonito, alto e esguio, com cabelos ruivos e olhos verdes, com maneiras encantadoras que seduziam as mulheres.

Seus símbolos são as fogueiras, incêndios, erupções vulcânicas, as plantas venenosas e com espinhos e seus animais totêmicos (em que se metamorfoseia): égua, raposa, lobo, serpente, pulga, mosca e salmão.

Mitos de Loki

A construção do muro de Asgard

Quando os deuses acabaram de construir a fortaleza de Asgard, na planície de Ida, apareceu um gigante, renomado artesão, que se ofereceu para cercá-lo com um esplêndido e resistente muro, para defender todos os palácios e recintos dos ataques inimigos. Como pagamento ele exigiu o sol, a lua e a deusa Freyja, se ele terminasse a construção no decorrer de um inverno. Os deuses acharam impossível esse reduzido prazo ser cumprido e concordaram, incentivados por Loki, encantado com a aparente barganha. Porém, o gigante possuía um maravilhoso cavalo – Svadhilfari – que trazia dia e noite os blocos de pedra colocando-os no lugar, tão rápido que o muro crescia a olhos vistos. Faltava apenas o último portal antes de acabar o inverno, e os deuses foram tomados de pânico, sabendo que ele podia ser facilmente terminado durante a última noite. Lembrando do conselho e do incentivo de Loki, os deuses o ameaçaram com a morte, a não ser que ele inventasse, com rapidez, uma solução favorável para sair do impasse.

Loki esperou o cair da noite e se metamorfoseou em uma linda égua, que ao se aproximar relinchando do cavalo do gigante o fez romper suas amarras e segui-la galopando para a escuridão da floresta, atraindo-o cada vez para mais longe, sem dar atenção ao apelo aflito do seu dono, nem voltar. No dia seguinte, vendo o seu fracasso, o construtor assumiu suas verdadeiras feições e fúria de gigante, querendo matar os deuses que o tinham enganado. Porém Thor – que tinha acabado de voltar de uma viagem – empunhou seu martelo mágico e esmagou o crânio do gigante, garantindo assim a proteção de Asgard.

Loki sumiu a partir dessa noite e reapareceu tempo depois, trazendo sua cria (por ele gerado na sua forma de égua), um cavalo de oito patas que recebeu o nome de Sleipnir e se tornou a montaria favorita de Odin.

O tesouro do anão Andvari

Hreidmar, rei dos anões, tinha três filhos: *Fafnir*, o mais velho, era destemido e furioso; *Otter*, o segundo, tinha o dom da metamorfose e *Regin*, o caçula, era dotado de agilidade e sabedoria. Para agradar ao avarento pai, Regin construiu uma casa forrada com ouro e pedras preciosas, guardada pelo feroz Fafnir. Um dia, Odin, Hoenir e Loki, tendo assumido formas humanas, chegaram da sua peregrinação por Midgard perto da morada de Hreidmar, onde viram uma lontra tomando sol. Sem desconfiar que ela era filho do rei (*Otter* significa "lontra), Loki deu vazão ao seu impulso destrutivo e matou a indefesa criatura, levando-a consigo para cozinhá-la no jantar, apesar dos protestos de Odin, revoltado com a maldade do ato injustificado de Loki.

Chegando à morada de Hreidmar, os deuses, sem revelar sua identidade, pediram hospedagem, mas quando Loki foi se gabar da sua caça mostrando a pele da lontra, o velho rei foi tomado de uma fúria avassaladora, pois reconheceu na lontra o seu filho Otter, por ele transformado em lontra para pescar diariamente os peixes para o jantar familiar. Com a ajuda dos outros dois filhos, o rei amarrou os visitantes e para libertá-los, pediu tanto ouro quanto fosse necessário para cobrir a pele da lontra. Os deuses foram obrigados a concordar, e Loki foi enviado como emissário para obter o ouro do anão *Andvari*, que tinha juntado uma imensa riqueza escondida no fundo de um rio. Como Loki não o encontrou em casa, foi para o rio, onde percebeu que o peixe que lá nadava era o próprio Andvari metamorfoseado, para melhor cuidar do seu tesouro. Loki tentou pescá-lo, mas em vão, pois o peixe escapava sempre. Percebendo que havia um encantamento de proteção, Loki foi pedir emprestada a rede mágica da deusa Ran, com a qual ela pescava as riquezas dos navios afundados. Foi somente assim que Loki pode capturar Andvari, pedindo-lhe seus tesouros em troca da liberdade. Apesar do seu apego ao ouro, Andvari teve que aceitar a troca, guardando para si apenas um anel. Ganancioso, Loki o arrancou do seu dedo, sem saber que ele era mágico e atraía como um ímã todo o ouro do mundo. Enfurecido pela perda, Andvari começou a lançar maldições vaticinando desgraças para quem possuísse o anel. Sem se importar com isso Loki voltou com o tesouro do anão, mas por mais que colocasse ouro e pedras preciosas sobre a pele da lontra, não conseguia cobri-la, pois de forma milagrosa ela se expandia sem parar. Odin quis guardar o anel, mas para salvar seus companheiros, Loki se viu forçado a entregá-lo para completar o ouro que faltava.

Logo mais a maldição de Andvari começou a agir, pois os filhos de Hreidmar começaram a brigar pela posse do tesouro e acabaram matando o pai. Fafnir se metamorfoseou em um dragão para vigiar melhor o ouro, e Regin foi se empregar como ourives para o herói Sigurd, convencendo-o a matar o dragão. Para ajudá-lo nessa ousada tarefa Regin refez a espada quebrada de Sigmund (pai de Sigurd) a ele dada pelo deus Odin e o ajudou na matança do dragão, aconselhando Sigurd a assar o coração do animal e comê-lo. Porém Sigurd percebeu a cilada em que poderia se tornar a próxima vítima e decapitou Regin levando consigo o tesouro, fato que levou à continuação da maldição e à sua morte.

A morte do dragão era um motivo importante nas histórias e mitos antigos, tendo sido ilustrada por várias pedras do Período Viking, encontradas da Suécia até a Ilha de Man. "Comer o coração do dragão" conferia ao herói poderes especiais e o protegia nas batalhas. O próprio Loki foi vítima da continuação da maldição que provocou sua punição e o anel tornou-se tema de *Völsunga Saga* e da lenda dos nibelungos.

O roubo das maçãs da juventude eterna

Odin, Loki e Hoenir estavam caminhando nos confins de Midgard explorando novos lugares. No entardecer, cansados e famintos, chegaram a um vale com vários campos plantados e num deles pastavam alguns bois. Sem demora, Loki pegou e matou um, enquanto seus companheiros preparavam a fogueira onde a carne ia ser assada. De repente, um vento frio apagou as chamas e uma grande águia apareceu batendo as asas e exigindo uma porção da carne como preço para o fogo ficar aceso. Odin concordou, mas Loki, faminto e furioso, jogou seu bastão, que em lugar de matar a águia, ficou preso nas suas costas; ao levantar voo, Loki foi levado junto, pois não conseguia desgrudar as mãos do bastão. Arrastado sobre rochedos e arbustos, Loki estava imobilizado e sangrando e foi obrigado a pedir clemência. A águia (que era um gigante disfarçado) exigiu em troca da sua libertação a deusa Idunna e suas maçãs de ouro. Sem ter outra opção, Loki concordou.

Para conseguir capturar Idunna, Loki usou uma mentira para atraí-la junto com as maçãs para um lugar fora de Asgard. Lá chegando estava à sua espera o gigante Thiazi, metamorfoseado novamente em águia, que pegou no bico a deusa e suas maçãs levando-as para Jötunheim. Na ausência de Idunna – guardiã das maçãs mágicas que conferiam diariamente a vitalidade aos deuses – os deuses ficaram enfraquecidos, envelhecendo rapidamente e mostrando sinais de senilidade.

Odin descobriu que Idunna tinha sido levada por Loki para fora de Asgard e após encontrá-lo escondido no pomar de Idunna, os deuses reunidos o ameaçaram com a morte caso não trouxesse Idunna e suas maçãs de volta. Apavorado, Loki pediu emprestado o manto de penas de falcão de Freyja e saiu voando até Thrymheim, onde num penhasco varrido por ventos gelados se encontrava o palácio de Thiazi. Como nem o gigante, nem sua filha Skadhi, se encontravam lá, Loki conseguiu achar Idunna e entoando runas a transformou em uma noz (ou semente), que ele segurou com suas garras de falcão e saiu voando o mais rápido que podia. Mesmo assim, quando Thiazi descobriu a ausência de Idunna e assumiu sua forma de águia quase o alcançou, por ser mais veloz e forte do que o falcão. Porém Odin tinha avistado as duas aves se aproximando e ordenou às divindades acenderem uma grande fogueira, em que a águia mergulhou sem conseguir parar, enquanto o falcão tinha pousado antes no muro de Asgard. Descartando o manto de penas, Loki reassumiu suas feições e com o encantamento rúnico transformou de volta a noz na linda e jovem deusa, que imediatamente ofereceu as mágicas maçãs aos velhos deuses, que, depois de comerem, readquiriram seu viço e vigor.

Os tesouros dos deuses

Numa noite escura, Loki se esgueirou, furtivo e silencioso, no quarto onde Sif, a linda esposa de Thor, estava dormindo. Com destreza e rapidez, ele cortou a longa cabeleira dourada, que era o seu maior tesouro e o orgulho de Thor. Quando Thor descobriu o acontecido, furioso e movido pelo desespero de Sif, aprisionou Loki, que, apavorado e temendo por sua vida, lhe prometeu conseguir cabelos idênticos aos seus, feitos com fios de ouro pelos anões, hábeis tecelões e artesãos.

Loki intimidou os filhos do Ivaldi – *Brokk* e *Eitri* – a tecer o quanto antes a sua encomenda, que ficou tão perfeita quanto a cabeleira natural de Sif. Aproveitando o calor da fornalha e a disposição em trabalhar para agradar os deuses, os anões confeccionaram também outras maravilhosas obras: o navio *Skidbladnir* para Frey (que podia ser diminuído até caber no seu bolso), a espada *Gungnir* para Odin (que jamais errava o alvo), os javalis com pelos dourados para os irmãos Frey e Freyja. Mas quando os anões começaram a moldar o martelo mágico para Thor, Loki, roído pela inveja, resolveu perturbar a confecção. Transformado em mosca varejeira, ele ficou mordendo os anões que, para se defender, se descuidaram da forja e o cabo do martelo ficou menor do que devia. Percebendo a trapaça de Loki, os anões decidiram se vingar e quando levaram os tesouros para os deuses pediram como pagamento a cabeça de Loki. Para escapar, Loki usou um estratagema: concordou em ceder a cabeça, mas não o pescoço, escapando assim da decapitação. No entanto os anões conseguiram se vingar costurando os lábios do trapaceiro para ele não mais pregar mentiras, nem usar sua proverbial lábia para enganar. Sofrendo com a dor e a humilhação, Loki jurou vingar-se dos deuses, que assistiram rindo a sua punição pelos anões.

A vingança de Loki

Em um jantar festivo oferecido pelo deus Aegir a todas as divindades, Loki chegou sem ser convidado, ficou muito irritado com a alegria e o contentamento de todos e decidiu converter sua inveja e raiva usando o veneno das suas palavras. Ele começou entoando uma longa ladainha e expondo todos os erros, fraquezas, imperfeições físicas, mentiras, adultérios e covardias dos deuses, acusando todos e sem poupar ninguém. Cada vez que algum deles intercedia para acalmar ou calar Loki, ele despejava novas acusações, humilhando sem parar e julgando o comportamento torpe, escuro ou ilícito de deuses e deusas.

Depois de algum tempo, em que ninguém conseguia fazer Loki parar, ouviu-se um estrondo anunciando a chegada de Thor, que ao ser também ridicularizado por Loki, ergueu seu martelo para esmagá-lo. Porém, astutamente, Loki se inclinou perante ele e declarou que de todos os deuses presentes, ele somente respeitava Thor, sabendo que era o único capaz de reagir, devido à sua conhecida força.

Com estas palavras finais Loki se afastou feliz com o mal-estar e o silêncio geral criado pelas suas venenosas palavras.

A punição de Loki

Após a morte de Baldur e a conduta agressiva e desrespeitosa no jantar do deus Aegir, Loki sabia que não mais ia ser permitida a sua entrada em Asgard e que, mais cedo ou tarde, os deuses iriam impedir suas trapaças nos mundos, o amarrando ou matando. Por isso, Loki procurou um lugar afastado e deserto nas montanhas de Midgard, onde construiu com pedras e rochas uma pequena cabana, que tinha aberturas para as quatro direções. Mesmo ficando alerta e vigiando o horizonte o tempo todo, Loki não se sentia seguro, pois sabia que do seu posto de observação em Hlidskjalf, Odin podia enxergar tudo que se passava nos mundos e que assim os deuses iam descobrir seu esconderijo. Por isso, ele pensou em uma forma diferente de se proteger e salvar: se metamorfosear em salmão (ágil e escorregadio) e se esconder no rio das proximidades, que desaguava em uma estrondosa cachoeira. Ainda lembrando-se da rede mágica de Ran, com a qual tinha pescado o anão Andvari, ele se entretinha entrelaçando fios e pensando como poderia escapar, metamorfoseado como salmão, se os deuses usassem uma rede de trama fechada, como a que ele usou. Distraído, não percebeu a aproximação de Odin, Kvasir e Thor a não ser quando estavam muito perto e, temendo o pior, ele jogou apressado o simulacro da rede na lareira e saiu correndo para o rio, onde assumiu a forma de peixe e se escondeu no meio de pedras no fundo da correnteza.

Kvasir – deus sábio e observador – descobriu os restos da rede nas brasas e teve a inspiração de imitar a sua trama e tecer uma idêntica. Assim que a rede ficou pronta, os deuses foram para as margens do rio e jogaram a rede, mas por duas vezes Loki conseguiu escapar, ora saltando, ora se ocultando sob as pedras. Mas na terceira tentativa, quando Loki tentou pular na cachoeira, Thor conseguiu agarrá-lo e por mais que o salmão tentasse deslizar ou saltar, o punho de aço de Thor não lhe permitiu escapar. Após reassumir sua forma física normal, Loki foi arrastado pelos deuses para uma gruta escura, habitada por morcegos, onde o amarraram firmemente, prendendo sua cabeça, seu tronco e suas pernas em três lajes de pedra. As amarras usadas eram as entranhas do próprio filho de Loki, Narvi, enquanto Loki ficou em silêncio, sem olhar para ninguém, nem pedir clemência, pois sabia que o seu destino estava selado.

Skadhi apareceu trazendo uma serpente venenosa, que foi presa em uma estalactite acima da cabeça de Loki, de tal forma que o veneno iria escorrer continuamente sobre sua face. Mas Sigyn, a leal e devotada esposa de Loki, permaneceu ao seu lado recolhendo o veneno em uma vasilha, saindo do lugar apenas para esvaziar a vasilha. Durante a sua curta ausência, as gotas de veneno que respingavam sobre o rosto de Loki lhe provocavam tanta dor, que ele se contorcia gritando e nas suas tentativas de se libertar das amarras, fazia a terra tremer. Uma cena gravada sobre uma cruz encontrada em Cumbria, Inglaterra, mostra uma mulher ajoelhada segurando uma vasilha, ao lado de um homem amarrado. O sofrimento de Loki e a permanência de Sigyn ao seu lado foram destinados a durar até o Ragnarök, quando ele iria conseguir se soltar e sair louco de fúria e desejo de vingança, para conduzir os gigantes na batalha final contra os deuses, na planície de Vigrid. Lá ele irá lutar contra Heimdall e ambos irão sucumbir devido às feridas mútuas, terminando assim a sua eterna rivalidade.

Sigyn é pouco mencionada nos mitos, sendo conhecida apenas como a consorte fiel e abnegada de Loki. Porém ela representa também a proteção e a vulnerabilidade, a compaixão e o amor, a aceitação e a resignação perante o destino. Ela é forte e resistente, seu nome significando "vitoriosa", comparada às montanhas e rochas, mas também vista como um santuário para as pessoas sofridas, que ela recebe e cuida com gentileza.

Visto como uma metáfora, o mito descreve o aprisionamento do fogo subterrâneo personificado por Loki, enquanto a serpente é o riacho gelado que, ao cair sobre o fogo, evapora-se como vapor, que escapa pelas fissuras da terra causando os terremotos e formando os gêiseres, comuns na Islândia.

REGENTES DA POESIA E DA JUSTIÇA

Bragi

Quando Bragi, o filho de Gunnlod, nasceu – gerado por Odin –, ele recebeu uma harpa de ouro feita pelos anões e saiu pelos mundos remando um barco, tocando e cantando. Ao encontrar a deusa Idunna apaixonou-se por ela, que correspondeu ao seu amor. Juntos foram para Asgard onde receberam a bênção de Odin, que riscou runas na língua de Bragi, conferindo-lhe o título de menestrel dos deuses. Sua função era recepcionar os guerreiros recém-chegados em Valhalla com poemas, em que enaltecia seus atos de coragem e valentia e assistir os juramentos dos seres humanos feitos em seu nome.

Bragi foi reverenciado como deus da poesia, música e eloquência pelos povos nórdicos, com brindes de hidromel em taças com forma de barco, honrando assim a viagem feita por Bragi até encontrar Idunna. A taça era chamada *Bragaful* e sobre ela eram feitos brindes e juramentos na posse ou nos funerais de reis e guerreiros. Bragi era o padroeiro dos poetas, músicos, artistas, compositores e menestréis. Apesar de casado com a guardiã das maçãs da juventude, Bragi era representado como um homem idoso, com barba branca. Ele era um marido muito leal e devotado à esposa e passava parte do ano junto a Idunna no reino de Hel, por ela ter adoecido e ido para o mundo subterrâneo. Esse mito (descrito por extenso no verbete da deusa Idunna) simbolizava a hibernação das árvores e a morte da vegetação durante o inverno.

Forsetti (Forsete), O Justo, Aquele que Preside

Filho de Baldur, deus da luz, e de Nanna, deusa da pureza, Forsetti era o mais sábio, eloquente e gentil dos deuses. Quando suas qualidades foram conhecidas, os deuses lhe reservaram um lugar nos concílios e decretaram a sua nomeação como padroeiro da justiça e da retidão. Sua morada era *Glitnir*, "o salão resplandecente", forrado de ouro e coberto com placas de prata. Lá eram recebidos todos que precisavam de resoluções legais ou de conciliações nos conflitos. Como regente da justiça e das leis, Forsetti presidia todas as assembleias e supervisionava os julgamentos. Diferente de Tyr, ele era invocado nas reconciliações devido à sua avaliação compassiva e benevolente, suas decisões sendo sempre corretas, isentas de sanções drásticas ou punições severas. Forsetti era descrito como um jovem louro, gentil e amistoso, parecido com seu pai luminoso, Baldur, invocado nas arbitragens, reconciliações e manutenção da paz.

Na tradição frísia, praticada no norte da Alemanha e na Dinamarca, cultuava-se o deus *Fosite*, equivalente de Forsetti. A sua lenda relata como 12 anciãos sábios foram incumbidos pela comunidade de colecionar as leis tribais e delas compilar um código, que representasse a base legal e unitária da nação. Após coletar as informações, os anciãos embarcaram em um pequeno barco para buscar um lugar isolado, onde pudessem deliberar em paz. Foram, porém, surpreendidos por uma tempestade e o barco foi levado para alto-mar. Apavorados, eles invocaram o deus Fosite pedindo ajuda e logo depois, viram um homem desconhecido assumindo o leme do barco e levando-o para uma ilha segura. Ao desembarcar, o estranho jogou seu machado no chão e da rocha surgiu uma fonte, da qual todos beberam em silêncio, imitando seu salvador. Depois, reunidos em círculo, ouviram o estranho lhes expor em voz firme um código completo de leis, que sintetizava todos os regulamentos das várias tribos, coletadas pelos anciãos.

Ao terminar, o estranho desapareceu, e os anciãos declararam a ilha como lugar sagrado nomeando-a *Helgoland*, onde não podia acontecer nenhuma disputa ou violência. Essa regra foi seguida mesmo pelos vikings, que atravessavam o mar das proximidades, pois eles sabiam que ao infringir a lei, o seu navio naufragaria como punição.

Nessa ilha passaram a ser feitas as assembleias *Thing* e os julgamentos precedidos de silêncio e invocação das bênçãos de Fosite, todos bebendo a água sagrada e sabendo que o deus iria presidir e orientar as decisões. Por ser um deus luminoso, as assembleias não eram realizadas nos meses de inverno, quando a escuridão impediria a clara visão e os vereditos justos.

DEUSES POUCO CONHECIDOS

Ullr (Ull, Uller, Wulder, Wulther), O Deus Arqueiro

Existem poucas referências mitológicas sobre Ull, possivelmente ele era um deus arcaico da antiga Escandinávia, regente da morte e do inverno. Acredita-se que, em alguma época histórica, o culto de Ull foi tão importante quanto o de Odin, pois foi ele quem ficou governando Asgard na ausência de Odin, tanto quando ele viajou pelo mundo, quanto durante seu exílio.

Conhecido como "deus do escudo" e que usava o escudo como barco, seu nome era equivalente ao termo gótico "glória, brilho, majestade", fato que indicaria a sua origem como um antigo deus germânico. Porém o historiador Sturluson o associa com o arco e os esquis, artigos essenciais e adequados para um deus regente do inverno, das regiões montanhosas e lacustres do norte europeu. Ull permanece uma figura nebulosa e misteriosa, que lembra antigos arquétipos e cultos, que tinham caído no esquecimento na época em que Sturluson escreveu sobre as divindades escandinavas.

Ull era filho da deusa Sif e enteado de Thor, seu pai sendo desconhecido, mas sua natureza e seus hábitos indicam ter sido um gigante do gelo, possivelmente um deus pouco conhecido chamado Orvandil. Era descrito como um homem robusto, moreno, vestido com roupas e botas de peles de animais, segurando nas mãos um escudo e um arco. Considerado um hábil arqueiro e excelente esquiador, era conhecido pela sua honra e integridade, qualidades que lhe conferiram a regência de Asgard durante a ausência de Odin, obrigado a se afastar devido à violência perpetrada à giganta Rind, por ele seduzida e que se tornou assim mãe de Vali.

Conhecido como regente do inverno, da neve e do gelo – na sua qualidade de deus invernal que representava a escuridão e a morte da vegetação – Ull tem outro aspecto, luminoso. Esse aspecto era associado à fertilidade dos campos e ao esplendor do céu claro, equivalente gótico do seu nome *Wulther* e do seu apelido "o brilhante", adjetivos associados ao seu culto como antigo deus celeste. Devido ao ciúme de Odin provocado pela impecável conduta e atuação de Ull durante a sua ausência, Ull foi obrigado a sair de Asgard e morar em *Ydalir*, "o vale dos teixos". Ull era o deus Aesir mais próximo aos deuses Vanir.

Ull é associado também à aurora boreal e ele regia a administração da justiça, seu anel servindo de testemunho e selo nos acordos e compromissos; era também invocado antes dos duelos e para solucionar conflitos. O duelo tinha uma função sagrada, sendo um meio justo para decidir em casos legais e disputas pessoais, que precisavam da proteção de um deus justiceiro ou sacrificial (como Tyr, Odin e o próprio Ull). No entanto havia uma diferença entre os duelos por causas legais e aqueles feitos para vingar ofensas, principalmente quando eram usados por homens fortes, mas desleais, para conseguir os bens dos mais fracos (matando ou coagindo). Para assegurar que a justiça fosse feita, era invocado o nome do deus Ull nos juramentos feitos sobre seu anel.

De acordo com a história contada pelo escritor Saxo, Ull era um mago que atravessou o oceano navegando sobre um escudo inscrito com encantamentos rúnicos. Vários nomes de lugares no sul da Suécia e o sudoeste da Noruega (mais de trinta), associados com o nome de Ull confirmam a antiguidade e importância do seu culto. Presume-se que Ull tenha sido no norte europeu o equivalente de Tyr na Dinamarca e Alemanha, um arcaico deus celeste cujo lugar foi tomado por Odin durante o Período das Migrações e dos vikings.

Alguns autores lhe atribuem uma irmã gêmea chamada *Ullin*, deusa da neve e equivalente de Holda. Sua consorte era Skadhi, que o escolheu como parceiro após seu frustrado casamento com Njord, tendo em comum a sua afinidade com o inverno, a neve, os esquis, a caça e os patins, que garantiram a sua compatibilidade de temperamentos e a continuidade da relação. Ull era também mencionado como deus da morte por conduzir às vezes a Caça Selvagem ou dela participar. Ele era notado pela rapidez de movimentos e seus conhecimentos mágicos, que lhe permitiam transformar um pedaço de osso ou de escudo em um barco que o levava para qualquer lugar, o escudo conhecido como "o barco de Ull".

Em algumas regiões da Alemanha era nomeado *Holler* e tido como esposo da deusa Holda, cujos campos ele cobria de neve para torná-los férteis com a chegada da primavera. Nos numerosos templos a ele dedicados, havia sempre no altar um anel consagrado para os juramentos; acreditava-se que, em caso de perjúrio, o anel encolhia violentamente até decepar o dedo do infrator.

Suas celebrações eram realizadas no início do inverno, para que ele enviasse bastante neve que protegesse a terra das geadas e garantisse a sua fertilidade. Como deus sazonal presumia-se que Ull sofria um exílio anual durante os meses de verão, quando cedia seu lugar a Odin e a Baldur, porém ele reassumia sua posição e importância com a chegada dos meses de inverno. Após a cristianização, seu nome foi equiparado e depois substituído por São Umberto, caçador também, padroeiro do signo de Sagitário, antes dedicado a Ull.

Völund (Wieland, WEland, Wayland), O Deus Ferreiro

Völund era um deus germânico adotado pelos saxões, equivalente do deus celta *Wayland*, conhecido como exímio artesão e hábil na arte da metamorfose. Era filho de Wade, rei dos finlandeses, possuidor de um barco mágico; sua avó Wachilt era uma misteriosa "mulher do mar", dotada de poderes sobrenaturais, possivelmente uma giganta.

A sua lenda descreve como Völund, junto com seus irmãos Egil e Slagfin, foi pescar em um rio em cujas margens apareceram três cisnes, que se transformaram em lindas donzelas, na realidade as Valquírias Olrun, Alvit e Svanhit. Os irmãos seguraram seus mantos de cisnes e assim elas foram obrigadas a segui-los e se casar com eles. No oitavo ano dos seus casamentos, as donzelas se entristeceram, com saudades da sua terra e, após encontrarem seus mantos de penas, reassumiram a forma de cisnes e desapareceram. Os irmãos sofreram muito com a perda das esposas e dois deles pegaram seus esquis e saíram em busca delas, mas sem conseguir achá-las.

Völund ficou em casa sabendo que a busca seria inútil, encontrando como consolo a contemplação do anel que Alvit, sua esposa, tinha lhe dado e orando para que ela voltasse. Como habilidoso artesão e mago, ele forjou setecentos anéis idênticos aos de Alvit, amarrando-os todos juntos. No dia seguinte descobriu que um deles tinha desaparecido, fato por ele visto como um bom presságio e que reacendeu suas esperanças sobre a volta da sua esposa. Porém, durante a noite foi surpreendido e aprisionado por Nidud, rei da Suécia, que se apoderou da sua espada mágica e do seu anel feito com ouro do rio Reno, que ele deu para sua única filha Bodvild.

Völund foi levado para uma ilha, amarrado e forçado a confeccionar armas e ornamentos para o rei, além de construir um labirinto (conhecido até hoje na Islândia como "a casa de Völund"). A fúria de Völund crescia a cada dia, assim como sua sede de vingança, motivando-o a confeccionar um par de asas de metal. Um dia, o rei o visitou trazendo a sua espada mágica para que fosse consertado o punho; habilmente Völund a substituiu por outra, comum. Usando um estratagema, Völund conseguiu atrair e matar os filhos do rei e depois violentou a filha, realizando assim a sua vingança. Em seguida colocou as asas metálicas e, segurando sua espada, levantou voo, escapando da prisão. Chegando a Asgard, reencontrou sua amada esposa e viveu feliz com ela até o Ragnarök, mas continuou usando sua habilidade de artesão confeccionando várias armaduras e armas para os deuses, sendo conhecido como "forjador de espadas mágicas".

Na Inglaterra, em Uffington no *White Horse Valley* (vale do cavalo branco) existe um círculo neolítico de menires conhecido como *Wayland's Smithy* (a ferraria de Wayland) onde os cavalos lá deixados durante a noite recebem ferraduras novas, feitas pelo "ferreiro mágico".

Mani (Man), O Deus da Lua

Na mitologia nórdica, o sol é personificado por uma deusa e a lua pelo deus Mani, uma diferença em relação à cosmologia de outras culturas e possivelmente atribuída ao gênero gramatical desses substantivos nas línguas germânicas.

No texto *Gylfaginning* o escritor Sturluson relata a punição do gigante Mundilfari, que tinha nomeado seus lindos filhos de *Mani* (lua) e *Sól* (sol). Os deuses, ofendidos e ultrajados por essa demonstração de orgulho e soberba, tiraram as crianças e as colocaram no céu para servirem os verdadeiros astros celestes, por eles criados (vide "o mito da criação") e conduzir suas carruagens.

Em antigas narrativas mitológicas de várias culturas de origem indo-europeia (hindu, japonesa, chinesa, escandinava, celta), egípcia e dos povos nativos (siberiana, norte-americana, australiana) o sol era descrito e honrado como um arquétipo feminino todo-abrangente; existem poucas referências históricas ou míticas sobre deuses lunares. Desconhece-se um culto lunar, e na visão nórdica a lua não era associada ao subconsciente, intuição ou emoções, mas à razão, ao ato de medir e à memória. Por isso Mani era considerado o regente dos calendários (que eram lunares na cultura escandinava e teutônica), das marés e das fases lunares. De certa maneira, Mani conciliava a sensibilidade e intuição lunar com o pensamento linear e o raciocínio lógico, integrando assim qualidades lunares com atributos solares.

Mani condoeu-se de duas crianças – *Bil* e *Hjuki* – maltratadas pelo seu pai *Vidfin*, que as obrigava carregar sem cessar pesados baldes de água e levou-as para morar junto dele, na lua. A menina, Bil, foi elevada à condição divina por Odin, tornando-se assim uma deusa lunar, que dividia a regência da lua com o deus Mani. É possível que nos textos mais antigos – extraviados ou esquecidos – Bil e Hjuki tenham representado as fases lunares, crescente e minguante. Como parte da criação, Mani também será aniquilado no Ragnarök, engolido pelo cão monstruoso *Managarm*, gerado por uma giganta, enquanto a lua, assim como o sol, irá mergulhar no oceano, junto com a terra em chamas.

É evidente a pouca importância dada à lua nas fontes nórdicas, seu nome permaneceu apenas para a segunda-feira (*Montag,* dia da lua). Em algumas lendas conta-se que Mani consolava as mulheres que eram maltratadas pelos seus maridos, tornando-se seu amante misterioso e invisível nas noites de lua cheia.

Mani permanece como um reflexo obscuro e sutil do poder radiante de Sunna, adquirindo a sua verdadeira importância e valor apenas nos cultos lunares contemporâneos.

DEUSES MISTERIOSOS

Além dos deuses dominantes na mitologia nórdica e que têm uma extensa documentação mítica, histórica e literária, outras divindades são mencionadas de forma resumida, sem lendas ou referências históricas e sem ter sido conhecidos cultos a elas dedicados. É possível que seus mitos e lendas tenham se perdido ao longo dos tempos, ou que, por serem ignoradas pelos tradutores dos antigos textos, suas figuras permaneceram nebulosas e enigmáticas. Alguns autores afirmam que aos arquétipos antigos esquecidos – por não terem sido devidamente registrados nas fontes escritas – foram acrescentados pelos poetas ou contadores de histórias fatos e descrições de heróis e personagens históricos. Essa sobreposição teria causado certas diferenças e discrepâncias em relação aos assim ditos "deuses menores" e os poucos detalhes dos seus mitos.

A seguir serão descritos os deuses Mimir, Hoenir e Kvasir (já mencionados no "mito da criação"), os filhos do deus Odin (com exceção de Bragi e Baldur descritos anteriormente) e de Thor, cuja atuação é relevante no Ragnarök.

Mimir (Mimr, Mimi), O Mais Sábio, Aquele que lembra

Conta-se que os gigantes – do gelo, neve, frio, rochas e fogo – eram descendentes de *Fornjotnar*, equiparado com Ymir, que teve três filhos: *Hler* (o mar), *Kari* (o ar) e *Loge* (o fogo), formando a primeira e mais antiga tríade. Seus respectivos descendentes eram os gigantes: do oceano, *Mimir*, *Gymir*, *Grendel;* das tempestades, *Thiassi*, *Thrym*, *Beli;* e os do fogo e da morte, como o lobo *Fenrir* e *Hel*, considerada uma deusa escura.

O escritor Sturluson descreve Mimir como o guardião da fonte localizada embaixo da Árvore do Mundo, no território dos gigantes do gelo. Considerado o mais sábio dos deuses Aesir, ele foi cedido aos Vanir como refém, junto com o silencioso Hoenir, como parte do armistício que pôs fim à guerra entre os dois grupos de divindades. Seu mito é bastante confuso, até mesmo incompreensível, sendo evidente a mescla de elementos das tradições mais antigas com acréscimos e distorções mais recentes.

Interpretando a guerra entre os Aesir e Vanir como a rivalidade existente entre um culto antigo e nativo (Vanir) e o culto trazido pelos conquistadores indo-europeus (Aesir) é fácil perceber que Mimir representava o antigo conhecimento e sabedoria que pertencia aos gigantes, seus ancestrais. Existe uma contradição no mito em que a cabeça de Mimir é considerada a fonte de inspiração, mas o elixir da inspiração teria sido criado do corpo de Kvasir, que às vezes é descrito como o mais sábio entre os Aesir, apesar da sua origem ser totalmente diferente (veja a seguir o seu mito). Em outros poemas é mencionada a presença de um gigante poderoso associado à Árvore do Mundo, possuidor de uma espada mágica chamada *Miming*, um dos tesouros famosos da tradição teutônica.

De qualquer maneira, na confusão acerca do verdadeiro detentor da sabedoria, Kvasir ou Mimir, os donos originais são eliminados e Odin adquire seus dons, pagando o inerente tributo para sua obtenção através do sacrifício. As diversas versões sobre a morte de Mimir concluem com o mesmo fato: o recebimento da inspiração por Odin, ao beber da fonte guardada por Mimir. No poema "Völuspa" é mencionado o recebimento desse privilégio apenas depois de Odin ter sacrificado um dos seus olhos, entregando-o a Mimir e colocando-o na fonte. Nos *Eddas* aparece a expressão "cabeça, ou fonte, de Mimir" aludindo ao final da sua história.

Quando Mimir e Hoenir chegaram como reféns ao reino dos Vanir, esperava-se que eles fizessem jus aos seus renomes de sábios. Porém Hoenir se baseava totalmente nos conselhos de Mimir e na sua ausência dizia "*deixe os outros decidirem*". Sentindo-se enganados na troca de reféns (os Vanir tendo cedido Njord e seus filhos gêmeos, Frey e Freyja) eles decapitaram inexplicavelmente Mimir e enviaram sua cabeça para os Aesir. Odin usou encantamentos rúnicos e ervas mágicas e a embalsamou, colocando-a na fonte (que depois recebeu seu nome), onde a consultava quando precisava de conselhos ou orientações sábias, ouvindo a cabeça "falar".

Além da tradição celta onde é presente o tema da "cabeça falante" (após sua separação do corpo) existem registros dos povos germânicos, que acreditavam no poder profético dos enforcados e da importância da cabeça como sede da inteligência e troféu para a boa sorte, como confirmam as inúmeras cabeças representadas na arte escandinava e teutônica.

A locação de *Mimisbrun* (a fonte de Mimir) sob a raiz de Yggdrasil – que se estende até o reino dos gigantes de gelo – sugere a conexão primal entre Mimir e os gigantes, mesmo que posteriormente ele viesse a ser considerado um deus Aesir. Em outro poema há uma referência à árvore *Mimameid* (a árvore de Mimir) que possa ter sido Yggdrasil, confirmando a importância e antiguidade de Mimir. Na visão feminista, Mimir é visto como a representação de *Madr*, a "Mãe cósmica", ou *Miming*, um aspecto das Nornes.

Independentemente do seu gênero, a importância e o valor mítico de Mimir é representado pela sua qualidade de "guardião da fonte da inspiração e da sabedoria ancestral", a eterna Fonte Sagrada, onde pode-se encontrar o conhecimento oculto e preservado ao longo dos tempos, porém pagando-se o preço de um sacrifício exigido para sua obtenção e seu uso, assim como o próprio deus Odin teve que fazer, ofertando um olho para abrir a sua visão interior.

Hoenir (Hönir), O Deus Silencioso

Apesar da sua aparência bela e imponente, Hoenir era muito calado, aparentemente por ser tímido, simplório e tolo, mas é possível que esta qualificação seja decorrente da escassez de informações sobre a sua verdadeira origem e atributos.

Depõe a seu favor a participação que ele teve, junto com seus irmãos Odin e Lodur, na criação dos primeiros seres humanos, quando ele lhes conferiu o dom da locomoção, os sentidos, a pulsação do coração e a comunicação. Como em outra versão da criação do casal humano, Askr e Embla, são citados os deuses Odin, Vili e Vé, pode-se deduzir que tanto estes, como Hoenir e Lodur, sejam aspectos de Odin, descrevendo assim a ampla gama dos atributos e funções de Odin.

Em outros mitos, no entanto, Hoenir é citado como amigo e companheiro de Odin e Loki, participando com eles de algumas aventuras, como o encontro com o gigante Thjazi e o banquete de Aegir. Em outras passagens dos mitos, Hoenir aparece como amigo de Loki e o instrumento indireto para Odin encontrar a sabedoria após a decapitação de Mimir. Depois do Ragnarök, Hoenir irá ressuscitar e reinará junto com os filhos dos outros deuses no Novo Mundo, assumindo o título e as atribuições de Odin como "Senhor das runas". A sua atitude reservada e calada talvez representasse o ideal nórdico descrito no poema "Havamal": "a sabedoria é acompanhada pelo silêncio, que precede a introspecção e segue à percepção".

Seu mito era entrelaçado com o de Mimir; após terem sido cedidos pelos deuses Vanir como reféns aos Aesir suas outras aparições nos mitos eram esporádicas e fugazes, sempre associadas com as aventuras de Odin e Loki. O escritor Edred Thorsson considera Hoenir e Mimir como aspectos de Odin, pois as raízes dos seus nomes – *hugr* e *minni* – são idênticas aos nomes dos corvos mensageiros – *Huginn* e *Muninn* – representações metafóricas das habilidades de cognição, inspiração e sabedoria do deus Odin.

Kvasir, O Sábio

Considerado o detentor da sabedoria divina, conhecedor das respostas para todas as perguntas, Kvasir surgiu de maneira muito inusitada. No armistício que pôs fim à guerra entre os deuses Vanir e Aesir, todas as divindades cuspiram dentro de uma vasilha, para assim selar o pacto. Por mais estranho e desagradável que pareça esse procedimento, ele era um antigo costume para firmar acordos, assim como também era o "pacto de sangue", que era feito assim: cada participante colocava gotas do seu sangue em um chifre com hidromel, dele bebendo alternadamente, com os braços entrelaçados, confirmando e selando assim a nova condição de "irmãos de sangue".

Da fermentação da saliva conjunta dos deuses surgiu um ser chamado *Kvasir,* que era renomado pela sua sabedoria e procurado por todos. Por isso Kvasir despertou a cobiça e a inveja de dois anões, *Fjallar* e *Gallar,* que o mataram, coletando seu sangue e o misturando com mel e suco de frutas, para que, ao beberem desse elixir mágico, pudessem adquirir as mesmas qualidades de Kvasir. Guardado em três recipientes, esse estranho líquido recebeu o nome de *Odhroerir*, o "elixir da inspiração", cujo roubo é descrito no verbete de Odin.

No final do século X, um dos poetas islandeses se referiu à poesia como o "sangue de Kvasir", coincidindo com a história contada por Sturluson nos *Eddas*. Kvasir aparece no mito sobre a captura de Loki, quando seu conselho sábio possibilita a confecção da rede que aprisiona Loki metamorfoseado em salmão.

OS FILHOS DO DEUS ODIN

Hermod, O bravo

Filho de Odin e Frigga, Hermod era o irmão menos conhecido de Baldur e Hödur, aparecendo como coadjuvante no mito da morte de Baldur. Alguns autores questionam se ele era filho ou apenas auxiliar e emissário de Odin; por não ter sido incluído por Sturluson na lista dos deuses Aesir, ele poderia ter sido um herói divinizado semelhante ao celta Heremod. Hermod era descrito como um jovem vistoso, dotado de rapidez de movimentos e por isso usado pelos deuses como mensageiro, quando usava um bastão emblemático, um elmo e uma bonita armadura, sendo honrado como um guerreiro valente e destemido. Às vezes ele acompanhava os guerreiros mortos para Valhalla, cavalgando junto com as Valquírias.

Partindo da premissa da sua filiação divina, Hermod completa o drama fraternal de Baldur como o irmão mensageiro, enquanto o irmão cego Hödur matou Baldur, instigado e auxiliado por Loki (vide o mito de Baldur).

Por não ter conseguido obter das Nornes informações satisfatórias em relação aos eventos futuros, Odin pediu a Hermod que montasse seu corcel mágico Sleipnir e se deslocasse até a terra das tribos fínicas, na proximidade dos gelos polares, cujos xamãs eram renomados pelos seus poderes mágicos para invocarem tempestades. O mais famoso mago e xamã era Rossthiof, que foi amarrado em um poste por Hermod, usando o bastão mágico de Odin e intimando-o a revelar os presságios sobre os futuros eventos. Muito contrariado, mas obrigado por Hermod e temendo a fúria de Odin, o mago começou a entoar encantamentos e imagens começaram a se formar no ar: um rio de sangue, uma linda mulher e um menino crescendo rapidamente e se tornando guerreiro. O mago explicou que o rio de sangue prenunciava a morte de um dos filhos de Odin, mas se o próprio Odin seduzisse a linda princesa Rinda – da terra dos rutênios (tribo russa) – o filho dessa união ia crescer com rapidez e vingar a morte do seu irmão.

No mito de Baldur é descrita a perigosa jornada empreendida por Hermod, à pedido de Frigga, até o reino da deusa Hel, para dela obter a libertação e volta de Baldur. A descrição dessa jornada é extremamente detalhada e interessante e pode ser resumida desta maneira. Hermod cavalga Sleipnir (o cavalo de Odin), passa pela ponte *Gjallarbru* sobre o gelado e escuro rio *Gjöll*, é interpelado pela guardiã *Mordgud* e, após a sua permissão, atravessa o portal *Helgrind*, entrando no reino de Hel, onde vê o seu irmão Baldur, com aparência espectral e no meio dos mortos. Hel impõe uma cláusula para a libertação de Baldur: "que todas as criaturas de todos os mundos chorassem por ele". Hermod volta trazendo, além da notícia, o anel mágico Draupnir ofertado por Odin na pira funerária e presentes de Nanna, esposa de Baldur – que tinha morrido de tristeza e foi cremada junto com ele – para Frigga, em sinal de saudade. O retorno de Baldur não se concretizou, devido à interferência maldosa de Loki, que, disfarçado como uma velha mulher, recusou-se a lamentar a morte de Baldur, impossibilitando assim a sua volta.

Hermod, apesar da sua pouca relevância mítica, personificava virtudes prezadas e almejadas pelos antigos povos nórdicos como: coragem, lealdade, fraternidade, dedicação a um ideal e a tenacidade para realizá-lo, a despeito de obstáculos e perigos.

Vali (Wali, Bous, Ali), O Vingador

Conhecido como o vingador do seu irmão Baldur, Vali sobrevive ao Ragnarök junto com outro irmão, Vidar, por serem "imunes ao fogo e ao mar" (sem que o mito explique a razão disso). Ele era filho de Odin com a giganta Rind e o seu nascimento e sua predestinação para matar o irmão cego Hödur – e vingar dessa forma a morte injusta de Baldur – tinha sido vaticinada pelo espírito da vidente consultada pelo Odin (quando ele tinha ido para o reino de Hel obter explicações sobre os presságios fúnebres recebidos por Baldur nos seus sonhos).

Como a vidente tinha especificado o nome da mãe do vingador, Odin se deslocou para o reino do rei Billing, que estava sendo ameaçado por uma invasão. Como o rei era velho, ele esperava que sua filha fosse se casar com um dos pretendentes e o genro assumisse o comando dos guerreiros. Porém a princesa Rinda recusava-se a se casar, mesmo quando um estranho – que tinha auxiliado o rei com seus conselhos para vencer o exército invasor (sem revelar que ele era o deus Odin) – pediu sua mão como recompensa. Odin não desistiu da intenção de se casar com Rinda; ele assumiu a forma de um joalheiro que ofereceu ao rei inúmeras joias e ornamentos de ouro e prata, pedindo em troca a mão da princesa, mas foi novamente recusado. Na terceira tentativa, Odin se apresentou como um lindo e brilhante guerreiro, sem conseguir, todavia, tocar o coração glacial de Rinda. Enfurecido, Odin entoou um encantamento que a fez mergulhar em um sono letárgico e, ao despertar, cair numa profunda depressão. Uma pretensa velha curandeira se ofereceu para cuidar dela; dando-lhe um banho quente e entoando alguns encantamentos, a velha, que era o disfarce usado por Odin, a curou. Ao revelar a sua verdadeira identidade, Rinda finalmente concordou em se casar com o deus, para se livrar dos feitiços usados por ele. O filho deles, batizado Vali, cresceu com uma rapidez vertiginosa e nunca vista, alcançando o tamanho completo em um dia. Sem se lavar, sem cortar a barba ou pentear os cabelos (requisitos prezados por qualquer guerreiro nórdico e dispensados apenas em caso de juramentos ou promessas), Vali pegou seu arco indo para Asgard, onde com uma flecha certeira matou o cego Hödur, como punição pela morte de Baldur. Mesmo não tendo sido um ato voluntário ou uma decisão própria dele, o crime feito por Hödur exigia a retificação pela punição.

Neste mito, Rinda – personificando a terra congelada pelos rigores do inverno – resistiu à corte insistente de Odin, representando o calor solar, que anuncia o despertar da natureza na primavera e as promessas abundantes da colheita no verão. Rinda somente cede após o banho quente dado pela pretensa curandeira e depois, libertada da hibernação e da depressão causadas pelo endurecimento, ela aceita o abraço caloroso do mago Odin e torna-se mãe de Vali, que nasce nos dias luminosos do verão. O mito de Vali, portanto, é a metáfora do ressurgimento da luz após a escuridão do inverno e do rápido crescimento da vegetação da terra fertilizada pelo calor dos raios solares.

Vali morava junto com Odin no palácio *Valaskialf* e como tinha sido predestinado antes de nascer, ele irá sobreviver ao Ragnarök e reinar junto com seus irmãos no Novo Mundo, renovado e regenerado. Era representado como um arqueiro e o mês a ele destinado no calendário norueguês, que abrangia a metade dos meses de janeiro e fevereiro e era simbolizado pelo arco, chamava-se *Lios-beri*, "aquele que traz a luz". Após a cristianização foi sincretizado com São Valentim, que também era arqueiro e depois proclamado o padroeiro dos sentimentos ternos e dos namorados, sendo celebrado até hoje nos países de origem anglo-saxã.

Vidar (Widarr), O Deus Silencioso

Também filho de Odin e da giganta Grid (que aparece auxiliando Thor na sua jornada ao reino do gigante Geirrod), Vidar era conhecido como o "deus silencioso e vingador". O silêncio é atribuído por alguns autores a um compromisso ritualístico ou a uma abstinência ritualística associada com intenções de vingança, semelhante ao comportamento de Vali, que se recusou a tomar banho, cortar a barba ou pentear os cabelos até que vingasse a morte de Baldur. Quanto ao atributo de vingador, deve-se ao calçado especial confeccionado pela sua mãe, quando ela soube que o seu filho era destinado a lutar e defender Odin no Ragnarök. Esse sapato especial tinha sido feito com pedaços de botas dos guerreiros mortos em combate, idealizado como uma proteção contra fogo, bastante grande e resistente para suportar os dentes afiados do lobo Fenrir. Apesar de giganta, Grid não representava as forças do caos, mas da ordem e proteção, materna e mágica. Graças a esses sapatos, Vidar escapará ileso das garras e dos dentes do lobo Fenrir no combate final do Ragnarök e vingará a morte do seu pai Odin (morto pelo lobo).

O mito desse combate descreve como Vidar fincou seu pé na boca do lobo e com as mãos abriu suas mandíbulas até que, com a força do calçado mágico, conseguiu rasgar a goela e a cabeça do terrível adversário dos deuses. Em outra versão do mito, Vidar mata o lobo com uma espada, mas sendo ressaltada sempre a ênfase na força física de Vidar, superada somente pelo Thor. Quando ele ia para Valhalla era recebido com alegria e brindes de hidromel, que honravam a sua proverbial força física. Um dia Odin o levou para a fonte de Urdh e ao indagar sobre seu futuro, as Nornes vaticinaram a morte de Odin no Ragnarök, a sobrevivência de Vidar e sua missão no Novo Mundo.

A principal atuação mítica de Vidar é a vingança da morte de Odin e sua sobrevivência no Ragnarök. De acordo com o historiador Georges Dumézil, Vidar era uma continuação de um arquétipo indo-europeu, alinhado com o espaço vertical (representado pelo seu pé empurrando a mandíbula inferior do lobo e sustentando a superior com as mãos) e horizontal (através do seu forte calçado rasgando a goela). Por isso, ele define os limites espaciais, assim como Heimdall guardava os limites temporais. Ao matar o lobo, Vidar impede que ele destrua o cosmos, que será depois regenerado no fim do Ragnarök.

Os seus pais simbolizavam a mente (Odin) e a matéria (Grid), enquanto Vidar era considerado a personificação da floresta primeva ou das forças indestrutíveis da natureza. Ele morava em *Landvidi* (a terra larga) em um palácio decorado com folhagens e flores, no meio de uma floresta impenetrável, em que reinava o silêncio e a solidão, suas eternas companhias. Essa imagem é compatível com o agreste cenário nórdico, com as extensas florestas envoltas em névoas, cujas trilhas silenciosas evocavam a reverência pela sacralidade da natureza dos antigos habitantes.

Vidar era descrito como um homem alto e bem feito, usando uma armadura, uma espada de lâmina larga e um pesado sapato de ferro e couro. Como o mito menciona a confecção do sapato mágico dos restos de couro das botas dos guerreiros mortos, era um costume nórdico dos sapateiros doarem o máximo das suas sobras de couro, para atraírem a proteção de Vidar. Vidar não era apenas a personificação da natureza intacta, mas também um símbolo de renascimento e renovação, revelando a eterna verdade de que "os novos brotos e flores aparecem para substituir os que pereceram". Alguns mitólogos supõem que ele tinha apenas uma perna (por ter sido descrito apenas um sapato) ou que ele personificava uma tromba d'água, que apareceu de repente no último dia do Ragnarök para apagar o fogo selvagem representado pelo terrível lobo Fenrir.

OS FILHOS DE THOR

Thor tinha tido dois casamentos: do primeiro, com a giganta *Jarnsaxa* (rocha de ferro) teve dois filhos: *Magni* (força) e *Modi* (coragem), que irão sobreviver ao pai no Ragnarök e farão parte dos governantes do Novo Mundo. A segunda esposa, Sif, tinha um filho, o deus *Ull* (possivelmente gerado com o pouco conhecido deus *Orvandel* ou talvez um arcaico deus *Ullr*) e que tinha sido adotado por Thor, além da filha do casal, *Thrudh*, renomada pelo seu tamanho e força fora do comum. Como uma metáfora da atração dos contrários, Thrudh era desejada pelo anão *Alvis*, que se apresentou numa noite em Asgard (os anões não sobreviviam à luz solar) pedindo a Thor que aprovasse o casamento. Thor, cheio de desdém, desafiou o anão para uma competição de conhecimentos, prolongando o teste até o nascer do Sol, cujos raios petrificaram o infeliz pretendente (conforme foi descrito com mais detalhes nos mitos de Thor).

Magni e Modi

Após a morte de Thor (devido ao veneno da Serpente do Mundo) no Ragnarök, Magni e Modi recuperaram seu martelo mágico Mjöllnir, dando assim continuidade à força divina de proteção, porém sem o antigo objetivo de exterminação dos gigantes.

No duelo de Thor com o gigante Hrugnir, Thor tinha caído e ficado preso em baixo da pesada perna do seu inimigo. Como nenhum dos deuses conseguiu erguer o gigante, eles pensaram em cortar sua perna, mas Magni apareceu e, apesar da tenra idade – apenas três anos – conseguiu levantar a perna do gigante com sua força precoce. Aliviado, Thor o abraçou e lhe deu como presente o cavalo *Gullfaxi* que pertencia ao gigante, predizendo-lhe um futuro glorioso.

Diferente dele, Modi não tem nenhum destaque nos mitos, mas seu nome aparece nos sinônimos poéticos (*Kennings*) para o ser humano, indicando sua presença antiga, porém esquecida ao longo dos tempos.

Capítulo 5

O PRINCÍPIO FEMININO. AS DEUSAS E SEUS MITOS

"Não são menos sagradas as deusas, nem seus poderes são menores do que os dos deuses"
Prose Edda, "Gylfaginning" 19

As deusas nórdicas são menos estudadas e conhecidas, em evidente contraste com o predomínio e a ampla divulgação dos arquétipos e mitos guerreiros e masculinos.

Esse fato deve-se principalmente à transcrição ou tradução tendenciosa das antigas fontes escritas, feitas por homens, geralmente monges ou cristãos fervorosos, que desprezavam e rejeitavam qualquer indício existente sobre práticas e cultos realizados por mulheres. Do ponto de vista cristão, não eram relevantes ritos de passagem, rituais de cura ou de fertilidade, nem os recursos curativos naturais e as práticas oraculares e mágicas – usados por mulheres ao longo de milênios –, por colocar em evidência a importância e a atuação contínua da sacralidade feminina, em desacordo com os dogmas bíblicos.

Tampouco se deve essa omissão histórica, mítica ou literária ao conceito errôneo de que a "tradição nórdica tinha sido feita por homens e para homens", um falso estereótipo machista, que foi mantido por livros, filmes e obras de arte, que enfatizavam a força física e a supremacia masculina – divina e humana – em oposição ao papel secundário das mulheres, consideradas simples coadjuvantes ou auxiliares de deuses e heróis.

Para a escassez das informações contribuíram também outros fatores, entre os quais a existência de uma tradição puramente oral, que resguardava os mistérios e ritos femininos, passados de uma geração para outra e reservados somente às mulheres. Outro empecilho era a falta de interesse dos historiadores e estudiosos pelas tradições, práticas, imagens,, orações, canções e histórias femininas, que no entanto constituíam registros valiosos para enriquecer os relatos históricos, mas que foram relegadas ao ostracismo devido ao enfoque nos mitos e valores masculinos.

A sabedoria ancestral ficou resguardada de forma oculta nos contos de fada, no folclore e nos costumes populares, nas memórias das descendentes e no inconsciente, individual e coletivo. Pelo predomínio de homens como autores dos textos e poemas, que serviram de base para os escritos de Snorri Sturluson e de outros pesquisadores, resultou uma literatura centrada nos mitos dos deuses guerreiros e seus cultos, com poucas referências às deusas e às tradições a elas ligadas.

O processo de reconstrução dos aspectos femininos dos mitos nórdicos e da evolução histórica dos seus arquétipos foi dificultado também pela sobreposição de nomes e atributos de deusas, que diferiam de um lugar para outro. Os cultos e a reverência às deusas, bem como os ritos de passagem femininos eram realizados de forma reservada, no ambiente familiar e doméstico, por mulheres (as mais idosas ou as preparadas especificamente para esse tipo de tarefas), sem o habitual alarde público das cerimônias e oferendas feitas pelos homens para os deuses.

As poucas referências sobre arquétipos tão relevantes e importantes como as Nornes, Frigga, Freyja, Nerthus, as Senhoras Brancas entre muitas outras, não significam, no entanto, que elas eram menos honradas e reverenciadas do que seus cônjuges ou filhos. Desde o século 1 d.C., quando o escritor romano Tácito mencionou as práticas e costumes dos teutões, sabia-se do culto a Nerthus, equiparada com Tellus Mater, a Mãe Terra romana. Era conhecida a importância das profetisas e videntes, cujos nomes, visões e profecias foram registrados em várias fontes escritas, romanas e germânicas; podemos mencionar as videntes famosas como Aurinia, Albruna e Veleda. Supõe-se que houve um culto arcaico à Grande Deusa na Escandinávia e, segundo a escritora Hilda Davidson, posteriormente ele foi adaptado na simbologia e nas práticas dos arquétipos masculinos, principalmente de Odin, considerado o Pai Supremo, apesar de ser conhecida a sua dependência dos conselhos das Nornes, Saga, Frigga, Freyja e da sua relação com inúmeras deusas da terra.

Sturluson afirma em *Prose Edda* que era conhecido um grande grupo de deusas e que elas "não eram menos sagradas, nem seus poderes eram menores do que os dos deuses". Existem inúmeras referências às Disir e às suas celebrações, aos seres sobrenaturais femininos (descritos nos respectivos verbetes) associados com a natureza, a proteção das crianças, mulheres, animais e com os cuidados da terra. Reverenciavam-se também os espíritos protetores – dos indivíduos, das famílias ou das moradias –, as padroeiras das atividades domésticas, principalmente da tecelagem, que era a principal ocupação feminina durante os longos meses de inverno e atributo das Senhoras do Destino e das Deusas Anciãs.

Havia uma multiplicidade de deusas locais, além das mais importantes e que ficaram conhecidas pelos seus mitos e a sua participação, direta ou não, nas aventuras e mitos dos deuses. No entanto, conhecem-se poucas estátuas e imagens de deusas específicas ou locais a elas dedicados na Noruega, Suécia e Islândia, com exceção da imponente estátua no templo dedicado a Thorgerd Holgabrud em Trondheim (destruído pelo rei Olavo), das representações das Valquírias em inúmeras pedras funerárias na Ilha de Gotland e em outros locais na Suécia, e das inscrições dedicadas às Matronas. Foram encontradas inúmeras estatuetas supostamente de deusas, nos pântanos e nas ruínas de altares (nos templos e nas casas), bem como inscrições rupestres com símbolos e representações de figuras femininas, porém sem terem nenhuma identificação precisa dos seus nomes e funções.

Todavia, os achados arqueológicos do último século, as referências encontradas nos mitos, lendas e folclore, a permanência de práticas matrifocais, dos costumes e da reverência às Mães ancestrais pelos nativos sami (espalhados no norte da Noruega, Suécia, Finlândia, Sibéria) e as inúmeras inscrições dedicadas especificamente às *Matronas* germânicas, constituem valiosos e convincentes testemunhos do antigo culto das deusas nos países nórdicos. A importância das *Matronas* (*Matres*) é indicada pelas mais de mil pedras gravadas e remanescentes do período romano, tanto nas regiões europeias, quanto nas anglo-saxãs. Muitos desses monumentos tinham sido erguidos por homens (reis, nobres, guerreiros, camponeses, navegantes ou viajantes), invocando ou agradecendo a proteção das *Mães*, fato que confirma a reverência masculina perante as deusas. É conhecida também a profunda devoção do rei Hakon de Halogaland às suas protetoras divinas – Thorgerd Holgabrud e Irpa – dedicando-lhes ricas estátuas e oferendas no templo erguido em sua homenagem, como gratidão pela proteção delas recebida nas batalhas.

Na antiga Escandinávia, as práticas mágicas, oraculares, curadoras e xamânicas pertenciam às mulheres e elas sobreviveram durante a Idade do Bronze e do Ferro até a chegada do cristianismo. Entre os nativos sami e as tribos siberianas persistiram memórias dos poderes mágicos da primeira xamã, a ancestral chamada "Mãe dos animais". As tribos altaicas reverenciam até hoje a terra como um ser consciente, vivo, animado, que não pode ser ferido, prejudicado ou ofendido. Da mesma forma rios, pedras, plantas e árvores também são seres vivos, governados pela "Mãe das Águas, As Mulheres da Floresta, A Mãe do Vento ou do Fogo, a Anciã das Pedras", pois tudo na natureza tinha sua mãe e era vivo. Para os antigos nórdicos a estrela polar era um lugar sagrado e mágico, pela qual se podia penetrar no Mundo Superior, representado pela constelação Ursa Maior, regida pela "Mãe Ursa", enquanto as tribos árticas acreditavam que a Ursa Maior pertencia à "Mãe Alce" e a Ursa Menor, à sua "filhota". As "Mães, Ursas e Alces," são personificações da "Mãe ártica dos animais", de suma importância para os povos árticos. As suas estrelas os guiavam nos seus deslocamentos e a "Grande Ursa" era a "Senhora da Ressurreição", que guardava as almas e lhes devolvia a vida. "O mundo dos mortos" dessas tribos era alcançado através de uma gruta, que levava para dentro de uma montanha, o mar ou um lago, lugares consagrados à deusa desde o período Paleolítico, conforme atestam inúmeras inscrições rupestres com figuras femininas pintadas em vermelho nas paredes de cavernas e nos rochedos.

Na interpretação não acadêmica do mito da criação feita pela escritora Monica Sjöo, no início existia somente o grande ventre da deusa Hel, representado pelo abismo Ginungagap, enquanto a fonte Hvergelmir que originou os 12 rios Elivagar, era o seu próprio caldeirão rodopiante. O gigante Ymir era um arquétipo hermafrodita, que simbolizava a terra congelada, enquanto a vaca branca Audhumbla era o próprio sol, que derreteu o gelo e proporcionou a formação da vida do seu leite. Hel teria sido a Mãe Ártica, cultuada pelos povos do extremo norte, enquanto Nerthus era a Mãe Terra, senhora da terra fértil. Hel foi transformada pelos historiadores de Mãe ancestral em tenebrosa regente do mundo dos mortos. Porém, a fonte de Urd é conectada com o reino de Hel e são as suas águas que proporcionam o conhecimento e a cura e mantém a Árvore do Mundo viva. As Nornes pertencem à raça antiga dos gigantes, elas medem o tempo, preservam a teia da criação e guardam a sabedoria das runas, que são inscritas nas suas unhas e escondidas na natureza. A própria fonte de Mimir era a representação do *soma* da deusa, o seu sangue menstrual detentor de poder mágico e do conhecimento (roubado depois por Odin, como é descrito no mito de Gunnlud). Para obter a sabedoria Odin se autossacrificou, ou seja, entregou-se às Nornes se imolando na Árvore Mãe e passando pela vivência xamânica de "quase morte".

O culto da deusa floresceu durante o período Paleolítico e Neolítico nas diversas culturas da área chamada por Marija Gimbutas de "Europa Antiga" (*Old Europe*), que se estendia dos Pireneus até a Rússia, de Malta e Creta até a Escandinávia. Essas sociedades antigas eram matrifocais, pacíficas e estáveis, reverenciando as manifestações da deusa em toda a natureza (céu, lua, sol, estrelas, chuva, neve, gelo, terra, mar, águas, montanhas, florestas, plantas, grutas, animais) e honrando suas representantes na terra, as mulheres. A divinização das forças da natureza deu origem às divindades escandinavas Vanir, consideradas *"as doadoras das boas coisas"* (fertilidade, amor, sexo, vida, sabedoria). Existem evidências arqueológicas e antropológicas sobre a permanência do culto arcaico das divindades Vanir, das Disir, Matronas e dos Land Vættir – espíritos da natureza com formas femininas – durante a Idade do Bronze, até a chegada das tribos nômades e guerreiras, vindas das estepes siberianas, no início da Idade de Ferro (400 a.C). O mundo pacífico dos adoradores dos Vanir foi dominado pela cobiça e violência dos conquistadores indo-europeus, cujo panteão formado por "senhores do céu, dos raios, trovões e batalhas" foi se sobrepondo às divindades autóctones que regiam a terra, as forças da natureza, a fertilidade e sexualidade. Porém, apesar da sobreposição do panteão dos conquistadores que levou ao esmaecimento e à perda dos ritos e das práticas nativas, vários arquétipos femininos preservaram seu lugar e mantiveram sua importância e cultos nos países escandinavos, germânicos e bálticos.

Diferente das deusas gregas – cultuadas principalmente por mulheres – as nórdicas eram reverenciadas também pelos guerreiros, por estarem "presentes" no campo de batalha, enfraquecendo os inimigos e conferindo vitórias para seus escolhidos, conduzindo exércitos e inspirando os heróis ou amenizando a morte e a passagem para o além. Os reis as invocavam para proteger suas dinastias, os poetas e contadores de histórias dedicavam-lhe odes e louvores e lhes pediam a intervenção e auxílio nos afazeres humanos, no bem-estar das comunidades e na defesa contra inimigos e cataclismos naturais. Foi assim que os arquétipos das deusas permaneceram atuantes e poderosos, mesmo no reinado de guerreiros e heróis, além de continuar a ser o centro das súplicas e oferendas dos agricultores, caçadores, navegantes, pescadores, comerciantes, viajantes e, principalmente, das mulheres.

Uma característica marcante das deusas nórdicas são suas funções de "Guardiãs dos limites e transições", existentes na natureza, na vida das mulheres, nos caminhos entre os mundos. Eram as deusas os pilares que sustentavam e protegiam a vida e o crescimento (vegetal, animal, humano), que encorajavam e cuidavam da sexualidade, fertilidade, união, procriação, nascimento e morte. Elas assistiam à inevitável passagem de cada geração e zelavam pelo legado deixado aos descendentes, bem como eram responsáveis pela trajetória da alma entre uma vida e outra, pelo culto dos antepassados e os ritos funerários. Para as mulheres, as deusas eram suas padroeiras, guardiãs e conselheiras em todos os acontecimentos significativos ao longo de sua vida, nos seus relacionamentos com homens, crianças, doentes e outras mulheres. Não somente as mulheres as reverenciavam e a elas recorriam para auxílio, mas se tornavam suas representantes para transmitir orientações e profecias, realizar rituais e ritos de passagem, encantamentos e curas (como *völva*, *gythia*, *seidhkona*, *spækona*, *hagedisse*, xamã, parteira ou curandeira).

O culto das deusas nórdicas levava em consideração todas as suas faces, como Criadoras e Nutridoras, Ceifadoras e Destruidoras, simbolizando as próprias manifestações da natureza, as estações e as intempéries, os aspectos claros e sombrios do ser humano. Eram senhoras das montanhas, dos lagos, rios e fontes, do sol e da luz, mas também da neve, da escuridão, do inverno, das tempestades e naufrágios. Elas representavam as fases e os ciclos das forças da natureza, regiam tanto a geração, a vida e a plenitude, quanto decadência, velhice e morte por personificarem a luz e a escuridão, o calor e o frio, o viço da juventude e a sabedoria das ancestrais. Essas características as definem como divindades Vanir, apesar de algumas delas serem descritas como pertencendo aos *Æsir*, o que confirma a amalgamação do panteão das tribos conquistadoras com o dos povos nativos, cuja tradição era centrada na reverência à terra e às forças da natureza.

Antes que os barcos fossem símbolos das conquistas vikings ou servissem como túmulos dos guerreiros (substituindo os troncos de árvores usados antigamente), eles simbolizavam nos petróglifos a deusa como a doadora de vida e luz. O barco representava a sua *yoni* (vulva) ou o veículo da deusa solar para se deslocar pelo céu, sendo um dos motivos mais frequentes encontrado em inscrições ou nos túmulos. Nos primórdios das sociedades neolíticas, os mortos eram enterrados nus, em posição fetal e pintados com argila vermelha (simbolizando o sangue uterino), para reproduzir seu renascimento do ventre escuro da Mãe Terra, após um devido repouso necessário para a sua regeneração.

Existem mais de mil inscrições em pedras dedicadas às "Matronas" ou "Mães Tríplices" germânicas; no centro dos seus templos sempre existia uma fonte representando a "Fonte da Criação". A reverência às fontes remonta ao período Neolítico e em muitas delas foram encontradas, posteriormente, fragmentos de estatuetas femininas destruídas pelos cristãos. As "matronas" ou "mães tríplices" eram as reminiscências dos arquétipos das mães criadoras do passado europeu, personificadas pelas matriarcas das tribos, enquanto as "mães e mulheres das florestas" permaneceram como *Huldre Folk*, o povo da deusa nórdica Huldra (ou

Holda). Com o passar do tempo, no entanto, deu-se uma ênfase cada vez maior ao culto e às oferendas para divindades masculinas, bem como aos valores guerreiros das tradições; mesmo assim foram preservados nomes e mitos das deusas, apesar de fragmentados ou minimizados.

O advento do cristianismo levou a uma perseguição intensa do princípio sagrado feminino. O seu papel na criação e manutenção da vida foi omitido ou distorcido nos mitos traduzidos e na transcrição das sagas, fato que permitiu ao clero reduzir as antigas deusas a entidades menores ou seres da natureza. Por ser a tradição nórdica eminentemente oral, o legado milenar ficou perdido e esquecido na medida em que o povo foi convertido – forçosamente – à nova fé e proibido de continuar suas antigas práticas e costumes. As mulheres foram desprovidas de modelos divinos femininos e obrigadas a aceitar a hierarquia masculina: espiritual, religiosa e social.

É importante lembrar a divisão das atribuições dos homens e mulheres nas sociedades nórdicas, para compreender como o culto das deusas permaneceu até mesmo após a cristianização, que foi mais tardia na Escandinávia do que no resto da Europa. Até os séculos X-XII, Islândia, Noruega e Suécia resistiram como "pagãs" e seus camponeses – principalmente as mulheres – continuaram de uma forma velada ou adaptada as suas antigas práticas e tradições até o século XIX. Após a tenebrosa perseguição durante a Inquisição e a consequente proibição dos cultos pagãos, as tradições rurais, as práticas curativas e os costumes populares tinham diminuído bastante e os arquétipos sagrados femininos foram, aos poucos, relegados ao esquecimento, permanecendo apenas no inconsciente coletivo, na memória ancestral, na linhagem matricial, no folclore e nos contos de fadas.

As mulheres nórdicas assumiam todas as atividades que lhes permitiam permanecer perto dos filhos e de casa: os cuidados dos animais e das lavouras, o artesanato (fiar, tecer, cerâmica, couro), a cura dos doentes, a coleta das ervas medicinais, os ritos de passagem femininos (menarca, gravidez, parto, menopausa), os cuidados com os anciãos e os moribundos, bem como os ritos funerários e o culto dos ancestrais. Fazia parte do cotidiano feminino a arte de tecer encantamentos de proteção e atributos de poder, força, coragem e defesa na tessitura das roupas dos guerreiros e nos estandartes das tribos, bem como suas atribuições para cuidar e tratar de feridos, velhos e crianças, além de zelar pela manutenção da reverência familiar às divindades.

Atividades feitas em conjunto, como rituais, oferendas e cerimônias, seja com objetivos específicos para sua condição feminina, seja em benefício de toda a comunidade (para melhorar as condições do tempo, favorecer a colheita, fortalecer os guerreiros, vencer os inimigos, defender suas casas e famílias, salvar os feridos, conduzir a alma dos mortos para o reino de *Hel*), criavam fortes laços de solidariedade entre as mulheres.

Os homens participavam em certos rituais (como na celebração das colheitas, nos ritos funerários), em outras oportunidades eles reverenciavam individualmente as deusas visando benefícios pessoais (sucesso para caçar, pescar, vencer batalhas ou a permissão, defesa e proteção nas vinganças, nos objetivos políticos, nos assuntos tribais, nas viagens na terra ou no mar, no comércio, na cura das doenças). Existiam praticantes de magia *seidhr (seidhkonas)*, videntes (*völvas*) e xamãs (*hagedisse ou haegtesse*) que atuavam como conselheiras para os assuntos tribais, nos conselhos de guerra e nos casos de seca e epidemias, ou oferecendo predições. O próprio deus Odin dependia do aconselhamento das Nornes, Saga e Frigga além da proteção obtida pelas suas múltiplas relações com deusas da terra e das conquistas feitas com auxílio das gigantas. Consultar uma vidente permaneceu como uma prática comum na Escandinávia até o século XIII.

Havia também uma importância política do culto das deusas em relação aos seus poderes de garantir a permanência e a popularidade dos reis. Existem registros detalhados sobre a devoção de certos reis dedicando templos, estátuas e homenagens às suas "madrinhas" e protetoras. Posteriormente, o lugar dessas deusas responsáveis pelas dinastias reais e as vitórias nos combates foi outorgado a Odin, Frey, Thor e Tyr. Além de buscar o apoio divino para seu domínio, os reis precisavam garantir a fertilidade da terra, com o risco de serem depostos ou sacrificados em caso de colheitas pobres ou batalhas perdidas. Para isso, eles participavam do "*casamento sagrado*", um rito de fertilidade encontrado em diversas culturas antigas, em que a sacerdotisa representando a deusa da terra se unia com o rei, para lhe transmitir os dons de prosperidade, a soberania e o poder de governar bem o seu povo.

Não existem descrições detalhadas sobre a forma pela qual se cultuavam as deusas. Sabe-se apenas que não havia um culto organizado, nem templos faustosos; as cerimônias eram simples, feitas no âmbito familiar ou coletivo, realizadas quando necessário pelos chefes de família ou mulheres idosas, nos rituais públicos pelos sacerdotes e sacerdotisas. As datas variavam de acordo com os plantios e colheitas, antes de caçadas, viagens ou guerras, durante os períodos de seca ou inundação, nas tempestades ou epidemias. As deusas muitas vezes eram reverenciadas em conjunto (como *Matronas, Disir*, Valquírias), além das homenagens e oferendas feitas para deusas específicas ou padroeiras locais, como as deusas tutelares de uma família, comunidade ou clã. Havia uma ênfase na linha ancestral feminina, reminiscência do culto matrifocal das *Matronas* e Disir, com rituais secretos para os pontos de transição na vida das mulheres para os quais se realizavam "ritos de passagem". O equivalente masculino era a iniciação dos rapazes no mundo dos adultos ou sua consagração como guerreiros.

Como nas línguas escandinavas, bálticas e germânicas a lua é do gênero masculino, regida por um deus auxiliado por uma mortal que tinha sido divinizada, não há relatos sobre cultos e rituais lunares, como existiam nas tradições dos povos mediterrâneos. Porém existia um culto definido e duradouro ao sol, regido não por um deus, mas por uma deusa, pois a sobrevivência da vegetação e a própria vida humana dependiam da energia calorosa, generosa e nutridora de uma Fonte Divina Feminina. Inúmeras estatuetas femininas com símbolos solares foram encontradas nas escavações de residências e de pequenos altares, comprovando a existência de um culto solar doméstico e diário, realizado sempre por mulheres. Os povos nórdicos consideravam as mulheres detentoras de poderes mágicos e habilidades espirituais especiais, que lhes permitiam atuar como intermediárias entre os homens e as divindades.

No entanto, apesar das inúmeras citações e nomes de deusas nos textos escandinavos, bálticos e germânicos e do grande número de tradições e práticas em relação a seres sobrenaturais feminino, há pouca informação documentada a respeito dos seus cultos, cerimônias e rituais. Entre pesquisadores, historiadores e escritores existem controvérsias a respeito da existência, ou não, de uma única Mãe Ancestral, cultuada sob diferentes nomes e títulos ou se existiam diferentes categorias de divindades, dependendo das funções e atividades a elas atribuídas. A dificuldade para encontrar um consenso científico, filosófico e metafísico deve-se à escassez de textos antigos e às transcrições e interpretações tendenciosas ou distorcidas feitas por historiadores cristãos, a maioria deles monges. Eles imprimiram seus preconceitos misóginos e puritanos aos textos originais, omitindo tudo o que pudesse ser "nocivo para a alma cristã", como ritos de fertilidade, rituais femininos, atuação de mulheres nos cultos e cerimônias, seu conhecimento e domínio nas artes oraculares, proféticas e curativas.

Os textos antigos considerados clássicos são os *Eddas* – sendo que *Edda* significa "bisavó", equivalente para Erda ou Mãe Terra –, baseados em fontes orais e anônimas provenientes de lendas escandinavas e germânicas do século VII até IX e coletadas no século XIII. Porém, mesmo nessas obras, existem poucas informações sobre cultos femininos e as descrições das deusas são sucintas. A ênfase está nas figuras e nos mitos dos deuses e heróis, resultando assim uma literatura centrada nos temas de guerras e conquistas, que serviu como base para os poemas e epopeias do Período Viking, diminuindo consideravelmente o valor e o interesse por temas relacionados ao feminino.

Somente no século XX, as contribuições de antropólogas, arqueólogas, historiadoras, pesquisadoras e escritoras, como as valiosas obras de Marija Gimbutas, os livros de Hilda Davidson, Merlin Stone e os trabalhos de Freya Aswynn, Jenny Blain, Linda Welch, Monica Sjöo, bem como as práticas de *seidhr* do grupo *Hrafnar* conduzido pela escritora e pesquisadora Diana Paxson e seus inúmeros artigos e livros, lançaram novas luzes sobre a importância dos arquétipos divinos femininos nos antigos países nórdicos. Atualmente, as práticas milenares e a sabedoria ancestral dos povos nórdicos estão sendo resgatadas e revalorizadas pelas pesquisadoras, praticantes e divulgadoras da antiga fé, para que o atual renascimento da tradição nórdica seja fiel aos antigos valores de equilíbrio das polaridades e dos princípios divinos e humanos. Mesmo que ainda prevaleça o gênero masculino na literatura, na formação e condução dos grupos Odinistas e Asatrú, há um aumento gradativo no número de mulheres estudiosas ou integrantes de grupos.

No livro *Mistérios Nórdicos,* encontra-se uma descrição resumida dos papéis atribuídos às deusas nórdicas, (classificação amplamente descrita pela escritora Hilda Davidson no seu livro *Roles of the Northern Goddesses)* e, para as pessoas interessadas nos aspectos religiosos e mágicos (antigos e atuais) da tradição nórdica, o estudo detalhado da multiplicidade de nomes e atributos divinos femininos, bem como sugestões de rituais e práticas específicas. No presente trabalho serão descritos os arquétipos e mitos de várias deusas, levando em consideração as informações das fontes antigas, porém complementadas com as interpretações, avaliações e vivências de mulheres contemporâneas (escritoras, estudiosas, e praticantes), suprindo assim as lacunas existentes nos registros tradicionais.

PROTETORAS SOBRENATURAIS DIVINIZADAS

Em várias fontes antigas – escandinavas, germânicas e romanas – são citadas e descritas entidades espirituais envolvidas diretamente com o desenvolvimento e a proteção de cada ser humano, que estavam presentes nas transições da sua vida e nos ritos de passagem. Por serem detentoras de dons proféticos e guardiãs da sabedoria ancestral, elas contribuíam para a formação e evolução do destino individual com aprendizados, orientações, auxílio, desafios e testes, tornando-se assim mestras e protetoras, ativas e permanentes.

Disir ou Idises (Ancestrais sobrenaturais)

Seus arquétipos e atributos se confundem ou se sobrepõem nos escritos de alguns historiadores com as *fylgjur*, Valquírias, Matronas ou Nornes individuais. Esse fato se deve à complexidade do termo *disir*, que inclui as ancestrais (*dis* e *idis* significam em norueguês "Senhora") e também os guardiões ligados a determinados indivíduos, famílias ou clãs, conforme relatado em algumas sagas islandesas. Diferentes dos *Land-vaettir*, as Disir não eram ligadas a certos locais ou aspectos da natureza, pois elas acompanhavam seus protegidos para onde eles se deslocavam. Supunha-se que elas representavam a "sorte" passada ao longo das gerações de uma mesma família. Com a cristianização, elas tornaram-se equivalentes aos anjos guardiões e suas antigas celebrações, *Disablot,* foram sincretizadas com as datas cristãs dedicadas aos anjos e arcanjos.

As *Disir* eram os espíritos das ancestrais que protegiam seus descendentes, preservando assim a continuidade da linhagem familiar. Elas consideravam todos os indivíduos a elas ligados por laços de sangue como seus "filhos" e zelavam por eles, desde o nascimento até a morte. No entanto, nem todas as *Disir* agiam de forma benéfica, facilitando a vida dos seus "filhos", pois a missão delas era promover também as circunstâncias adversas e as lições delas decorrentes, indispensáveis para a evolução. Apesar de certos fatos e acontecimentos serem considerados como "azares" ou "infortúnios", eles faziam parte do *wyrd* (destino) individual e às vezes se transformavam em "sorte". Aquilo que era desejado e idealizado como "bom", podia não ser para o "bem" da pessoa, como por exemplo, certas viagens, empregos, relacionamentos ou projetos, sonhados e não concretizados.

As *Disir* eram consideradas sendo Nornes individuais, por estarem presentes em todos os acontecimentos e ritos de passagem – nascimento, batizado, casamento, funerais – de uma família. Porém eram diferentes das Nornes, pois não traçavam a tessitura do *wyrd*, apenas auxiliavam na sua concretização. Elas se deslocavam montadas em cavalos brancos ou pretos em função das suas missões (de auxílio ou aprendizado pelos testes e dificuldades), apresentação equina que as diferenciava das Nornes, representadas como mulheres sentadas.

As *Disir* eram reverenciadas por homens e mulheres nos altares familiares das residências, nos locais sagrados da natureza (bosques, clareiras, pedras) ou nos recintos dedicados às comemorações comunitárias. Sabe-se que sacrifícios para as Disir eram feitas no *Disir-hall* de Uppsala (Suécia) ou nos salões dos palácios reais da Noruega, como citado em *Egil's Saga* e *Viga-Glums Saga*

Na Islândia existem registros sobre a ajuda recebida pelos primeiros colonizadores de um grupo de espíritos femininos e se preservam até hoje pedras específicas dedicadas a elas. Vários lugares na Noruega e Suécia foram nomeados em sua homenagem e acreditava-se que as Disir conferiam prosperidade para a terra e fertilidade para os animais, trazendo boa sorte na caça e pesca e conselhos úteis durante os sonhos.

Suas celebrações anuais, *Disablot,* eram realizadas no final das colheitas, no outono, ou antes dos plantios. Esse festival era semelhante à festa das Matronas, *Modranicht* ou a Noite da Mãe, marcada para o solstício de inverno. Existe uma reminiscência do *Disablot* até hoje em Uppsala, onde se realiza anualmente (em fevereiro) *Disting*, uma feira popular seguida de festa. A comemoração antiga das Disir incluía oferendas, músicas, histórias, poemas e muita alegria com comida e bebidas. Reverenciavam-se também as deusas Freyja (chamada de *Vanadis,* a "Senhora dos Vanes", e considerada também a regente da morte) e Skadhi (regente do inverno e da proteção perante os perigos e os desafios da natureza).

As *Disir* exerciam uma grande influência na vida familiar, há inúmeros relatos sobre os alertas, conselhos e orientações dadas por elas aos seus descendentes, aparecendo nos sonhos, nas premonições e visões. Um exemplo de reverência masculina para uma protetora divinizada é do rei norueguês Hakon, que ergueu um templo ricamente decorado para Thorgerd Holgabrud e sua irmã Irpa, como gratidão pela ajuda dada nas batalhas, quando elas apareciam no meio de nuvens e atiravam nos inimigos com flechas saindo dos dedos.

Nas culturas pré-cristãs eram comuns diversos cultos dos ancestrais pelos seus descendentes, que tinham certas obrigações para com eles. Somente assim iria ser assegurada a proteção das famílias e atraídas a sorte, prosperidade, plenitude e outras bênçãos de acordo com a necessidade. Os povos nórdicos acreditavam que as qualidades, a saúde, a sorte, as realizações e testes das suas vidas, eram consequências das lutas, sacrifícios, esperanças e erros dos seus antepassados. Apesar das tentativas cristãs para erradicar a veneração dos ancestrais, alguns costumes foram preservados como: visitas aos túmulos, nomear as crianças com os nomes de parentes falecidos, os altares domésticos com suas fotos e o costume de contar as suas histórias para os descendentes. Nos cultos pagãos, antigos e atuais, é comum o culto aos ancestrais com comemorações a eles dedicadas, oferendas e visitas a seus túmulos, comunicação através da percepção sutil ou nos sonhos e a reverência ao legado ancestral, não apenas o familiar ou racial, mas de todos os seres que deixaram ações ou realizações em benefício da humanidade.

Além dos altares, eram consagradas às Disir pedras com inscrições ou as pilhas de pedras amontoadas pelos seus descendentes (*cairns*), próximo aos antigos sítios ou lugares sagrados. Vê-se assim a continuidade dos cultos antigos da era neolítica, mantida pelos romanos na reverência às Matronas e encontrada também nas tradições dos povos nativos. Enquanto o culto aos espíritos guardiões de certos lugares (rios, fontes, árvores) foi diminuindo com o passar do tempo, as homenagens e oferendas para as ancestrais foram preservadas e existem até hoje. Enquanto as Matronas tinham nomes individuais, as Disir eram vistas – em sonhos ou visões – como um grupo de mulheres anônimas, que traziam alertas ou ensinamentos para os seus descendentes. No seu aspecto "escuro", a aparição sombria e súbita das Disir podia anunciar a morte de algum familiar, um sinal de que a sua "sorte" tinha terminado. Uma descrição interessante de um combate entre as Disir "claras e escuras" aparece em algumas histórias e foi interpretada como uma metáfora do conflito entre a fé pagã e a conversão de alguns familiares ao cristianismo, uma clara evidência da rejeição da nova fé pelas Disir, que representavam os valores tradicionais espirituais e zelavam pelos seus descendentes.

A missão permanente das Disir era alinhar os fios do *orlög* (destino) familiar, distorcidos pelo afastamento do legado ancestral. Além dessa difícil missão, as Disir auxiliavam nas situações familiares difíceis ou desafiadoras, trazendo proteção, sorte, força e sustentação. Elas esperavam receber em troca atenções e oferendas; caso fosse recusada ou negada essa reciprocidade vibratória, o seu lado sombrio era ativado, atraindo lições difíceis, mas necessárias, para o despertar e crescimento espiritual. Nas datas antigas a elas dedicadas as famílias as honravam como mães e senhoras ancestrais e lhes ofertavam leite, mel, hidromel ou vinho, frutas e um prato típico ou tradicional, pedindo a sua proteção, ajuda e sorte e agradecendo também o legado (genético, mental, espiritual e comportamental) por elas deixado para a linhagem familiar.

Matres ou Matronas (Mães)

Durante séculos os povos germânicos e celtas reverenciaram e cultuaram protetoras femininas conhecidas como *Matronas* ou *Matres* (equivalente latim para "mãe"). Os registros mais antigos datam do século I e inúmeras estátuas e inscrições comprovam esse culto na antiga Alemanha, Gália, Frísia, Espanha, Grã-Bretanha e o Império Romano. Nas mais de mil estátuas, altares e pedras votivas encontradas e dedicadas às Matronas, a maior parte cita nomes germânicos, sendo os restantes romanos e celtas. O fato mais intrigante é que inúmeros monumentos e votos tinham sido ofertados por soldados e marinheiros, legionários no exército romano. Apesar de poucas mulheres terem sito mencionadas como doadoras, os monumentos citavam os nomes de família ou do clã pedindo a proteção para todos os seus integrantes. Muitas pedras tinham inscrições em benefício individual, o soldado pedindo saúde, bem-estar, proteção e boa sorte nas batalhas ou agradecendo as dádivas recebidas por meio da pedra votiva. Esses registros gravados em pedra comprovam a fé dos homens na ajuda divina e maternal durante pelo menos quatro séculos. As inscrições e os nomes eram em latim, apesar de que aqueles que as ofertaram serem germanos ou celtas, um fato devido à sua alfabetização no exército romano e ao esquecimento progressivo do alfabeto rúnico.

As funções principais das Matronas – conforme mostrado nas inscrições – era ajuda nas necessidades, proteção de família ou do clã, assistência para a fertilidade, gestação, parto, cura e proteção nas batalhas. Em muitas das inscrições são citadas os nomes das Matronas associadas ao rio ou à fonte da qual eram padroeiras, sendo invocadas para segurança nas viagens, curas e fartura nas pescas. Foram encontrados mais de cem nomes de origem germânica pertencendo às "Matriarcas" e "Mães de clãs" (alemãs, frísias) além das celtas e ibéricas; alguns nomes designavam a Matrona como regente do rio ou lugar onde tinha sido encontrada sua estátua. Pedras gravadas foram achadas ao longo do rio Reno e Danúbio, outras no norte e no centro da Inglaterra – no Muro de Adriano (*Hadrian's Wall*) –, como a fonte, o altar e os objetos dedicados a Coventina, uma antiga deusa guardiã da fonte.

De modo geral, as Matronas eram representadas em grupos de três mulheres com idades diferentes ou iguais, jovens ou maduras, em pé ou sentadas, com túnicas longas, cabelos soltos ou cobertos por toucas redondas (semelhantes aos enfeites das noivas ou das camponesas germânicas). Elas seguravam cornucópias, bebês ou cestas (com frutas, ovos, pães, espigas, flores) e eram acompanhadas por cachorros, indicando seus atributos de fertilidade e proteção das casas e famílias. Às vezes, uma delas segurava um rolo de pergaminho ou uma esfera e fuso, mostrando uma ligação com as Nornes e suas habilidades proféticas. Outras vezes eram acompanhadas por figuras com mantos e capuz, que seguravam cestas com ovos, espigas e uvas e eram chamados *Genii Cucullati*, espíritos protetores dos lares. Esses acompanhantes pareciam ora jovens, ora velhos, eram baixos e atarracados, semelhantes com anões, o manto com capuz sendo um símbolo do mundo subterrâneo e da invisibilidade. As figuras do período romano eram associadas com cura, fertilidade e morte, sendo benevolentes quando agradados ou maldosos quando ofendidos.

Os nomes das Matronas enfatizam as qualidades de doadoras da plenitude e prosperidade como *Gabiae*, *Alagabiae*, *Arvagastae*, *Dea Garmangabis*, *Matergabiae* termos equivalentes de "Aquela que doa". Outros nomes indicavam atributos diferentes como poder (*Afliae*), magia (*Ahueccaniae*), árvores (*Alaferhviae*) ou destino (*Audrinehae*). Em torno de duzentos monumentos tinham sido dedicados às protetoras de tribos que moravam em determinados lugares (como as *Aufaniae* e *Suleviae*), reverenciadas como ancestrais protetoras e guardiãs do espaço doméstico, do lar e da família.

Nas suas celebrações lhes eram ofertadas frutas, grãos, ervas aromáticas, guirlandas de espigas e flores, comidas típicas e bebidas. Acredita-se que as celebrações eram ligadas à colheita, indicando sua ligação com as Disir e os ritos de passagem femininos (nascimento, casamento, gravidez, parto, viuvez, morte), sendo *Modranicht* a mais importante e comemorada no solstício de inverno. As Matronas eram muito importantes para os povos germânicos e celtas, seus nomes e atributos foram absorvidos pelos escandinavos, que os integraram aos cultos das divindades Vanir e os costumes a elas associados foram adotados na celebração do solstício de inverno, chamada "Noite da Mãe" (*Modranicht*). A permanência dessas tradições é mostrada no rico folclore escandinavo e alemão, por inúmeras histórias de mulheres sobrenaturais, que relembram os arquétipos e nomes das divindades Vanir (como *Percht*, *Holda*, *Frau Gode*), seus atributos sendo semelhantes: protetoras (das mulheres, crianças, animais, árvores), curadoras e com poderes proféticos.

As Matronas, junto com as Disir e as deusas Frigga e Freyja, eram invocadas para a concepção e nascimento das crianças, pois todos esses arquétipos eram responsáveis pela linhagem familiar e pelos momentos certos para as almas encarnarem ou serem desligadas. Por esta interferência no destino, as Disir e as Matronas são associadas com as Valquírias e as Nornes. Enquanto os ancestrais masculinos eram honrados como protetores de uma tribo ou região, as ancestrais femininas eram vistas como a representação da sobrevivência das famílias, por serem as protetoras espirituais, as mães carnais zelando pelo bem-estar e a segurança dos seus filhos.

O culto das Matronas continuou mesmo após a cristianização nos nomes e histórias de santas, cujos "milagres" lembravam os atributos das Matres. Os altares a elas dedicados foram depois restaurados e consagrados à Virgem Maria, onde os peregrinos colocavam oferendas de grãos, pão, manteiga, queijo, espigas de trigo e vinho ao redor do altar (até começarem as privações durante e após a Segunda Guerra Mundial), enquanto nos terrenos ao lado eram feitas feiras de produtos agrícolas e leilões de animais. A estátua de Maria, de uma capela perto de Lyon na França, a retrata como uma mulher velha e usando um capuz, semelhante às Matronas; ela tinha sido encontrada em um nicho perto de uma fonte, sendo depois retirada e levada para a capela cristã. Sua origem é muito antiga, possivelmente do período romano e conta-se que a mulher da estátua inicial era uma grávida que segurava uma vasilha de água, em que as peregrinas molhavam panos para passarem no corpo. Porém a figura original foi mutilada, tirando o ventre grávido, por ser considerado "impróprio" para os fiéis cristãos. Murais dos séculos XVII e XVIII relatam as curas obtidas com a água milagrosa dessa fonte.

Uma deusa com funções e imagens semelhantes às Matronas era *Nehalennia*, reverenciada nas regiões germânicas do norte europeu (Frísia, Holanda, Alemanha). Nas mais de sessenta altares e pedras votivas a Ela dedicadas, é representada como uma mulher madura, segurando cestas de frutas no seu colo, com um cachorro ou imagem de barco ao seu lado. Seus atributos são de fertilidade e plenitude, sendo a protetora dos viajantes e marinheiros. Além de centenas de pedras e altares encontrados espalhados por toda a Holanda, também foi achado em uma ilha próxima um templo importante de Nehelennia, comprovando o seu culto no mar do Norte até os primeiros séculos da nossa era. Porém, com o passar do tempo ele foi esquecido, permanecendo apenas a lembrança do seu nome que originou o dos Países Baixos (*Netherlands*).

Além das atribuições das Matronas em relação aos ritos de passagem femininos, elas também eram ligadas à fertilidade da terra, conforme é visto nos seus símbolos principais: as cornucópias ou cestas com produtos das colheitas. Supõe-se que elas eram invocadas na bênção dos campos recém-arados, quando eram enterrados pães na terra, o pão sendo o símbolo da fartura e nutrição. Nem sempre as figuras de um grupo eram idênticas, às vezes se diferenciavam pela idade, cabelos soltos ou presos, com toucas ou adornos circulares, segurando símbolos variados. Porém, mesmo em grupos de três, elas não são representativas da tríade celta – jovem, mãe, anciã – apontando para funções diversas da condição feminina. A sobreposição de atributos das Matronas com as Disir e Nornes deve-se à variedade e amplidão das características da Grande Mãe arcaica, distribuídas entre diversas entidades femininas, fossem elas deusas, Matronas, Disir ou protetoras individuais.

Nornes (*Nornir*), As Senhoras Nórdicas do Destino

A Árvore do Mundo, *Yggdrasil,* tem três raízes: uma situada sobre o reino de Niflheim que abriga a fonte *Hvergelmir* (de onde brotam os 12 rios de Elivagar); a segunda na altura do reino de Jötunheim abrigando a fonte de Mimir, que guarda a sabedoria e o conhecimento arcaicos e a memória coletiva; e a terceira onde fica a fonte de Urdh. Desta fonte as Nornes tiram a água para molhar as raízes da árvore, cobrindo-as em seguida com argila existente ao redor, mantendo assim a vitalidade da árvore, ameaçada pelo dragão Niddhog, que rói incessantemente as raízes com a intenção de destruí-las.

A *Nornes* tem uma função cósmica – estabelecer as leis – e também modelar os destinos individuais de todas as criaturas dos Nove Mundos, inclusive das divindades. Suas ações são determinadas por um poder maior chamado de *orlög*, que abrange a trajetória de todos os mundos e seres, até mesmo do Universo. Elas não são subordinadas a nenhuma divindade e não se sabe com precisão a sua origem, apenas que elas simplesmente apareceram no início dos tempos, sendo, portanto, imemoriais e eternas. Algumas fontes as consideram descendentes dos gigantes, aparecendo no fim da "Idade de ouro" para prevenir os deuses sobre males futuros e os ensinar a fazerem bom uso do presente, lembrando as lições do passado. Elas teriam nascido das maçãs de ouro que cresciam na Árvore do Mundo, imbuídas de vida e conhecimento, permitindo apenas à deusa Idunna que as colhesse e dividisse entre os demais deuses.

As Nornes não são agentes causais, mas instrumentos numinosos que recebem, transformam e redirecionam as energias das ações e dos atos de volta à sua origem. Seus nomes são representativos das suas atribuições ligadas à passagem do tempo e à tessitura do *wyrd*, o destino, da humanidade, dos deuses e de todos os seres (os significados mais detalhados de *orlög* e *wyrd* serão descritos no final deste verbete).

O nome da Norne mais velha, *Urdh,* é associado à fonte *Urdharbrunn* (a fonte de Urdh) e é similar ao tempo passado do verbo *verda*, "ser", podendo ser traduzido por "aquilo que já aconteceu". Ela era representada pela figura de uma anciã olhando sempre para trás. O nome da segunda Norne, *Verdandhi,* é associado com o presente do verbo *verda*, equivalente a "aquilo que está sendo" e Ela aparecia como uma mulher madura, ativa e destemida, olhando para dentro da fonte. *Skuld,* o nome da terceira Norne, corresponde ao futuro, ou seja, "aquilo que poderá vir a ser" e Sua imagem era de uma mulher velada, com a cabeça virada na direção oposta a Urdh, segurando nas mãos um livro ou pergaminho enrolado. Percebemos claramente o alcance das Nornes sobre a passagem linear do tempo, regendo assim o passado, presente e futuro, bem como nascimento, vida e morte.

Urdh representa o resultado das ações e escolhas feitas no passado e simboliza o destino por ser chamada também de *wyrd*, o termo precursor das palavras em alemão arcaico e em inglês significando "destino" (*wyrd* e *weird*). Os povos nórdicos não acreditavam na predestinação, mas nos resultados de cada ação, ato ou escolha que se repercutem ao longo da vida. Ressalta-se assim a importância das decisões e opções individuais passadas, atuando na modelagem, até um determinado ponto, das circunstâncias presentes.

Verdandhi personifica o conceito do "aqui e agora", ou seja, o presente. É a força que nos conduz aos resultados das opções e decisões do passado, sendo a manifestação das nossas ações ou desistências. Ela retrata tudo o que fizemos no passado e que está plasmado no nível físico, mental, emocional e espiritual na nossa vida presente. O momento presente é fugaz e passageiro, que desliza rapidamente para o desconhecido e imprevisível futuro.

Skuld, a mais jovem das Nornes, simboliza vários conceitos: futuro, necessidade, culpa e dívida. Por sermos controlados pela realidade física do tempo linear, necessariamente o nosso presente continuará no domínio de Skuld, o futuro. Ela representa o que vai acontecer no futuro como resultado das nossas opções passadas e presentes, porém o futuro é mutável, vago e nem sempre pré-determinado. As opções que fazemos no presente podem corrigir ou superar os erros que fizemos previamente. É exatamente devida a essa possibilidade – sempre presente – da mudança, que Skuld aparece velada, segurando um pergaminho nas suas mãos. O conceito de culpa é ligado às dívidas que temos e criamos permanentemente em relação aos outros seres, espécies, meio ambiente e ancestrais; a culpa é paga pela morte e o realinhamento da nossa alma. O nome de Skuld é também citado como dirigente das Valquírias e padroeira dos espíritos da natureza.

Em um dos poemas islandeses é descrita a aparição de três donzelas gigantes e com feições monstruosas no salão onde os deuses estavam entretidos em um jogo de dados. Após jogarem as runas, elas preveem o destino do mundo fazendo vários vaticínios. Conclui-se do contexto do poema que, antes da aparição dessas gigantas – provavelmente as Nornes –, existia paz e harmonia (um tipo de "Jardim de Éden", sem conflitos ou mortes). Após sua manifestação e a partilha dos presságios, começou a guerra entre os deuses Aesir e Vanir, bem como os combates entre Thor e os gigantes, que continuaram sem parar até o embate e cataclismo final do Ragnarök.

Além das três Nornes principais, são citados nos poemas outros arquétipos, que cuidavam dos destinos dos elfos, anões e dos seres humanos individuais. Denominadas de Nornes pessoais, elas apareciam nos nascimentos ou nos batizados e predizïam o destino das crianças, colocando nas suas unhas as manchas brancas nomeadas *Nornaspor,* que revelavam a sorte. Era comum a descrição dos dons e benesses dados por uma ou duas das Nornes, enquanto a terceira definia as dificuldades e provocações. É possível que essas mulheres na realidade fossem *völvas* ou *valas* (videntes), que desempenhavam as mesmas funções atribuídas às Nornes, usando seus dons proféticos, aceitos e honrados sem questionamentos. Elas oficiavam nos altares das florestas, acompanhavam as tropas para incentivar os guerreiros ou para fazer sacrifícios visando sua vitória. Após a cristianização, essas mulheres foram perseguidas sendo-lhes atribuídos pactos demoníacos e poderes maléficos.

No poema "Völuspa" há uma referência sobre os entalhes feitos pelas Nornes em madeira, um ato semelhante ao antigo costume norueguês de registrar datas e idades por cortes feitos nos postes ou nas molduras de janelas e portas das casas. Diferentes das Parcas e Moiras greco-romanas, as Nornes não são descritas como tecelãs propriamente ditas, com exceção de algumas poucas citações nos *Eddas,* em textos e histórias escritos após a cristianização, quando a expressão "tecer o destino" passou a ser uma metáfora comum. Em algumas histórias elas aparecem tecendo teias enormes, estendidas do leste ao oeste, entrelaçando fios brancos e pretos (estes de mau augúrio), entoando canções solenes e seguindo na tessitura a padronagem preestabelecida pelas leis de *orlög*.

Uma definição mais acurada da atuação das Nornes seria a modelagem do destino, o que inclui a duração e a qualidade da vida de cada ser. A existência individual pode ser comparada a um reservatório de poder obtido no nascimento, cuja natureza irá determinar as ações e as consequências; atos positivos e honrados aumentam o poder, enquanto ações negativas e desonrosas diminuem a essência vital do ser, que determinará a força da alma pela sua quantidade e o caráter por sua qualidade.

Orlög e Wyrd

Orlög é definido de forma sucinta como as leis, ou camadas, primais que determinam o "agora"; o presente que foi moldado pelas ações passadas.

Wyrd é a sorte ou destino individual, a predestinação que segue a "lei de causa e efeito"; semelhante ao conceito hindu do carma. O termo *wyrd* foi desenvolvido a partir do verbo *weorthan* em inglês arcaico significando "vir a ser", seu equivalente em norueguês antigo sendo *urdr,* o mesmo nome da primeira Norne.

Tanto *orlög* quanto *wyrd* são conceitos extremamente importantes e que desempenham um papel central na visão mítica, cosmológica e simbólica da tradição nórdica, sem ter nenhuma semelhança com a predestinação ou fatalismo da doutrina cristã.

A raiz *ur* ou *or* designa a fonte primordial, enquanto *lög* são as leis ou camadas, assentadas pelas Nornes, que decidem as circunstâncias, o tempo, o lugar e a família em que cada ser irá nascer. À medida que a vida segue seu curso, novas camadas serão formadas pelas nossas opções, ao interagirmos com as ações de todos os outros com os quais estamos envolvidos. Podemos ver *orlög* como uma série de camadas ou fios do passado, que continuam repercutindo no presente como uma reação que segue à ação. É um conceito que se aplica do comportamento usual até o plano espiritual, definindo a direção do *wyrd,* o traçado do destino. Algumas coisas não podem ser evitadas ou mudadas, mas somos responsáveis pela maneira em que respondemos a elas pelas nossas ações, opções e atitudes presentes. As mudanças no *orlög* são produzidas pela mente coletiva e acontecem quando é atingida certa massa crítica. O *orlög* é um movimento contínuo de ressarcimento e retificação objetiva pelo mal feito no passado e uma recompensa pelo bom comportamento. Após a morte, será escolhida a nossa situação em função do *orlög*, que é parcialmente herdado. A ética parte do reconhecimento de que o *orlög* é afetado pelas nossas ações baseadas nas suas consequências e não apenas nas intenções que lhe deram origem. Por isso devemos refletir bastante antes de agir, para evitar fazer uma má escolha, mas oriunda de uma boa intenção.

O *wyrd* é mais flexível, sendo uma parte do *orlög* adaptada a um indivíduo e à sua família, podendo ser mudado pelas circunstâncias e à medida do crescimento pessoal. O *wyrd* pode ser assemelhado ao conceito habitual do destino, mas é muito mais abrangente. Ele inclui a soma das ações e escolhas individuais, bem como o destino predeterminado pelas Nornes para aquela pessoa, sendo a união de tudo o que passou e tudo o que virá a ser, manifestado durante a vida. *Wyrd* é tanto a causalidade como a consequência e por isso muda constantemente; é formado pela teia das opções (pessoais, dos outros, da comunidade e até mesmo dos ancestrais), que influenciam a nossa evolução e consciência atuais. Não somos livres para fazer todo que imaginamos, mas também não estamos trancados dentro de uma estrutura rígida do destino. Até mesmo as divindades possuem seu próprio *wyrd*, pois na mitologia nórdica elas não são onipotentes, mas presas pelo poder e o padrão da tessitura do *wyrd*. Nossas vidas são governadas pela lei do *wyrd*, mas as suas várias camadas são formadas pelas nossas opções e ações. Esse processo pode ser comparado aos círculos formados se jogarmos uma pedra na água. Se outras pessoas jogarem pedras ao mesmo tempo, as ondas se sobrepõem, bem como o movimento dos peixes ou do vento pode alterar a superfície da água. A água representa o mundo e os círculos concêntricos indicam a distância e o efeito que cada pessoa que encontramos exerce sobre nós.

O fio individual de *wyrd*, ou seja, o papel que cada pessoa desempenha para alterá-lo de forma positiva ou negativa, pertence ao *orlög*, que inclui os traços biológicos, os dons, as características mentais e emocionais, a experiência pessoal, tudo o que pode servir como escolha ou limitação. Fazer escolhas, agir e viver dentro das possibilidades contribui para acrescentar camadas para o *orlög* pessoal. No entanto, existem limites: genéticas, sociais, familiares, sociais e as restrições que exigem nossos esforços para criar condições melhores. O *wyrd* é a soma das ações e escolhas individuais acrescentada ao destino traçado pelas Nornes. Pode ser resumido como a lei das causas e consequências, a soma das ações individuais, ancestrais e coletivas.

A fonte (de *Wyrd)* e Árvore (*Yggdrasil*) formam uma intersecção entre "este mundo" e os "outros mundos", um lugar onde todas as escolhas e consequências se encontram. Assim como as ações têm consequências, as escolhas estão contidas na fonte de Urdh, porém o preço implícito no conhecimento, na decisão e no sacrifício pertence ao domínio de Skuld. Conclui-se, portanto que a memória e a ação são entrelaçadas com responsabilidades e obrigações. Para melhorar o *wyrd* são necessárias ações honrosas e justas, ele não é estático, mas muda em função do modo de agir, pois a sorte flui do *wyrd* e é parte da matriz da alma. Os antigos povos nórdicos acreditavam que o *wyrd* piorava com ações desonestas e desleais, com mentiras e quebra de juramentos, com a falta de respeito perante as divindades e os ancestrais.

O *wyrd* pode ser visto como uma teia vasta e com múltiplas camadas conectando tudo e todos. O bem e o mal, a sorte ou o azar não eram criados pelos deuses, mas resultam das ações e escolhas pessoais, enquanto *orlög* é a força que decide a sorte e o destino dos homens. A ideia do destino implacável é oposta à chance, que é governada pelos poderes sobrenaturais, obtida pela ajuda divina e propiciada pelas oferendas e sacrifícios; a vontade divina pode ser revelada pelos oráculos, mas que não podem evitar os problemas que fazem parte do destino de cada um. A sorte coloca o homem em sintonia com o mundo sobrenatural e favorece a obtenção de ajuda ao longo da sua vida

As Nornes estabelecem as leis, expressam o *orlög* e determinam o destino. Na estrutura do *orlög* as Nornes colocam os elementos fundamentais para a evolução espiritual; elas criam um espaço onde ecos do passado se encontram com ecos do futuro. Tudo que foi ou que poderá vir a ser é contido na fonte de Urdh; como o nosso próprio destino está neste lugar, ele representa a nossa conexão com o legado ancestral, dos nossos antepassados e dos descendentes, sendo a nossa própria memória primal. A memória define quem e o que somos, para lembrar e conectar-nos com nós mesmos, para nos alinhar com a memória dos ancestrais, das nossas vidas anteriores e com a estrutura primordial dos mundos.

Na mitologia nórdica, *wyrd* e *orlög* não são apenas conceitos abstratos, mas registros existentes na estrutura dos nossos corpos, mentes e espíritos (que independem da nossa origem nacional ou geográfica), embutidos no nosso DNA metafísico, assim como as nossas características genéticas são impressas no DNA físico. Os fios individuais do *orlög* são as células que formam nossas vidas e nós herdamos parte do nosso *wyrd* e suas obrigações dos ancestrais. A evolução pertence à esfera de *Verdandhi*, o tempo não é linear, ele flui amarrado pela memória, pois as Nornes não são limitadas pelas restrições do tempo.

Urdh representa aquilo que foi criado e manifestado, ela coloca os limites em que o nosso destino será contido. *Verdandhi* ordena nossas ações e as tece dentro da teia das limitações. *Skuld* nos amarra às consequências das nossas opções, para o bem ou para o mal. O ser humano escolhia o que iria Lhe doar, mas uma vez feito isso, estava amarrado pela escolha. *Urdh* desenvolve a sequência e o padrão de todos os eventos que se manifestam no mundo presente; Ela revela a importância do *orlög*, dos eventos primais, cuja estrutura se concretiza no mundo atual. Esta é a memória ancestral que forma a *hamingja*, a sorte herdada dos ancestrais e reforçada ou enfraquecida na vida presente. Os povos nórdicos acreditavam que uma parte das almas de cada ser humano existia na "Fonte", sob a "Árvore", que era a manifestação direta de tudo o que estava contido na Fonte. A natureza cíclica da interação da Árvore e da Fonte refletia o padrão da jornada espiritual de cada um, que é definido pelas memórias, que nutrem o espírito e o conduzem ao encontro da sabedoria.

AS GRANDES SENHORAS

Frigga, A amada

Fricka, Fria, Frige, Frigg, Frijja, Freke, Frau Gode

Frigga, filha da deusa da terra Fjorgyn e irmã do deus Thor, rainha dos deuses Aesir e das deusas Asynjur e cujo nome significava "a amada", tinha herdado da mãe as qualidades telúricas e a sabedoria. Ela era representada como uma mulher madura, alta e bonita, cabelos prateados trançados com fios de ouro e coroada com penas de garça (símbolo da quietude e discrição), vestida com roupas brancas ou azuis, usando joias de ouro e âmbar e tendo no seu cinto dourado um punhado de chaves, símbolo da autoridade das mulheres nórdicas casadas, cuja padroeira ela era.

Apesar da sua origem telúrica, ela também tinha atributos celestes, supervisionando do seu trono acima das nuvens tudo o que se passava nos Nove Mundos e compartilhando observações com seu marido, Odin. Ela detinha o conhecimento do futuro, mas sem jamais revelá-lo, qualidade transmitida às suas protegidas, ensinando-as a respeitar os segredos dos mistérios femininos e o silêncio sobre suas visões e previsões. Apesar de aparecer nas imagens junto de Odin no seu trono *Hlidskialf*, ela preferia ficar em *Fensalir*, o palácio no meio da névoa marinha, cercada pelo seu séquito de acompanhantes. Para seus salões ela convidava os espíritos dos casais que tinham tido vidas honradas e que mantiveram seus juramentos de compromisso: assim eles podiam desfrutar da companhia mútua mesmo após sua morte, sem precisar se separar.

Por isso Frigga era reverenciada como a deusa do amor conjugal e familiar, além de reger a maternidade, os relacionamentos e sociedades, o nascimento e cuidados com as crianças, os afazeres domésticos, a proteção dos lares e a arte de fiar e tecer. Junto com as Nornes e Disir, ela modelava e tecia o destino das crianças, sendo invocada pelas mulheres em idade fértil, gestantes, parturientes e mães. No seu tear dourado ela tecia faixas de nuvens coloridas ou os fios sutis para a trama do destino, que ela passava depois às Nornes. O seu fuso e a roda de fiar brilhavam no céu noturno; a constelação de Orion era conhecida como o "fuso de Frigga" e a Ursa Menor como "a carruagem de Frigga", o céu estrelado sendo visto como o seu próprio manto. Além de usar um manto de veludo azul ou cinza bordado com estrelas, ela possuía também – assim como Freyja – outro de penas de falcão, que lhe conferia o dom da metamorfose e a habilidade de se deslocar voando no céu entre as nuvens.

Considerada a primeira esposa de Odin e a única com qual ele conviveu, era sua amiga e conselheira; apesar de citada em alguns mitos competindo com suas rivais, amantes de Odin (as deusas Rind, Skadhi, as nove Donzelas das Ondas e as gigantas Gunnlod e Grid) ela jamais demonstrou ciúme e vingança, como a deusa grega Hera e a romana Juno, tendo uma postura altiva e segura quanto ao seu *status* de Rainha Celeste. Por "tudo ver e saber" Frigga acompanhava as aventuras de Odin com condescendência, tolerância e paciência, sem jamais se vingar. Ela aconselhava Odin usando sua sabedoria e, às vezes, agia de forma contrária aos seus desejos e intenções, favorecendo seus heróis preferidos e dando-lhes a vitória nas batalhas (como no mito dos Longobardos) ou cuidando de um irmão (Agnar) enquanto Odin protegia o outro (Geirrod) como foi descrito no mito de Odin.

Como padroeira do lar, Frigga cuidava da harmonia familiar, do ambiente astral e energético das moradias e era invocada nos rituais de purificação, apaziguamento, conciliação e transmutação. Frigga era uma deusa sábia – mesmo se ela não revelava seu conhecimento – e sua orientação, proteção, auxílio e sabedoria eram invocadas nas situações difíceis ou nebulosas da vida. Apesar do seu renome como esposa leal e mãe devotada, sem ser submissa, Frigga foi acusada por Loki – assim como outras deusas – de infidelidade, supostamente tendo se relacionado com os irmãos de Odin, Vili e Vé, durante as ausências de Odin. Esses deuses, mencionados apenas no mito da criação, podem ser interpretados como facetas ou aspectos diferenciados do próprio Odin, portanto Frigga não cometeu adultério por vingança pelas aventuras do seu marido, nem por luxúria.

Para compreender melhor a multiplicidade dos atributos de Frigga ela pode ser vista como a Grande Mãe nórdica, regente de todas as fases da vida feminina e dos ciclos materiais de geração, criação, crescimento, florescimento, morte e renascimento.

O seu aspecto juvenil era celebrado no equinócio da primavera (dedicado posteriormente às deusas Ostara e Eostre) com flores, ovos, rituais de fertilidade e renovação.

No aspecto maternal Frigga era protetora das mulheres, dos seus mistérios de sangue e ritos de passagem, da maternidade, da família e do lar. Ela regia a percepção intuitiva e a decorrente sabedoria, bem como os atributos de paciência, dedicação, tolerância, prudência, lealdade, perseverança, hospitalidade e o amor (para os familiares, amigos, animais, os doentes, as pessoas idosas e os necessitados).

Como manifestação guerreira ela compartilhava o título de *Val Fria* com a deusa Freyja e se manifestava nos campos de batalhas para orientar e proteger os guerreiros. Também era a guardiã da união dos homens e mulheres, tanto em vida, quanto após sua morte, recebendo-os no seu palácio.

Como Anciã (equiparada com as "deusas brancas" Holda e Frau Berchta) Frigga regia o tempo, as nuvens e a mudança das estações. Por ter o tear e o fuso como símbolos, Frigga era a padroeira das tecelãs e da tecelagem, tendo dado o linho como presente à humanidade e ensinado às mulheres fiar e tecer, ela mesma sendo representada fiando a tessitura das nuvens.

O dia dedicado a ela era sexta-feira (junto com Freyja), quando era proibido usar o fuso ou a roda de fiar e era comemorada também na Noite da Mãe, *Modranicht,* (antigamente no solstício de inverno, atualmente na véspera de Natal), junto com a deusa Nerthus e as Matronas. O nome de Frigga aparece em algumas ervas (como *Friggjargras*, "a grama de Frigga") usada para poções de amor e para favorecer casamentos. Assim como Freyja, ela é associada com o planeta Vênus (chamado *Friggjarstjarna*, a estrela de Frigga); por ser ligada à terra, Frigga representa sua forma cultivada e fértil, diferenciando-se assim da sua mãe Fjorgyn, regente da terra virgem. Associada também com a água, ela era honrada nas fontes e rios e um dos seus rituais incluía a vidência e a divinação feitas olhando a superfície da água.

Frigga é semelhante – ou equivalente – a algumas deusas germânicas como *Holda, Bertha* ou *Perchte* (que serão analisadas em outro verbete) e aparece em várias lendas e contos de fada como a "Senhora Branca", *Frau Lutze* ou *Spillelutsche* (a Lúcia do fuso). Todas essas antigas deusas eram comemoradas no solstício de inverno (no *Blot Jul*) e depois foram cristianizadas como santas. Na sua representação como *Frau Gode*, Frigga conduzia a Caça Selvagem em lugar de Odin, guiando os espíritos nas noites de tempestades e sendo acompanhada de cães uivantes; diferente da cavalgada de Odin formada só de espíritos masculinos, da procissão espectral de Frigga participavam mulheres pulando e dançando no ar. A perambulação noturna dos espíritos não visava assustar os mortais, mas assegurar a fertilidade dos campos e garantir as colheitas. Em uma antiga celebração germânica, do final do verão, as pessoas dançavam ao redor de duas efígies de palha – de Wotan e Gode – pedindo suas bênçãos e agradecendo a colheita.

A qualidade protetora e maternal de Frigga aparece principalmente no mito do seu amado filho Baldur, quando ela age da única forma possível para alterar o destino dele, ou seja, tomando as providências que impedissem a sua morte e depois enviando um mensageiro que intercedesse perante a deusa Hel para a sua libertação. No entanto, o *orlög* de Baldur já tinha sido traçado pelas Nornes e, apesar da premonição e precaução de Frigga, não foi possível evitar a interferência de Loki, que se tornou o instrumento da morte de Baldur (conforme descrito no seu mito completo).

No palácio Fensalir – "os salões dos mares" –, Frigga era cercada por 12 acompanhantes, que formavam uma "constelação" de 12 deusas, com características e atributos diferenciados. Alguns autores as consideram como *personas* ou representações dos atributos de Frigga, mas elas eram entidades separadas, simbolizando diferentes aspectos da psique feminina e por isso serão analisadas em separado no final deste verbete.

Como existem poucas evidências históricas sobre o culto de Frigga, apesar de ter tido uma importância relevante na vida religiosa e cultural dos povos nórdico – além do âmbito doméstico e feminino – supõe-se que eles eram realizados no âmbito familiar ou comunitário, seguidos por oferendas colocadas em lugares sagrados da natureza. Foram encontrados nas escavações arqueológicas inúmeros objetos como anéis, broches, mechas de cabelos, linho (planta e fios) e as ferramentas usadas para a sua preparação e tecelagem, além de objetos domésticos e sagrados.

Todos os assuntos ligados ao nascimento, "nomeação", proteção e educação das crianças faziam parte do domínio de Frigga. Durante o parto eram feitas oferendas de leite, mel, frutas para Frigga e depois os pais enterravam a placenta sob as raízes de uma árvore frutífera ou frondosa. Ela era invocada no ato de dar à luz e, depois de passados nove dias, para abençoar a sua "nomeação" (batizado) com o ritual *Vatni ausa*. A mãe – que tinha "recebido" o nome da criança em sonhos, visões ou mensagens espirituais – reunia familiares e amigos e depois de invocar e brindar com hidromel ou vinho de frutas para as Nornes, Disir, Frigga e os ancestrais, salpicava água sobre a cabeça da criança, entoando seu nome por três vezes. Esse costume pagão antecedeu em muitos séculos o batizado cristão. Existia o costume do *teething gift*, o presente dado à criança na ocasião do nascimento dos dentes, inspirado no mito do deus Frey, que recebeu nesta data a regência de Alfheim, o reino dos elfos claros.

Frigga era invocada para abençoar noivados e casamentos, para os arranjos financeiros pré-nupciais (incluindo dotes e presentes), para garantir o suporte material dos cônjuges e dos filhos em caso de separação e em todos os contratos civis e sociais. O divórcio era visto como um ato previsível e natural, que era feito pela concordância dos cônjuges e que em nada prejudicava a reputação da mulher.

Uma das funções de Frigga era de apaziguadora e conselheira, intercedendo nos conflitos para buscar acordos dificultados pelo orgulho e a altivez dos deuses guerreiros neles envolvidos, este sendo também um aspecto importante da função social e política das mulheres germânicas na sua conduta com os homens.

Por ser uma *peace maker* – a conciliadora nos conflitos – Frigga era invocada para apaziguar disputas, favorecer acordos e zelar pela paz, entre cônjuges, familiares e vizinhos. A sua ajuda era necessária para obter sucesso e realizações, mas a prosperidade por ela conferida exigia o esforço próprio e não uma sorte repentina. Os antigos acreditavam ser mais fácil e seguro direcionar seus pedidos para Frigga do que para Odin, cujo auxílio nem sempre era confiável, além da conhecida atuação diplomática e justa de Frigga junto a Odin.

No contexto da sociedade arcaica medieval da Europa nórdica e continental, o universo feminino era centrado ao redor dos cuidados com os filhos, o lar e as atividades dentro e fora de casa, além do cultivo da terra e a criação dos animais. A "*senhora do lar*" era vista como a autoridade familiar máxima, pois era ela quem cuidava dos bens, supervisionava os trabalhos dos campos, dividia os ganhos e providenciava comida, roupas e aquecimento para os que formavam a estrutura de uma fazenda ou clã. Além disso, cuidava da estocagem e conservação dos alimentos, do abate dos animais no fim do verão, da preparação da manteiga, pão, hidromel e, principalmente, ensinava às mulheres jovens a arte da tecelagem, a principal ocupação invernal das mulheres europeias.

Os atos de fiar e tecer – além de serem atividades lucrativas e indispensáveis para a confecção das vestimentas, abrigos e cobertas –, eram artes mágicas representando o poder criador que materializa as coisas, símbolos da teia da vida e da interconexão entre os seres humanos e todos os de outras dimensões e planos de criação. Fiar e tecer podem ser vistos como as chaves dos dons mágicos e proféticos de Frigga, o fuso sendo seu objeto de poder, da mesma forma como a lança era para Odin. A magia da tecelagem modela e manifesta uma ação ou intenção e reproduz no mundo material a tessitura do *orlög* e *wyrd*. Portanto, o poder de Frigga em conhecer "tudo sobre todos" era derivado da sua habilidade como tecelã, que lhe permitia enxergar o universo de maneira holística, vendo a inter-relação entre as ações passadas, presentes e futuras, porém sem partilhar – nem mesmo com Odin – os resultados do seu longo processo de aprendizado e aperfeiçoamento pessoal, em concordância com as leis das Nornes.

O mito dos Longobardos

Frigga e Odin tinham opiniões contrárias em relação a duas tribos que guerreavam entre si, os Winnilers e os Vândalos. Odin tinha decidido garantir a vitória dos Vândalos, mas Frigga discordava dele, o que a determinou usar sua habilidade e perspicácia para criar um estratagema, em lugar de prolongar a disputa conjugal ou contrariar frontalmente Odin. Como os cônjuges tinham chegado a um acordo para dar a vitória aos primeiros guerreiros que Odin visse quando despertasse no dia seguinte (ele sabia que os Vândalos estavam acampados na direção da sua janela), Frigga, conhecendo sua intenção, astutamente elaborou uma solução. Ela enviou um mensageiro aos Winnilers aconselhando que eles cobrissem os rostos com seus longos cabelos e que mudassem seu acampamento para perto das janelas de Odin, o que eles fizeram imediatamente. Quando Odin acordou e avistou um bando de barbudos perguntou quem eles eram; ao ouvir sua exclamação, Frigga gritou triunfante que Odin tinha lhes dado um novo nome (*Longobarden* significando "longas barbas") e que de acordo com a tradição, devia lhes dar um presente de batismo, ou seja, a vitória. Odin teve que aceitar o engodo de Frigga e, assim, os Winnilers mudaram seu nome para *Longobardos* e se instalaram nos campos férteis de Longobardia, louvando e honrando Odin, seu deus padrinho. Frigga e Odin eram cultuados principalmente na Suécia, onde existem lugares associados com seus nomes e também no sul da Alemanha.

O roubo do ouro

A atração de Frigga por adornos de ouro levou-a a dar um passo errado, pois ela retirou um pedaço desse metal cobiçado de uma estátua de Odin, recém-colocada no seu templo. Ela entregou depois o ouro para os anões ferreiros, pedindo que dele fosse confeccionado um primoroso colar, mas quando Odin descobriu o roubo do ouro da sua estátua, ficou furioso e intimou os anões a revelarem o autor do furto. Mesmo apavorados com a fúria de Odin, eles permaneceram em silêncio por não ousarem trair a rainha celeste. Odin ordenou então que a estátua fosse colocada acima da entrada do templo e iniciou um poderoso encantamento rúnico para que ela adquirisse o dom da fala e denunciasse o ladrão. Sabendo disso, Frigga ficou apavorada com a sua possível denúncia pública e pediu à sua fiel acompanhante Fulla uma solução para protegê-la da fúria e vingança de Odin. Fulla trouxe um renomado bruxo anão, com uma aparência horrível, mas que se ofereceu para impedir a estátua de falar, desde que Frigga o abraçasse com carinho, o que ela fez. O anão correu para o templo, fez os guardas dormirem e quebrou a estátua em inúmeros pedaços, sem que ela revelasse o segredo. Mais enfurecido ainda com o sacrilégio feito no seu templo, Odin desapareceu de Asgard, levando consigo as costumeiras bênçãos para a humanidade, o que permitiu a invasão de *Jötuns* (gigantes) e a prolongação de um rigoroso inverno durante sete meses. Na sua volta, Odin enfrentou e expulsou os gigantes, devolveu a luz e o calor para a terra e fez as pazes com a sua esposa.

AS ACOMPANHANTES DE FRIGGA

Nos textos dos *Prose Edda* Snorri Sturluson menciona de forma resumida as deusas que orbitavam ao redor de Frigga, considerando-as hipóstases (partes separadas de uma mesma essência) ou aspectos dela. No entanto, outras obras, principalmente as escritas por mulheres (como Linda Welch, Skeena Grath, Alice Karlsdottir, Galina Krasskova, Freya Aswinn, Diana Paxson) e os inúmeros relatos de experiências e vivências espirituais, xamânicas ou visionárias, demonstram as suas identidades e características separadas e individualizadas, mesmo que interligadas ou orientadas pela Frigga. Seus arquétipos foram descritos também no livro *Mistérios Nórdicos*, com maior enfoque na sua associação com runas e outras correspondências.

Neste livro não será seguida a ordem alfabética, mas uma possível ordenação dos seus atributos e funções.

Saga, A Mãe da Sabedoria

Conhecida como uma deusa onisciente, presume-se que ela tenha pertencido a uma classe de divindades antigas, anteriores aos Aesir e Vanir e personificando os registros da passagem do tempo, das memórias e da sabedoria ancestral, na sua qualidade de "contadora das histórias". Ela morava no palácio *Sokkvabekk*, às margens de uma cachoeira, cujas águas frias desapareciam borbulhando dentro de uma fenda nas rochas. Diariamente, Odin ia para a sua morada e enquanto bebia a água do "rio dos tempos e dos eventos" oferecida por Saga em um cálice de ouro, trocava com ela conhecimentos e descobertas mágicas e aprendia canções e histórias, trazendo à tona lembranças antigas.

Apesar da escassez de informações a respeito, sabe-se que o nome *Saga* tinha a mesma raiz de *saga* e *segja*, sinônimos do ato de contar histórias e do termo moderno para "lenda" (originário do islandês antigo). Uma *saga* é mais do que uma simples história, pois combina fatos com lendas, narrativas com poesia, realidades com verdades espirituais. Para os antigos, as sagas eram ocorrências reais que não faziam distinção entre a verdade e a fantasia, pois elas representavam a história da alma de um povo e não apenas uma relação de eventos, sendo assim o elo entre as gerações dos ancestrais e seus descendentes.

A deusa Saga é a personificação dessas histórias, transformada pelos poetas do século XIII na Senhora Aventura, que viajava a pé, batendo nas portas dos menestréis e pedindo-lhes permissão para entrar e contar antigas lendas. Na descrição das idas diárias de Odin para conversar com Saga, podemos ver os seus atributos de "doadora da inspiração e patrona dos poetas", que precisavam ter acesso à sabedoria do passado dos seus povos.

Do ponto de vista simbólico, Saga representa o fluxo das memórias inconscientes, sua morada perto das águas vista como fonte de inspiração e do despertar das lembranças atávicas, semelhante à fonte de Urdh, onde reside o poder espiritual do passado. O poder da Saga é relacionado às camadas primais de *orlög*, formadas desde o início dos tempos e que modelam o padrão dos eventos presentes. Ao beber da sua água, Odin resgata o poder do inconsciente e do passado, assim como acontece também quando ele bebe da fonte de Mimir.

Saga é associada ao ritual festivo do *Sumble*, quando era passado de mão em mão um chifre contendo hidromel e eram feitos brindes, evocando imagens significativas e expressando louvores, votos, compromissos, ou contando curtas histórias sobre atos nobres ou heroicos dos ancestrais. Durante o *Sumble* os mundos dos deuses e dos homens se uniam em um espaço sutil, em que o passado e o futuro se entrelaçavam e as pessoas colocavam suas palavras e juramentos na fonte de Urdh, plasmando assim as trajetórias futuras. A portadora do chifre com hidromel era a dona da casa, mostrando a relação entre Frigga e Saga.

O arquétipo de Saga representava o passado como ele devia ter acontecido e não como tinha sido descrito pelos poetas e contadores de histórias. Por isso, todos os poetas, bardos, atores, músicos, cantores, historiadores, escritores, artistas e aqueles que usavam a criatividade nas suas atividades, deviam invocar as bênçãos de Saga e pedir a sua permissão, para beber do "rio das imagens e memórias passadas", expressando assim a verdade. Ela era honrada como fonte de inspiração e sabedoria, sendo a patrona e mentora dos que buscavam seus dons, assumindo o compromisso de permanecerem fiéis às verdades encontradas, empenhados na sua expressão e divulgação. Saga era a padroeira por excelência dos historiadores, pesquisadores, escritores, narradores, compositores e poetas, pois ela ajudava a descobrir e revelar as verdades arcaicas, honrando a sabedoria ancestral e expressando-a de forma didática.

Eir, A Curadora Silenciosa

Eir era renomada pelas suas habilidades curativas, mencionada nos *Eddas* como "a melhor dos médicos", seu nome significando "curar, salvar", o que define a sua real natureza. Ela partilhava com Frigga os atributos de cura e é equiparada com uma das nove companheiras da princesa *Menglod*, a representação humana da deusa Frigga. Assim como Menglod, Eir morava no topo da montanha *Lyfjaberg*, para onde as mulheres peregrinavam em busca de cura para todos os seus males e aflições. Ela perambulava pelo mundo levando uma sacola com os recursos curativos da natureza: ervas curativas, raízes, cascas, sementes, cogumelos, pedras e argila, além de um pilão, uma faca e varetas com inscrições rúnicas. Eir atendia a todos os que necessitavam de cura e lhe pediam ajuda, desde que seguissem suas exigências prévias: purificações por meio de jejuns, sauna sagrada, banhos, chás e compressas de ervas e argila, abstinência sexual, reclusão, silêncio e oração.

As práticas curativas pagãs eram em parte mágicas, em parte ritualísticas, além do uso de bom senso e intuição. No relato de Tácito, menciona-se a presença de mulheres nos campos de batalha, onde elas não apenas faziam encantamentos para enfraquecer ou afastar os inimigos, mas para fortalecer e proteger seus companheiros, cuidando deles quando feridos ou doentes. Uma das Valquírias também chamava-se Eir e ela mitigava o sofrimento dos guerreiros feridos, estancando seus sangramentos com uma pedra mágica.

A ligação entre cura e ritual é comprovada nos antigos relatos pela semelhança entre curadores, magos, xamãs e videntes. As mulheres eram as que mais desempenhavam essas funções, até surgirem as proibições e perseguições da Inquisição, fomentadas pela inveja e rivalidade dos médicos. Nos tempos pagãos, atribuíam-se às rainhas, às xamãs e às mulheres curandeiras, o dom de curar pela imposição de mãos ou o uso de ervas, unguentos, cataplasmas e poções. Além disso, usavam-se práticas mágicas de exorcismo das entidades espirituais maléficas, a purificação e harmonização dos campos sutis. Em certos casos eram seguidas alimentações específicas, jejuns, saunas e retificação do comportamento para realinhar os campos sutis. Diariamente eram invocadas as deusas Frigga e Eir com orações e oferendas colocadas nos altares das lareiras nas casas, pedindo sua ajuda em todos os aspectos das doenças. Cultuada durante milênios como padroeira das curandeiras, rezadeiras, raizeiras, benzedeiras e parteiras, nos rituais da deusa Eir eram incluídos encantamentos, emplastros, chás, banhos, sons, cores, pedras, cristais, metais, argila, ervas, pulseiras de cobre, ímãs, talismãs rúnicos. A terapia era acompanhada de oferendas para os seres da natureza e feita a conexão consciente com os ciclos lunares e os ritmos naturais.

Eir era conhecida e reverenciada como uma deusa compassiva, mas objetiva e seu alcance se estendia para a harmonia psicoespiritual, além do alívio físico. Ela regia o amplo espectro da cura e as curandeiras pagãs nórdicas aconselhavam uma vida regrada, equilibrada pela moderação, a harmonia com as forças e os ciclos naturais, orações e oferendas e o cumprimento das normas de conduta e de respeito pelos valores ancestrais, para assegurar assim o completo alinhamento moral e comportamental.

Fulla (VolLa), A Que Traz Plenitude

Fulla era uma deusa misteriosa, citada em algumas fontes como sendo irmã de Frigga, guardiã do seu baú com tesouros. Essas riquezas eram tanto materiais, quanto mentais e espirituais, a sua abundância representando os dons ocultos ou não desenvolvidos. Em outras fontes é descrita como irmã de Eir, auxiliando-a nas práticas curativas. Como seu nome equivalia a "cheio", supõe-se que Fulla representasse a lua cheia, enquanto Bil era associada à fase crescente e Hel à luz minguante e negra. Seu arquétipo permaneceu na literatura medieval e nos contos populares como "a fada das riquezas" ou a deusa *Habondia* ou *Abundia,* cultuada pelas bruxas europeias como a padroeira da prosperidade.

Fulla era descrita como uma linda jovem, com longos cabelos dourados e soltos, tendo na cabeça uma tiara de ouro; os cabelos soltos eram típicos das moças solteiras na antiga sociedade nórdica, enquanto a tiara era um sinal de nobreza.

A principal função de Fulla era de companheira, conselheira e confidente de Frigga, guardiã das bênçãos de fertilidade e prosperidade, simbolizadas pelos tesouros do baú. Dizia-se também que ela cuidava dos sapatos de Frigga, outro símbolo de fertilidade, riqueza e prestígio, além de indicar viagens e o papel de mensageira, que era assumido às vezes por Fulla além da deusa Gna. A presença de Fulla nos encontros e concílios dos deuses confirmava a sua posição de destaque e a sua participação em certas decisões. No mito de Baldur, é mencionado um anel de ouro que a deusa Nanna enviou do reino de Hel para Fulla, reforçando o aspecto de abundância da terra fertilizada pelas riquezas contidas no seu escuro ventre.

Fulla representava as qualidades de lealdade, apoio, generosidade, amizade e irmandade entre mulheres, que sabiam preservar seus segredos e se apoiavam mutuamente nos momentos difíceis, complementando assim as qualidades maternais de Frigga. Ela personifica o lado jovem e alegre de cada mulher, mesmo quando sobrecarregada pelos deveres maternais, familiares e profissionais, que não anulam a personalidade original, mesmo obscurecendo-a às vezes e que se manifestam nos momentos de alegria, celebração e prazer.

Fulla era considerada a "guardiã dos mistérios femininos", que permitia e auxiliava as mulheres a terem acesso a seus tesouros ocultos, resgatando e expressando assim seu potencial inato. Ela também favorecia a prosperidade e o bem-estar familiar e, quando invocada, sua energia estava presente nos mantimentos das despensas, nos estábulos e granários, nos pomares e terras cultivadas, nos recursos familiares, nas joias e bens de cada mulher, sendo honrada como guardiã e protetora de todas as mulheres.

No seu papel de confidente e hábil estrategista, Fulla era vista como uma boa conselheira em vários assuntos, principalmente os que requeriam sutileza e perspicácia, atuando também como uma emissária que intercedia para obter a ajuda de Frigga nos assuntos ligados à família, lar, bens e bem-estar. Nos *Eddas* menciona-se que Fulla partilhava dos segredos de Frigga, agindo como colaboradora nos seus planos e, muitas vezes, como sua conselheira ou mensageira.

Gna, A Mensageira

Conhecida como Mensageira de Frigga e dotada da habilidade do deslocamento rápido por ar e pela água, em cada mundo e entre os mundos, Gna observava tudo e depois informava a Frigga. Seu nome tinha como raiz o verbo *gnaefa* significando "elevar-se, projetar-se" e ela sobrevoava a terra e o mar cavalgando um corcel alado chamado *Hofvarpnir* (cascos trovejantes). Foi considerada pelos poetas do século XIX como a personificação das suaves brisas e do bom tempo enviados por Frigga para Midgard.

Gna era descrita como uma mulher forte e radiante, alegre, com um temperamento imprevisível e mutável, seu nome tendo sido usado como sinônimo de "mulher". A sua função foi equiparada com a de Huginn e Muninn, os corvos mensageiros de Odin, porém é mais específica, sendo ligada aos pedidos e desejos humanos relacionados aos atributos de Frigga (fertilidade, abundância, concepção, partos, proteção). Em uma história sobre um rei que não tinha filhos, conta-se como sua esposa ficou grávida depois que Gna jogou uma maçã no colo do rei e ele a comeu de forma ritualística junto com a rainha.

O arquétipo de Gna tem algumas características xamânicas, como o cavalo mágico com o qual ela se deslocava através dos elementos e dos mundos para descobrir informações e recursos, assim podendo ajudar as pessoas com suas práticas mágicas. Supõe-se que ela também tinha o dom da metamorfose tendo sido, portanto, um auxílio precioso para buscar a ajuda dos animais aliados nas práticas xamânicas. Gna simbolizava também a viagem xamânica, o seu veículo (o cavalo alado) sendo o ritmo do tambor, que proporcionava a projeção da consciência. Gna era a protetora que facilitava, orientava e conduzia o desdobramento astral e a comunicação com seres de outros níveis e planos sutis.

Pela maneira esquiva de relatar a sua ascendência, ela procurava manter a sua verdadeira origem oculta, permanecendo um arquétipo bastante misterioso e por isso sujeito a especulações metafísicas. Gna era considerada uma força poderosa, independente e controlada apenas por Frigga, que a usava para realizar atos mágicos; talvez ela tenha sido a representação dos poderes sombrios e ocultos de Frigga, na sua manifestação de regente dos fenômenos atmosféricos.

No nível mais sutil, Gna representava a liberdade interior, que podia ser alcançada por todos aqueles que se elevavam acima das limitações mentais, materiais, conceituais ou existenciais; também regia as atividades ligadas a palavras e ensinamentos, incentivando a expressão e a ampliação da comunicação. Ela simbolizava o poder da oração sincera que alcançava a deusa, criando um canal sutil para que fosse transmitida a sua ajuda aos suplicantes e recebidas mensagens e orientações.

Gefjon (Gefn), A Doadora, A Trabalhadora

Apesar de aparecer nos mitos, poemas, arte e lendas como uma deusa com identidade bem definida, Gefjon pode ser considerada como intermediária entre os atributos de Frigga e Freyja, cujos poderes proporcionavam a todos que a invocavam os meios necessários para a sua sobrevivência material. Seu nome originou-se do verbo *gefa* significando "dar" da runa *gebo,* "presente, generosidade" e também associado à palavra *geofon* "mar", pela sua ligação com a ilha dinamarquesa de Sjelland (ou Zealand). Não há evidências de que ela fosse uma deusa do mar, mas sim a regente da agricultura e associada ao ato de arar a terra.

Na antiga cultura nórdica os conceitos de "dar" e "presente" tinham um significado profundo e mágico, indo além da simples troca de posse física. Um presente representava uma comunhão entre as mentes e as vidas do doador e receptor, com conotação de inspiração e conexão espiritual, quando eram feitas trocas entre deuses e seres humanos. Dar um presente aprofundava os laços na sociedade, criando elos de interdependência, mitigando disputas feudais sem derramar sangue e entrelaçando indivíduos isolados para uma cooperação visando o bem comum. Presentes eram usados para selar acordos, transações financeiras, consagrar uniões e ratificar compromissos e armistícios, representados pelas oferendas nos rituais.

A hospitalidade era uma obrigação moral para os nórdicos, sendo a ajuda e assistência necessárias para sustentar os viajantes nos seus deslocamentos. Sem a generosidade, nenhuma viagem, comércio ou expedição teriam sido possíveis. O laço de ajuda recíproca e de paz criado entre hóspede e hospedeiro era sagrado, quebrá-lo com atos violentos era um crime, que violava as leis humanas e divinas. Nas sagas há inúmeros relatos sobre encontros pacíficos entre inimigos que estavam hospedados na mesma casa. A runa *gebo* significa também "sacrifício" e "ritual", o intercâmbio e a troca de presentes entre deuses e humanos criando uma interdependência que exigia um "preço" a ser pago.

A relação entre hóspede/hospedeiro e o conceito da doação são evidentes no mito de Gefjon contado por Sturluson e amplamente conhecido. O rei Gylfi ficou muito encantado com as piadas e brincadeiras de uma atraente visitante, hospedada no seu palácio. Para recompensá-la, lhe ofereceu um pedaço de terra do tamanho que ela e quatro bois pudessem arar durante um dia e uma noite. A mulher – que era a deusa Gefjon – trouxe de Jötunheim seus quatro filhos, gerados com um gigante, que ela metamorfoseou em bois. Juntos eles araram uma enorme extensão de terra ao longo da costa, até separá-la do continente tornando-a uma ilha, chamada Sjaelland (a maior da Dinamarca e sede da cidade de Copenhagen). Olhando o mapa do sudeste da Suécia, o formato do lago Mälaren corresponde exatamente ao da ilha.

Em outra versão, Gefjon consegue a terra em troca de sexo feito com o rei, com o mesmo desfecho. Por mais inverossímil que seja na nossa concepção atual uma promessa feita de boa vontade, mas que leva a uma perda devida a um engodo, para os antigos nórdicos era inconcebível quebrar uma promessa, com o risco de criar uma repercussão negativa no *orlög* pessoal e um ato punido pelas leis (divinas e humanas).

Gefjon é considerada a padroeira da Dinamarca, e há uma imponente estátua dela numa carruagem puxada por quatro bois no centro de Copenhagen; mas ela também é ligada à Suécia, de cuja terra ela cortou a ilha. Na saga *Ynglinga* conta-se que Gefjon teria casado com o lendário rei danês Scyld, filho de Odin, tornando-se os ancestrais da dinastia real chamada Scyldings. O nome de Gefjon aparece em vários lugares da Dinamarca e ela tinha um santuário em Leire. Em algumas imagens gravadas no Período Viking aparece uma mulher segurando um arado puxado por quatro bois, possível alusão ao seu mito.

O simbolismo arcaico de Gefjon representa a conquista da terra retirada do mar primordial e o uso mágico dos quatro elementos (representados pelos bois, na verdade seus filhos). Sua natureza é controvertida, considerada ora uma virgem (como guardiã da terra intacta e da sua soberania) e padroeira das moças solteiras, ora uma giganta regente da agricultura, ora um aspecto de Freyja, conhecida como "A dadivosa". A sua associação com Freyja deve-se também ao seu aspecto sexual (tendo feito amor com o rei em troca de algo), ao ato de recolher os mortos (os espíritos das solteiras) e à posse de um colar de âmbar. Sua conexão com gado e arado indica seu atributo de fertilidade da terra e refere-se aos antigos rituais de bênção do arado antes do seu uso na primavera (quando eram passadas sobre ele ervas e sementes e invocava-se a Mãe Terra, para permitir abrir seu ventre e torná-lo fértil).

Com a ajuda de Gefjon um simples campo árido tornava-se uma terra fértil e tribal, através do casamento sagrado da deusa (manifestada em uma sacerdotisa) e o rei (representando o deus dos grãos). Gefjon era descrita como uma mulher bonita, segurando um chicote e arando a terra com seu arado, puxado por quatro bois enormes. Assim como outras deusas, também foi acusada por Loki de promiscuidade, tendo feito sexo com quatro anões para obter o colar de âmbar (fato atribuído também a Freyja), o que contradiz a crença de que ela era virgem, um termo que na realidade podia significar "moça solteira".

Apesar das associações e semelhanças com outras deusas, Gefjon era uma deusa reverenciada na Suécia e Dinamarca, como padroeira da agricultura, dos fazendeiros e camponeses, incluindo as inúmeras atividades paralelas como: criação dos animais, confecção dos utensílios agrícolas e domésticos, construções de casas e celeiros, além do plantio, colheita e estocagem dos grãos. Durante a ausência dos homens nos meses de verão (período ideal para as viagens e expedições viking) até o retorno dos homens para a colheita eram as mulheres as responsáveis por todas essas atividades (além do cuidado com a casa e os filhos) e pela sustentação financeira das suas famílias. Por isso, as mulheres nórdicas precisavam de uma deusa forte, vigorosa, independente, trabalhadora e eficiente no seu dia a dia.

Gefjon era invocada pelas mulheres para vencer obstáculos, resistir às dificuldades, ter perseverança e tenacidade no trabalho contribuindo para a sustentação material da família, atrair a bênção dos projetos (ligados à fertilidade, proteção e cuidados das crianças), bem como para reforçar a coragem, a independência e o poder pessoal. Com a sua ajuda, a mulher podia superar limitações, ativar sua força de vontade e a determinação para vencer e alcançar seus objetivos, garantindo sua soberania (pessoal e familiar) e protegendo suas fronteiras e bens. Gefjon era a padroeira das mães solteiras, das mulheres viúvas ou solitárias, a guardiã dos ritos de passagem femininos e, principalmente, a protetora das jovens contra abusos e violências dos predadores masculinos, sendo uma deusa doadora de coragem, resiliência e força feminina.

Syn, A Guardiã e Defensora

Como seu nome significava "negação, recusa", Syn era a guardiã das entradas do palácio celeste Fensalir, negando passagem àqueles que não tinham permissão ou merecimento para entrar. Syn, portanto, era reverenciada como a protetora das fronteiras e a defensora dos limites, pessoais, familiares e sagrados.

Outra função de Syn era no domínio público, participando das decisões das assembleias *Thing*, as reuniões anuais feitas durante o verão escandinavo, abertas a todos os homens livres e adultos. Nessas reuniões eram promulgadas leis, pronunciadas sentenças, resolvidas disputas, enunciados conselhos para defender aqueles que foram prejudicados ou para estabelecer e defender limites. Cada distrito tinha sua própria assembleia, além de existir uma maior, do país. As leis nórdicas eram transmitidas oralmente, cada ano, pelos membros mais idosos e eram redigidas de tal forma para facilitar a memorização, combinando lei, poesia e magia. Não havia distinção entre leis civis e criminais, as queixas eram apresentadas por indivíduos ou famílias e implicavam em algum tipo de ressarcimento, em função da gravidade do delito.

A execução da sentença dada pela assembleia era feita pelos envolvidos no conflito, os que tinham sido prejudicados recuperando sua honra pela vingança ou compensando financeiramente o prejuízo, caso não houvesse antes do julgamento a reconciliação amistosa. Qualquer insulto ou crime prejudicava a honra, a sorte e o poder pessoal da vítima e através dela, de toda a família e seu clã. Para corrigir um erro, deveria ser feita a retificação para restaurar o equilíbrio, a lei nórdica favorecendo a pessoa prejudicada.

A atuação de Syn era na defesa dos acusados, protegendo as pessoas de acusações injustas e julgamentos errôneos e presidindo os juramentos; quando alguém se declarava inocente usava a expressão: "*Syn está presente*". Nos tempos antigos uma acusação feita de maneira formal e correta era suficiente para manchar a honra e prejudicar a sorte do acusado, obrigado a se defender com a ajuda da lei. Se ele não fosse capaz de negar a acusação – pelo seu juramento ou o das testemunhas – era considerado culpado. A acusação permitia a manifestação da culpa, mas somente o juramento podia mostrar se era correta. Syn, assim como Tyr, Thor, Ullr e Var, são divindades que presidem os juramentos e compromissos; mas enquanto os deuses representam os valores e conceitos sociais, Syn defende o indivíduo, mas somente se ele for acusado injustamente. Os realmente culpados já perderam a honra e a sorte pelas suas próprias ações erradas.

À primeira vista parece que há uma discrepância entre a função de Syn como *guardiã das entradas* e sua posição como *deusa dos juramentos* nas reuniões das assembleias. Porém, esta duplicidade de funções pode ser compreendida sabendo que a mais temida punição na sociedade nórdica era o exílio, que isolava o indivíduo da sua família e clã, deixando-o desprotegido e afastado dos espíritos ancestrais e do poder da coletividade, a célula *mater* dos povos nórdicos. Se uma decisão de exílio fosse pronunciada pela assembleia, ela não era reconhecida se a pessoa fosse apoiada pela família e pelo seu clã, mesmo que isso levasse a uma cisão entre as famílias envolvidas – do acusado e do acusador. Porém, como os atos de todos os membros contribuíam para o *orlög* da família, um clã não ia arriscar sua sorte e seu futuro para proteger um indivíduo reconhecidamente culpado. É esta a ponte feita por Syn, entre a assembleia e o lar, por representar o espaço interno e resguardado da família, protegido das agressões externas pelas portas fechadas.

Na sociedade nórdica o lar e a família eram a defesa e o refúgio contra todos os ataques, perigos, intempéries e ofensas. O centro do lar era o local de maior poder, sorte e sacralidade, reservado às mulheres e nenhum nórdico iria desconsiderar os conselhos ou advertências das mulheres da sua família.

Syn era invocada para proteger e defender qualquer pessoa acusada injustamente, seja no nível pessoal, seja no plano social ou legal, desde que não fosse culpada ou tivesse prestado um falso juramento. Syn também podia ser invocada para a proteção das moradias, na bênção de mudanças de casa ou na inauguração de uma construção, para consagrar ou proteger um lugar sagrado (neste caso, junto com o deus Heimdall; o guardião da ponte Bifrost, que permitia a passagem para o mundo divino). Ela era descrita como uma mulher sábia, vestida com uma túnica violeta e usando uma tiara; nas mãos segurava uma chave, um bastão inscrito com runas e um escudo ou uma vassourinha de galhos de bétula, enfeitada com fitas e sinos. Esses símbolos eram colocados como proteção das portas das casas, dos locais das assembleias e dos encontros comunitários.

Syn era a defensora dos limites físicos (das casas, dos locais públicos, dos veículos) pessoais ou coletivos (no nível psíquico, energético e mental). Sua proteção no mundo exterior era concedida, desde que aqueles que a pedissem, tivessem comportamento idôneo e cumprissem os votos e juramentos assumidos, em relação a si, aos outros e à sociedade como um todo.

Hlin (Hlyn), A Protetora, A Consoladora

Seu nome tem a origem no verbo *hlina* (proteger, esconder) ou no termo *hleinir* (refúgio) e sua missão era proteger aqueles que Frigga queria salvar de perigos, oferecendo-lhes um refúgio. Ela atuava como intermediária entre Frigga e a humanidade, ouvindo os pedidos e desejos dos mortais e ajudando Frigga para decidir e escolher as soluções. Hlin era apresentada como uma consoladora, que enxugava as lágrimas de sofrimento e luto, fortalecendo e apoiando os necessitados. Muito próxima de Frigga, era confundida ou considerada um aspecto dela, partilhando de muitas das suas características e funções. Porém, assim como os outros deuses, Hlin não podia contrariar ou se opor aos desígnios das Nornes, nem mudar o *orlög* (destino).

Hlin personificava a força maternal que protege seus filhos, a energia que envolve e consola (representada pelo seu manto ou xale), no nível pessoal e particular, fortalecendo e sustentando nos momentos de dor, desespero e desorientação. Ela é a protetora por excelência das mulheres, defendendo-as daqueles que querem se aproveitar da sua ingenuidade, descuidos, fragilidade ou vulnerabilidade, física ou emocional. Ao contrário de Syn, a sua proteção é ativa – e não apenas defensiva – lutando em favor dos seus protegidos e empenhando-se para livrá-los de perigos, evidentes ou ocultos. Junto com Vor, ela ativa a percepção sutil das mulheres para que elas pressintam os perigos e percebam as armadilhas, vendo a realidade, não se deixando iludir por aparências, falsas promessas ou palavras enganosas e sabendo como se livrar de aproveitadores ou predadores. Na conexão com Hlin a mulher deve se visualizar usando um elmo, uma armadura ou escudo, ou até mesmo uma arma adequada para sua proteção ou defesa: psíquica ou física, mental ou astral, material ou espiritual.

A representação de Hlyn como protetora e consoladora pode parecer deslocada no contexto dos povos nórdicos, conhecidos pela sua coragem e postura estoica e otimista perante as dificuldades, porém eles também sentiam dor e desespero, mesmo se não revelassem facilmente suas emoções e medos. Mas eles sabiam que o sofrimento prolongado levava à depressão e inércia, estados doentios e prejudiciais mesmo para aqueles em luto, as lágrimas de dor pesando no fardo dos entes falecidos e por eles sentidas como "lâminas cortantes de gelo", conforme descrito pelo herói morto Helgi para sua esposa Signun no texto dos *Eddas*. Os antigos acreditavam que os lamentos e lágrimas em excesso impediam os mortos de evoluir, que apenas precisavam ser lembrados e honrados. Hlin ajuda as pessoas a reconhecerem e expressarem suas emoções, mas também os encoraja para se libertarem delas e seguirem a vida de cabeça erguida.

Hlin era invocada para consolar e proteger a própria pessoa ou seus entes queridos, em rituais restritos e reservados aos familiares e amigos, jamais em público. Sua proteção ajudava em situações reconhecidamente perigosas, mas também podia ser pedida para viagens, desafios, conflitos e mudanças. O arquétipo de Hlin pode ser interpretado como uma reminiscência do conceito da *fylgia*, o espírito protetor de uma pessoa, família ou clã, que aparecia com a forma de uma mulher (ou animal), manifestando-se nas situações de perigo ou momentos antes da morte. Ela acompanhava não apenas um indivíduo, mas toda a sua família ou clã e podia seguir os descendentes ao longo de muitas gerações. A função de Hlin se assemelhava também com a das Disir, as deusas tutelares e protetoras de uma pessoa ou linhagem familiar, protegendo-as da mesma forma como fazia Frigga.

Independentemente da sua representação diversificada como mãe consoladora, entidade protetora ou sábia conselheira, Hlin era uma divindade misteriosa e sutil, uma verdadeira fonte de autopreservação e sustentação, que estava em ressonância com o poder interior de cada ser e que podia ser sempre acessada por aqueles que dela precisavam.

Var (War), A Guardiã dos Juramentos

Segundo o texto do *Prose Edda*, Var ouvia todos os juramentos humanos, principalmente os votos e as promessas feitas por homens e mulheres e premia aqueles que não os cumpriram. Seu nome é relacionado às palavras norueguesas *varda* (garantir), *vasar* (contratos e juramentos), *vardlokur* (canção de proteção), ao alemão *wahr* (verdadeiro) e ao inglês *aware*, (percepção consciente). Ela personificava o conceito idealizado da verdade e da justiça; com o título de "A Cautelosa", ensinava prudência e lealdade. Sua missão era fazer respeitar a verdade e a lealdade e ela punia os perjúrios e transgressores dos juramentos.

A proteção de Var é mais moral do que física, pois ela zela pela integridade do espírito. Seu poder está presente nas palavras usadas para expressar intenções, decisões, afirmações e promessas, pois a energia dos sons se manifesta no plano material através das ações. Por isso, ela recomenda cautela e discernimento antes de assumir qualquer compromisso ou fazer alguma promessa, para não ter que pagar o preço pela sua quebra. Assim como já foi mencionado na antiga sociedade nórdica, um juramento formal ou um compromisso assumido eram vistos e respeitados como atos valiosos, com um significado profundo e mágico, cujo cumprimento era interligado com a honra, a sorte e o destino de quem os assumisse, e também de toda a sua família. Se o juramento fosse feito sobre um objeto sagrado (anel, espada, bastão ou pedra) criava-se um poderoso elo sutil, que jamais podia ser removido, por ter formado um caminho energético aberto para as consequências dele resultantes e que arrastavam junto quem o proferisse.

A troca formal de presentes implicava em um compromisso baseado na confiança e lealdade mútua, visto como um intercâmbio entre a sorte e o destino das pessoas envolvidas. Não se aceitava um presente sem que fosse dado outro para selar o acordo, a amizade ou uma transação financeira. O ato de dar e receber um presente entrelaçava a honra, as intenções e o destino dos participantes com laços energéticos indestrutíveis.

O casamento unia duas famílias e os respectivos clãs que depois iam partilhar sua honra, sorte e destino, por isso as escolhas dos parceiros eram feitas com muita cautela e com o consentimento de todos os familiares. Além dos presentes pré-nupciais para os pais e os noivos, o marido devia dar um presente especial para sua esposa no dia seguinte à união, selando assim a sua concretização física e espiritual. Se o casamento fosse desfeito posteriormente, os presentes eram devolvidos aos doadores, sem que os ex-noivos guardassem alguma coisa devido ao seu simbolismo de ligação e representação do compromisso. Qualquer contrato ou compromisso era festejado com comida e bebida, os brindes feitos de maneira formal e sagrada, usando o simbolismo de *bragarfull*, o cálice sagrado das antigas cerimônias.

Se não fosse dada a devida importância aos compromissos e promessas, o poder das palavras e intenções era anulado, mesmo se este fato não fosse reconhecido. Os nórdicos (assim como os celtas) sabiam que o espírito era fortalecido cada vez que as ações refletiam as intenções das palavras, bem como ele enfraquecia quando as promessas não eram seguidas. As mentiras e o não cumprimento das promessas diminuíam a força mágica das palavras, que não mais se repercutiam nos níveis sutis e por isso as intenções e os pedidos expressos nos rituais não se concretizavam, por não reverberarem no plano astral. Os povos antigos conheciam e respeitavam tanto o poder, quanto o perigo oculto contido nas palavras e na troca de presentes e votos, evitando assim a incidência dos efeitos negativos em consequência da quebra de um compromisso.

Var, como testemunha dos juramentos, se assemelha aos deuses Tyr, Thor e Ullr, mas ela não se limita apenas aos compromissos formais e públicos, abrange também os informais e particulares. Sua presença sutil registra todas as palavras e promessas, mesmo as feitas de forma leviana ou impensada, aconselhando cautela e respeito para não enganar ou iludir alguém. Var não é uma deusa punidora e cruel, mas a intermediária entre causa e efeito, palavras e consequências, a retribuição sendo proporcional às intenções que lhe deram origem. Acreditava-se que Var residia no calor e brilho das lareiras, sendo descrita como uma aparição fugaz e luminosa, atuando como uma testemunha silenciosa e sagrada. Sua natureza era digna, austera e firme, sem ter a compaixão ou consolo dado por outras deusas; por isso não era invocada sem que a pessoa tivesse certeza de que os compromissos por ela assumidos e as promessas feitas seriam realizados.

Para consagrar uma união, pedia-se a Var sua bênção com palavras adequadas, expressando a intenção de manutenção dos votos, selados com brindes e a troca de um presente significativo (anel, talismã, pedra preciosa, objeto de valor) ou um contrato que beneficiasse ambos os noivos, previamente elaborado, com cautela e com a previsão a longo prazo das suas consequências e responsabilidades, enunciado e firmado sobre um substrato material adequado (anel, bastão, emblema, brasão).

Vor (Vör), A Sábia, A Deusa da Consciência

Vor é a mais enigmática das acompanhantes de Frigga, seu nome sendo associado à "consciência, fé, cuidado". Ela procura permanentemente sabedoria e conhece todos os segredos, pois nada pode ser escondido dela. Vor tem traços comuns com as *völvas*, as videntes xamânicas que praticaram *seidhr*, a arte mágica que permitia o desdobramento astral e o acesso a outros níveis de consciência, para obter o conhecimento necessário na realização de magias. *Seidhr* incluía um tipo de divinação feita por xamãs treinados para se deslocar entre os mundos, através de um estado alterado de consciência, obtido por meio de danças xamânicas, canções ou batidas de tambor. O propósito desta prática era encontrar respostas e orientações visando o bem-estar da comunidade, em casos de doenças, desastres naturais, seca, inundações ou guerras.

Apesar da magia *seidhr* e as *völvas* serem associadas com a deusa Freyja, Vor representa uma característica de Frigga – o conhecimento do futuro – mas que ela não revela. Vor personifica a percepção intuitiva feminina, a capacidade de ver e compreender o significado de sinais e avisos sutis, sabendo o que se passa, sem precisar de palavras.

Na sociedade nórdica atribuía-se à mulher um potencial e poder sagrado e mágico, que lhe permitia entrar em conexão com as divindades, os seres sobrenaturais e os espíritos ancestrais. Por isso as percepções, visões e profecias das mulheres eram altamente honradas e seus conselhos e orientações seguidas com respeito e confiança.

Vor detinha o poder da precognição, a habilidade de descobrir e compreender o significado de tudo que passou, bem como saber – e silenciar – sobre eventos vindouros. Porém ela transmitia às mulheres o dom da interpretação da linguagem simbólica dos sonhos e avisos e despertava e fortalecia o potencial intuitivo inato de cada mulher, ensinando como usá-lo para levantar os véus que ocultavam o real significado das mensagens. Vor era a guia e mestra nos mundos e dimensões sutis, permitindo e orientando a expansão da compreensão, da consciência e da fé. Com sua permissão e ajuda, podia ser trazido para a mente consciente tudo o que tinha sido esquecido, reprimido ou preso no subconsciente (por medo de saber), auxiliando assim na cura e integração de todos os níveis do ser. A sabedoria que ela oferecia não era acessível de imediato, mas resultava de um longo processo de conhecimento e crescimento psíquico, mental e espiritual.

Vor era representada como uma mulher madura, usando um véu ou um manto com capuz, podendo, ou não, segurar nas mãos um pergaminho, livro ou um símbolo específico.

Ela era invocada para o desenvolvimento da intuição e da habilidade de perceber e compreender sinais, na interpretação dos sonhos e oráculos, nas práticas de meditação – silenciosa ou xamânica – e nas sessões de magia *seidhr*. Vor não devia ser consultada sobre questões específicas, mas para uma orientação geral, dando depois muita atenção aos sonhos e sinais, para descobrir e interpretar a mensagem por ela enviada. Vor também ajudava na conexão com o passado (individual ou coletivo, da vida presente ou de outras vidas) para que fosse aceito e compreendido, sem revolta, o traçado do destino, e permitido o resgate do poder pessoal e da sabedoria ancestral.

Sjofn, A Apaziguadora, A Afetuosa

De acordo com Snorri Sturluson, a palavra *sjafni* (amor, afeição) foi derivada do seu nome, pois era Sjofn *(pronuncia-se Chofn)* quem predispunha os homens e as mulheres para o amor. Porém seu poder abrange toda a gama de relacionamento que mantém a unidade familiar, incluindo o amor por filhos, irmãos, pais, parentes e amigos.

A influência de Sjofn ultrapassa a emoção de uma paixão, ela toca a pessoa no íntimo do seu ser, em todas as facetas da alma. O amor que ela cria é mais do que um amor físico ou romântico, mas um sentimento puro e profundo que abrange compaixão, amizade, parceria, ligando as pessoas à sua família, tribo, nação e mundo.

Na sociedade nórdica existia o conceito de *frith* (alegria, paz) que se manifestava desde o nascimento, entre todos os membros de um clã e que podia ser criado com outras pessoas através de casamentos, adoções, pactos de sangue, votos de lealdade (com chefes) ou laços de amizade. Um ser humano somente era completo, alegre e feliz se estivesse fazendo parte de um grupo em que existiam laços de amor, apoio, lealdade e harmonia. Esse tipo de amor não significava apenas abster-se de fazer mal a alguém, mas requeria o apoio e proteção ativa de cada membro do grupo, em todas as circunstâncias.

O amor que Sjofn inspira é um amor abrangente, a alegria e o bem-estar sentidos no seio da família e no meio de amigos. Esse sentimento perdeu-se ao longo dos séculos de guerras, disputas, traições, decepções com cônjuges, familiares, amigos, mas pode ser reconquistado e cuidado, para que se torne uma nova maneira de relacionamento, familiar, grupal, nacional, baseado na intimidade, lealdade, calor e apoio mútuo.

A reverência a Sjofn visava reavivar ou fortalecer laços afetivos (seu símbolo usado nesses casos era um coração de quartzo rosa), curar mágoas e ressentimentos, apaziguar discórdias e rixas e, principalmente, abrir o coração para perdoar, e a mente para descartar lembranças dolorosas.

Sjofn podia ser invocada nas situações que necessitavam de harmonia e concórdia como famílias problemáticas ou desentendimentos entre parceiros com ideias ou temperamentos diferentes, na solução ou apaziguamento de divergências, conflitos e polêmicas entre indivíduos ou clãs. Todavia, ela estava presente também nas celebrações e momentos felizes passados em família ou com amigos e nas comemorações comunitárias dos acordos e pactos.

Sjofn era a padroeira das festividades de primavera, sendo invocada no calor das fogueiras e nos passos das danças, para despertar e ativar as sementes de amor e crescimento, humano e vegetal.

Lofn, A Intercessora

Lofn em norueguês arcaico significava "permissão, admissão" e *lofat* descrevia um "desejo ou pedido intenso". O conceito de permissão tinha uma conotação ampla, sem se restringir à esfera amorosa, onde Lofn atuava junto à Frigga e Odin para que eles dessem a permissão para uniões ilícitas ou ocultas. Sua maior função era remover obstáculos existentes, que impediam a união de homens e mulheres.

Não existem lendas ou mitos sobre Lofn e ela aparecia apenas como uma assistente de Frigga para promover tanto casamentos tradicionais, quanto uniões livres que desafiavam as regras sociais. Por isso ela intercedia também perante Odin, que representava a autoridade predominante, além dele mesmo ter uma faceta oculta e astuta, que ultrapassava limites e rompia amarras. Lofn observava os eventos de Midgard olhando no espelho de água da fonte de Frigga no palácio Fensalir e depois partilhava suas descobertas com Frigga.

Lofn era invocada para permitir a remoção de obstáculos entre namorados, sabendo, no entanto, que ela não atraía, nem inspirava paixões. Os obstáculos podiam ser objeções dos pais e familiares, dificuldades legais oriundas de casamentos ou acordos anteriores, problemas financeiros ou as resistências sociais e religiosas nos relacionamentos homossexuais nas sociedades patriarcais. Outros empecilhos podiam ser os bloqueios psíquicos, mentais, sexuais dos futuros noivos ou parceiros, a inerente quebra de tabus ou preconceitos nas uniões não convencionais necessária para ultrapassar as limitações autoimpostas ou criadas pela educação, pelas convenções e as normas sociais. Lofn também auxiliava na realização dos sonhos e abria o caminho para liberdade, alegria, contentamento, paz e expansão espiritual, abençoando aqueles que lhe pediam ajuda.

Snotra, A Prudente, A Virtuosa

Snotra era uma deusa sábia e prudente (o significado da palavra *snotr*), que personificava as virtudes prezadas na sociedade nórdica, protetora das mulheres, a quem ensinava moderação, lealdade, nobreza e sabedoria. Era descrita como uma mulher gentil, de feições delicadas e gestos suaves, reservada, falando mansamente e com maneiras elegantes (*snot* designava a palavra "senhora").

As virtudes prezadas pelos nórdicos não eram aquelas impostas pelo cristianismo como submissão, castidade, piedade, devoção, mas as qualidades representadas pelo código das Nove Virtudes (honra, coragem, lealdade, verdade, hospitalidade, autossuficiência, eficiência, perseverança, disciplina). Elas já foram descritas com maiores detalhes no primeiro capítulo e podem ser relidas para assimilar mais profundamente o arquétipo de Snotra. As "nove nobres virtudes nórdicas" continuaram a ser respeitadas e seguidas mesmo após a cristianização, persistindo por séculos até que novos parâmetros morais, éticos e sociais levaram ao seu paulatino esquecimento ou desvalorização. Muitos dos preceitos éticos cristãos já eram traços morais dos antigos povos europeus, adotados pela Igreja como uma medida de integração entre paganismo e cristianismo.

Snotra regia as qualidades éticas e os comportamentos individuais que promoviam cooperação e eficiência, transmitindo sabedoria e bom senso, permitindo às pessoas sobreviverem e realizarem seus propósitos. A conexão com Snotra transmitia coragem, com nobreza e lealdade, sem fanfarronice ou vaidade. Ela tornava as pessoas mais conscientes das suas atitudes e as ajudava a ter comportamentos corretos, respeitando valores e limites alheios. A missão de Snotra era criar a harmonia grupal, incentivar a nobreza de caráter, a lealdade e o respeito, tendo boas maneiras e gentileza para lidar com as pessoas. Snotra regia também o rito de passagem da menopausa com a "coroação" das mulheres "sábias", consagrando-as como conselheiras das comunidades e matriarcas nos conselhos, bem como abençoava as mulheres, que mesmo jovens ainda, se tornavam avós, garantindo assim a perpetuação da linhagem familiar. Snotra podia ser invocada para superar dificuldades comportamentais e sociais nos relacionamentos, pois ela sempre sabia indicar a melhor solução. Ela era sábia por ter alcançado a maestria em todas as áreas de conhecimento, divino e humano. Snotra tinha uma profunda compreensão da natureza humana e das relações sociais; não somente conhecia os valores morais e as regras de comportamento, mas entendia as motivações e limitações que as condicionavam.

Pedia-se a Snotra a obtenção de equilíbrio, moderação, discernimento, bom senso, bem como uma ajuda específica (receber inspiração, fortalecer a motivação e determinação para mudar o estilo de vida ou abolir as características prejudiciais no convívio com familiares ou amigos). Agir com polidez e gentileza, sem adotar ou imitar valores e atitudes masculinas e guerreiras, podia proporcionar às mulheres, mesmo às nórdicas calejadas pelas condições difíceis da sua existência, as qualidades de suavidade, lealdade e nobreza de Snotra, merecendo assim, de fato, o título de "senhoras".

FREYJA, A SENHORA

Frija, Frea, Fro, Frowe, Vanadis, Mardöll, Hörn, Syr

Citando o escritor Snorri Sturluson, Freyja era "*a mais gloriosa e brilhante das deusas nórdicas*", considerada "A Senhora" e seu irmão Frey "O Senhor", ambos invocados para atrair a fertilidade da terra, a plenitude e a prosperidade das pessoas.

Filha dos deuses Nerthus (da terra) e Njord (do mar), Freyja fazia parte das divindades mais antigas, Vanir, e foi cedida junto com o pai e o irmão aos Aesir, como parte do armistício firmado entre os dois grupos de deuses. Quando ela apareceu em Asgard os deuses ficaram tão impressionados pela sua beleza e graça, que lhe deram como presente o reino de Folkvangr e o palácio de Sessrumnir.

Alguns autores consideram Freyja e Frigga como facetas de uma mesma deusa, porém as diferenças são óbvias, sem dar margem a essa simplificação. Frigga era a padroeira da vida doméstica e da paz, protetora dos casamentos, dos filhos e das famílias; Freyja era a regente da fertilidade, do amor, da guerra, da morte e da magia feminina. No livro *Mistérios Nórdicos* são relatados comparações do arquétipo de Freyja com deusas de outras culturas, identificando suas semelhanças e atributos comuns.

Freyja vivia na planície de *Folkvangr* (campo do povo) no palácio *Sessrumrir* (muitos salões) e viajava em uma carruagem puxada pelos gatos *Tregul* ("ouro da árvore" ou âmbar) e *Bygul* ("ouro da abelha" ou mel). Apesar de ser regente do amor, ela não era apenas beleza e ternura, pois adquiria um aspecto marcial quando colocava sua armadura, empunhava o escudo e a espada e assumia a condição de condutora das Valquírias, cavalgando diariamente junto delas para escolher a metade que lhe pertencia dos guerreiros mortos em combate. Esse direito foi dado a Freyja por Odin, como recompensa por tê-lo iniciado na prática da magia *seidhr,* por isso Freyja podia escolher quais dos heróis queria para levá-los consigo, os demais cabiam a Odin. Ela também recebia nos seus salões os espíritos das mulheres que tinham morrido de maneira heroica ou se imolavam para acompanhar os maridos mortos em combate.

Snorri Sturluson menciona que Freyja era casada com *Odr*, um desconhecido deus, pai de suas filhas Hnoss e Gersemi, marido que, misteriosamente, se ausentava por longos períodos. Freyja saía à sua procura, assumindo outros nomes (*Mardoll*, *Syr*, *Menglad*) e derramava lágrimas de ouro, por isso o ouro é chamado nos poemas escandinavos de "lágrimas de Freyja". *Odr* ou *Odur* pode ser visto como a manifestação de Odin como andarilho ou a personificação do sol de verão, que despertava calor e paixão. Quando ele estava ao seu lado, Freyja era feliz e sorridente, na sua ausência, a tristeza e a solidão a levavam para perambular pelo mundo, perguntando a todos pelo seu marido. Finalmente ela o encontrava nas terras quentes do Sul, onde a sua união era espelhada pela plenitude da natureza no verão. Dizia-se que depois Freyja convencia Odr a voltar com ela para as terras do norte, fato refletido pelo despertar da natureza na primavera nórdica, que acontece mais tarde do que no Sul.

As duas filhas de Freyja – *Hnoss* e *Gersemi* – representavam a continuidade dos aspectos maternos, sendo reverenciadas como deusas do amor. *Hnoss* significava "tesouro" e *Gersemi,* "joia" e elas personificavam a beleza divina, presente em todos os lugares, todos os momentos e em todos os seres. Apesar de não aparecerem nos mitos, elas simbolizam o despertar do amor, a capacidade de entrega e a energia da sensualidade e sexualidade.

Freyja tinha inúmeros títulos e nomes que descreviam a ampla gama dos seus atributos. Como *Vanadis,* Freyja era regente das Disir, as matriarcas e ancestrais tribais, reverenciadas no festival *Disablot*, em 31 de outubro, e que personificavam as forças da natureza (benéficas e destrutivas). *Val Freyja* era a condutora das Valquírias, que recolhia a primeira metade dos espíritos dos heróis mortos nas batalhas (deixando a outra metade para Odin) e os levava para os salões do seu palácio Sessrumnir.

As qualidades luminosas de Freyja apareciam nos nomes *Vanabrudr*, "A noiva brilhante dos Vanir", *Mardöll* ou *Mardal* significando "Brilho dourado da água iluminada pelos raios do sol poente". Como *Heidhr* ou *Heide*, "A brilhante", Freyja era a maga que ensinou a magia *seidhr* a Odin. Como *Gullveig* "Ávida pelo ouro", ela regia a vitalidade mágica e a luz dourada, além da cobiça pela riqueza. Em outras manifestações, Freyja é *Hörn* "A fiandeira" regente das forças vitais femininas, do linho e da arte de fiar, *Syr* "A porca", guerreira e protetora dos animais domésticos, regente da fartura, *Gefn* "A generosa", atributo que providenciava sorte e bem estar. Como *Frowe* e *Freyja,* os nomes reforçavam as suas características energéticas e mágicas: fogo, energia vital e sexual, riqueza, mistérios do mundo oculto e da morte, alegria, amor, inspiração, fertilidade, plenitude e sabedoria.

Nas suas peregrinações Freyja espalhava as sementes do amor e desejo e expandia seu poder e domínio, assegurando o fluxo dinâmico de energias em Midgard, que regiam a vitalidade, fertilidade, reprodução, riqueza, bem-estar e os ciclos das mudanças cósmicas, além da magia *seidhr* e da guerra. O título *Fru* indicando "mulher que tem domínio sobre seus bens" tornou-se com o passar do tempo sinônimo de "mulher", enquanto *Frowe*, *Frau* indicam uma "senhora" (o mais antigo nome de Freyja).

Por ter sido a deusa nórdica mais amada e reverenciada, o arquétipo de Freyja foi – e continua sendo – bastante conhecido, apesar da censura cristã causada pela sua intensa sexualidade. Diferente da figura mais conservadora e familiar de Frigga, que personifica o poder feminino na área doméstica e social, Freyja representa a força mágica – da natureza e da mulher –, selvagem, sedutora, magnética, sexual e indômita. No poema "Lokasenna" ela é acusada por Loki de lascívia e promiscuidade; na transcrição dos mitos esta "suspeita" levou à perda de muitos detalhes associados com seus mitos e cultos. Além da idiossincrasia cristã à qualquer referência – mítica ou histórica – ligada a ritos sexuais, muitos escritores transformaram Freyja em uma figura meramente sensual, uma fantasia para os desejos e a cobiça masculina (dos deuses, gigantes e mortais). No entanto, Freyja somente aceitou se entregar pela sua própria vontade e escolha, como no famoso caso da obtenção do precioso colar *Brisingamen*, recebido ao fazer amor com quatro anões ferreiros. Tampouco foi coagida pelos deuses para se entregar a algum dos gigantes, mesmo que a sua recusa podia trazer sérias consequências para Asgard (como foi relatado no mito do "roubo do martelo de Thor").

Em certos aspectos, Freyja pode ser vista como a contraparte feminina de Odin: ambos têm poder mágico, perambulam pelos mundos, escolhem amantes entre deuses e mortais, repartem os espíritos dos guerreiros mortos em combate e são poderosos adversários nos desafios e disputas. Diferente do seu irmão Frey, Freyja não promove a paz, mas incita a discórdia, como revela o mito de Gullveig. A missão de apaziguadora era desempenhada por Frigga e suas acompanhantes. Na sociedade nórdica era importante manter a paz e para isso eram feitos acordos, alianças e casamentos entre tribos em conflito. No entanto, muitas vezes, a união forçada ou o amor não compartilhado, podiam causar duelos e mortes dos rivais, ou vinganças dos homens cujas mulheres os traíram ou abandonaram. Nesses casos, percebia-se a atuação da força mágica e sexual de Freyja e a necessidade da conciliação e harmonia conjugal promovidas por Frigga.

A magia praticada pela Freyja e suas sacerdotisas era *Seidhr*, cujo objetivo principal era perceber a complicada tessitura do *wyrd* e compreender o desenrolar dos eventos futuros. A prática incluía o desdobramento e a projeção astral através dos mundos sutis, buscando informações dos seres sobrenaturais ou dos espíritos ancestrais, realizando depois atos mágicos em benefício dos consulentes. Freyja personificava o desejo e o prazer erótico, a abundância, plenitude e prosperidade; as lágrimas por ela derramadas sobre a terra tornavam-se ouro, as que caíam sobre o mar, em partículas de âmbar. Por ser associada com o sol e o âmbar, na Alemanha Freyja era chamada de "porca dourada", equivalente do seu título *Syr* ou *Vana Solen* – "belo sol" –, sendo representada cercada por uma coroa de raios solares.

O culto de Freyja era realizado na natureza e muitos nomes de lugares que guardam sua memória, são associados com campos, clareiras, lago, floresta, rochas, mar. Freyja era cultuada tanto pelas mulheres – solteiras, divorciadas, viúvas – quanto por homens e guerreiros, que lhe ofertavam sacrifícios e lhe erguiam altares. Um dos seus fervorosos adoradores (e suposto amante) *Ottar*, lhe ergueu um altar de pedras empilhadas, tingidas com sangue e vitrificadas pelo fogo das queimas de oferendas.

O símbolo de Freyja era seu colar *Brisingamen* denominado "colar ardente" ou "pedras das ondas", uma referência poética ao âmbar e à luta de Loki e Heimdall (metamorfoseados em focas) pela sua posse. O colar era o mais antigo símbolo de poder e riqueza dos povos escandinavos e celtas, tendo sido usado por monarcas, sacerdotes, chefes guerreiros e ofertado aos deuses (como comprovam os inúmeros colares de ouro encontrados nos pântanos e lagos). O colar representava a glória, a corona solar, riqueza e poder. Os poetas dedicavam para Freyja canções de amor, como as islandesas *mansöngr* ou *minnegesung* que visavam inflamar as paixões humanas e que foram proibidas após a cristianização, por lhes serem atribuídos poderes de magia sexual, "encantando" e "amarrando" os parceiros.

Os animais totêmicos de Freyja eram gato, lince, falcão, doninha, porca, cuco, andorinha, borboleta e joaninha. Uma pintura alemã do século XII retrata uma mulher nua, cavalgando um felino listrado e segurando um chifre na sua mão; o felino podia ser um gato ou tigre siberiano, indicando uma possível influência das crenças xamânicas do nordeste europeu. O gato era sempre associado com Freyja, devido aos seus atributos de beleza, sensualidade, agilidade, astúcia e mistério. Dizia-se que os gatos controlavam o brilho solar; depois da cristianização Freyja foi reduzida a uma figura demoníaca, suas sacerdotisas a bruxas, que voavam sobre vassouras acompanhadas de gatos pretos, seus servidores.

Às vezes Freyja cavalgava um javali chamado *Hildisvini* (porco guerreiro) confeccionado magicamente pelos anões, o que reforça o seu título de *Syr* (porca). Em um dos seus mitos é mencionado Ottar, um guerreiro adorador ou amante de Freyja, que ela transformou em javali para poder mantê-lo perto dela, usando-o como montaria. Existem referências históricas sobre o uso de máscaras e peles de javali pelos sacerdotes e adeptos dos cultos de Freyja, bem como por guerreiros, que acreditavam na proteção a eles conferida, pela deusa e o seu animal totêmico. Outros registros das regiões bálticas mencionam a influência das divindades Vanir, principalmente o culto de Freyja e o papel predominante das mulheres nas artes mágicas (*seidhr*) e divinatórias (uso das runas).

O mito de Gullveig

Um episódio descrito no poema "Völuspa" menciona uma misteriosa mulher chamada *Gullveig*, que provocou a guerra entre os Aesir e Vanir e despertou a cobiça pelo ouro (seu nome foi interpretado como "bebida de ouro" ou "a dourada"). Descrita como maga e vidente, Gullveig representa um arquétipo enigmático e controvertido, que deu margem a inúmeras especulações acadêmicas e literárias.

No poema citado relata-se a súbita aparição de uma deusa Vanir em Asgard, despertando com suas palavras a cobiça dos deuses pelo ouro, considerado até então um metal destinado apenas à confecção de objetos mágicos e ritualísticos. Enfurecido, sem nenhuma razão aparente, Odin a atravessa com sua lança e os deuses a queimam por três vezes, mas cada vez ela surge ilesa das chamas.

Por pertencer aos Vanir, o tratamento a ela dispensado pelos Aesir foi visto como uma ofensa imperdoável, um fato injusto e violento que determinou a guerra entre eles. Como nenhum dos grupos de deuses vencia, foi feito o armistício com a decorrente troca de reféns e a criação de *Kvasir* (descrita no respectivo verbete).

Analisando o mito sob um prisma diferente, a hostilidade inexplicável dos Aesir representa uma metáfora do confronto entre as antigas divindades da natureza (Vanir) e a nova ordem patriarcal e guerreira estabelecida pelos Aesir. Gullveig é vista como a causadora da discórdia por representar a magia *seidhr* – exclusiva dos Vanir – e que, por incluir controle mental, contato com forças sobrenaturais e práticas mágicas, era algo desconhecido e temido pelos Aesir. Outra interpretação supõe que a presença de Gullveig como "ouro intoxicante" (tradução do seu nome) desestruturou a ordem social vigente e incitou a cobiça pelo ouro, o que levou à violência, guerra, pobreza e fome, induzindo os Aesir a matá-la.

O escritor Edred Thorsson afirma que, na terceira vez em que Gullveig é queimada, ela ressurge como *Heidhr*, "A brilhante", um dos títulos de Freyja, fato que justifica a interpretação de Gullveig como hipóstase ou disfarce de Freyja. Como Freyja não fez parte dos reféns cedidos pelos Vanir como parte do armistício com os Aesir, Gullveig foi a maneira usada por Freyja para entrar em Asgard por sua livre escolha. Depois de ser testada pelos Aesir e passar por todos os testes aos quais foi submetida sem ser destruída, ela ressurge fortalecida e brilhante, sendo aceita como deusa em Asgard, mesmo sendo uma Vanir. *Heide* ou *Heidhr* era também o nome da *völva* ressuscitada por Odin no reino de Hel para indagar sobre o futuro de Baldur, além de representar o aspecto mágico de Freyja como mestra *seidhr*.

Juntando os detalhes isolados, provenientes de vários mitos, conclui-se que Gullveig era uma *persona* mágica usada por Freyja e que, ao passar pela iniciação do fogo (sacrifício, morte e renascimento das chamas) ela revelou sua natureza múltipla e seus poderes xamânicos e mágicos.

O mito de Brisingamen

Considerado por alguns autores como cinto, por outros como colar, seu nome vem de *brising* "fogo" e é considerado o símbolo dos poderes de fertilidade, sexualidade e magia de Freyja, associado também com a aurora boreal.

O mito relata a viagem de Freyja até o reino dos anões, para lhes encomendar uma joia especial de ouro, que não tivesse igual no mundo, como beleza, formato e poder. Os anões lhe impuseram como condição uma noite de amor com cada um dos quatro grandes mestres ourives. Uma interpretação mais livre considera os anões como personificações dos atributos e qualidades dos quatro elementos, correspondendo aos guardiões arcaicos das direções citados no mito da criação (Nordhri, Austri, Sudhri, Vestri). O quinto seria o próprio colar, a quintessência que integra todos os elementos e lhe confere a beleza e o poder mágico de Freyja. *Brisingamen* representa, portanto, o poder de manifestação de Freyja, que ultrapassa o nível meramente sexual, sendo a atração sinérgica que abre portas mútuas para o despertar do amor e o florescimento da abundância. Freyja era a regente da paixão – seja amorosa, seja pela plena realização na vida – e ensina como ter coragem, força e fé para alcançar objetivos e desfrutar o prazer.

Para a conexão com Freyja eram usados os substratos materiais que representavam beleza, poder feminino, atração, magia e abundância como: flores, perfumes, joias de ouro ou âmbar, pedras preciosas (pedra do sol, olho de gato, de lince ou de falcão), símbolos rúnicos ou as runas formando seu nome, imagens de gato ou lince, ímãs, fitas vermelhas, verdes e douradas trançadas, mel, vinho tinto e a representação de Freyja em um dos seus aspectos. As mulheres lhe pediam para aumentar a sua sensualidade e poder de sedução; para ativar a intuição no uso do oráculo rúnico; para proteção e sabedoria nas práticas mágicas e nos rituais.

REGENTES DA TERRA E DO MAR

Nerthus (Erce, Erda, Ertha, Fjorgyn, Jord, Hlodyn, Grund), A Mãe Terra

Segundo o historiador romano Tácito, a principal divindade arcaica dos povos nórdicos era a "Mãe Terra" (equivalente da *Tellus Mater* romana) e conhecida por vários nomes, de acordo com o lugar e a época do seu culto, que era realizado em uma ilha sagrada. Ela era reverenciada pelas tribos bálticas, escandinavas, germânicas e anglo-saxãs (colonizadoras da Inglaterra) e seus cultos antecederam todos os outros. Na comparação com Tellus Mater, Tácito evidenciou as amplas e complexas características da Mãe Terra nórdica, não apenas as nutridoras e sustentadoras da vida pelos seus frutos, mas também o seu temido poder destruidor, pelos terremotos, inundações, tempestades, vulcões, geleiras, incêndios, seca e fome. A essência da Mãe Terra nórdica incluía beleza e perigo, abundância e pobreza, saúde e doença, destruição e renovação, vida e morte, inverno e verão.

Não existem registros sobre cultos específicos de Nerthus, nem dos outros arquétipos equiparados com ela, além das procissões realizadas próximo ao equinócio da primavera e antes das colheitas, quando uma carruagem, levando uma estátua de uma deusa velada, percorria vários lugares e depois voltava para o seu templo na ilha. Sem ter um nome específico era chamada de "deusa na carruagem".

Memórias de uma deusa da terra, que conferia aos seres humanos as suas dádivas, aparecem em um antigo encanamento anglo-saxão para invocar a fertilidade da terra, que misturava versos e orientações em prosa, além de referências cristãs e pagãs. Era invocado o nome de *Erce*, a Mãe Terra, descrevendo com palavras poéticas a sua união eterna com o deus do céu, para trazer a fartura das colheitas. Erce era saudada como deusa criadora de todas as coisas na natureza, que dava comida para beneficiar a todos e cuja abundância pertencia a todos os seus filhos. A invocação costumeira era: *Til ars ok frida,* ou seja, "para a boa colheita e a paz". Após se inclinar por nove vezes, o fazendeiro oferecia primeiro quatro fatias de terra recém-arada, nas quatro direções, depois invocava os poderes do sol, do céu, da terra, do Senhor e da Senhora. Enquanto era entoada uma oração, as sementes eram abençoadas e uma mistura de sal, sabão, incenso e sementes era passada sobre as alças do arado, antes de "abrir o ventre da Mãe Terra", pronunciando este apelo: "Erce, Erce, Erce, Mãe da Terra, que o deus eterno e todo poderoso lhe confira força crescente, campos desabrochando e florescendo, ricas colheitas de grãos (trigo, aveia, centeio, cevada) e todas as riquezas da terra".

Após outras orações para os santos protetores, era passado o arado sobre a terra com uma nova invocação: "Terra, Mãe dos homens, que sua plenitude e abundância aumentem com o abraço do Deus e que sejas rica em alimentos para nutrir os homens". Em seguida, as mulheres assavam um pão preparado com cereais guardados da colheita anterior, amassado com leite e água benta, ofertando-o para a terra arada e pedindo novamente proteção e fartura.

O uso de um encantamento evidentemente pagão, mesclado com termos cristãos, indica a permanência dos antigos costumes e orações, direcionadas para uma deusa da terra, com as bênçãos celestes do sol e da chuva. Em algumas fontes germânicas são descritas práticas semelhantes para a bênção do arado com mel, óleo, levedo e leite, acompanhadas de oferendas de sementes e frutas silvestres. Recomendava-se a preparação do pão no tamanho da roda do arado, sendo a ele fixado, enquanto o camponês arava lentamente a terra, para não ferir a "Mãe dos campos". Outras lendas citam as mulheres como responsáveis pela bênção da terra e dos primeiros sulcos feitos com o arado, enquanto oravam para Erda.

Tácito descreve uma cerimônia comum nas tribos nórdicas, reverenciando Nerthus, a Mãe Terra, que, segundo as crenças, perambulava pela terra abençoando seu povo. Em uma ilha sagrada existia um bosque e no meio das árvores permanecia escondida uma carruagem, coberta com panos. Apenas um sacerdote podia tocá-la e ele percebia quando a deusa nela entrava. Em seguida, iniciava-se a peregrinação, a carruagem sendo puxada por vacas e parando em cada comunidade, para que Nerthus propiciasse a fertilidade da terra e dos animais. Durante a procissão, todos os conflitos eram interrompidos, as armas guardadas, para que a paz reinasse enquanto a deusa estivesse no meio dos homens. Depois da bênção da terra, seguiam-se celebrações e festividades nos locais visitados pela deusa, enquanto a carruagem era levada de volta para a ilha. Lá, a carruagem, as vestimentas, cortinas, panos e a própria "deusa" (sua estátua) eram lavadas na água do mar, sendo que aqueles que tinham realizado esta tarefa eram afogados, pois "*ninguém que visse o rosto da deusa podia sobreviver*".

As divindades Vanir eram associadas com barcos e carruagens; são conhecidas também de outras culturas antigas (Índia, Japão) procissões que levavam a estátua de uma deusa ou sua representante – a sacerdotisa velada – para abençoar a terra ou protegê-la na iminência de uma guerra, seca, inundação ou epidemia. Nerthus fazia parte dos deuses Vanir e seu culto era muito antigo, antecedendo por um milênio os registros escritos, suas procissões tendo sido preservadas nas celebrações dos santos cristãos.

No relato de Tácito são mencionados os principais elementos das divindades Vanir: a polaridade terra/água, deusa e seres humanos, a manutenção da paz para garantir a prosperidade, o mistério ao redor da deusa oculta na carruagem, a entrega de oferendas em um local sagrado (ilha). A carruagem era a continuação da simbologia do barco, como o meio de ligação entre o mundo divino e humano, a dimensão dos vivos e dos mortos. Reproduções de delicadas carruagens confeccionadas com madeira, couro e metais, recheadas de sementes, foram encontradas nos pântanos da Suécia e nos *cairns* da Dinamarca, ao lado de vasilhas com oferendas, uma clara evidência do seu antigo uso sagrado. O conceito que sobreviveu sobre Nerthus foi como *fylnyta fold*, a terra sagrada, nutridora e sustentadora que alimenta a todos. Durante o cristianismo, Nerthus perdeu muitas das suas características, nas fontes medievais era citada como uma força poderosa de proteção contra malícia e ingratidão.

Nerthus era esposa, ou irmã, do deus marinho Njord, mãe dos gêmeos Frey e Freyja, seu nome significa "força" e é cultuada entre os povos germânicos, principalmente os Ingvaenos e anglos. Outras tribos nórdicas a conheciam sob o nome de *Eorth, Herthe, Erda, Ertho*, sendo às vezes equiparada com *Nehelennia* como na Holanda. Alguns autores postulam a existência de uma divindade hermafrodita *Njord/Nerthus*, integrando assim a polaridade terra/água, masculino/feminino, deus/deusa. O casamento sagrado – do céu e da terra, do deus e da deusa – era representado em gravações feitas no Período Viking sobre pequenas e finas placas de ouro. Esses amuletos foram encontrados em grupos numerosos nas ruínas de moradias (e não nos túmulos), o que sugere sua utilização nos ritos de fertilidade e casamentos. No entanto Nethus não era associada com a terra como elemento, nem com o planeta, um conceito desconhecido pelos povos nórdicos.

Na sua manifestação como *Jörd*, a Mãe Terra personificava a terra primeva, não cultivada e não habitada, sendo conhecida como amante de Odin e mãe de Thor e de Frigga. Seu poder se manifestava nos terremotos, tornados e erupções vulcânicas, mas também na riqueza das montanhas, oceanos, árvores, minerais e metais. Jörd era a deusa que governava a terra e regia as estações.

Erce, Erda e Nerthus simbolizavam a fertilidade e a abundância da terra cultivada, sendo reverenciadas nos plantios, colheitas, mudanças de estações e transições na vida humana. Era sua benevolência e poder nutridor que sustentavam os seres humanos, sendo invocadas e comemoradas nos festivais da Roda do Ano.

Equivalentes de Jörd eram as deusas *Hlodin* e *Hertha*, assim como *Fjorgyn*, que era considerada às vezes como um deus, denominado *Fjorgynn* ou uma divindade hermafrodita. A deusa Fjorgyn "a que concedia a vida" era filha de Nott, deusa da noite, e de Annar, deus da água, que era cultuada no topo das colinas e montanhas, onde a terra se unia ao céu, simbolizando o mito universal do casamento sagrado da Mãe Terra com o Pai Céu (ou os deuses celestes). Ela podia ser representada como um vaso de barro com formas femininas ou como uma mulher grávida emergindo da terra. Às vezes segurava nos braços um filho e uma filha (símbolos das polaridades) e era cercada por cestos de frutas e espigas, como as imagens de Hlodyn e Hertha demonstram, revelando a personificação da ancestralidade da terra, a sacralidade do lar, da lareira e do culto dos ancestrais.

A Mãe Terra nórdica era reverenciada com um dos seus diversos nomes na véspera do solstício de inverno, na Noite da Mãe (*Modranicht*), pelas famílias e as tribos reunidas ao redor de lareiras ou fogueiras, que agradeciam as suas permanentes dádivas, o poder da sustentação e nutrição da vida com orações, oferendas, brindes e comemoração comunitária.

Pediam-se a Nerthus bênçãos de abundância e proteção, ao mesmo tempo clamando pelo seu perdão, por todas as ofensas cometidas pelos seres humanos contra o seu sagrado ventre, doador da vida e dos recursos para a sua própria nutrição e sustentação.

Na comunidade pagã norte-americana, nos encontros dos grupos da organização Troth, começaram na década de 90 a serem realizados rituais para honrar Nerthus. Diana Paxson, escritora, sacerdotisa e líder no renascimento das tradições pagãs, deu início no estado de Nova York a uma procissão moderna dedicada a Nerthus, as pessoas levavam um estandarte com imagens neolíticas de várias deusas, fazendo oferendas para a Mãe Terra e repetindo o antigo ritual de carregar a estátua da deusa em procissão para depois lavá-la e cobri-la, enquanto se entoam canções e orações em benefício da paz e da bênção da terra. Estão sendo acrescentadas iniciativas e projetos para a ecossustentabilidade, diminuição da emissão de carbono, agricultura orgânica, evitar a matança violenta de animais, dos desflorestamentos e queimadas, com o propósito de restabelecer o antigo e sagrado elo com os seres de todos os planos e mundos da criação.

Ran (Rahana), A Rainha do Mar

O mar, chamado pelos nórdicos de "*caminho de Ran*", era regido pelo casal de deuses, Aegir e Ran, pais das nove Donzelas das Ondas. Apesar de Ran ser citada nos poemas como fazendo parte das deusas Asynjur, há poucas referências sobre ela nos mitos. Ran era considerada a regente do mar e padroeira dos afogados, que ela recolhia com uma rede mágica e os levava para o seu reino no fundo do mar, para além dos redemoinhos do mar do Norte. Ela tratava bem os mortos, desde que levassem consigo ouro, por isso os marinheiros e viajantes colocavam nos seus bolsos, antes de viajar, moedas ou pepitas de ouro, garantindo assim a boa acolhida nos salões de Ran. As famílias acreditavam que, se vissem os fantasmas dos parentes afogados nos seus sepultamentos, isso significava que eles estavam bem cuidados no palácio escuro, mas faustoso de Ran, tendo dela recebido a permissão de comparecer nos enterros, como uma despedida final.

Ran também era rainha das ondinas e sereias, que se aproximavam nos meses frios de inverno das fogueiras dos acampamentos dos pescadores, tendo assumido corpos e trajes femininos. Seduzidos pelos seus encantos e beleza, os homens se apaixonavam, mas, após fazerem amor com eles, as sereias desapareciam e os seus admiradores adoeciam de tristeza e saudade, definhando até morrer. Os oceanos de Ran cercavam os continentes de Midgard, seu palácio forrado de ouro ficando entre corais, peixes e animais no fundo do mar.

Ran era descrita como uma mulher bonita, sedutora e forte, com cabelos de algas marinhas, roupas enfeitadas com corais e conchas, segurando com uma das mãos o leme do barco e na outra, a sua rede mágica, para recolher afogados e tesouros dos navios afundados. Conhecida pelo seu poder mágico e profético, além do talento musical, Ran era a protetora das moças, mulheres solteiras e viúvas dos afogados. Ran era semelhante à deusa Hel, ambas sendo regentes da morte e tendo seus domínios abaixo de Midgard – Ran no reino aquático e Hel no mundo subterrâneo. Ran buscava as vítimas pegando-as com a rede, enquanto Hel esperava tranquila que elas aparecessem.

A rede mágica de Ran foi citada no mito de Loki, tendo sido usada para a sua captura pelos deuses. No mito de Ragnarök, após a devastação final pelo fogo, Midgard irá mergulhar lentamente no reino frio e escuro de Ran, para dele emergir – após a sua purificação e transmutação – renovado e devidamente preparado para um novo ciclo de evolução.

As Donzelas das Ondas (*Wave Maidens, Meerjungfrauen*)

Filhas dos deuses do mar Aegir e Ran as Donzelas das Ondas personificavam as marés e era seu estado de espírito, caprichoso e imprevisível, que determinava o movimento calmo ou turbulento das ondas. Por serem invocadas pelos marinheiros, que lhes pediam proteção, boa sorte e orientação nas viagens, elas esperavam ver primeiro as oferendas recebidas. Se ficassem contentes com elas, demonstravam seu bom humor cantando e brincando na espuma branca das ondas, conduzindo os navios no rumo certo. Se ficassem desapontadas ou enfurecidas com a ausência de agrados, elas chamavam os ventos contrários e as chuvas torrenciais, criando tempestades e maremotos, que causavam naufrágios e mortes. Apesar da sua beleza serena e o comportamento gentil na calmaria, quando ficavam enfurecidas, elas não hesitavam em enviar seus inimigos ou ofensores para a morte, sabendo que iriam ser coletados pela rede da sua mãe, Ran. Às vezes rodeavam os navios dos vikings, seus protegidos, auxiliando suas viagens e guiando-os no rumo certo.

Eram descritas como lindas mulheres, com longos cabelos louros, olhos azuis e formas sensuais, vestindo véus brancos, azuis ou verdes. No mito da criação elas aparecem como "Guardiãs do Moinho do Mundo", no qual foi triturado o corpo do gigante Ymir, depois usado na construção do universo. Elas também "moíam" as mudanças das estações e os ciclos universais. Sob o nome de *Vana Mutter* (As mães Vana) elas geraram – com a participação de Odin (de quem eram amantes) – o deus Heimdall, conhecido como o "filho de nove mães e de nove irmãs". Permanece a incógnita sobre a sua concepção, sendo citados apenas os nomes das "mães" numa versão do poema "Völuspa". Eram estas as nove Donzelas das Ondas: *Gjalp, Greip, Eistla, Eyrgjafa, Ulfrun, Angeyja, Imdr, Atla e Jarnsaxa,* ou em outra versão: *Himinglaeva, Bylgja, Bara, Dufa, Fenya, Hronn, Kolga, Unn e Hefring*. Alguns nomes pertencem também às gigantas mais conhecidas, indicando assim a sua origem antiga.

A tribo primitiva dos sami reverenciava as *Saiva-Neidda* ou as Virgens do Mar com os mesmos atributos das Donzelas.

REGENTES DAS ESTAÇÕES

Idunna (Idun), A Guardiã das Maçãs Encantadas

Idunna personificava a primavera e a juventude imorredoura; seu nascimento era desconhecido e ela jamais iria experimentar a morte. Idunna apareceu em Asgard junto com o deus Bragi, sendo calorosamente recebida pelos deuses, mais ainda depois que ela lhes prometeu uma porção diária das suas maravilhosas e mágicas maçãs, carregadas em um baú. Essas maçãs conferiam juventude e imortalidade àquele que as consumisse, uma dádiva indispensável para os deuses nórdicos que, por serem descendentes de duas raças (dos deuses e dos gigantes) não eram imortais. As maçãs douradas garantiam permanentemente a vitalidade e o vigor dos deuses; sem ingeri-las, eles envelheciam rapidamente. Apesar da sua distribuição diária, as maçãs não diminuíam numericamente e eram guardadas zelosamente por Idunna, por serem cobiçadas pelos gigantes e anões. Em um poema mais antigo do século IX não se mencionam as maçãs, apenas o "segredo da juventude eterna", guardado em um cofre pela linda e jovem deusa.

Idunna simbolizava o frescor dos ventos e a beleza da vegetação na primavera, sendo representada como uma jovem donzela gentil e suave, porém ingênua, facilmente ludibriada pelos gigantes desejosos de se apoderar das maçãs de ouro. O rapto de Idunna e suas maçãs encantadas foi relatado no verbete de Loki.

Além da explicação do roubo, como a concretização do desejo dos gigantes de preservar sua força e juventude com a ajuda das maçãs, podemos ver nesse mito a metáfora da sucessão das estações. Idunna, vista como emblema da vegetação, é raptada no outono, quando as folhas caem e os pássaros param de cantar, ficando aprisionada durante o inverno no mundo árido e gelado dos gigantes. Lá ela torna-se pálida, fraca e triste, mas não cede às pressões do seu raptor, Thiassi, e não partilha com ele as suas maçãs. Loki, simbolizando o vento quente do sul e metamorfoseado em um pássaro, a traz de volta na forma de uma semente, prenunciando assim, o retorno da primavera. A juventude, a beleza e a vitalidade – os dons conferidos por Idunna –, são símbolos do despertar da natureza na primavera, após a hibernação durante os meses de inverno, quando cores e energias vitais cobrem o rosto antes enrugado e cinzento da terra congelada e árida.

Como Idunna guardava as maçãs num baú, supõe-se que elas não eram recém-colhidas e que Idunna as dava aos deuses seja diariamente, seja em datas especiais, como nos festivais de *Yule* ou *Ostara*, quando a força vital era redespertada e reconquistada do sono letal do inverno.

A queda de Idunna para o mundo subterrâneo

Junto com seu marido Bragi, deus da poesia, Idunna vivia no palácio *Brunnaker*, de onde saía com seu baú de maçãs mágicas para distribuí-las diariamente aos deuses. Um dia, ela estava sentada sobre um galho de Yggdrasil, quando de repente enfraqueceu, perdeu o equilíbrio e caiu, indo até o mais profundo nível de Nifelhel. Lá ela permaneceu pálida e imóvel, olhando aterrorizada para o sombrio e frio reino de Hel, tremendo violentamente, sem conseguir parar. Preocupado com sua ausência, Odin pediu que os deuses Bragi e Heimdall saíssem à sua procura, dando-lhes um manto de pele de lobo branco e orientando-os para fazerem o possível e tirarem Idunna do seu estupor. Idunna permitiu ser enrolada no manto, mas recusou-se a falar ou a se mexer, permanecendo triste e com lágrimas descendo sem cessar pelo seu rosto pálido. Bragi, preocupado com o estado delicado da sua esposa, decidiu permanecer ao seu lado, até que ela melhorasse do inexplicável mal. Apreensivo e entristecido, Bragi não mais entoou suas canções, nem tocou a sua harpa, até que Idunna se restabeleceu, de repente, voltando ambos para Asgard no início da primavera.

A queda de Idunna simboliza o outono, quando as folhas das árvores caem e se amontoam inertes no chão, sendo cobertas pelo manto branco de neve, simbolizado pela pele branca de lobo, enviada por Odin, o deus celeste. O silêncio de Bragi representa o cessar dos cantos dos pássaros, enquanto a inércia e o silêncio de Idunna – deusa da vegetação – são metáforas da morte da vegetação no inverno, aguardando o seu renascimento na primavera. Como deusa renovadora, Idunna é ligada à Árvore do Mundo e ao seu poder primal, sendo a regente das estações, dos ciclos da natureza e do eterno movimento de morte e renovação. O mito de Idunna tem vários elementos similares a outros ligados ao renascimento, como a conquista de Gerd por Frey, o despertar de Sigrdrifa por Sigurdh (*Völsunga Saga),* o simbolismo da mulher poderosa aprisionada por gigantes e o seu resgate pelo herói com a morte dos algozes, como um retrato da eterna luta entre deuses e gigantes.

Assim como Hel atuava no mundo subterrâneo, Idunna agia na superfície da terra, remodelando e renovando. Por isso os mortos eram enterrados desde a Idade do Bronze cercados de maçãs ou de ovos tingidos de vermelho, na esperança do seu renascimento. No Ragnarök, Idunna mergulhava na terra, desaparecendo sob as raízes de Yggdrasil, de onde reaparecia no Novo Mundo, após a purificação e renovação da terra, marcando o início de uma nova era, a Idade de Ouro.

Seus símbolos, além das maçãs da juventude, eram as sementes, que representavam a energia concentrada e explodiam ao se abrirem para a vida. Idunna era vista como uma deusa da cura, resgatando, renovando e consagrando as partes feridas ou adormecidas de cada ser, promovendo de forma suave e gentil as mudanças necessárias para o crescimento e a evolução. Na conexão com Idunna, é preciso abrir a mente e o coração em um movimento singelo de fé e devoção, permitindo assim que ela plante as "sementes espirituais" adequadas para cada um.

Gerd (Gerda, Gerdi, Gerth), A Deusa Luminosa

Existem poucas referências escritas sobre Gerd, além da riqueza dos detalhes da sua união com o deus Frey. Apesar de ser filha dos gigantes Gymir e Aurboda, *Gerd* (ou *Gerda*, *Gerth*) é citada como deusa Asynjur, *status* por ela alcançado após seu casamento com um deus. Gerd era conhecida pela sua radiante beleza, pois quando caminhava deixava um rastro de fagulhas e, quando levantava os braços, irradiava uma luminosidade brilhante sobre o céu, a terra e os mares (interpretada por alguns autores como sendo os reflexos coloridos da Aurora Boreal). Foi devido a esta luminosidade que Frey a descobriu, e, após se casar com ele, Gerd adquiriu o *status* de deusa da luz.

Um dia, na ausência de Odin, Frey sentou-se no seu trono e, perscrutando os mundos distantes, viu no longínquo e gelado norte uma linda donzela, cuja beleza irradiava uma luz dourada ao redor. Frey apaixonou-se perdidamente, caindo numa profunda tristeza e apatia, que deixou preocupado seu pai Njord. Após confessar ao pai seu amor e a firme intenção de se casar com ela, Njord, sabendo que era filha de gigantes, encarregou o fiel auxiliar de Frey, Skirnir, em tentar.persuadi-la para aceitar o pedido de casamento. Levando a espada de Frey, algumas maçãs douradas e o anel mágico Draupnir (um dos tesouros dos deuses), Skirnir montou o cavalo de Frey e viajou para Jötunheim, seguro do seu sucesso como emissário divino. Porém, apesar dos presentes e dos argumentos persuasivos de Skirnir, Gerd recusou firme e decidida a ideia de se casar com um deus, mesmo que fosse o belo e bondoso Frey. Vendo que nada poderia demover a donzela da sua recusa, em desespero de causa, Skirnir a ameaçou com a espada e depois com encantamentos rúnicos, que a tornariam doente, feia, velha e devassa, obrigada a se casar com um gigante velho e horrendo. Aterrorizada com os sombrios feitiços, Gerda aceitou finalmente se casar com Frey, exigindo sua espada e cavalo como presentes e um prazo de nove dias antes de encontrá-lo, tempo que, para Frey, pareceu uma eternidade. Tendo cedido a espada para Gerda (que a deu depois ao tio dela, o gigante Surt) Frey irá lutar a pé no Ragnarök, armado apenas com um par de chifres de alce, sendo assim vencido pelo próprio Surt.

Este mito pode ser visto como a representação metafórica do casamento sagrado entre o deus da fertilidade e a deusa da terra, ou a exemplificação do ciclo sazonal anual: a transformação da terra congelada e árida pelos rigores do inverno (simbolizado pelas nove noites), aquecida pelos raios solares e desabrochando na primavera. O calor solar derretia as camadas de gelo que cobriam a terra, assim como o amor insistente de Frey removeu a frieza de Gerd. Outra interpretação parte do significado etimológico do seu nome, "*cercado*", apontando não apenas para uma terra fechada, mas para o ato de cercar ou defender. Gerda tem um comportamento reservado, contido, se entregando lentamente, com cautela e aos poucos, apenas àquele que considera merecedor da sua aceitação e afeto.

Antes de se casar, Gerd habitava uma simples casa de madeira cercada de montanhas, em Jötunheim, de onde saiu para morar no faustoso palácio de Frey em Alfheim. Seu nome era associado com a terra, os lugares sagrados e os campos, o seu casamento sendo a descrição da união sagrada ente o céu e a terra, celebrada nos rituais dos *Sabbats* celtas e dos *Blots* nórdicos. A principal característica de Gerda era a sua maneira reservada de se comportar e a sua firme recusa em se deixar coagir ou "comprar" com presentes. Como seu nome é associado também a "local cercado, templo", a sua determinação em não ceder mostra o recolhimento no seu próprio espaço sagrado, simbolizando assim a preservação do *self*. Como giganta, Gerda tinha o potencial de manifestação do poder primal, caótico e destrutivo, mas que ela controlava e continha pela sua maestria e domínio. Ela não se deixava governar por impulsos e paixões, pois sabia como dominar o caos e por isso ensinava o respeito e a manutenção de limites. Ela orienta, portanto, a manutenção da integridade, o fortalecimento da autoestima, a lealdade aos próprios valores e o recolhimento interior.

Como protetora das mulheres solteiras, ela lhes recomendava o recato e o respeito pela própria sacralidade feminina, para que assim abrissem seu "templo" apenas no devido tempo, para o parceiro certo e com a necessária observação, avaliação e precaução. A autopreservação é uma qualidade importante que era conferida por Gerda àqueles que dela precisavam, seja como proteção nas práticas mágicas e espirituais, seja nos relacionamentos familiares e afetivos. Ela protegia contra a falsidade, as ilusões e as armadilhas emocionais ou sensoriais, evitando que as mulheres ficassem enfraquecidas pelas concessões ou submissões, recomendando-lhes a clara observação e a prudência nas escolhas e ações.

Gerda ensinava também como fortalecer a *hamingja* (sorte, poder) pessoal e familiar e honrar os ancestrais, resgatando os vínculos com as energias sagradas da terra, dos ciclos e estações, das pedras e das plantas. A sua sabedoria recomendava paciência, autoestima e a reverência pela sacralidade do espaço: exterior (nas práticas espirituais) e interior (o templo do Eu superior), onde devia ser procurado o silêncio e ouvida a voz divina.

Gerda era invocada nas situações em que era imperioso vencer oposições ou resistências (das pessoas ou das circunstâncias) e para ativar os brotos tênues de novos projetos. As antigas datas das suas celebrações eram dedicadas ao casamento sagrado – divino e humano – como o *Sabbat* celta *Beltane* ou a festa nórdica e teutônica do dia primeiro de maio (*Maj fest*).

Rind, A Deusa da Terra Congelada

Citada entre as deusas Asynjur, Rind é conhecida como a mãe de Vali, filho de Odin, que vingou a morte de Baldur matando o irmão cego Hodur, conforme descrito no seu mito.

Nas lendas escandinavas Rind é uma linda princesa russa, a quem tinham profetizado a concepção de um filho, que, ao se tornar herói, vingaria a morte do deus solar Baldur. Porém, apesar dos seus inúmeros pretendentes, Rind demonstrava uma glacial indiferença (uma semelhança com a deusa Gerd) nas suas atitudes, comportamento amoroso e atributos.

Como o espírito da vidente consultada pelo Odin, na sua ida para o reino de Hel, tinha vaticinado o nascimento de um filho seu para vingar a morte de Baldur, especificando o nome da mãe, Odin se deslocou para o reino do pai de Rind, fazendo várias tentativas para seduzi-la (vide detalhes no mito de Vali). Odin sabia que dependia de Rind o nascimento daquele que iria vingar a morte de Baldur, conforme profetizado.

A lenda de Rind, assim como a de Gerd, é a adaptação de um antigo mito da terra congelada pelos rigores do inverno, personificada por uma giganta ou personagem mítico. Após resistir por algum tempo – a duração do inverno – às investidas de um deus ou herói, representando os raios solares, a resistência dela derretia lentamente, aceitando a união. Este mito, semelhante a outros, simbolizava o casamento sagrado do deus celeste com a deusa da terra, que trazia a renovação da natureza e a fertilidade, comemorado em várias culturas com os festivais da mudança das estações, seguindo a Roda do Ano.

Como personificação do céu, Odin aparecia nos mitos como marido ou amante das deusas da terra, o que dava origem à sua suposta poligamia ou justificava as suas escapadas extraconjugais. A sua primeira esposa era Jörd (ou Erda), a terra no estado primitivo, filha de Nott, a noite ou de Fjorgyn, a terra ancestral, que se tornou mãe de Thor. A segunda e principal esposa era Frigga, personificando o mundo civilizado, que deu à luz Baldur, o gentil e belo regente da primavera, bem como ao deus Tyr. A terceira esposa, ou amante, foi Rinda, a personificação da terra congelada, mãe de Vali, o emblema da vegetação e vingador da morte de Baldur. Além dessas esposas Odin teve várias amantes, que desempenhavam papéis mais ou menos importantes nos mitos nórdicos.

Uma variante do mito de Rind a descrevia como uma deusa solar, que saía da sua morada celeste a cada manhã, para percorrer o céu na sua carruagem dourada, voltando para sua reclusão ao anoitecer. Simbolizava-se desta maneira tanto a luz do dia e a abertura para viver no mundo, quanto a escuridão da noite e o isolamento. O título de Rind,"Branca como Sol", depõe a favor dessa teoria, pois para os povos nórdicos o culto do sol como uma deusa era muito antigo e encontrado em vários lugares.

Skadhi (Skathi, Scathe), A Senhora do Inverno

Skadhi era uma giganta renomada pela sua beleza e que se tornou deusa ao se casar com um dos deuses Aesir. Ela morava no palácio *Thryndheim* (lar do barulho), herdado do seu pai, e era descrita como uma linda e vigorosa mulher, envolta em peles brancas, que deslizava sobre esquis e segurava um arco e flecha. Considerada a regente do inverno, da caça, dos esquis e trenós, Skadhi era reverenciada pela sua coragem, determinação, força, combatividade e a resistência perante desafios e dificuldades. Supõe-se que ela fazia parte das divindades nórdicas ancestrais, e que seu nome tinha sido escolhido para designar Escandinávia como *Skadhinauja*. Vários lugares no leste e sul da Suécia, que guardam seu nome, revelam a antiguidade do seu culto.

Apesar de ser conhecida como "a noiva brilhante dos deuses", o nome de Skadhi significa "sombra", indicando sua ligação com a morte e a escuridão, aspectos associados com os longos meses de inverno que ela regia. Skadhi era também regente da caça com arco e flecha, suas armas, usadas pelos caçadores nos seus deslocamentos com esquis e trenós, que a reverenciavam como *Öndurdis* (a Disir com sapatos de neve). No folclore escandinavo reconstituído pelos contos dos irmãos Grimm e de Andersen, o arquétipo de Skadhi reaparece como a Rainha da Neve.

No verbete do deus Njord, foi descrito o seu casamento fracassado, tentando conciliar a pretensão de Skadhi de se casar com o deus Baldur, como vingança pela morte do seu pai Thiazzi pelos Aesir. O motivo dos "pés" – critério definido pelos deuses para Skadhi escolher o noivo – aparece em várias histórias e contos de fada e é originário da Idade do Bronze, em que foram gravadas inúmeras representações de pés sobre rochedos, sugerindo os atributos divinos de fertilidade.

A condição imposta por Skadhi para se casar com um deus – pois ela recusava a proposta dos Aesir feita para ressarcir a morte do seu pai – também indicava uma alusão a ritos de fertilidade. Para fazê-la rir (exigência de Skadhi para aceitar negociar), Loki amarrou seus testículos à barba de um bode e a briga entre ambos, culminando com a queda de Loki nos pés de Skadhi, atingiu o objetivo. A aparente castração de Loki reproduzia rituais da magia *seidhr* (reservada só às mulheres, mas usada por Loki e Odin) e foi interpretada também como uma cena de sexo entre Loki e Skadhi, conforme foi por ele mencionado posteriormente. Este episódio pode ser uma metáfora da ação do calor (representado por Loki) derretendo a rigidez da terra coberta por camadas de gelo e permitindo assim o abraço de Njord (o verão), mas que não conseguiu segurar Skadhi além da curta duração dos meses de verão. A natureza invernal de Skadhi aparece na sua saudade pelas tempestades de neve e os ventos gélidos da sua morada nas montanhas de Jötunheim.

Quando Loki foi julgado e condenado à punição pelo suplício escolhido pela assembleia de deuses – devido às suas inúmeras maldades (culminando com a morte de Baldur por ele orientada) – Skadhi se apresentou para colocar uma serpente venenosa sobre sua cabeça, cujo veneno escorrendo sobre o rosto lhe provocava terríveis contorções. A inimizade de Skadhi em relação a Loki seria uma vingança tardia da participação dele na morte do seu pai. Nessas citações de episódios de alguns mitos, podemos perceber a presença dos mesmos personagens – Baldur, Skadhi e Loki – participando de eventos correlatos, que entremeiam luz e sombra, inverno e verão, traição e vingança, temas comuns na mitologia nórdica.

Algumas fontes afirmam que Odin teria sido amante de Skadhi e o filho deles teria sido o ancestral dos monarcas noruegueses. Skadhi era prima de Gerda, a amada de Frey.

Skadhi era honrada pela coragem e determinação em abrir mão de um relacionamento inadequado, pelas suas qualidades guerreiras – vistas como habilidades nas competições esportivas e nas artes marciais – e pela resistência perante adversidades e desafios (no plano profissional, circunstancial ou familiar). O episódio da sua incompatibilidade no casamento com o deus Njord mostra o contraste entre duas naturezas e formas diferentes de ver, sentir e viver, colocando em destaque a determinação da noiva em não se submeter às exigências do marido e a coragem para retornar ao lar ancestral e às suas ocupações favoritas. Skadhi tornou-se assim a padroeira das mulheres que preferiam a liberdade em lugar das concessões, exigências e sacrifícios inerentes a um relacionamento, bem como para sustentar a sua força e determinação quando o preço da liberdade implicava em privações e solidão.

Sif (Sifjar, Síbia), A Deusa Dourada

Apesar da sua pouca participação nos mitos, a metáfora "marido de Sif", usada para designar o deus Thor, é encontrada em vários poemas. Em duas citações nos mitos, Loki acusa Sif de adultério, vangloriando-se de ter sido seu amante, porém sem que existam comprovações em outros mitos sobre esse fato. A alusão à sua possível infidelidade é sugerida pelo fato de Loki ter cortado seus lindos cabelos dourados durante seu sono. Enquanto em outras culturas "cortar os cabelos" era o castigo imposto às adúlteras, as mulheres nórdicas eram livres para se divorciar quando se sentiam insatisfeitas nos casamentos, realidade que não sustenta a tese de punição. A prova disso está no apoio dado por Thor, quando viu o desespero de Sif, forçada ao isolamento devido à perda da sua linda cabeleira. Thor ameaçou Loki com torturas e morte se ele não reparasse a maldade. Apavorado e temendo pela sua vida, Loki apelou aos anões ferreiros, que confeccionaram uma cabeleira feita com fios de ouro, tão perfeita quanto a original, que cobria Sif da cabeça aos pés como um véu brilhante. Tanto Sif, quanto o próprio Thor, tinham muito orgulho dos cabelos dourados, que representavam as espigas maduras dos campos de trigo no verão e eram sinônimos de "ouro".

Para diminuir a ira de Thor e a revolta dos outros deuses por mais uma ofensa e falta de respeito para com eles, Loki obrigou os anões a confeccionarem outros objetos mágicos, que ele levou como presentes para os deuses Odin, Thor e Frey. Portanto, indiretamente, os três personagens deste mito – Sif, Loki e Thor – foram os responsáveis pela aquisição dos tesouros mágicos descritos no verbete de Loki.

Sif tinha um filho, Ullr – adotado por Thor –, cujo pai era desconhecido, supõe-se que ele era um gigante do gelo, pois Ullr amava o frio e se divertia esquiando ou patinando nas regiões cobertas de neve e gelo, bem como caçando nas florestas de Jötunheim.

Sif era descrita como uma mulher lindíssima, envolta por longos e fartos cabelos dourados, que usava roupas simples de camponesa, mas com um cinto de ouro e pedras preciosas. Era considerada regente da beleza, do amor e da fertilidade da vegetação, principalmente dos campos de trigo no verão. Sif foi descrita por Snorri Sturluson como uma *spakona*, profetisa, com o dom da pré-cognição, assim como Frigga, Freyja e Gefjon. Sua árvore sagrada era a sorveira e sua equivalente na tradição sami tinha o nome de Ravdna, regente da sorveira e esposa do deus trovão. A sorveira tem lindas flores brancas e frutinhas vermelhas; como os povos germânicos consideravam o ouro sendo vermelho, tanto o trigo dourado, quanto a sorveira, descreviam a beleza de Sif.

Casada com Thor, Sif gerou *Thrud*, cujo nome era "força", cobiçada pelos gnomos, sendo o mais ousado deles, Alvis, punido por Thor (descrição no mito de Thor). O episódio da perda dos seus cabelos pode ser visto como a metáfora da queima dos trigais pela seca ou pelos incêndios no verão, Loki representando o fogo repentino ou o calor da seca excessiva.

Acreditava-se que, nas noites quentes de verão, quando Thor e Sif viviam a intensidade da sua paixão, raios caíam sobre os campos e aceleravam o amadurecimento dos grãos. Sif representava, portanto, a abundância das colheitas, a riqueza material, o bem-estar familiar e a paz: entre as tribos e clãs humanos, entre deuses, gigantes e anões. Fontes mais antigas consideram-na integrante da raça ancestral dos deuses Vanir, representando elevados valores morais, éticos e sociais, bem como os códigos de coragem, honra e lealdade, que caracterizam a sociedade nórdica. O corte dos seus cabelos por Loki e a difamação da sua fidelidade por ele, seriam metáforas e alertas sobre a consequência negativa das intrigas, vinganças e calúnias, que levam à discórdia e desestruturação familiar e social.

Sif era comemorada junto com Thor no solstício de verão, o Blot *Midsommar*, o dia mais longo do ano, em que o sol permanecia no céu sem se pôr, simbolizando as bênçãos de fertilidade, prosperidade e plenitude conferidas aos seres humanos pelo amor divino.

MÃES TERRA MENOS CONHECIDAS

Ziza ou Zytniamatka

Era honrada na antiga Alemanha como a Mãe dos Grãos (*Kornmutter*), possível consorte do deus celeste Tiwaz ou do seu antecessor Ziu. Ziza representava a força e o espírito das espigas de milho, que ficavam retidos na última espiga colhida, transformada depois em uma efígie da deusa. A espiga era reverenciada como se fosse a própria deusa, sendo guardada no altar durante o inverno e enterrada ritualisticamente no primeiro plantio, para despertar e garantir a fertilidade da terra, abençoada pela presença da deusa, regente das colheitas.

Zemyna

Era a deusa báltica da terra, criadora de todas as formas de vida. Quando uma criança nascia, ela era reverenciada e honrada com oferendas de comidas colocadas sobre pedras, amarradas em árvores ou entregues na água corrente. Os pais agradeciam pela nova vida se ajoelhando e beijando a terra por três vezes. Seu nome significava simplesmente "terra" e para exaltar a sua fertilidade, Zemyna era invocada com os títulos de: "formadora de botões, flores ou sementes". Sua área de atuação era a vida vegetal: árvores, arbustos, plantas, ervas, líquens, musgo, algas. As árvores com três ou nove galhos eram consagradas a Zemyna, o topo sendo o local onde era guardado o segredo da vida, principalmente nas tílias e abetos, árvores consagradas a ela.

Os povos bálticos acreditavam que a vida humana e vegetal fluíam juntas, as almas à espera da reencarnação se alojando nas árvores após a sua morte física. Os espíritos das mulheres moravam nas tílias e abetos, dos homens em carvalhos, bordos e bétulas. As moças virgens sobreviviam como lírios e os ancestrais residiam nas árvores frutíferas. A paixão báltica pela vida das plantas e a reverência da terra ecoava nas *dainas*, as canções folclóricas que guardavam verdades mitológicas e espirituais ocultas nos seus versos. Até mesmo uma simples árvore do quintal podia se tornar uma "árvore cósmica", conduzindo orações para a deusa solar Saule; os pássaros que nela se abrigavam tornavam-se emblemas da força da vida.

Nanna, A Deusa da Vegetação

Nanna, cujo nome significava "flor", filha de *Nip* (botão, broto) era uma deusa bela e encantadora, que regia a vegetação e o florescimento, considerada um símbolo da devoção e lealdade conjugal. Ao contrário de outros deuses nórdicos, Baldur, o lindo deus solar e marido de Nanna, era extremamente fiel e devotado à sua esposa, ambos formando um casal-modelo de união, dedicação e lealdade.

No mito mais antigo, Nanna aparecia como uma linda deusa cortejada pelos irmãos Baldur e Hödur, que lutam eternamente pelo seu amor, representando as energias opostas da luz e da escuridão, da clareza da visão e da sua ausência (Hödur era cego). No mito mais recente, Nanna é esposa de Baldur e, quando ele foi morto por Hödur (conduzido pela maldade de Loki), ela também morreu de tristeza, sendo cremada junto dele. A pedido de Frigga, ela recebeu de Hel a permissão para voltar para Asgard, porém recusou-se a se afastar do seu amado marido. Como agradecimento pela intercessão de Frigga, Nana lhe enviou por intermédio de Hermod um tapete de flores, além de um anel para Fulla, pedindo-lhes que zelassem pelo seu filho Forsetti. Baldur e Nanna, assim como Hödur, permaneceram no reino de Hel, reaparecendo após o Ragnarök e participando da reconstrução do Novo Mundo junto com os filhos dos outros deuses.

O título de *nanna* era usado para designar as mulheres que se ofereciam – ou eram designadas – para acompanharem seus maridos ou donos após a morte, sendo cremadas junto deles, colocadas depois de mortas (a morte sendo efetuada pela lança ou enforcamento) nos navios ou barcos, que eram incendiados e lançados ao mar, ou suas cinzas guardadas nas piras funerárias.

Rana Neidda

Na tradição dos nativos *sami*, do extremo norte da Escandinávia, existia o arquétipo de uma deusa que regia o desabrochar da vegetação na primavera. Chamada de *Rana Neidda* ela era descrita como uma linda jovem, coberta de folhas e flores, que conduzia as manadas de renas para os pastos abundantes das regiões mais quentes do Sul. Acreditava-se que era ela quem transformava a terra coberta pela neve em pastos verdes, para alimentar as renas famintas após os longos e gelados meses de inverno, favorecendo assim a sua reprodução e a sobrevivência dos filhotes.

Para atrair as suas bênçãos, os sami lhe ofereciam uma roda de fiar coberta de sangue, colocada em altares feitos com pedras empilhadas. Rana Neidda era a patrona dos ritos de passagem femininos, invocada para os ritos da menarca, gestação, parto, menopausa, viuvez e morte, bem como a deusa que auxiliava e protegia nas mudanças e transições e proporcionava fertilidade e prosperidade.

GUERREIRAS E PROTETORAS
As Valquírias
(Valkyrjur, Valkyries, Valmeyjar, Waelcyrge)

A palavra *Valkyrja* (plural *Valkyrjur*), em norueguês antigo, e sua equivalência em inglês arcaico *Waelcyrge*, significam "aquela que escolhe os que vão morrer". Esses termos são mencionados nos *Eddas,* nas sagas do século XIII e XIV, em diversos poemas, nos manuscritos anglo-saxões, em encantamentos, inscrições rúnicas, talismãs e gravações nos monumentos vikings. Nas escavações arqueológicas foram recuperados inúmeros broches e amuletos com imagens estilizadas de mulheres com longas túnicas, cabelos trançados, levando chifres com bebidas ou em pé ao lado de um cão ou cavaleiro. Listas com nomes enfatizam a associação das Valquírias com batalhas, descrevem suas habilidades e atributos e, principalmente, sua missão para escolher aqueles guerreiros que seriam mortos nos campos de batalha e deles selecionados os mais valentes para serem conduzidos para os salões do deus Odin em Valhalla.

Nos mitos nórdicos, as Valquírias aparecem como Filhas de Odin, frequentemente chamadas de suas auxiliares e mensageiras. Atendendo seu pedido, elas "voavam" montadas em velozes cavalos brancos para os locais das batalhas, escolhendo aqueles guerreiros que iam ser vitoriosos e os que iam morrer. "*Ser escolhido por uma Valquíria e por ela conduzido para Valhalla*" era a glória máxima para um guerreiro, pois elas preferiam apenas os mais valentes, merecedores das festas eternas nos salões de Odin e que iam fazer parte dos *Einherjar*, a tropa de elite, que irá lutar na batalha final do Ragnarök. Aqueles que não eram considerados dignos da escolha das Valquírias iam para o reino subterrâneo da deusa Hel.

Nas descrições mais recentes, as Valquírias apareciam como louras e lindas jovens, com pele alva, olhos azuis, cabelos longos e louros, vestidas com reluzentes armaduras e elmos, portando escudos e às vezes espadas. Seus cavalos eram criados de elementos etéricos e quando desciam para a terra, cristais de gelo e gotas de orvalho caíam das suas crinas e do seu suor, enquanto o reflexo das armaduras das Valquírias formava as luzes mutantes da Aurora Boreal. Por isso lhes eram atribuídas influências benéficas para fertilizar a terra e nutrir as plantas. Como tinham o dom da metamorfose, as Valquírias podiam se transformar em cisnes, corvos ou lobos, como camuflagem ou diversão. Quando elas assumiam a forma de cisnes, buscavam locais reclusos para tirar a plumagem e se banhar nos rios. Um lazer perigoso, pois, se algum homem encontrasse ou roubasse os seus trajes de penas, elas não podiam mais retornar para Valhalla e eram obrigadas a segui-lo e se casar com ele.

Por representar um elo entre o mundo dos vivos e mortos, o plano divino e humano, em algumas histórias as Valquírias aparecem como esposas de heróis ou almas de mulheres que tinham sido sacerdotisas ou rainhas, que receberam uma elevação espiritual devido aos seus méritos em vida e se transformaram em Valquírias.

Gerações de contadores de histórias e poetas criaram diversas apresentações e qualidades das Valquírias, em que podem ser percebidos conceitos e traços comuns com as Nornes (por decidirem a sorte dos guerreiros), com as poderosas guardiãs individuais e familiares (elas também davam sorte e proteção aos seus afilhados), as magas e videntes (por tecerem proteções mágicas para os heróis e vaticinarem seu destino), as figuras de mulheres guerreiras que lutavam junto dos seus homens (como as Amazonas, as heroínas e noivas celtas) e as "sacerdotisas da morte". Estas oficiantes fúnebres eram mulheres que realizavam os sacrifícios para Odin: de prisioneiros, escravos ou das consortes que, voluntariamente, se ofereciam para acompanhar seus maridos ou donos mortos em combate. Essa última atuação pode ser vista no rito funerário de um chefe viking com a morte ritualística de uma escrava, realizada por uma mulher chamada de "Anjo da Morte" (descrita anteriormente no primeiro capítulo, em "Cultos e práticas rituais"). A escolha dos prisioneiros que iam ser sacrificados era feita por videntes ou sacerdotisas, que assumiam os títulos de "aquelas que escolhem os que vão morrer", próprios das Valquírias.

A origem dos espíritos femininos que participavam de forma ativa nas batalhas é muito antiga, precedendo as fontes escritas antes citadas. Existem referências sobre a existência de entidades sanguinárias nórdicas que eram semelhantes com as Erínias gregas (as Fúrias), as Górgonas greco-romanas ou as deusas guerreiras celtas (como Brigantia, Morrigan e Badb), que assumiam formas de corvos e prediziam a sorte dos homens nas batalhas. Conhecem-se também algumas Matronas cultuadas pelos soldados romanos como companheiros do deus Marte, chamadas de *Alaisiaga* e cujo título era "condutoras da batalha" e "doadoras da liberdade" (*Baudihillie* e *Friagabi*).

O conceito sobre a existência de uma companhia de "mulheres sobrenaturais" associadas com os combates nos cultos germânicos foi comprovado por dois encantamentos encontrados no século IX em Merseburg (Alemanha), que descrevem mulheres chamadas *Idisi* (ou *Disir*) "criando amarras ou soltando-as", para prender os inimigos ou auxiliar seus protegidos e que eram chamados de *Sigewife* (mulheres vitoriosas). "Amarrar ou soltar" correntes ou amarras, assim como "voar" sobre cavalos e lançar flechas eram atributos de Odin e das Valquírias, sendo que as "amarras" podiam ser mentais ou psíquicas (manifestadas como pânico, cegueira e paralisia temporária) e que deram origem a um dos nomes das Valquírias – *Herfjotur* – "amarras de guerra".

Além das descrições das Valquírias como guerreiras montadas em cavalos, com armaduras ou mantos de penas, registros mais antigos apresentam mulheres sobrenaturais gigantes e grotescas, verdadeiras mensageiras da morte, carregando baldes de sangue para despejar nos campos de batalha, cavalgando sobre lobos ou remando barcos sob uma chuva de sangue. Essas figuras eram consideradas presságios de combates sangrentos e mortes, às vezes aparecendo nos sonhos dos homens e antecedendo os combates, ou nas visões das videntes como maus augúrios para os guerreiros. A mais famosa e lúgubre descrição é encontrada no *Njals Saga,* em que é descrita a visão de um grupo de mulheres chamadas Valquírias, que teciam em um tear formado de entranhas de homens, os pesos dos fios sustentados por crânios ensanguentados. Elas entoavam uma canção lúgubre, que prenunciava uma carnificina, com a sua participação como aparições sombrias no meio das nuvens, encarregadas da escolha daqueles que iriam morrer.

A semelhança entre as descrições de mulheres sobrenaturais participando das batalhas, encontradas nas lendas escandinavas, germânicas e celtas, sugere a existência de mitos antigos sobre espíritos femininos associados com deuses de guerra e cuja aparência tenebrosa e sanguinária era bem diferente das belas imagens do Período Viking. Foram os poetas, artistas e escritores medievais que transformaram as figuras assustadoras – mas fazendo jus ao título de "as que escolhem quem irá morrer" – em lindas princesas que escoltavam os guerreiros mortos para Valhalla e lhes ofereciam chifres com hidromel ou como "donzelas luminosas" que os esperavam no além e até mesmo se casavam com os heróis.

As Valquírias foram exaustivamente descritas e retratadas em diversos relatos épicos, poemas, histórias, lendas, inscrições rúnicas, amuletos, obras de arte, gravuras, teatro, filmes, óperas e temas musicais. Na segunda ópera de Wagner do ciclo *O anel dos Nibelungos* – *Die Walküre* – conta-se a lenda de Brünnhilde e de Siegmund, enquanto *A cavalgada das Valquírias* passou a ser usada em vários filmes e apresentações. Nos *Eddas* é descrito outro aspecto da Valquíria como a consorte espiritual de um herói, que aparece para incentivá-lo, pressagiar conquistas ou derrotas e finalmente recebê-lo como amante, após sua morte em combate. Esse conceito é encontrado também no poema "Völsunga Saga", na história de Sigurd e Brynhild, no mito das "donzelas-cisne" e nas lendas xamânicas, em que existem menções sobre as "esposas espirituais" que protegem seus "maridos" contra espíritos hostis e os acompanham na sua última viagem, para o Além.

Além das qualidades guerreiras, as Valquírias eram consideradas deusas da fertilidade (devido ao orvalho originado do suor do cavalo) e "realizadoras dos desejos humanos" na sua qualidade de *Oskmeyjar* (aspecto associado com o título de Odin, *Oski,* que significa "realizador de desejos"). Nos mitos mais antigos, as Valquírias escolhiam seus protegidos e lhes ensinavam artes mágicas, resgatavam os guerreiros dos navios que se afundavam ou os que se perdiam nas tempestades, sendo suas protetoras durante toda a sua existência. Em caso de perigo iminente, os alertavam nos sonhos ou visões, podendo até mesmo discordar da decisão de Odin quanto à sua morte no campo de batalha. Nos mitos e histórias mais recentes são descritas punições das Valquírias rebeldes, como no famoso mito de Brynhild – ou Brunhilda – do *Völsunga Saga,* imortalizada pelas óperas de Wagner.

Avaliando a suposta punição da desobediência de uma Valquíria (mesmo sendo filha preferida de Odin), podemos perceber a legitimação da autoridade masculina – divina ou humana – que, ao ser desafiada por atos de liberdade e afirmação do poder guerreiro feminino, usava o casamento como castigo para retirar as características marciais e a liberdade da Valquíria. Assim como as "donzelas-cisne" que, ao serem capturadas por homens, tornam-se simples mulheres com o casamento (porém buscando sempre a sua natureza livre e suas "asas"), a punição de uma Valquíria era o casamento. Mesmo se o escolhido por Odin como marido fosse um príncipe ou rei, elas se tornavam simples esposas e mães, funções que não desafiavam o poder guerreiro masculino. Apesar de a sociedade nórdica honrar e respeitar os direitos de livre expressão das mulheres, somente os homens podiam ser os "senhores da guerra", glorificados após as vitórias que lhes garantiam a imortalidade nos salões de Valhalla, devidamente servidos e cuidados pelas Valquírias como "as copeiras de Odin e as condutoras dos heróis para o paraíso".

Nas fontes antigas as Valquírias eram representadas como *Valmeyjar* (donzelas das batalhas), *Hjalmmeyjar* (donzelas com elmos) ou *Skjaldmeyjar* (donzelas com escudo) e seus nomes dos poemas épicos são relacionados com a guerra.

No entanto, nas representações iconográficas do Período Viking, as Valquírias aparecem usando vestidos longos, cabelos trançados e levando chifres com bebidas. A representação da jornada do herói do campo de guerra para Valhalla não podia ser esmaecida ou abalada pela atuação de uma Valquíria, portanto armas e cavalgando. Desta forma, no Período Viking, em que prevalecia o culto odinista e a supremacia dos heróis, a participação das Valquírias foi minimizada como guerreira e colocada em realce a sua transformação em "donzela-cisne", um aspecto inofensivo à estrutura social patriarcal. Para que uma mortal se tornasse Valquíria e recebesse a imortalidade, ela devia permanecer virgem e obedecer a Odin, a mesma condição imposta também às Valquírias vistas como "copeiras" dos *Einherjar* pela ótica viking. Porém, mesmo assim, as Valquírias preservaram sua missão espiritual como intermediárias entre o plano divino e humano, agindo como agentes do destino e protetoras dos seus "afilhados".

Existem na literatura escandinava algumas descrições de gigantas que se comportavam como Valquírias, ajudando jovens heróis ou assustando os inimigos com suas aparições ameaçadoras ou visões macabras. Elas apareciam em grupos de três, cavalgando lobos e acompanhadas de corvos.

A associação com as Nornes coloca em evidência a atuação das Valquírias na modelagem do *orlög* (destino pessoal). Como emissárias de Odin, elas podiam transmitir a sabedoria mágica das runas e auxiliar os iniciados a atravessar a ponte de Bifrost (travessia impossível de fazer sem a sua ajuda). O desejo máximo de um herói ou iniciado era "casar-se com a sua Valquíria", ou seja, alcançar a plena conexão com ela conscientemente, para aprender e ser conduzido por ela. Porém, para merecer a sua proteção e suas dádivas, era necessária muita dedicação e aprendizado, pois somente assim poderia ser alcançada a "fusão", a elevação espiritual que permitia a expansão da consciência e a plenitude da integração, ainda em vida, para homens e mulheres. Alguns autores modernos atribuem à Valquíria a equivalência do Eu superior, a guardiã da alma e a "noiva brilhante" com que a consciência almeja se unir. Porém este conceito é mais condizente com os cultos odinistas, pois os adeptos de outros caminhos espirituais podem ter certa dificuldade ao atribuir à sua *anima* ou protetora o nome e o modelo da Valquíria, principalmente as mulheres que não tem conexão ou afinidade com a tradição nórdica.

O número e os nomes das Valquírias variavam segundo as fontes, no poema "Völuspa" são citadas seis, em outras fonte seu número aumenta para 9, 12, 27 ou 30, seus nomes descrevendo suas atribuições; o grupo que aparecia nos campos de batalha podia ser de 9, 13 ou 27 Valquírias.

A título de curiosidade vou mencionar alguns dos nomes mais conhecidos: *Brynhild* (malha de aço), *Geirahod* (flecha), *Göll* (grito de batalha), *Gunnr* (luta), *Göndul* (bastão mágico), *Herfjötur* (algemas), *Hildr* (batalha), *Hlökk* (tumulto), *Hrist* (terremoto), *Kara* (coragem), *Mist* (névoa), *Randgridr* (escudo), *Reginleif* (herança divina), *Svava* (golpe), *Rota* (turbilhão), *Skeggjöld* (machado de combate), *Sigrdrifa* (raio da vitória), *Sigrun* (vitória), *Skögul* (combate), *Radgridr* (conselho de paz) e *Thrundr* (poder). Outras fontes também mencionam *Alvitr, Geirabol, Goll, Hladgudr, Herja, Judur, Ölrun, Prudr, Reginleif* e *Svipul*. As líderes eram *Gundr, Rota* e a Norne Skuld (a que está sendo).

As Valquírias eram ligadas à deusa Freyja, sua condutora, que, na sua condição de *Val Freyja* – deusa da guerra e da morte – podia escolher metade dos guerreiros mortos e levá-los para sua morada em *Folkvang*, onde havia um salão especial para eles chamado *Sessrumnir* (muitos assentos).

Às vezes, a Valquíria podia ser confundida ou equiparada com a *fylgja* ou as *Disir*, mas assim como existem semelhanças entre elas, cada arquétipo tem suas próprias características. A Valquíria não é ligada a uma família, nem é o espírito de uma ancestral como as Disir. Ela tem uma consciência própria e é detentora de sabedoria e poder mágico, enquanto a *fylgja* é um aspecto de estrutura psicoespiritual de cada ser e a ele ligada até a sua morte. As Valquírias atuavam principalmente como entidades guerreiras e *psicopompos*, condutoras dos mortos. As Disir podiam predizer ou induzir a morte, mas a sua principal ocupação era proteger, cuidar, orientar e assistir seus protegidos da linhagem familiar, sendo mais empenhadas com a perpetuação da vida do que com a supervisão dos mortos.

É importante lembrar e honrar devidamente esses arquétipos ancestrais, pois independentemente dos seus nomes e características, eles fazem parte do passado ancestral e seu poder e sabedoria é milenar, sendo preservado e atuante até hoje.

Nehalennia (Nehelennia), A Protetora dos Viajantes

Conhecida como uma deusa protetora dos viajantes, cujos altares foram encontrados nas ilhas do mar do Norte, próximas aos Países Baixos, Nehelennia também representava qualidades da Mãe Terra. Em muitas gravações sobre pedras, ela aparece segurando pães e maçãs, tendo ao seu lado um barco ou um cão com pernas longas, orelhas grandes e um focinho pontudo. Esse acompanhante canino aparece na maior parte dos monumentos que retratam Nehelennia e acredita-se que ele simbolizava a proteção oferecida pela deusa aos viajantes.

O barco era um antigo símbolo dos deuses Vanir, que, assim como Nehelennia, eram cultuados em ilhas e associados com o mar e a terra.

Nehelennia compartilhava alguns atributos com as Matronas, conforme demonstram as oferendas de pães oblongos esculpidos nos seus altares, encontrados nas escavações arqueológicas e soterrados pela areia nas costas holandesas. Os pães oblongos reproduziam a *yoni* (orgão sexual) das deusas-mães e passaram a serem usados como substitutos das oferendas de animais. Escavações arqueológicas revelaram centenas de menires e altares com inscrições dedicadas a Nehelennia, comprovando a permanência do seu culto no litoral do mar do Norte, até os primeiros séculos desta era. Em um altar intacto encontrado na Holanda, coberto pela areia e datado do século I a.C., Nehelennia aparece sentada em um trono segurando uma cesta de maçãs (símbolos de plenitude e renovação da vida) e acompanhada por um cão (símbolo de proteção e de contato com o mundo subterrâneo), ou seja, os atributos associados à vida e à morte.

Nehelennia era invocada pelos marinheiros e todos aqueles que viajavam no mar; apesar da antiguidade do seu culto e da permanência do seu nome em *Netherlands* (os Países Baixos), pouco mais se sabe a seu respeito. Os círculos de menires da Holanda chamados *hunnebeds*, as cestas com maçãs, os pães oblongos (*duivekatar*), os barcos e os cães, são as poucas referências que permaneceram sobre o culto de Nehelennia, quando eram invocados seus dons: a proteção nas viagens, a fertilidade e a abundância.

Thorgerd Holgabrud, A Deusa Flecheira

Thorgerd era descrita como uma deusa guerreira que, para defender seus protegidos dos inimigos, lançava flechas mortíferas de cada um de seus dedos. Nas lendas mais antigas, ela era considerada filha de Odin e Huldra, a Senhora das Colinas, regente das ninfas das florestas e protetora dos animais. Nas interpretações mais recentes, foi retratada como uma mortal deificada por Odin devido à sua extraordinária habilidade nas artes guerreiras, mágicas e proféticas. Thorgerd também manipulava as forças da natureza e sua atuação era invocada para dar sorte ao plantio, à caça e à pesca. Para denegri-la, os padres cristãos a denominaram *Holgatroll*, atribuindo-lhe os poderes maléficos dos *trolls,* os seres sobrenaturais dos mitos pagãos.

Thorgerd era representada como uma mulher bonita, alta e forte, vestida com peles de animais, usando joias de ouro e cercada de cofres com pedras preciosas. Juntamente com sua irmã Irpa era a protetora de Islândia, reverenciada nos antigos templos de pedra; seu culto foi o último vestígio da antiga tradição das deusas e perdurou muito tempo após a cristianização dos habitantes da Islândia. O mais fervoroso adorador das irmãs foi o nobre islandês Jarl Haakon, que lhes dedicou um faustoso templo no sul da ilha. O nobre desempenhou por alguns anos as funções de rei da Noruega e foi um determinado oponente na adoção do cristianismo em lugar da antiga tradição pagã. Após a cristianização, Olaf, o novo rei cristão retirou os adornos de ouro e prata de Thorgerd do seu santuário, arrastou sua estátua amarrada na cauda de um cavalo, depois a despedaçou e queimou junto com outras imagens de divindades pagãs. Olaf declarou que a partir daquele momento os chefes tribais não mais iriam seguir Haakon, nem reverenciar sua "noiva" (o equivalente do nome *Holgabrud*, "a noiva de Helgi", o fundador mítico do reino de Halogaland, ancestral de Haakon, que herdou o reino e a "noiva").

Thorgerd se manifestava nos campos de batalha como um ser gigante e atemorizador, lançando uma tempestade de granizo contra os inimigos de Haakon, seguida de uma chuva de flechas que ela lançava com habilidade e rapidez dos seus dedos, junto com sua irmã Irpa. No fim da batalha, as deusas apareciam no navio de Haakon como duas lindas gigantas participando dos festejos. No templo a elas dedicado, Haakon se prosternava perante as suas estátuas ricamente adornadas e lhes ofertava ouro e prata.

Lendas sobre as deusas como sendo "noivas dos monarcas escandinavos" tiveram origem possivelmente no costume das mortes sacrificiais, de alguns reis mortos pelas suas esposas, vistas como representantes da deusa da morte e que agiam como "executoras" em caso de secas, fome, epidemias, guerras, ofertando à terra o "velho" rei, para atrair energias de paz e abundância com a escolha de um novo, mais fértil e vigoroso sucessor.

REGENTES ANCIÃS DA TECELAGEM E DO TEMPO

As Senhoras Brancas, As Mulheres-Elfo (*Weisse Frauen*)

O intervalo entre o solstício de inverno e o Ano Novo era celebrado nas culturas antigas do hemisfério Norte como "os 12 dias brancos", caracterizados pela ambiguidade, o conflito entre caos e ordem, bem e mal, fim e recomeço.

Durante os "12 dias" as deusas Holda e Berchta – ou Perchta – (as Senhoras Brancas) conduziam suas carruagens de vento e neve, envoltas em neblina branca, abençoando e ativando a fertilidade da terra, trazendo presentes para os trabalhadores e punindo os preguiçosos. Lendas e contos de fada germânicos descrevem as Senhoras Brancas como lindas criaturas etéricas, semelhantes aos elfos, vestidas de branco, que apareciam durante os dias ensolarados, penteando seus longos cabelos dourados e conferindo riquezas, pedaços de ouro, para aqueles que mereciam. Esses personagens eram resquícios dos antigos arquétipos das deusas, que, por serem proibidos pelo cristianismo, foram reprimidos e depois esquecidos, sobrevivendo apenas no folclore e na literatura. Nos tempos antigos as mulheres não trabalhavam nos "12 dias" e celebravam as "13 noites" com rituais para o fortalecimento feminino, tecendo novos projetos no silêncio e na introspecção da escuridão, que depois eram abençoadas pelas Senhoras Brancas, que regiam esse período.

Os nomes das Senhoras Brancas – que representavam antigas deusas anciãs – variavam entre *Holda*, *Hölle*, *Huldra*, *Berchta*, *Perchta*, *Percht* em função dos lugares onde eram cultuadas. A sua descrição também diferia, tendo em comum estas características: pele enrugada, cabelos brancos em desalinho, nariz e queixos pontudos e penetrantes olhos azuis. Suas atitudes podiam ser benévolas ou maldosas em função das suas atribuições como: acelerar ou recompensar o trabalho das mulheres, ativar a fertilidade (da terra, dos animais e seres humanos), punir a preguiça, cobiça, gula, injustiça ou maldade. Contava-se que elas apareciam sobrevoando os campos e as comunidades, cavalgando lobos, javalis ou raposas, "dirigindo" um pilão ou uma peneira ou conduzindo a Caça Selvagem. Chamada de *Perchtenjagd* esta cavalgada noturna e fantasmagórica era composta de seres sobrenaturais e espíritos humanos (de pessoas mortas ou desdobramentos astrais de xamãs, magos e bruxos), e recolhia as almas perdidas ou recém-falecidas.

As Senhoras Brancas, portanto, eram as reminiscências dos antigos arquétipos das deusas anciãs, que se deslocavam no ar durante as noites de lua cheia carregando fusos, predizendo a sorte ou transmitindo antigos conhecimentos. Elas ensinavam à humanidade os segredos da agricultura, das artes domésticas (fiar, tecer, bordar, trabalhar a argila, colher ervas, preparar poções e cataplasmas), cuidar das crianças e curá-las, manter vivas as tradições ancestrais e os antigos ritos de passagem femininos. As mulheres lhes ofertavam pão, mel, leite, mechas dos seus cabelos (substituídas depois por tranças de pão), ervas e grãos.

Assim como a deusa Frigga, as Senhoras Brancas eram associadas às artes de fiar e tecer, antigas atividades mágicas e artesanais das mulheres nórdicas, como expressões dos seus poderes proféticos, criativos e sustentadores dos ciclos lunares, das estações e da vida humana. Fiar era um processo cíclico, assim como é a alternância das fases lunares, das estações, da vida e da morte, do início e do fim. Tendo o fuso como símbolo de poder, as deusas anciãs controlavam e asseguravam a ordem cósmica, os ciclos naturais e a continuidade do mundo. Na Escandinávia, Alemanha, Áustria, Suíça e nos países bálticos permaneceram várias lendas e tradições da tecelagem como uma arte mágica feminina, além das superstições e proibições ligadas ao ato de fiar. As lendas das deusas Holda, Holle, Perchta, Latva, Habetrot, que puniam as preguiçosas espetando-as com seus fusos, serviam como incentivo para o trabalho e prometiam recompensas para aquelas que caprichavam na sua arte. As histórias contadas nas longas e escuras noites de inverno, quando as mulheres se reuniam para fiar ou tecer, preservaram o legado ancestral, que permanece até hoje nos contos de fada e nas imagens de fadas benévolas ou vingativas. Em diversos bracteatas de ouro do século VI, encontradas na Alemanha e usadas como amuletos, aparecem figuras femininas segurando objetos ligados ao ato de fiar e tecer, reminiscências das deusas tecelãs pré-cristãs. No Período Viking, devido às permanentes preocupações com batalhas, invasões e perigos, as atividades de fiar e tecer foram associadas aos desfechos dos combates e vistas como presságios do destino.

O papel importante desempenhado pela tecelagem na vida das mulheres – desde o período Neolítico ao longo de milênios – e o processo pelo qual o fio é criado pelo giro do fuso e da roda, seguido do ato de tecer várias padronagens em diversas cores, o tornaram um símbolo descritivo na criação da ordem cósmica e na determinação dos destinos. As mulheres associavam a simbologia dos fios com o nascimento das crianças, os elos evidentes entre tecer e parir sendo os cordões umbilicais, que deviam ser cortados, para que um novo fio de vida começasse, fio este que também iria ser cortado no momento da morte pelas Senhoras do Destino. Por ser o fuso um símbolo feminino e atribuído a várias deusas, criou-se a associação entre fiar, magia e os seres sobrenaturais, como fadas, elfos, anões.

As deusas pré-cristãs associadas com as atividades de fiar e tecer como Holda, Frau Holle, Berchta, Percht, Frau Gode, além de serem as orientadoras das tecelãs (premiando as trabalhadoras e punindo as preguiçosas) eram conhecidas também por outros aspectos sombrios ligados à punição. Contava-se nas lendas que elas abriam o estômago e o enchiam com palha ou serragem daqueles "transgressores" que cortavam lenha, teciam, coziam ou lavavam roupas nos "12 dias brancos" ou durante os festivais da Roda do Ano ou que comiam seus pratos preferidos nos dias a elas consagrados. As crianças rebeldes ou que não comiam bem, eram ameaçadas com esta imagem de punição ou com a conhecida história de serem "levadas dentro de um saco" por uma das anciãs. Apesar dessas descrições sinistras, as Senhoras Brancas eram guardiãs das crianças, ninando-as quando choravam de noite, guardando as almas delas nos seus poços entre as encarnações, ajudando as mães nos partos ou entregando presentes às mulheres e às crianças nos dias das suas comemorações.

As Senhoras Brancas eram também associadas com o ato de arar a terra, sendo invocadas nas cerimônias de bênção dos arados. Em muitas lendas elas eram descritas voando sobre um arado, acompanhadas de espíritos infantis, das crianças que morreram sem serem batizadas ou das não nascidas, que ficavam abrigadas nos seus poços encantados. Algumas delas apareciam para visitar as casas na noite de Natal, procurando as oferendas de pão, leite e mel deixadas para elas em lugares especiais; pela maneira que elas deixavam os talheres depois de "comer" eram feitas previsões, enquanto o leite que sobrava era dado para galinhas e vacas para aumentar sua produção, por ter sido abençoado pela sua passagem. Existiam crenças sobre a atuação desses seres sobrenaturais sobre o clima, a neblina sendo a fumaça dos seus fogões, a neve, penas caindo quando sacudiam colchões e travesseiros (que nos países nórdicos eram recheados com penas de ganso) e o trovão provocado pela preparação barulhenta do linho (as hastes das plantas eram socadas com paus para soltar as fibras).

Todas essas lendas são fontes importantes para a compreensão das antigas crenças, costumes e cultos das deusas anciãs, que supervisionavam as atividades domésticas e artesanais e cuidavam de mulheres e crianças. Muitos desses costumes e crenças foram incorporados nas descrições de santos cristãos, assim como foram adotadas as datas do calendário pagão para as festas cristãs. Na adoração de Maria e de diversas santas, durante muito tempo, as mulheres continuaram levando seus pedidos acompanhados das oferendas costumeiras para as deusas. São provas as que foram encontradas em várias capelas cristãs constituídas de grãos, queijo, manteiga, mel, leite, ovos e pão, além das fitas, tranças e pedaços de roupas deixadas perto das fontes curativas.

Enquanto existem muitas referências, pesquisas e descrições das oferendas de armas, armaduras e objetos do Período Viking, achados em lagos e pântanos, pouco se sabe sobre as oferendas deixadas para as deusas, pois além dos ornamentos e joias de ouro e âmbar, mechas de cabelo e ferramentas para tecelagem, a grande parte das oferendas consistia em alimentos, materiais e coisas perecíveis.

Holda (Holle, Hulla, Hulda, Huldr, Frau Harke), A Tecelã

No folclore germânico, resgatado pelos contos de fada dos irmãos Grimm, *Frau Holle* é a patrona sobrenatural da tecelagem, do nascimento de crianças e de animais domésticos, associada também com o inverno, magia e a Caça Selvagem, equivalente das deusas escandinavas *Huldra*, *Huld* ou *Holda*. Esses nomes foram encontrados na Alemanha em inscrições em latim datadas entre 197-235 d.C. e foram relacionados com os arquétipos escandinavos de Hlodyn (deusa da terra e mãe de Thor), com Nerthus e principalmente com Frigga devido aos seus nomes complementares de *Frau Goden* e *Frau Frekke*, na sua qualidade de dirigente da Caça Selvagem. Existe também uma similitude de simbolismo e etimologia entre o termo alemão *Holl(d)a*, o inglês arcaico *Hella*, ambos relacionados à morte e à morada dos mortos e o gótico *Hultha*, significando "dobrar, inclinar". Em lendas e histórias populares, encontradas em várias regiões da Alemanha, Holda assume além dos nomes citados no título os de *Frau Berchte*, *Frau Percht* e *Striga Holda*.

Qualquer que seja o seu nome, Holda é uma deusa multifacetada, ela pode aparecer como uma mulher radiante se banhando ao meio-dia num lago, ou como uma velha avó que conduz sua carruagem no meio da névoa ou nas tempestades. As moças que fiavam e teciam com afinco podiam contar com sua ajuda para terminarem mais rapidamente suas tarefas, mas as preguiçosas a temiam, por dela receberem castigos, como o trabalho desfeito, os fusos quebrados ou os fios embolados. Na Idade Média ela foi transformada na bruxa malvada que conduzia a Caça Selvagem composta de bruxas, pagãos e almas de crianças não batizadas. No folclore nórdico ela é descrita como a mãe das semideusas Thorgerd e Irpa, uma mulher idosa vestida de branco, oculta na neblina ou a "Senhora dos *Huldre folk*", os espíritos guardiões das colinas e montanhas.

Porém o seu maior realce é como padroeira das tecelãs, a atividade feminina associada com a magia e o mundo sobrenatural. Holda ensinou as mulheres a transformação das hastes de linho em fios, bem como a arte do seu cultivo, do fiar e tecer, por isso é assemelhada com Frigga, que governava as atividades domésticas, o uso de lã na tecelagem e também cuidava das mulheres. A tecelagem era uma importante atividade das mulheres nórdicas, que lhes permitia ganhar dinheiro, além de providenciar roupas e cobertas para os familiares. Mesmo após a Revolução Industrial, tecer era um símbolo da virtude feminina. Ela era celebrada na véspera de Natal (a versão cristã da antiga *Modersnatt* ou *Modranicht,* a noite da mãe), durante os "12 dias brancos" ou na "12ª noite" correspondendo à Epifania cristã. Neste período era proibido fiar, o trabalho sendo reassumido depois.

Holda personificava o tempo que modificava a terra, trazendo neve quando sacudia seus travesseiros, chuva quando lavava roupas, neblina quando acendia seu fogão, tempestades quando andava na sua carruagem, trovões e chuva, quando socava o linho deixado de molho no rio. Ela aparecia geralmente de duas formas: uma moça vestida de branco ou uma velha com nariz afilado e dentes grandes e proeminentes, com roupa cinza ou preta e cabelos desgrenhados. No seu aspecto benevolente e gentil, ela é jovem e faz aparecer o sol quando penteia seus longos cabelos louros, ou passeia na carruagem dourada puxada por joaninhas. No seu aspecto sombrio, como uma velha brava e feia, tendo um pé deformado pela roda de fiar, ela trazia um fuso comprido para espetar as tecelãs preguiçosas ou embaralhava seus fios. Holda é associada com fontes, poços – onde guarda as almas das crianças não nascidas – e lagos, onde poderia ser vista na sua manifestação como a Dama Branca envolta em neblina. As mulheres que desejavam engravidar se banhavam nesses lagos, implorando as bênçãos de Holda e lhe ofertando fusos e linho.

Enquanto no norte da Alemanha Holda era descrita como a Condutora da Cavalgada dos Mortos, no sul ela aparecia cercada pelos espíritos das crianças (não nascidas ou mortas sem batismo). Existem muitas referências sobre a sua conexão com Frigga, Holda sendo considerada às vezes como o aspecto sombrio e ancião da gentil e graciosa *Frikka,* cujo culto sobreviveu nas regiões em que foram registrados séculos depois as lendas de Holle e Perchta. São essas lendas que permitiram o resgate dos atributos e atividades de Frigga, pois apesar dos cultos das deusas terem sido suprimidos pelo cristianismo, seus resquícios sobreviveram, adaptados e preservados nos contos de fada.

Devido à sua associação com o mundo sobrenatural, através das atividades de fiar e tecer, o arquétipo de Holda foi preservado no folclore cristão alemão como a Rainha das Bruxas, que voava na sua vassoura e conduzia os espíritos femininos para as reuniões nas noites de lua cheia, nas clareiras das florestas, no topo das colinas ou nos círculos de menires. Documentos medievais a identificaram como *Diana, Aradia, Herodias, Abundia ou Habondia*, consideradas as padroeiras das bruxas, cujas adeptas foram julgadas e condenadas como seres maléficos e perigosos para a sociedade cristã, torturadas e depois queimadas nas temidas fogueiras da Inquisição.

A mais famosa lenda de Holda foi contada pelos irmãos Grimm e descrita como *Frau Holle* ou *Mother Hulda*. Uma mãe tinha duas filhas, a mais velha mimada e preguiçosa, a caçula mal amada e explorada, tendo que fazer sozinha todas as tarefas domésticas, inclusive fiar diariamente montes de linho. Um dia, ela espetou o dedo com a ponta do fuso e quando foi lavar o sangue na água do poço, ao lado do qual ficava fiando, o fuso lhe escapou da mão e mergulhou nas profundezas da água escura. Temendo ser punida, ela pulou no poço para procurar o fuso, mas descobriu-se entrando no mundo encantado de Holda, onde permaneceu por algum tempo, trabalhando para ela. Impressionada pela eficiência do seu trabalho rápido e bem feito, Holda encheu o avental da moça com ouro e a enviou de volta para sua casa. Cheia de inveja e cobiça, a mãe enviou a outra filha para repetir o feitio da caçula e trazer mais ouro. Ela, no entanto, era preguiçosa, e Holda puniu a sua natureza lerda e indisciplinada cobrindo-a com piche, antes de mandá-la de volta para a sua mãe.

As mulheres escandinavas e germânicas invocavam as bênçãos e a ajuda de Holda nas tarefas artesanais e domésticas principalmente nos preparativos para o Novo Ano. Segundo a antiga tradição, a casa devia ser limpa antes do Natal e preparadas com antecedência as comidas tradicionais, que incluíam biscoitos de aveia, bolinhos com gengibre cobertos com açúcar de confeiteiro (imitando a neve), panquecas com mel e manteiga e chá de sabugueiro.

Holda era também invocada para os encantamentos relacionados ao tempo (desde que fosse respeitado o equilíbrio ecológico, sempre em benefício da natureza e não dos interesses pessoais), na celebração do solstício de inverno, para abençoar e conduzir atividades artesanais e criativas, para semear e plantar, para proteger as parturientes e as crianças (antes e depois de nascerem).

Berchta (Bertha, Frau Berchte, Perchta), A Senhora Branca

Nas lendas da Alemanha, Áustria e Suíça encontramos reminiscências dessa antiga deusa, que, junto com sua equivalente – ou irmã – Holda, foi ridicularizada com a caricatura da bruxa feia e malvada, voando sobre uma vassoura. Enquanto o mito e os atributos de Holda foram preservados, Berchta ficou conhecida apenas como a Senhora Branca ou a Mulher Elfo, que flutuava sobre os campos, coberta com seu manto cinzento de neblina.

Berchta era uma deusa da fertilidade – dos campos, das mulheres, dos animais domésticos – cujo nome significava "brilhante". Ela regia a tecelagem, a fiação, os arados e o tempo, trazendo neve, névoa, granizo ou chuva. Era descrita como uma mulher velha, com roupas velhas e cinzas, cobertas às vezes com um manto branco, cabelos desgrenhados e grisalhos, rosto enrugado e olhos brilhantes de um azul vivo. Berchta podia ser gentil, presenteando as tecelãs esforçadas com fios de ouro e novelos de linho de boa qualidade, ou raivosa, quando punia as preguiçosas. Assim, como Holda, ela inspecionava as rodas de fiar e os teares, desmanchava os trabalhos mal feitos, quebrava fusos ou espetava as mulheres com seu fuso. Em conjunto com Holda, regia os "12 dias brancos", e era comemorada no solstício de inverno com panquecas, leite e mel. Berchta aparecia principalmente no inverno percorrendo o mundo em uma carruagem puxada por um bode; durante o intervalo de tempo a ela dedicado – os 12 dias brancos – era proibido o uso de qualquer veículo ou instrumento com rodas ou movimentos giratórios.

Em seu aspecto de Senhora Branca, Berchta protegia os espíritos das crianças não nascidas, abrigando-as no seu poço encantado, de onde saíam para ajudá-la a cuidar dos brotos de árvores e das flores, molhando as plantas com pequenos regadores, a espera da sua reencarnação. Considerada a ancestral da família real alemã, a Dama Branca aparecia no palácio antes de uma morte ou infortúnio, uma crença tão arraigada, que, mesmo no século XIX, eram noticiadas suas aparições fantasmagóricas.

Assim como o personagem do Papai Noel (sendo considerada sua precursora) ou a deusa romana Befana, Berchta era uma figura misteriosa, que trazia presentes ou punia, vivendo ora nas montanhas e vales nevados, ora aparecendo no meio da neblina dos lagos no verão. Durante o inverno ela fiava e recompensava os pastores que tinham levado para ela nos meses de verão oferendas de linho para ela tecer. Uma das suas manifestações sombrias era *Stempe*, simbolizando o amassar do linho com os pés ou o pisotear daqueles que a tivessem ofendido ou a punição das crianças colocadas no seu saco.

Perchta tinha vários nomes dependendo da região da Alemanha ou a época do seu culto, que era parecido com o da escandinava Holda. Na Holanda era conhecida como *Vrou Elde*, regente da Via Láctea. Era descrita às vezes tendo um pé grande e deformado semelhante ao de ganso ou cisne, a marca deixada pelo uso excessivo da roda de fiar, ou indício da sua capacidade de metamorfose nessas aves, voando junto delas. Seus adeptos lhe deixavam comida e bebida, pedindo em troca fertilidade e prosperidade. A igreja proibiu o culto e as oferendas para esta "bruxa perigosa e nociva para a alma cristã", mas guardou resquícios do seu simbolismo na lenda de Santa Luzia e do Papai Noel. Na Escandinávia Berchta era equiparada a *Huldra*, que aparecia acompanhada de um séquito de ninfas da floresta, que, ocasionalmente, procuravam a companhia de homens para dançar. As ninfas – ou *Huldre folk* – eram identificadas pelo rabo de vaca que aparecia sob as suas vestes brancas e eram conhecidas como protetoras do gado nos pastos das montanhas.

A denominação de *Perchten* (no plural) foi dada às acompanhantes de deusas anciãs como Perchta e suas equivalentes (as eslavas *Baba Yaga*, *Pehta Baba*, a alemã *Saelde* ou *Selga* e a etrusca *Befana*) e às máscaras com feições de animais, que continuam sendo usadas até hoje nas regiões montanhosas da Áustria e Suíça. Essas máscaras fazem parte dos costumes tradicionais de Natal, nas festas realizadas em Salzburgo, Suíça, Tirol e Áustria, além de serem usadas como fantasias no Carnaval, decorações e enfeites nas lojas destinadas aos turistas nas estações de esqui.

No século XVI as Perchten receberam duas apresentações: as benévolas e bonitas (*Schöne Perchten*) adornadas com fitas, folhagens, flores e correntes douradas e as escuras, malévolas e feias (*Finster Perchten*) com garras, presas afiadas, chifres, peles de animais pretos e rabos de cavalo. Encenava-se um combate ritualístico chamado *Perchtenjagd* entre os dois grupos almejando a vitória da luz sobre a escuridão, enquanto homens vestidos como as "Perchten escuras" passavam pelas casas fazendo muito barulho para afastar fantasmas e maus espíritos. As pessoas eram abençoadas pelas "Perchten luminosas" com uma mistura de cinzas e fubá, simbolizando o poder de regeneração da vida após a morte, ritualizando assim o triunfo da força vital e da luz sobre os poderes negativos, do caos, da escuridão e da morte.

No fim da Idade Média, um mito comum se espalhou do norte ao sul e do leste a oeste da Europa. Era a descrição da procissão de espíritos (de seres vivos ou dos mortos) conduzidos por uma anciã e que aparecia nas noites de *Walpurgis, Samhain e Yule* (respectivamente a véspera dos dias de 1º de maio, 31 de outubro e Natal). A condutora tinha nomes diversos, cavalgava um corcel negro com olhos de brasas e sua passagem por cima de uma casa era um mau augúrio. Até o ano de 1500 as pessoas deixavam oferendas de comida e bebidas para Perchta (ou Bertha) "com nariz de ferro", para obter a sua benevolência e proteção e evitavam sair nas noites da Caça Selvagem, para não serem por ela arrastados.

Resquícios dessa crença permaneceram nas fantasias usadas nos "12 dias brancos": máscaras com bicos de aves, pessoas cobertas com peles de animais, soprando cornetas ou batendo tambores e pratos, para afastar os maus espíritos, assustar as crianças e torná-las obedientes. Às vezes o antecessor de Papai Noel – *Nicholas* – aparecia junto, carregando um saco para levar presentes às crianças boazinhas ou levar nele as indisciplinadas. A procissão das Perchten devia visitar todas as casas e passar pelos campos para atrair a fertilidade da terra com encenações de danças e encantamentos.

Thrud, A Regente do Tempo

Pouco mencionada nos mitos, Thrud é conhecida através das *Kennings* (metáforas) como, por exemplo, "o pai de Thrud" designando Thor ou o "raptor de Thrud" para o gigante Hrugnir. O rapto de Thrud aparece apenas em um poema escrito antes da conversão e explica a razão do duelo entre Hrugnir e Thor. Mais detalhado é o mito sobre seu pretendente, o anão Alvis, que tinha ido para Asgard pedir sua mão (no verbete de Thor encontra-se o relato completo).

Filha de Sif e Thor, Thrud era conhecida tanto como deusa, giganta ou Valquíria, seu nome significando "força" e "semente". Ela era famosa por sua extraordinária beleza, sendo admirada e desejada por gigantes, deuses, heróis e mortais. Thrud era considerada regente do tempo, condicionado pelo seu estado de espírito: quando raivosa, nuvens escuras de chuva e tempestades se formavam no horizonte; enquanto o bom humor deixava o céu na cor de seus lindos olhos azuis. No seu aspecto de Valquíria, Thrud aliviava o sofrimento dos feridos no campo de batalha, o que a tornou a padroeira dos curadores, auxiliando na cura de feridas (físicas ou emocionais) e no equilíbrio psicossomático e energético.

Thrud era invocada nos encantamentos e práticas agrícolas para mudar ou estabilizar o tempo favorecendo os plantios ou colheitas, respeitando sempre o equilíbrio natural e visando beneficiar a natureza (ambiental, vegetal, mineral e animal).

REGENTES CELESTES

Sunna (Sunnu, Sol, Sunniva), A Senhora Sol

Sunna era a personificação divina da luz solar, venerada pelos povos nórdicos como doadora da vida e cujos símbolos – a roda solar e os círculos concêntricos – foram encontrados em inúmeras inscrições rupestres originárias da era Neolítica e da Idade do Bronze. Apesar da importância dos cultos e mitos solares nas antigas sociedades nórdicas, existem poucas referências sobre Sunna nos poemas e mitos mais recentes. Nas línguas escandinavas e germânicas o gênero do sol é feminino e existem associações evidentes entre o sol e a deusa no norte europeu, como era de se esperar, tendo em vista a influência do sol para o florescimento da natureza e o amadurecimento das colheitas nos curtos meses de verão.

Nas escavações de vários sítios na Alemanha foram encontrados símbolos solares gravados sobre estatuetas femininas, oriundas dos primeiros séculos d.C. Há indicações de que essas imagens – representando uma deusa solar – faziam parte das práticas domésticas das mulheres; figuras semelhantes foram achadas em pequenos altares, nas ruínas de residências e nos túmulos, comprovando a extensão desta veneração.

Sunna regia o ciclo do dia e os ritmos da vida agrícola, que giravam em torno do nascer e pôr do sol, dos solstícios e eclipses e garantia a sustentação da vida em um clima frio e terra inóspita. Chamada de "noiva brilhante do céu" e

"Senhora Sol", Sunna carregava o disco solar durante o dia, em uma carruagem dourada puxada por dois cavalos: *Arvakr*, "o madrugador" e *Alsvin,*"o veloz", sob cujas selas havia sacos com vento para mantê-los protegidos do intenso calor solar. Sunna se apresentava envolta por uma luz dourada, cujos raios formavam seus cabelos; horas antes do sol nascer, ela ficava sentada sobre uma rocha e fiava ouro com seu fuso dourado. Para conduzir a carruagem, ela segurava um chicote e um escudo chamado *Svalin* (o esfriador), para proteger a terra e os seres humanos do calor excessivo e destrutivo dos raios solares.

A trajetória de Sunna era marcada por dois períodos: durante o dia ela conduzia sua carruagem dourada percorrendo e iluminando o céu, do leste para oeste. Quando anoitecia, ela mergulhava no mar ou na terra e assumia a direção de um barco puxado por um enorme peixe, iniciando um trajeto inverso, do oeste para leste. No final da noite, antes do alvorecer, Sunna emergia lentamente do mar ou da terra, sentada novamente na sua carruagem dourada, com o brilho contido da alvorada e aumentando progressivamente seu brilho e calor.

Sunna é uma das três deusas que irão morrer no Ragnarök (junto com Bil e Hel), sendo alcançada e devorada pelos lobos Skoll e Hati, seus eternos perseguidores. Porém, antes de morrer, dará à luz uma filha, que, no alvorecer do Novo Mundo, irá assumir seu nome e continuará sua missão (conforme descrito no Mito da Criação). É possível que sua morte se deva ao fato de ter nascido como uma mortal (filha de Mundilfari, irmã de Mani, o regente lunar) e divinizada por Odin, devido à sua estonteante beleza e peculiar brilho dourado.

Os povos antigos que reverenciavam Sunna ergueram em sua honra inúmeros círculos de pedras, destinados para a realização de rituais nas datas sagradas dos solstícios e equinócios. Um jogo antigo que foi preservado na Escandinávia e Alemanha era feito na primavera, quando jovens das comunidades "aprisionavam" uma moça no centro de um labirinto de pedras arrumadas em forma de espiral e depois a "libertavam" do seu cativeiro. Em todos os locais onde se realizavam danças e festejos primaveris, existia na proximidade um labirinto – de pedras, montículos de terra ou cavado no chão. Apesar de ter se perdido o mito que lhe deu origem, a dança em espiral permaneceu pelo menos um milênio após a cristianização. Estudiosos concluíram que o labirinto era conectado com o rito de passagem do inverno e à libertação do verão, resquícios de um antigo mito solar pan-europeu, centrado numa divindade feminina.

Foram encontradas em inúmeros lugares, da Islândia até a Itália e a Rússia, centenas de labirintos, com desenhos intrincados e associados com as danças na primavera. O cristianismo incorporou muitos dos desenhos e símbolos solares nas igrejas erguidas sobre os antigos locais sagrados pagãos. A teoria sobre a origem ártica desse ritual é apoiada pela reprodução do movimento do sol no céu nórdico pelo traçado do labirinto. Próximo ao Círculo Ártico o padrão anual do sol é diferente, formando arcos que se expandem e criando um labirinto, como se fossem fiados pelo fuso dourado de Sunna. Acredita-se que os labirintos escandinavos foram construídos 6 mil anos atrás, pois o culto da deusa solar no extremo norte data da pré-história, conforme indicam as inscrições com motivos solares. Durante a Idade do Bronze, o ato de fiar tornou-se metáfora para a produção da luz pela deusa cósmica, e assim as antigas culturas começaram a reverenciar uma tecelã solar.

Entre os símbolos das inscrições rupestres destacam-se os que descrevem objetos ligados à tecelagem como pentes, fusos e rodas de fiar, além de marcas de pés, um reconhecido símbolo feminino (associado com a genitália e o sexo) e representando a passagem divina para abençoar a terra com fertilidade. As marcas de pés aparecem sempre próximas às rodas ou barcos solares, a roda representando a carruagem do sol durante o dia, e o barco, o seu traslado noturno no reino dos mortos. Mais impressionantes do que as inscrições rupestres são as esculturas de bronze encontradas nos pântanos, a mais famosa sendo a carruagem solar achada em uma ilha dinamarquesa, datada de 1200 a.C. Ela tinha seis rodas, quatro sustentavam um cavalo, enquanto o último par levava um disco solar em uma carruagem acoplada, o disco sendo gravado com círculos concêntricos e espirais. Nas proximidades foi encontrada a estatueta de uma mulher nua, provavelmente uma deusa, vestindo apenas uma saia com franjas, uma das mãos segurando um seio, a outra sugerindo segurar rédeas. O colar por ela usado lembra os das deusas Frigga e Freyja.

Os adoradores de Sunna eram indo-europeus, ancestrais dos atuais escandinavos, islandeses, bálticos, eslavos, alemães e ingleses, que tinham em comum, raízes linguísticas, crenças religiosas, costumes populares e rituais. No texto dos *Eddas*, Sturluson enumera os vários títulos de Sunna: "Irmã da Luz, Fogo do céu e do ar, Sempre radiante, Roda brilhante, a Boa luz, Brilho sem sombra, Raios de cura".

Sunna tinha além das atribuições solares uma missão específica na mitologia nórdica, no seu aspecto de *Alfradul*, "a luz dos elfos" ou "a que iludia os anões". Na Escandinávia a deusa solar era associada com os anões, um fato intrigante, pois apesar deles e dos elfos escuros servirem a deusa, eles ficavam petrificados pelos seus raios e por isso viviam escondidos em grutas ou frestas da terra, longe do contato humano. Entre as várias explicações sugeridas, a mais plausível é a que considera os anões como responsáveis pela confecção do brilhante colar solar e pela construção dos círculos e labirintos de pedra.

As imagens solares eram usadas pelos poetas como metáforas para descrever a beleza das Valquírias, heroínas e deusas. As deusas Frigga e Freyja tinham atributos e correspondências solares como o âmbar, colares, gatos, carruagem, fusos e anões. Freyja, por exemplo, foi chamada em uma canção de *Vana Solen* – o belo sol –, de Gerda dizia-se que "*irradiava uma luz dourada que iluminava o céu e a terra*", a Valquíria Swanhild era "*tão bonita que parecia um raio de sol*" e várias mulheres foram descritas como "*iluminadas pelo sol*", com "*rostos ou semblantes luminosos*". Frigga, a Rainha celeste que possuía um fuso incrustado com joias em forma de estrelas, tecia as nuvens com fios de luz dourada. Nos contos de fada alemães são descritas várias crenças sobre a deusa solar chamada *Frau Sonne* e casada com *Herr Mond* (Senhora Sol e o Senhor Lua).

As deusas tecelãs Holle (Holda) e Berchta (Perchta) descritas em inúmeras lendas e contos de fada da Alemanha, Áustria e Suíça, apareciam com características solares como: luz solar irradiando dos seus cabelos quando os penteavam, carruagens puxadas por joaninhas (associadas com o sol), procissões no início da primavera, chuva ou pedaços de ouro (presentes para as pessoas trabalhadoras e de boa índole), apelidos de "brilhante", celebrações no solstício de inverno e sua adaptação final pela igreja cristã na figura de Santa Luzia.

Reminiscências das antigas deusas solares são encontradas também nas tradições dos povos fino-úgricos, dos nativos sami – como Beiwe e Beiwe-Neida, Saule, a Mãe Sol, Paivatar – cujos mitos são centrados ao redor dos mesmos elementos: fuso, aprisionamento do sol ou seu rapto, o resgate feito por um herói, a fertilidade da terra ativada pelo calor solar na primavera, os espelhos redondos de bronze que refletiam a sua luz mágica e a comemoração dos festivais solares (solstícios e equinócios) com procissões, orações, rituais, danças circulares e festejos ao redor de fogueiras.

Beiwe, Beiwe Neida e Saule

Uma tradição da deusa solar é encontrada nos costumes dos nativos sami, que veneravam *Beiwe* e *Beiwe – Neida*, sua filha, que eram puxadas no céu por um trenó feito com chifres de alces, trazendo o brotar da vegetação na primavera ártica, para garantir a alimentação e sobrevivência das renas e das tribos nativas que as criavam.

Para invocar suas bênçãos os sami faziam sacrifícios de renas ou cabras, sempre fêmeas e de preferência brancas. O sangue era usado para consagrar globos e anéis de madeira, que eram amarrados nas árvores em sinal de devoção à "redonda Mãe Solar". No dia em que a luz solar reaparecia nas regiões árticas, após o seu aparente sumiço – ou suposto "cativeiro" em uma gruta – durante os longos meses de inverno, os sami untavam suas portas com manteiga para que a deusa solar enfraquecida se alimentasse e assim se fortalecesse novamente. Eram feitas preces para que a jovem donzela solar irradiasse sua luz e calor sobre as renas, a terra e as pessoas. Os sami acreditavam que o "olho da deusa" localizasse pessoas ou animais perdidos e para conseguir sua ajuda eles oravam olhando para o sol através de um anel de madeira. Por ser a forma redonda consagrada à deusa solar (como reflexo dela mesma), o tambor e a roda de fiar eram vistos como objetos sagrados e mágicos, conforme foram descritos em inúmeras lendas. A Mãe Sol das tribos fino-úgricas era invocada com esta oração: "*Sundi – Mumi, nós A honramos com oferendas de leite, manteiga e pão; dai-nos dias quentes, verão prolongado e chuvas amenas*".

A Grande Mãe dos povos bálticos era a deusa solar *Saule*, a tecelã celeste, regente da luz dourada e do brilho do âmbar. Ela regia todas as fases da vida, do nascimento até a morte, quando ela recebia as almas na sua macieira sagrada, no poente. O mar Báltico – que margeia a Letônia, a Lituânia e a Estônia – tinha sido nomeado em sua homenagem usando um dos seus nomes, *Balta Saulite*, que significava "o querido sol branco". Saule era louvada em canções e rituais que celebravam a nutrição e sustentação da vida terrena e que a invocavam como "Nossa Mãe", *Saulite Mat* (pequena mãe do sol) e *Saulite Sudrabota* (pequeno sol prateado). O adjetivo "pequeno" era usado como um termo carinhoso e a "luz branca ou prateada" era devida à fraca luminosidade do sol ártico, envolvido geralmente pela névoa.

Mito de Saule e Saules Meita

A deusa solar Saule era casada com Meness, o deus lunar, e a primeira filha do casal foi a terra, seguida de inúmeros outros filhos, as estrelas. Saule saia de casa de madrugada e voltava ao anoitecer, após ter conduzido sua carruagem no céu o dia todo. Meness era preguiçoso e lerdo, dormia de dia e saía com sua carruagem lunar à noite, porém nem sempre, dependendo da sua vontade ou humor. A luz da vida de Saule era sua filha (chamada *Saules Meita*, *Austrine*, *Valkyrine* ou *Barbelina*), regente da estrela matutina, que ela procurava todos os dias ao anoitecer, após cuidar dos cavalos que puxavam a carruagem, famintos e cansados pela longa jornada. Uma noite Saules Meita não apareceu, pois estava em estado de choque, tendo sido estuprada pelo seu pai. Enraivecida por este fato abominável, magoada pela traição e chorando lágrimas de âmbar, Saule pegou uma espada e retalhou o rosto de Meness, expulsando-o de casa; por isso eles nunca mais foram vistos juntos no céu. Para diminuir a dor e a vergonha da filha e poder protegê-la melhor, Saule a mantém sempre ao seu lado, quando

Saules Meita aparece no alvorecer ou ao anoitecer como a brilhante "estrela matutina ou vespertina" (o planeta Vênus). Os povos bálticos saudavam Saule se inclinando para o Leste todas as manhãs e a comemoravam no solstício de verão com canções tradicionais chamadas *dainas*, banhos nos rios, guirlandas de flores e fogueiras ao longo da noite.

Por ser a língua lituana a mais bem preservada das que sobreviveram do ramo indo-europeu, acredita-se que Saule era uma deusa arcaica norte-europeia, cujo culto era anterior às invasões indo-europeias, sendo um arquétipo vital para a sobrevivência dos povos nórdicos. Saule é a mais antiga deusa solar e tecelã, que chorava lágrimas de âmbar e era associada com fuso, tear, anões ferreiros, colares mágicos, danças circulares e labirintos, imagens também associadas com outras deusas e que fazem parte da complexa simbologia solar. Os povos bálticos, preservadores do culto da deusa solar apareceram no norte europeu entre 8000- 4000 a.C. como tribos agrícolas, que se mesclaram depois com os invasores nômades indo-europeus. Enquanto os outros descendentes dos indo-europeus simplificaram os mitos e se distanciaram das suas origens, os povos bálticos preservaram a complexidade linguística e a riqueza mitológica, principalmente o culto da deusa solar. A conexão entre fiar, tecer, sol e o âmbar é muito antiga, inúmeros fusos de âmbar foram achados nos túmulos do norte europeu, o âmbar sendo visto como uma pedra sagrada e ofertado à deusa tecelã solar milênios antes de ser usado em colares.

A descrição de uma deusa sentada sobre uma pedra e fiando com um fuso de ouro momentos antes de o sol nascer, é uma imagem comum a todos os povos do norte, centro, leste e oeste da Europa, confirmando assim a antiguidade do culto da deusa solar. Observando a recorrência das mesmas imagens – fusos e rodas de fiar, anões, globos, anéis, círculos, espirais e labirintos – pode-se concluir que o mito da deusa solar existiu durante milênios em várias culturas antigas como Escandinávia, Alemanha, Finlândia, países bálticos e eslavos, Rússia, Japão, Islândia, Grã-Bretanha e América do Norte. Em todas as lendas dessas regiões aparece uma deusa solar, fiando e tecendo, regendo a vida e a procriação, estabelecendo a ordem e os ciclos, conduzindo e protegendo a trajetória dos seres vivos, integrando a dualidade de luz e sombra, vida e morte.

Bil, A Regente da Lua

Os povos escandinavos, bálticos, germânicos, assim como os eslavos e celtas, atribuíram gêneros diferentes ao sol e à lua em comparação com os mitos greco-romanos. Enquanto no mito escandinavo o sol era regido pela deusa solar

– conhecida por vários nomes em função do lugar do seu culto –, a lua tinha como regente Mani, o irmão de Sunna, a deusa solar, que governava a trajetória lunar e decidia as suas fases e ciclos. Um dia, ele observou num lugar na terra duas crianças maltratadas pelo seu pai, que as obrigava carregar baldes de água, sem cessar, mesmo de noite. Condoído com seu sofrimento, ele as tirou e levou para morarem na lua. Nada mais é comentado nas fontes escritas sobre *Hjuki*, o menino; mas *Bil,* a moça, foi elevada por Odin à condição divina, devido à sua beleza e brilho suave da sua aura. Bil passou a fazer parte das deusas *Asynjur* e foi designada como deusa lunar, regendo a lua junto com o deus Mani. Devido à sua origem mortal, Bil precisava receber diariamente as maçãs da imortalidade oferecidas pela deusa Idunna.

Bil era a condutora da carruagem lunar, na fase crescente segundo alguns escritores, ou sempre, segundo outros. Por ser continuamente perseguida pelo lobo Hati, ela será por ele alcançada e devorada no Ragnarök, assim como Sunna. Porém diferente de Sunna, que dá à luz uma filha pouco antes de morrer – e que continuará sua missão –, nada é mencionado nos mitos ou lendas sobre uma possível herdeira lunar de Bil, sua sobrevivência ou renascimento. Essa omissão possivelmente é devida à pouca importância dada à lua pelos povos nórdicos, que veneravam o sol como fonte de vida e atribuíam à lua a influência sobre marés, ciclos biológicos e a medição do tempo, seus calendários sendo lunares.

Além das mulheres que invocavam Bil nos seus ritos de passagem, no cultivo, na colheita e no uso das plantas curativas, não existia no norte europeu um culto lunar estabelecido e organizado como o dos povos greco-romanos e do Oriente próximo. Bil era honrada também por artistas e poetas, para que lhes concedessem inspiração e criatividade, pelos marinheiros e pescadores para garantir a segurança das viagens nas noites escuras e a abundância da pesca em função das marés.

Apesar das claras e diversas referências sobre a divisão nórdica dos gêneros para o sol e a lua, alguns autores e tradutores dos textos originais sustentam a hipótese clássica do sol regido por um deus e a lua por uma deusa, "corrigindo" de forma inadequada as verdades míticas e históricas. A insistência literária na existência de uma dualidade de gêneros pode ser amenizada substituindo o modelo grego com a visão múltipla dos povos hindus, persas, egípcios, celtas que honravam deuses e deusas solares e lunares, sem que existisse um simbolismo antagônico ou oposto. Aceitando os valores tradicionais e específicos dos povos nórdicos, podemos compreender melhor a sua mitologia, fundamentada na geografia e no clima dos seus países, totalmente diferentes dos países mediterrâneos.

Outra antiga deusa escandinava, associada à lua, era *Ursula* (*Orsel*, *Ursel*). Seu mito foi esquecido com o passar do tempo e sabia-se apenas que ela vivia cercada por 11 mil virgens (as estrelas). Na conversão, foi cristianizada como Santa Úrsula. Semelhante a Orsel, era a padroeira dos cavalos e dos animais domésticos, cultuada principalmente pelos teutões como uma deusa lunar e chamada *Horsel*.

Nott (Nat, Niorun), A Senhora da Noite

Nott era conhecida como a regente da noite, que percorria o céu noturno em uma carruagem puxada por um cavalo preto chamado *Hrimfaxi*, "crina de gelo", que, ao espumar ou sacudir a crina, formava a geada ou o orvalho. Nott era a filha do gigante Narfi e era descrita como uma mulher velha, de pele escura, vestida de preto, enquanto a sua carruagem era ornada com pedras preciosas, que brilhavam como estrelas no céu escuro.

Ela teve três maridos – *Naglfari* (crepúsculo), pai de *Aud* "riqueza", *Anar* (água), pai de *Jörd* (a terra) e *Delling* (alvorada), pai de *Dag* (dia) e que pertencia à linhagem dos Aesir. Não se sabe o motivo de Nott ter tido tantos maridos, mas na visão do escritor Sturluson, o último foi o melhor por ter gerado Dag, o dia, que seguia sua mãe na condução da carruagem ao longo do dia, quando a mãe ia repousar.

Nott personificava o aspecto ancião da deusa e pela cor escura da sua pele, dissonante em uma cultura proveniente da raça branca, ariana, ela ensinava a tolerância e o respeito por todos os estágios, cores e formas de vida. Nott, com sua pele e cabelos escuros, envolta no manto da noite, mostrava como aceitar, compreender e honrar a todos, indiferentemente de raça, cor, sexo, idade, aparência, bens, crença ou posição social, evitando assim a discriminação, os preconceitos ou a rejeição das minorias e dos menos favorecidos pelas Senhoras do Destino.

Nott podia ser considerada uma anciã bondosa, tolerante e compassiva, que proporcionava e favorecia o silêncio noturno e o sono reparador, oferecendo sonhos e mensagens que podiam se tornar as sementes que criavam ou moldavam a realidade, de um novo dia ou de um novo ciclo. Nott representava também os longos meses invernais das regiões nórdicas, silenciosos, frios e escuros, a aceitação e a beleza da transição tranquila para a morte, honrada como um começo de uma nova vida. Quando o crepúsculo mergulha na noite, começa o período de repouso e renovação, da mesma forma como a morte precede o nascimento de um luminoso e glorioso começo ou ciclo. Nott simbolizava, portanto, a escuridão que envolvia o mundo no fim do dia, o ventre à espera da centelha da vida, o próprio vazio primordial antecedendo à criação. Ela era descrita como uma avó gentil, que usava a sua energia para envolver seus protegidos como se fosse um manto protetor, afastando com seu abraço carinhoso e sua presença segura os pesadelos e os medos do escuro e do desconhecido.

Nott era honrada pelos poetas, compositores e músicos que lhe pediam inspiração, pelos místicos e magos para abrir a visão sutil, para ajudar os buscadores da antiga sabedoria e os estudiosos na compreensão dos presságios sutis, das transições da vida e dos seus mistérios.

REGENTES DA MORTE

Hel (Hela, Helle, Heljar), A Senhora do Mundo Subterrâneo

No conceito nórdico sobre a vida pós-morte, as almas daqueles que não tinham morrido em combates iam para o Reino de Hel: *Niflheim*, "o mundo de névoa", equivalente ao mundo subterrâneo ou *Nifelhel*, "a morada dos mortos".

Snorri Sturluson cita várias vezes o termo *Niflheim* (não encontrado nos poemas) como um mundo anterior à criação da terra, o reino escuro e frio situado no norte e oposto ao Musspelheim, no Sul, o reino regido pelo fogo cósmico, ambos participando do processo da criação (vide o respectivo mito). Segundo ele, *Niflheim* tem uma função cosmogônica e cosmológica, mas também participa do presente mítico, como morada dos mortos e que teria sido entregue por Odin a *Hel*, filha de Loki. Odin deu a Hel o domínio sobre um reino formado por nove círculos ou planos, que iriam abrigar todos que morressem de causas naturais (como doenças ou velhice), as mulheres que morriam nos partos, as crianças nati-mortas e aqueles seres humanos enviados a ela como punição devido aos crimes cometidos.

A residência de Hel era um palácio grande, sombrio, úmido e gelado chamado *Elvidner*, com uma ponte por cima de um precipício, uma porta imensa, paredes altas e uma soleira chamada "ruína". Ela se alimentava em um prato denominado "fome", usava o garfo "penúria" e a faca do "emaciamento", sendo servida por seus auxiliares "senilidade" e "decrepitude", tendo como companheiros o "atraso" e a "lentidão" e sempre defendida pelo cão infernal *Garm*. Sua cama era chamada "doença", o cobertor era a "angústia", as cortinas "má sorte", o caminho que levava à sua morada "provação", com uma ponte que atravessava o "rio dos ecos" *Gjoll*, passando pela "floresta de ferro", com árvores metálicas, cujas folhas cortavam como punhais e finalmente chegava ao portão *Helgrind,* guardado pela giganta *Mordgud,* que avaliava as motivações dos visitantes antes de permitir-lhes a passagem.

A cidade de Hel, *Valgrind*, era povoada por *trolls*, os seres encarregados de levar os inimigos das divindades para serem "cozidos" no borbulhante caldeirão *Hvergelmir*. Perto deste caldeirão e da fonte que o alimentava, encontrava-se a terceira raiz – "infernal" – de Yggdrasil, roída incessantemente pelo dragão Niddhog. As outras duas raízes se estendiam para o mundo das divindades Aesir e para Jötunheim, o reino dos gigantes de gelo.

Diferente de *Niflheim*, o nome *Niflhel* é encontrado nos poemas dos *Skalds* (poetas islandeses) e descrito como uma versão inferior do reino de Hel, que abrigava certos espíritos, principalmente daquelas pessoas que tinham cometido maldades e crimes enquanto vivos. Os que morriam de maneira heroica ou por atos nobres eram levados pelas Valquírias para os salões de Odin e Freyja, as moças solteiras iam para o palácio de Gefjon, os afogados para os reinos subaquáticos de Aegir e Ran. Existia também a possibilidade de os devotos irem para o mundo da divindade que tinham reverenciado e cultuado durante a sua vida.

Hel ou *Hella* era a filha da giganta Angrboda e do deus Loki, irmã dos monstros Jörmundgand e Fenrir, tendo nascido em uma gruta escura. Era descrita como uma mulher dividida em metades com atributos alegóricos opostos: metade preta e sombria, metade branca e luminosa, meio viva e meio morta, meio decrépita e meio jovem. Ela visitava Midgard cavalgando uma égua preta de três patas e espalhava fome, guerras e epidemias, as temidas pragas que assolavam o mundo antigo. O pássaro vermelho de Hel irá anunciar com seu canto o início do Ragnarök, quando ela ajudará seu pai Loki, na guerra contra os Aesir. Mas Hel também morrerá depois que o gigante Surt ateará fogo aos mundos e a terra sucumbirá mergulhando no mar. Hel é a terceira deusa que irá morrer junto com Sunna e Bil.

O nome da deusa Hel passou por uma "contaminação" semântica entre os povos cristianizados da Alemanha, Escandinávia e anglo-saxões, sendo sobreposto à descrição terrível do mundo subterrâneo da tradição indo-iraniana. Após a identificação do reino de Hel com o conceito mediterrâneo de um mundo de tormentas e sofrimentos, o norte europeu assimilou a visão cristã de um mundo subterrâneo caracterizado pela punição e expiação dos pecados. Portanto, a visão inicial dos poemas islandeses e de Sturluson foi distorcida pela influência cristã, deturpação favorecida pelas metáforas que descreviam a deusa Hel de uma forma apavorante para os leigos. Na realidade, os detalhes "lúgubres" da figura de Hel representam os poderes das antigas divindades Vanir e a relação entre a morte e a fertilidade da terra. Por um lado Hel é a terra representada pelo túmulo apavorante, mas por outro lado ela é a Mãe Terra que acolhe, protege e nutre as sementes para que elas possam nascer. Nos eventos cósmicos do Ragnarök, Hel exerce seu aspecto protetor, resguardando as almas de Baldur e Hödur, permitindo sua volta no final dos combates e sua atuação na reconstrução do Novo Mundo.

Na tradição xamânica o reino de Hel é o mundo subterrâneo (ctônico), que podia ser alcançado em estado de transe profundo, pela projeção astral ou com o uso de plantas alucinógenas. Hel representa a lua negra, a face escura da deusa, a Ceifadora ou Devoradora, o aspecto sombrio de Frigga; Niflhel simboliza as camadas profundas do inconsciente, a "sombra", a sede dos conflitos, bloqueios, medos, traumas, fobias, compulsões e manias.

"Mergulhar no reino de Hel" significa entrar em um estado de energia em potencial e repousar até despertar novamente. Niflhel é a antítese de Valhalla, onde seus hóspedes estão em um estado frenético de energia, seja lutando entre si, seja festejando. A passagem para Valhalla é difícil, requerendo a assistência de uma Valquíria para atravessar um grande rio caudaloso e cheio de corredeiras e a estreita fonte Bifrost. Para chegar a Niflhel atravessa-se uma ponte larga pavimentada com cristais sobre Gjoll, o "rio dos ecos", um portal dourado –Helgrind – e pede-se permissão à guardiã Mordgud para entrar. Descrita como uma mulher alta, magra e extremamente pálida, Mordgud questionava aqueles que queriam entrar no reino de Hel sobre sua motivação, caso fossem vivos e, sobre seu merecimento, se fossem mortos, pedindo também algum tipo de presente (geralmente as moedas de ouro que eram deixadas nos túmulos junto dos mortos).

Os espíritos chegavam ao reino de Hel nos seus cavalos, barcos ou carruagens em que tinham sido cremados (ou enterrados). Os povos nórdicos tinham o costume de amarrar os pés dos falecidos com um tipo especial de sapatos, pesados e fortes, chamados "os sapatos de Hel", para que seus pés não sofressem com as longas travessias, ou, segundo outras fontes, para impedir sua volta ao mundo dos vivos. Para apaziguar o terrível e monstruoso cão Garm, que vigiava a entrada do portão Helgrind, eram oferecidos "pães de Hel" enquanto para a guardiã Mordgud (ou Mödgudr) com aparência cadavérica e atitudes sinistras, devia ser pago um "pedágio" com sangue. Antes de entrar na morada de Hel, os espíritos ficavam parados ouvindo o som borbulhante de Hvergelmir, o rolar das geleiras nos rios Elivagar e, olhando para um dos rios, *Slith*, formado por uma mistura de sangue, lágrimas e venenos e repleto de espadas e punhais, lembravam de todos os juramentos falsos feitos no decorrer das suas vidas. Hel tinha vários tipos de "alojamentos" para os hóspedes que chegavam diariamente, dependendo da forma em que tinham morrido (de doenças, velhice ou executados por crimes e perjúrios). Tendo em vista a visão lúgubre do reino de Hel e sua atmosfera triste e sombria, os homens nórdicos preferiam se jogar em um abismo ou se matar como heróis com a própria espada e assim ir para Valhalla, do que esperar a decrepitude e as doenças da velhice. Muitas mulheres seguiam este exemplo para acompanhar os maridos se atirando nas piras de cremação e aguardando a união dos seus espíritos nos salões das divindades que cultuavam.

Os espíritos daqueles que tinham levado uma vida de crimes ou maldades eram exilados para *Naströnd*, "a praia dos cadáveres", com telhado de serpentes venenosas, onde eram obrigados a perambular em rios gelados e com vapores tóxicos ou ficar em grutas povoadas de serpentes. Após uma longa agonia eram arrastados para Hvergelmir, onde serviam de alimento para o dragão Nidhogg. Essas imagens atemorizadoras não necessariamente correspondem à visão original do reino de Hel, tendo sido complementações posteriores, feitas por tradutores e escritores imbuídos da visão cristã do limbo e do inferno. O próprio nome da deusa Hel foi usado para designar o mundo infernal (*hell* e *hölle* significando "inferno", em inglês e alemão) das almas penadas, aguardando sua expiação e punição. O verdadeiro significado do nome da deusa era "aquela que esconde ou cobre", designando seu reino formado por nove círculos, em que as almas ficavam em repouso aguardando a cura e o renascimento, que dependia do seu *örlog* e merecimento.

Além das opções citadas (Valhalla, Niflhell e as moradas de algumas divindades), muitos espíritos podiam permanecer nos seus túmulos, principalmente nos coletivos das colinas mortuárias (*burial mounds*). Esses espíritos agiam de forma amistosa com seus descendentes e com as pessoas que os honravam e respeitavam seus locais de descanso, mas se alguém escavava os túmulos para roubar seus pertences, eles ficavam enfurecidos e os profanadores sofriam doenças, acidentes ou má sorte.

Os povos nórdicos acreditavam em várias formas de reencarnação, não necessariamente nos moldes dos conceitos modernos. Em vários poemas existem referências sobre renascimento de certos heróis ou reis, com a continuidade dos nomes sem elos genéticos entre si, escolhidos deliberadamente para conferir às crianças no rito da "nomeação" as qualidades do morto. Ao receber o nome e a proteção espiritual do clã (*kin fylgja*), a criança adquiria também um *orlög* (destino) semelhante, como provam os vários personagens históricos chamados *Helgi*, que tiveram carreiras, vidas e mortes parecidas.

Esta crença impedia os nórdicos de nomearem seus filhos com os nomes de parentes que tiveram mortes prematuras ou vidas desafortunadas. Vários aspectos da estrutura psicoespiritual humana podiam ser separados e transmitidos pela linhagem familiar. Os elementos mais importantes neste processo eram: *hamingja* (sorte, poder espiritual), *hamr* ou *hide* (apresentação física) e *fylgja* (espírito guardião individual, que assumia uma forma compatível com a natureza interior). A transmissão desses componentes é atestada por vários relatos nas sagas, confirmando que eles dependiam da linhagem familiar e do nome. Essas características assemelham-se mais com conceitos da metagenética do que com a reencarnação propriamente dita. As imagens descritivas do Ragnarök são a representação cósmica da transição da alma individual, que, após a desintegração da forma física, desloca-se para o Além.

A escuridão e o silêncio de Niflhel não eram negativos, mas as condições típicas dos túmulos, que eram as portas de entrada para o Além. Os mortos eram filhos de Hel, recebidos e cuidados por ela, com paciência, compaixão e carinho à espera da sua regeneração. Hel era a receptora e guardiã dos segredos, que destruía os medos e as dores das doenças incuráveis, que lembrava a todos a impermanência da vida, pois até mesmo os deuses não eram imunes à morte. Os animais associados com a morte – águia, lobo, serpente – são fatores relevantes no Ragnarök. A serpente como símbolo da morte é um motivo comum na arte e na literatura nórdica, que repete a tradição indo-europeia da "caça ao dragão e às serpentes venenosas". O lobo representa a morte no combate, enquanto a águia é uma ave de rapina, que se alimenta de cadáveres e um presságio nefasto.

No Ragnarök, quando Odin é engolido pelo lobo Fenrir, este fato simboliza a "passagem" das faculdades mentais e espirituais. Porém as mandíbulas do lobo são rasgadas pelo Vali, filho de Odin, representando a sobrevivência da consciência em uma forma diferente. O combate de Thor com a Serpente do Mundo é a luta vital contra a criatura que representa a dissolução. Finalmente Frey, o regente da vida física e da terra, sucumbe perante Surt, cujas chamas consomem o cosmo, descrevendo o fogo das cremações usadas pelos povos nórdicos. Apesar da derrota dos deuses eles são vitoriosos no final, pois uma nova terra é criada e o poder dos antigos deuses é herdado pelos seus filhos, revelando a esperança da renovação e do renascimento por meio do Ragnarök, que representa um crepúsculo cósmico e divino, mas também anuncia um novo amanhecer. No entanto a nova vida não é estática ou estável, pois o dragão Nidhogg permanece como um aviso, lembrando que a ameaça da morte continuará existindo, até que os indivíduos e o mundo irão progredir para um novo estágio de transmutação, com a inerente ampliação e evolução das suas consciências.

Tuonetar (*Manatar*), A rainha dos mortos

A equivalente finlandesa de Hel era *Tuonetar*, que morava em *Tuonetala*, uma selva sombria, separada do mundo dos vivos por um rio de águas escuras. Ela conduzia a barcaça negra que levava as almas para seu reino, no qual muitos entravam, mas poucos saiam. Se algum herói se atravesse a ir para Tuonetala sem estar morto, ele devia percorrer, durante sete dias, um emaranhado de arbustos espinhentos, depois perambular por mais sete dias no meio de pântanos e, finalmente, atravessar uma floresta densa, perigosa e escura durante outros sete dias. Ao chegar às margens do rio que cercava o reino de Tuonetar, o herói era recebido pelas suas filhas, metamorfoseadas em cisnes negros, que poderiam, ou não, conduzi-lo à presença de Tuonetar. Porém poucos sobreviviam aos perigos da travessia e às doenças espalhadas pelas filhas de Tuonetar, todas elas incuráveis e extremamente dolorosas. Se o visitante conseguisse sobreviver e chegar até Tuonetar, ela iria lhe oferecer uma bebida mágica de sapos e vermes; se ele a bebesse, seu retorno para a terra dos vivos tornava-se impossível e ele ficava para sempre no seu reino.

O CULTO NÓRDICO DOS MORTOS

Não é fácil definir a atitude dos povos nórdicos em relação aos mortos. Muitas das sagas islandesas e das lendas expressam certo medo dos mortos, considerados hostis e invejosos em relação aos seres vivos, como no caso dos *draugar*, os mortos-vivos ou zumbis, que podiam ser destrutivos, vingativos e ferozes. A única forma de lidar com eles era vencê-los à força, decepar as suas cabeças e cremar os corpos. Nas escavações arqueológicas foram encontrados corpos decapitados com as cabeças ao seu lado, mostrando o método preventivo que evitasse a saída dos mortos dos seus túmulos e suas andanças pelo mundo.

Porém, além desses medos arraigados em relação aos mortos-vivos, existia o respeito pelos seres ancestrais ou alguns falecidos especiais, que podiam agir como espíritos guardiões, auxiliando e protegendo seus familiares e amigos. Muitos túmulos de reis ou nobres eram vistos como lugares sagrados, tornando-se alvos de peregrinações, rituais ou locais para buscar inspiração e força espiritual. Sítios sagrados foram erguidos sobre antigas colinas mortuárias, como no caso do templo de Uppsala, que era cercado por inúmeros túmulos pequenos e grandes, originários do Período das Migrações. Os túmulos eram elos entre os atos gloriosos do passado, os ancestrais e seus descendentes. As colinas mortuárias eram consideradas habitações dos mortos, que apareciam para receber os novos hóspedes; quando alguém morria dizia-se que "ele viajou para as colinas". Os grandes enterros escandinavos eram planejados com um uso deliberado e rico de simbolismo religioso, incluindo canções, atos rituais e sacrifícios (animais ou humanos), além das oferendas de objetos valiosos e armas. Acreditava-se que os mortos com todos seus pertences eram recebidos no além pelos seus parentes e ancestrais, muitas vezes com festejos e honrarias, como foram registrados vários relatos de videntes e de visões percebidas em sonhos.

"Pernoitar sobre o túmulo" – de um ancestral ou personagem famoso pelos seus dons – favorecia o recebimento de visões e mensagens para a cura, uma orientação específica ou a ativação da inspiração. Esta prática denominada *Utiseta* foi citada por várias fontes e permaneceu por longo tempo, mesmo após a cristianização. A crença nos sonhos premonitórios ou auxiliadores ainda existe até hoje e os sonhos formam um elo importante entre os mortos e os vivos, com o intuito de auxílio, comunicação e intercâmbio.

Na tradição nórdica o mundo dos mortos era associado a seres sobrenaturais femininos que apareciam com aspectos diferentes como: emissárias, condutoras dos espíritos ou regentes do além. Esta associação decorre do culto arcaico da Deusa Mãe, com suas faces de Criadora, Nutridora, Protetora e Ceifadora. A *deusa da morte* não está confinada apenas ao mundo subterrâneo, nem é separada da *deusa doadora e mantenedora da vida,* ambas sendo representações dos ciclos biológicos e sazonais, participantes e responsáveis pela intrincada e misteriosa tessitura do nascimento, crescimento, vida, decadência, morte, renovação e renascimento.

A deusa nórdica era multifacetada, sendo a guardiã dos pontos de transição e passagens, presente nos vários momentos da vida que necessitavam uma mudança e que eram celebrados pelos ritos de passagem, sendo que o nascimento é o primeiro rito e a morte, o último.

DEUSAS MENOS CONHECIDAS

Ostara e *Eostre* (*Eastre*), As Deusas da Primavera

Chamada de "Madrugada radiante" ou "Movimento para o sol nascente" a deusa teutônica *Ostara* – e sua equivalente anglo-saxã *Eostre* – personificavam a aurora, o renascimento da vegetação na primavera e a fertilidade vegetal, animal e humana. Eram celebradas no quarto mês do ano, abril, com canções, danças, procissões de pessoas enfeitadas com guirlandas de flores e folhas e tocando sinos. As mulheres levavam oferendas de ovos tingidos, pintados ou decorados, flores e roscas doces modeladas em forma de lebre ou confeitadas com rodas solares. Para invocar sua proteção e bênção eram acesas fogueiras nas colinas (na madrugada do seu festival ou na véspera do equinócio), oferecido um ritual *(Sabbat, Blot* ou *Sumbel*) e, depois, abençoadas as sementes para o plantio e realizados rituais de fertilidade (vegetal, animal e humana). Os ovos tingidos de vermelho eram usados como amuletos de sorte, oferecidos como presentes a familiares e amigos ou enterrados nos campos, para transferir sua fertilidade para a terra.

Seus arquétipos eram associados com o equinócio da primavera (no hemisfério Norte) e o início do Ano Novo Zodiacal, datas coincidindo com as celebrações dos antigos festivais de fogo: o *Sabbat* celta *Eostre* e o *Sumbel* escadinavo *Ostara*. Estes nomes deram origem à denominação da Páscoa em alemão (*Östern*) e inglês (*Easter*), ao hormônio feminino da fertilidade (estrógeno) e ao cio (*estrum*). *Ostara* e *Eostre* são ligadas etimologicamente à direção Leste e ao termo "glorioso, brilhante". Sua egrégora era tão poderosa na memória dos seus adeptos, que nem mesmo a conversão e as perseguições cristãs conseguiram extingui-la, por isso a celebração cristã da Páscoa guarda seus nomes.

Seus atributos mágicos foram adotados no simbolismo e na decoração da Páscoa cristã, sem que a Igreja explicasse a enigmática relação entre o coelho (o animal sagrado de ambas as deusas era a lebre, renomada pela sua fertilidade e associada à lua), os ovos (símbolos da fertilidade usados nos rituais e comemorações pagãs) e Jesus (cuja suposta data da ressurreição foi usada para diminuir, reprimir e substituir as festividades pagãs).

O tema principal dos antigos festivais usado nas comemorações do início do Novo Ano Zodiacal era a "bênção das sementes", simbolizando os novos projetos ou começos, acrescentada de encantamentos para a fertilidade (física, material, mental) e de renovação, bem como de práticas de equilíbrio (individual, familiar, coletivo) e complementação das polaridades (internas ou externas, humanas, cósmicas e divinas). Usavam-se ovos pintados (galados, que continham energia vital) que eram ofertados para a terra, os seres da natureza e as divindades, colocados nos altares das residências ou dos templos ou dados de presente como bons augúrios.

Walburga (*Walpurga*, *Walbyrga*), A Renovadora

Não se sabe com certeza se *Walburga* ou *Walpurga* era realmente o nome de uma deusa teutônica, por ter sido atribuído a uma santa cristã, de origem inglesa, abadessa de um convento alemão no século XVIII, que tinha o estranho nome de *Heidenheim* (lar dos pagãos). Sem que a sua vida fosse marcada por algum evento ou ação especial, acreditava-se que após a sua morte começou a brotar da lápide um óleo milagroso, com efeitos curativos. Por isso, Walburga foi canonizada e seu óleo recolhido pelos monges e distribuído aos necessitados. Analisando os detalhes desta lenda observam-se algumas "coincidências" e sobreposições da versão cristã sobre um antigo arquétipo e celebrações pagãs.

O óleo começou a brotar no dia primeiro de maio (*Majtag*), data da antiga celebração pagã da primavera, *Maj fest*. A igreja tentou dissociar o óleo da santa da data pagã, mas como não conseguiu, deu especial ênfase às festas "demoníacas" da noite anterior, chamada *Walpurgisnacht* (noite de Walpurga). Nessa data – que fazia parte do calendário agrícola europeu e era dedicada aos ritos pagãos da fertilidade – eram acesas fogueiras nas colinas e realizadas purificações, visando a remoção dos resíduos do inverno antecedendo a renovação (da terra, das pessoas e dos animais).

A versão cristã distorceu o antigo simbolismo desta celebração e a denominou "noite das bruxas", quando fantasmas e bruxas montavam suas vassouras e voavam para as "orgias" realizadas na montanha Brokken, na região alemã de Harz, antigo local sagrado da Mãe Terra teutônica. A campanha difamatória cristã infundiu pânico e terror em relação a esta noite, afirmando que todos os cristãos que participassem das fogueiras ou festejos seriam condenados a dançar até morrer de exaustão, sendo depois arrastados pela Caça Selvagem, conduzida por *Wotan* (Odin), *Frau Gode* (Freyja) e *Frau Harke* (Holda) indo para o "inferno" (o reino da deusa Hel).

É difícil saber com certeza se Walburga ou Walpurga era realmente o nome de uma deusa teutônica; existem, todavia, inúmeras provas da anterior existência do seu culto. Os nomes de *Walburga*, *Waelbyrga* e *Walpurga* significavam "colina dos mortos" ou "túmulo dos ancestrais", enquanto a variante *Waldburga* indicava a "protetora da floresta". As colinas e montanhas sempre indicavam a morada de deusas ancestrais ou regentes da terra, bem como o refúgio dos ancestrais, seres sobrenaturais e espíritos à espera do renascimento.

A associação de uma santa cristã com símbolos universais da deusa torna a lenda cristã incongruente e visivelmente forjada. Na versão cristã relata-se que Walpurga corria sobre os campos, vestida com uma túnica branca, com sapatos vermelhos flamejantes, usando uma coroa de ouro sobre seus longos cabelos louros, segurando um espelho triangular (que mostrava o futuro), um fuso e três espigas de trigo, sendo às vezes acompanhada de um cão. Outras vezes ela era perseguida por cavaleiros brancos e pedia abrigo aos fazendeiros, recompensando-os com pepitas de ouro. Essa descrição reproduz o mito da deusa da terra, que sobrevoava os campos, trazia prosperidade e fugia dos rigores do inverno e da decorrente ameaça de morte (representada pela Caça Selvagem). Os itens citados – nada cristãos – fazem parte da simbologia de várias deusas como as Nornes e Nehalennia (o fuso, o espelho e o cão), Berchta, Holda e Frigga (o fuso, o espelho e a roupa branca esvoaçante), Sif e Nerthus (o trigo).

O arquétipo de Walburga pertence, portanto, às deusas da fertilidade da terra e aos antigos ritos e festividades ligados à purificação, renovação e celebração do fim do inverno.

As comemorações de *Walpurgisnacht* e de *Majfest* estão detalhadas no livro *Mistérios Nórdicos* e resumidas na Roda do Ano deste livro.

Capítulo 6

CALENDÁRIO DAS CELEBRAÇÕES NÓRDICAS A RODA DO ANO

O autor romano Tácito cita na sua obra *Germania* (século 1 d.C.) que os povos germânicos tinham apenas três estações: primavera, verão, inverno. Mil anos depois, no "Livro de Leis" da Islândia, o ano escandinavo é descrito como composto de duas estações: inverno e verão. Aos poucos, os antigos germânicos dividiram o ano em seis períodos de sessenta dias; dois destes períodos ficaram conhecidos como *Litha,* no verão, e *Yule,* no inverno. Infelizmente não existem dados concludentes sobre os outros nomes. Com o passar do tempo foram criadas novas divisões, como a quádrupla pelo cruzamento dos eixos das direções cardinais, a tríplice, pela divisão nas três estações definidas por três grandes festivais ou a óctupla, conhecida como a Roda do Ano, com oito divisões chamadas *airts.* As datas e os rituais que comemoravam essas divisões variavam em função da localização geográfica e da tribo ou comunidade que os praticava. Os antigos calendários eram derivados dos ciclos orgânicos do ano agrícola, marcando suas atividades e a existência cíclica de todas as formas de vida, fatores preponderantes em qualquer sociedade agrária.

Semelhante ao ano celta, o ano germânico começava no início do inverno (em torno de primeiro de novembro) com uma celebração semelhante ao *sabbat* celta *Samhain*. Essa data marcava também o início do ano financeiro e os pagamentos de taxas e impostos. Na Escandinávia, onde o inverno começava mais cedo, o festival conhecido como "As noites de inverno" era marcado para o meio do mês de outubro. O segundo período germânico começava nos meados de março e foi equiparado posteriormente com o equinócio de primavera – data do calendário romano – e com a Páscoa cristã, que manteve alguns dos seus símbolos e costumes pagãos (como os ovos coloridos e a lebre). Nesse período eram inspecionados os rebanhos de animais, realizadas as bênçãos dos arados e certos rituais para ativar a fertilidade vegetal e animal.

Na Escandinávia, onde nem a influência romana, nem a cristã predominaram (até o fim da conversão no século XI), o segundo período começava quatro meses após o primeiro, com os sacrifícios sangrentos no templo de Uppsala e uma feira de produtos agrícolas e leilões de animais. O último período germânico coincidia com a data do festival celta da colheita, *Lammas* (em primeiro de agosto) ou um pouco antes, dependendo da região. Os animais eram recolhidos dos pastos e escolhidos aqueles que seriam abatidos. Na Escandinávia este marco era um mês mais cedo (meados de junho) e conhecido como o "auge do verão", quando eram feitas oferendas para garantir a paz e agradecer a abundância. Na Islândia essa festa tornou-se a data escolhida para a assembleia geral anual, *Althing*.

Durante a Idade Média existiram outras variações da divisão do calendário como a das duas polaridades ou metades – clara e escura, quente e fria, recolhimento e expansão, regidas por Sunna (o sol, a luz, a energia vital, o calor do verão) e Mani (a lua, a noite, o silêncio, o frio do inverno). Com o passar do tempo, os antigos festivais pagãos foram adaptados para datas cristãs e acompanhados por festejos populares com danças, bandas de música, competições esportivas e feiras.

No Período Viking, as datas dos três ou quatro festivais anuais variavam em função dos decretos feitos pelos reis cristãos, que tentavam abolir quaisquer referências ou memórias pagãs. Mesmo assim, foram preservados os nomes de *Yule* e da Noite da Mãe para as comemorações de inverno, que, apenas muito tempo depois, foram equiparadas com o Natal cristão, este mesmo uma adaptação das celebrações pagãs romanas da *Saturnalia*. O solstício de verão (*Midsommar*, *Lithasblot*), amplamente celebrado no norte europeu pagão, sobreviveu nas comemorações e fogueiras dedicadas aos santos cristãos, marcados no mês de junho.

O fator determinante no calendário pagão europeu era o ritmo natural do ciclo das estações e das datas importantes nas atividades agrícolas, que diferiam em função da localização geográfica e do clima, as causas principais das variações. O calendário representava o processo de renovação anual dos ciclos da vida vegetal, animal e humana e era celebrado por festivais comunitários, associados ao movimento aparente do sol e às fases da vegetação. O "mito do eterno retorno" era representado anualmente pelos ciclos e mistérios naturais: nascimento (semeadura, plantio, desabrochar), vida (crescimento, florescimento, amadurecimento, frutificação), declínio, decadência e morte (da vegetação na colheita e o abate dos animais), seguidos por um novo ciclo de renascimento e renovação.

Na divisão mais antiga do calendário nórdico em duas estações – da colheita e do florescimento – as celebrações que acompanhavam eram "As Noites de Inverno" (marcando o começo do ano) e o "Festival de Ostara", que foram depois acrescidas de mais duas, intercaladas entre si: o *Yule* (no solstício de inverno) e *Midsommar* (solstício de verão). No entanto, é importante lembrar que, para os povos antigos, era mais relevante observar os sinais da natureza (os primeiros brotos, a partida ou o retorno dos pássaros migratórios dos países quentes, o acasalamento dos animais) do que se guiar apenas pela "viagem do sol", fato que explica a diversidade de datas para os mesmos festivais, não apenas entre os povos celtas, germânicos e escandinavos, mas para diferentes locações no mesmo país.

Uma opção calendarística diferente daquela tradicionalmente aceita pela divisão óctupla da Roda Solar e semelhante ao ano celta, é apresentada por Diana Paxson no seu livro *Asatrú. Um Guia Essencial para o Paganismo Nórdico* (Editora Pensamento), opção aceita pela maioria dos atuais seguidores e praticantes da tradição nórdica. Diana adotou a divisão arcaica das três estações – por ela denominadas de *inverno, Yule* e *verão* – incluindo datas dedicadas aos heróis e eventos nacionais escandinavos, que podem ser substituídas por seus equivalentes pelos estudiosos e praticantes brasileiros.

É importante lembrar que todas as comemorações celtas, germânicas e escandinavas eram específicas para as estações do hemisfério Norte, portanto, são deslocadas em relação às estações brasileiras. Apesar da tendência existente entre alguns estudiosos e praticantes no Brasil de inverter a Roda do Ano para adaptá-la ao hemisfério Sul, essa proposta não leva em conta o poder da egrégora milenar e do valor do passado histórico e religioso dessas celebrações no hemisfério Norte. Essa egrégora continua vibrando e persiste até hoje entre nós nas festas cristãs de Natal, Páscoa, Festas Juninas, Finados, que independem da localização geográfica.

A celebração dos antigos festivais era uma demonstração de respeito e amor pelas divindades, os seres da natureza e os espíritos ancestrais, uma tradição milenar que fazia parte da cultura e dos costumes dos povos nórdicos, seguidos até hoje pelos seus descendentes com adaptações cristãs, regionais ou familiares. Celebrar a Roda do Ano nos seus pontos mais significativos proporcionava um alinhamento melhor com as energias das estações, das energias naturais, dos ciclos cósmicos e telúricos, bem como aprofundava a conexão religiosa e espiritual, favorecendo o intercâmbio energético com os planos sutis e a egrégora ancestral.

No livro *Mistérios Nórdicos* encontra-se uma detalhada descrição dos principais festivais do antigo calendário nórdico. No presente trabalho serão resumidas diretrizes e datas destas celebrações, bem como descritos os procedimentos ritualísticos indicados antigamente para a realização do *Blot* e *Sumbel*.

Devido à diversidade de divisões da Roda do Ano nórdica, propostas por vários autores, estudiosos dos calendários específicos e dos seguidores da tradição Asatrú, vou seguir a ordem tradicional dos festivais maiores, começando por *Yule*. Esses festivais chamados de *Holy Tides* (marés sagradas) eram celebrados na véspera dos dias escolhidos e a maior parte deles coincidia com solstícios e equinócios e poucos com a lua cheia. Porém, todos eram oriundos do antigo calendário agrícola europeu, estabelecido em função dos ciclos das estações e dos ritmos da natureza (preparar e abençoar a terra, arar, semear e plantar, retirar as ervas daninhas e os insetos predadores, colher, armazenar, celebrar e agradecer).

Yule, Jull, Jol, Midwinter (O meio do inverno)

O último mês do ano e a metade do primeiro mês do ano novo eram denominados *Yule-tide* (a maré de *Yule*) e representavam o período mais sagrado e importante do calendário pagão escandinavo e germânico, precursor das atuais comemorações natalinas.

Os complexos festejos de *Yule* eram celebrados antigamente durante 12 noites, começando na *Noite da Mãe* (*Modranicht* ou *Modersnatt,*) que antecedia o solstício de inverno (cuja data variava em função do calendário juliano ou gregoriano, mas coincidia sempre com a entrada do sol no signo de Capricórnio, 20-21 de dezembro), quando todas as mulheres da família eram honradas junto com as ancestrais. A partir deste dia até o fim de *Yule*, todo o trabalho de tecelagem era encerrado e guardado e a casa devia ser cuidadosamente limpa e preparada para o encontro familiar.

A primeira noite de *Yule* (Noite da Mãe) era dedicada às deusas Frigga, Nerthus, Holda, Berchta e às Disir; na reunião da família eram invocadas e agradecidas suas bênçãos, o espaço sendo iluminadas por muitas velas. Os familiares trançavam uma guirlanda de folhagens, fitas, sinos, nozes e prendiam nela seus pedidos, escritos em runas sobre tiras de papel (expressando desejos, compromissos ou afirmações para o próximo ano). A guirlanda simbolizava a roda solar, o antigo anel sagrado sobre o qual eram feitos juramentos e selados compromissos; era colocada acima da lareira ou no altar familiar, sendo guardada até a 12ª noite, quando era queimada para liberar os pedidos. O ritual desta noite era sempre realizado pela dona da casa e seguia o roteiro tradicional de um *Blot* (que será descrito no final da Roda do Ano). Podiam ser feitas leituras oraculares com as runas e abençoados todos os presentes, bem como a casa, o quintal, os estábulos e os animais domésticos.

Na Noite da Mãe, considerada a mais longa do ano, o tronco de *Yule* (*Yule log*) era aceso; ele era feito de um tronco horizontal de pinheiro em que se fincavam três velas (vermelha, verde, dourada), podendo ser decorado com símbolos tradicionais ou uma guirlanda de folhagens (azevinho ou hera). A tradicional árvore de *Yule* representava Yggdrasil e era enfeitada com estrelas, reproduções de flocos de neve, rodas solares, ferraduras, sinos, trevos de quatro folhas, globos, maçãs douradas e representações de animais totêmicos (como gato, lobo, urso, javali, alce, corvo, falcão, cisne, coruja, raposa, rena). Uma luz devia ficar acesa a noite inteira e, para os espíritos guardiões das moradias, era deixado do lado de fora de casa um prato com mingau de aveia, coberto de creme de leite ou manteiga e alguns doces.

Em 21 de dezembro, na Noite de *Yule* propriamente dita, a reunião era ao redor da ceia, cujo centro era o javali assado em honra de Frey e acompanhado de maçãs, que representavam a fonte da juventude da deusa Idunna. Nesta noite comemorava-se o *Yule* propriamente dito, reunindo além de familiares vários amigos, ou organizava-se um *Blot* ou *Sumbel* comunitário, seguido da tradicional ceia e troca de presentes. O ritual era alegre, entremeado com histórias, canções, brindes e votos para a saúde e prosperidade de todos. Antigamente, fazia-se uma vigília para reverenciar o nascer do sol louvando a deusa Sunna, os deuses Baldur, Frey e Ull e as deusas Gerda, Nerthus e Skadhi. Além de honrar as Nornes e homenagear as Disir e os Alfar (os ancestrais femininos e masculinos), levavam-se oferendas para os seres da natureza e alimentos para os pássaros e roedores; mascarados podiam percorrer as casas, representando a Caça Selvagem. Os presentes também eram parte da tradição pagã, sendo trazidos pelas Senhoras Brancas (Holda, Berchta ou Perchta) ou o precursor do Papai Noel, uma manifestação do deus Thor ou Thunnar, como o grande protetor e melhor amigo da humanidade. As crianças penduravam as suas meias perto das lareiras ou janelas, para que fossem recheadas com presentes.

As comemorações de *Yule* terminavam com *Tolften Natt*, que coincidia, ou não, com a véspera do Ano Novo. Após a cristianização, este período começava no Natal e terminava no dia da Epifânia (6 de janeiro), até que foi aos poucos sendo reduzido e adaptado para a festa cristã de Natal, porém preservando os antigos costumes e símbolos pagãos.

Na 12ª Noite, na véspera do Ano Novo, durante o *Blot* ou o *Sumbel*, os participantes expressavam de forma solene seus "juramentos" e compromissos, reafirmando os pedidos feitos e colocados na guirlanda na primeira noite de *Yule* (a Noite da Mãe). Cada pessoa segurava a guirlanda como um testemunho e substrato material para as suas afirmações, elevando-a para o céu e tocando depois com ela a terra; no final desse ritual a guirlanda era queimada ritualisticamente, para liberar os pedidos nela contidos. Nos tradicionais brindes eram homenageados os deuses e as deusas, pedindo sua bênção e proteção para o próximo ano, usando depois o oráculo rúnico para obter presságios e orientações. A celebração podia continuar de uma forma mais descontraída, compartilhando bebida, comida, canções, danças e histórias.

A noite de 31 de dezembro era considerada a Noite de Perchta, acreditando-se que nesta noite as deusas Holda, Berchta ou Perchta iam visitar as casas para verificar se o trabalho de fiação tinha sido bem feito; caso contrário ele era desfeito ou rasgado por elas.

O dia 1º de janeiro, *Threttandi*, "a décima terceira noite", era o limiar entre o velho e o novo, quando juramentos e compromissos tinham maior poder e as leituras rúnicas eram favorecidas.

Os povos nórdicos acreditavam que, durante o período das "doze noites" os portais entre os mundos se abriam, permitindo a comunicação entre os seres sobrenaturais, os ancestrais e os humanos. A Caça Selvagem conduzida por Odin – ou Wotan – percorria livremente os céus enevoados e cinzentos, buscando e recolhendo as almas perdidas. As Senhoras Brancas também sobrevoavam a terra e traziam a neve para cobrir e resguardar o solo, até a chegada da primavera. Colocar pinheiros ou guirlandas de azeviche dentro das moradias era um costume ancestral, que representava a força da alma que sobrevivia às dificuldades e desafios, assim como as árvores, que permaneciam verdes mesmo sendo cobertas pela neve.

O solstício de inverno assinalava um ponto importante na marcha do sol, que parecia ficar parado durante três dias antes de "voltar a subir", aumentando assim o dia e a luz, uma representação simbólica do renascimento do sol e das divindades solares. Portanto *Yule* era a celebração que representava o renascimento, acontecendo na completa escuridão e silêncio, que são as condições cósmicas e mágicas que acompanham o final de um ciclo à espera de um novo começo, levando a uma renovação psíquica e realinhamento espiritual.

Thorablot – A Festa de Thor

Celebrada na lua cheia de janeiro ou em outro dia conveniente (entre 17-25 de janeiro) Thorablot era uma antiga comemoração e feriado islandês, festejados com comidas tradicionais e muita bebida. Esta festa honrava o deus Thor como defensor e protetor dos deuses contra os gigantes de gelo e suas investidas e agressões contra os humanos (nos países nórdicos o auge do frio era entre janeiro e fevereiro).

Thor era invocado pela sua coragem, força vital e proteção contra as forças destrutivas (os gigantes eram regentes das intempéries e dos desequilíbrios climáticos) que ameaçavam o equilíbrio da natureza, a sobrevivência da humanidade e do próprio planeta

Como Filho da Terra (Jord, a deusa da terra, era sua mãe), Thor conferia estabilidade, proteção ativa, segurança e força física, defendendo os limites entre os mundos, protegendo os fracos, fortalecendo os indefesos. Ele despertava e aumentava a vitalidade e virilidade, abençoava os projetos e as colheitas com seu calor sagrado e com a abundância, representada por Sif, sua consorte. Como símbolos eram usados o martelo para Thor e as espigas de trigo para Sif e na comemoração invocavam-se e agradeciam-se suas bênçãos com os brindes tradicionais de hidromel.

Disting, Disablot – O Festival das Disir

Este antigo festival das ancestrais Disir tinha como objetivo a purificação e a bênção da terra, como uma prévia preparação para o plantio. Disablot era celebrado seja na lua cheia de fevereiro, seja no início ou no meio do mês (2 ou 14 de fevereiro). Ele incluía também a bênção dos arados e das ferramentas agrícolas, sendo conhecido também como *Charming of the Plough*, o "encantamento do arado", costume que foi preservado mesmo após a cristianização. Com o passar do tempo, a celebração tradicional foi expandida para incluir a bênção das atividades criativas, dos meios de comunicação e de locomoção, para honrar os recursos individuais da sobrevivência, para ativar a chama vital, expandir a mente e o coração, além de fortalecer os laços comunitários.

Como mito associado, era usada a descrição da conquista de Gerd por Frey, com o auxílio do seu mensageiro Skirnir, simbolizando a conquista da terra congelada e resistente às tentativas de abertura e semeadura de um novo projeto de vida.

O "encantamento" original para a bênção do arado usava uma mistura de sal, incenso e sabão em pó, fermento biológico, terra vegetal, pão de grãos, mel, leite, azeite, sementes de cominho, ervas aromáticas e água mineral, colocando um pouco de cada e misturando até obter uma pasta. Com esta mistura "mágica" eram abençoados os meios e ferramentas de trabalho (manual, intelectual, artístico,), os veículos e os animais de transporte, os objetos mágicos ou talismãs, riscando uma roda solar (uma cruz dentro de um círculo) sobre cada ou tocando de leve. Levava-se depois a mistura junto com sementes de girassol e grãos de cereais para ofertar a Mãe Terra (perto de uma árvore ou rio), invocando as bênçãos de Nerthus, Frey e Gerda. Eram feitas oferendas para a Mãe Terra antes que o primeiro sulco na terra fosse aberto.

Reverenciavam-se as ancestrais femininas acendendo várias velas para elas e fazendo oferendas de pratos típicos, agradecendo pelo legado deixado, orando para pedir sua proteção e amorosa ajuda conferida aos seus descendentes.

Dependendo das circunstâncias e dos propósitos da reverência às ancestrais, podia ser incluída uma celebração especial da deusa Freyja e do deus Vali, ativando a força do amor e as promessas do renascimento.

Ostara, Eostre, Summer Finding

Equinócio da primavera (20-21 de março)

Este festival era celebrado no dia do equinócio (20 -21 de março) ou na primeira lua cheia que lhe seguia, comemorando o fim do inverno e o desabrochar da vegetação, prenunciando a volta da fertilidade, vitalidade e alegria. Ele era considerado a manifestação da renovação da alma, que tinha sido preparada e abençoada no *Disting*.

No período viking nesta data o rei ou um chefe se oferecia em sacrifício voluntário, ofertando sua vida em troca da vitória durante as próximas batalhas ou do sucesso nas expedições; os camponeses faziam oferendas pedindo a prosperidade das colheitas

As regentes da primavera, da renovação da terra e do renascimento eram as deusas *Ostara*, *Eostre* e *Hrede* (uma antiga deusa anglo-saxã), sendo associadas ao Leste, o sol nascente e a lebre (animal lunar renomado pela sua fertilidade). O ritual incluía o uso mágico de ovos tingidos de vermelho ou pintados com símbolos sagrados e certas práticas para ativar a fertilidade e a abundância (material, física, mental, individual e coletiva).

O ovo é um antigo símbolo pagão, ovos de argila pintados com listras vermelhas e pretas foram encontrados em um túmulo infantil alemão do século III d. C. Na Suécia, ovos eram jogados sobre os campos enquanto estavam sendo arados e na Alemanha, eram misturados com as sementes no plantio. Existia uma crença sobre o poder dos ovos comidos no festival de Ostara, para fortalecimento da saúde e aumento da fertilidade. Ovos eram rolados do alto das colinas para baixo pelas crianças – costume pagão preservado também na Páscoa cristã –, quando eram entoadas canções que expressassem a expulsão do inverno e a chegada da primavera. A "caça aos ovos" é uma tradição alemã, assim como "o coelhinho que trazia ovos e os deixava nos ninhos preparados pelas crianças".

Um costume tradicional que sobreviveu na cultura moderna da Alemanha, Áustria, Suíça, nos países eslavos e algumas regiões das Américas – colonizadas e habitadas por emigrantes alemães –, é a pintura dos ovos precedendo a Páscoa. Ostara era um festival tão amado pelos povos germânicos quanto o *Yule* e eles continuam até hoje com a caça aos ovos, as decorações dos ovos com cores e motivos tradicionais e o uso das cascas de ovos para afastar mau-olhado e infortúnios, das casas e dos animais. Na Dinamarca são feitas guirlandas com ovos e colocadas nos telhados das casas, escolas, igrejas e lojas para atrair a sorte. Em alguns lugares são encenadas dramas rituais, em que uma efígie de palha representando o inverno é surrada e queimada ou enterrada, entronando depois a representação do verão.

Em alguns poemas islandeses e lendas escandinavas, são descritos dramas semelhantes, em que o herói disfarçado viajava até o reino dos gigantes para libertar uma donzela, presa ou adormecida no topo de uma montanha e cercada por chamas. O herói era confrontado por um gigante, que guardava o caminho para o local da donzela; eles lutavam e o herói saía vencedor, resgatando a donzela que iria aceitá-lo como marido (ou amante).

Como o equinócio de março coincidia com o começo do Ano Novo Zodiacal, podiam ser incluídos na comemoração a bênção dos projetos ou de novos começos (Sigrblot era a a bênção da vitória), encantamentos para a fertilidade (física, material, intelectual, artística), práticas de alinhamento energético, fortalecimento da energia vital, integração complementária das polaridades (internas e externas). Ofertavam-se ovos e sementes para a terra, os seres da natureza e invocavam-se as bênçãos das deusas regentes e da Mãe Terra. Ovos pintados (após esvaziar seu conteúdo) com símbolos de prosperidade ou decorados com contas e lantejoulas eram dados de presente ou guardados como talismãs de prosperidade, um costume tradicional que sobreviveu na Rússia (com os ovos chamados *pissanki*) e nos países balcânicos, até os dias de hoje.

Walpurgisnacht – A Noite de Walpurgis (30 de abril) e *Maj fest*, *Maitag* (1º de maio)

A Noite de Walpurgis é a última noite da metade escura do ano, iniciada com o *Disablot* (o festival oposto na Roda do Ano, correspondendo ao *Sabbat* celta *Samhain*). O festival era dedicado a Odin, Freyja e Holda, condutores da Caça Selvagem, que faziam sua última cavalgada antes de reiniciá-la no dia 31 de outubro, com o livre trânsito de espíritos, fantasmas e *trolls*. Considerada "a noite das bruxas", acreditava-se que elas voavam nas suas vassouras, indo para a grande reunião no local mágico chamado Brokken, no topo das montanhas Harz, na Alemanha.

Walpurga era uma antiga deusa teutônica, pouco conhecida, guardiã dos sonhos dos heróis mortos, regente dos mistérios da noite e da magia, possível manifestação dos aspectos "escuros" de Freyja e Holda e acompanhante de Odin na Caça Selvagem. Por não ter conseguido erradicar as celebrações pagãs, apesar das constantes proibições e perseguições, a igreja sobrepôs a esta data a comemoração de uma desconhecida freira alemã Walburga, canonizada após sua morte e a quem foi atribuída a formação de um óleo milagroso e curativo, que brotara do seu túmulo (vide a descrição detalhada no verbete Walpurga).

Esta data envolta em mistério era considerada um limiar entre os mundos (físico e espiritual), um tempo mágico e poderoso, propício aos encantamentos e aos rituais ao redor de fogueiras, com fins de "exorcismo" (catarse e purificação das energias prejudiciais, de compulsões, fraquezas, medos e dependências). Podiam ser obtidas mensagens e orientações dos seres sobrenaturais (sendo tomadas previamente as necessárias medidas de proteção) e realizavam-se encantamentos para proteção, abertura da percepção psíquica e fortalecimento de uniões. Para simbolizar a queima dos resíduos negativos na fogueira usavam-se ervas, bonecos de palha, galhos secos, vassouras velhas, listas com a descrição das amarras psíquicas ou afetivas, ou objetos que representavam comportamentos e relacionamentos ultrapassados. Seguia-se a bênção e as oferendas de gratidão para as forças invocadas.

Maj fest, a celebração do dia seguinte, era o oposto da Noite de Walpurgis, uma data repleta de luz e alegria, com procissões de jovens enfeitados com flores e folhagens, representando a vitória da luz sobre a escuridão, do verão sobre o inverno. Eram coroados o Rei e a Rainha de Maio e realizava-se a dança de fitas ao redor do mastro, que simbolizava o casamento sagrado do deus e da deusa. Faziam-se orações e bênçãos para a proteção das pessoas, casas, terras, plantios e animais e celebravam-se ritos de união ou de consagração dos relacionamentos. *Majfest* simbolizava o pleno florescimento no mundo físico das sementes plantadas no festival de *Disting* e que brotavam em *Ostara*.

Por ser uma festa leve e alegre os símbolos refletiam esta energia por meio de guirlandas, fitas coloridas, danças, canções e as procissões para abençoar locais especiais da natureza e os espíritos que neles habitavam. Honravam-se e invocavam-se os deuses Odin, Frigga, Freyja, Berchta, Holda, Walburga e os padroeiros dos relacionamentos como Frey e Gerda, Idunna e Bragi, Thor e Sif.

Midsommar, Sommars blot, Sonnenwende, Lithas blot

O solstício de verão (21 ou 22 de junho)

Comemorando o clímax do poder solar e da vitalidade do verão, *Midsommar* era o segundo festival nórdico mais importante depois de *Yule*, comemorando o clímax do poder solar e da força da vida. A intensidade da luz e a duração do dia estavam no seu auge, prolongando-se até as horas tardias da noite e produzindo o fenômeno conhecido como "sol da meia-noite". Sendo o dia mais longo do ano e a noite mais curta, *Midsommar* representava um marco entre a metade clara e a escura do ano, porém prenunciava também o movimento descendente, quando a luz iniciava seu declínio e a escuridão aumentava aos poucos até atingir o auge no *Yule*, o polo oposto na Roda do Ano. *Midsommar* festejava a plenitude dos poderes físicos e psíquicos, a vegetação tinha alcançado o pico máximo do seu crescimento e amadurecimento, esperando a colheita. Os povos antigos demonstravam sua alegria e gratidão com orações, oferendas, canções e danças ao redor das fogueiras, *Midsommar* sendo um festival do calor solar no calendário agrícola europeu.

Sua celebração – semelhante a *Ostara* e *Maj fest* – podia incluir também o mastro enfeitado com guirlandas de flores e espigas, a dança de fitas ao seu redor e a procissão dos jovens levando o mastro e as guirlandas para abençoar os campos. Nesta data, os casais trocavam anéis e juramentos de amor e eram realizados ritos para ativar a fertilidade e a abundância da terra. As pessoas permaneciam em vigília até o nascer do sol, ao redor das fogueiras em que eram queimadas efígies de palha e galhos simbolizando azares, doenças obstáculos e pobreza. Rodas de palha untadas com piche eram acesas e roladas colinas abaixo, para representar a marcha do sol. Para honrar a morte do deus Baldur, réplicas de barcos funerários eram acesas e lançadas ao mar, enquanto procissões com tochas passavam pelos campos plantados, reverenciando Thor e Sif, para que o seu amor, representado pelas tempestades e chuvas de verão, acelerasse e ampliasse a abundância das colheitas. Guirlandas de ervas aromáticas eram colocadas como proteções mágicas nos telhados, nas portas das casas e nos chifres do gado, após ele ter sido passado pela fumaça das fogueiras para ser purificado.

Por ser uma noite de muito poder mágico eram colhidas raízes e plantas medicinais, preparadas poções e filtros de amor e cura, realizadas leituras rúnicas, feitas oferendas para as divindades, colocando pequenas porções de comida e bebidas nas chamas das fogueiras. Deixavam-se penduradas nas árvores presentes para os elfos e anões e para os espíritos guardiões das residências e famílias.

A comemoração incluía um *Blot* ou *Sumbel* para agradecer as dádivas de Mãe Terra, das divindades e dos seres sobrenaturais; preparavam-se oferendas para eles, que eram colocadas em réplicas de barco e queimadas ou lançadas no mar. Os participantes celebravam a sua fé, a conexão familiar e comunitária com as divindades e o legado ancestral.

Freyfaxi, Frey fest, Hlafmass, Ernte fest, Lammas

O festival da colheita

Na Alemanha e Inglaterra pré-cristãs eram realizadas celebrações da colheita, cuja data variava em função da localização, mas oscilava geralmente entre o início e o meio de agosto, às vezes coincidindo com a lua cheia. Os rituais incluíam oferendas para as divindades e os espíritos da natureza (*Land-vaettir*), orações de gratidão, bem como pedidos de proteção e saúde para os meses vindouros. A origem do festival é islandesa e a comemoração incluía um *Blot* para Nerthus, Frey, Thor e Sif, corridas de cavalos, competições esportivas e feiras de produtos e ferramentas agrícolas. Antigamente, em agosto, se reunia o *Thing*, a assembleia geral de governadores, juízes e sacerdotes, uma data com conotações políticas, jurídicas, religiosas e folclóricas.

Devido à influência celta, esse festival passou a ser celebrado nos países nórdicos no primeiro dia de agosto, a mesma data do seu equivalente *Lammas,* e sua correspondência passou a ser *Erntefest*, "a festa da colheita". Eram assados pães dos primeiros grãos colhidos (trigo, centeio, aveia, cevada, milho), moídos e modelados em forma de rodas solares ou figuras humanas, que eram repartidos entre familiares, amigos, doentes e pessoas sem recursos, o que deu origem ao seu nome celta *Loaf Mass*, "a festa ou missa do pão". Eram levados pães, grãos e frutas para ofertar como gratidão às deusas Nerthus (a Mãe Terra) e Sif (deusa dos trigais) e realizadas corridas de cavalos para honrar Odin, Frey, Thor e Baldur.

A primeira espiga das colheitas era guardada como amuleto da sorte e a última era deixada no campo para Sleipnir, o cavalo de Odin. Todo o mês de agosto era reservado para as colheitas dos cereais e as preparações para a chegada do inverno, sendo um período de alegria (pela colheita das sementes plantadas em *Disting)* e de trabalho intenso, o sacrifício inerente para conseguir as dádivas do céu, da terra e das divindades.

O mito associado era o roubo dos cabelos de Sif por Loki, o corte da vasta e dourada cabeleira da deusa representando a colheita das espigas de cereais.

Höstblot, Herbsfest, Winterfinding, Vanablot

Equinócio de outono (21, 22 ou 23 de setembro)

O mês de setembro era denominado *Haligmonath*, "o mês sagrado", por ser marcado por outro festival de colheita, inúmeras oferendas de gratidão pelas dádivas recebidas ao longo do ano (sorte, saúde, prosperidade) e para atrair e garantir a sua repetição no próximo ano. O ato de celebrar as antigas datas sagradas e de agradecer às divindades através de oferendas tornava cada ser humano um coparticipante no desenrolar do seu *wyrd*, fechando ciclos e abrindo novas etapas.

Höstblot festejava a segunda colheita (das frutas e dos tubérculos), sendo um dia de transição para a metade escura do ano, meio caminho entre *Midsommar* e *Yule* e era dedicado às divindades Vanir, regentes da terra e da água, aos elfos, aos espíritos protetores dos campos e das árvores e aos protetores das atividades agrícolas. Seus significados eram, portanto, opostos ao equinócio da primavera, mas o *Blot* devia fortalecer as esperanças, lembrar a continuidade da vida com o eterno retorno dos ciclos e expressar a gratidão pelas bênçãos divinas.

O tema central era a integração das polaridades: claro/escuro, verão/inverno, masculino/feminino e a alternância dos ciclos da natureza, a frutificação seguida pela colheita, o calor pelo frio. As famílias e as comunidades se reuniam para festejar o final das colheitas, depois do armazenamento de todos os produtos. Os dias cada vez mais curtos e as noites frias e longas eram propícias para ouvir histórias na frente da lareira, tomar hidromel ou vinho da safra recente e agradecer a abundância da Mãe Terra, agora vestida com a gama variada das nuances amarelas, laranjas e marrons do outono.

Era favorecida também a introspecção e a avaliação da colheita pessoal, uma data propícia para descartar as "folhas secas" e os resíduos do plantio anterior ou dos projetos que não vingaram, preparando novas sementes para a próxima semeadura. As sementes que se tornaram frutos maduros eram "colhidas" como símbolos dos esforços e recompensas, em função da evolução e merecimento individual, com a proteção e a bênção das divindades

Disablot, Idisblessing, Alfarblot, Vinternatt, Winter–fylleth, vetrnaetr, Allerseelen, Samhain

A comemoração das ancestrais

O fim das colheitas e a aproximação do inverno eram marcados pelo festival das Noites de Inverno e a comemoração dos ancestrais. As datas variavam entre a primeira lua cheia após o equinócio de outono (21-23 de setembro) para *Vinternatt* e o meio ou o fim de outubro para *Disablot*, que foi aos poucos equiparado com o *Sabbat* celta *Samhain*, celebrado na noite de 31 de outubro. Esse período representava o fim de um ciclo, caracterizado pela separação de tudo o que era benéfico ou prejudicial para a vida humana, assim como os grãos dos cereais eram removidos das cascas e guardados para assegurar a nutrição no próximo ciclo. A chegada precoce do inverno escandinavo (em meados de outubro) era assinalada pelo maior encurtamento dos dias e o aumento do frio e da escuridão, marcando a volta dos rebanhos dos pastos e o término das últimas colheitas iniciadas em agosto.

Este era o mais importante festival de colheita, em que se partilhavam os frutos da terra e se agradeciam as bênçãos divinas. O mês de novembro chamado *Blotmonath* (mês do sacrifício) era reservado para o abate dos animais e a preparação das conservas para garantir a alimentação durante os áridos e frios meses de inverno. A Noite de Inverno – *Winterfylelth* ou *Vinternatt* – (cuja data é incerta, variando entre meados de outubro e a lua cheia após o equinócio de outono, dependendo do local geográfico) anunciava o começo da Caça Selvagem, que continuava até *Walpurgisnacht*, quando a cavalgada de fantasmas, espíritos de pessoas falecidas e *trolls* – conduzida por Odin, Holda e Skadhi – voava pelo céu escuro e assombrava seres humanos e animais. Iniciava-se um período de introspecção e avaliação dos comportamentos, dos acertos e erros nos meses anteriores, visando a correção das falhas e a finalização de objetivos.

As atividades eram concentradas dentro das moradias e recorria-se ao uso de oráculos e rituais para prever e orientar os acontecimentos futuros. As longas noites eram dedicadas às leituras, histórias sendo contadas e lendas relembradas. A arte (canções, poesias, tocar instrumentos) e o artesanato, principalmente a tecelagem e a gravação sobre madeiras e metais, eram partilhados entre familiares e amigos. Realizavam-se consertos das casas, dos barcos e arados, das carroças, carruagens e redes de pescar. Como nesta data festejavam-se também os ancestrais, com o passar do tempo, a comemoração foi transferida para o fim de outubro, assumindo o significado e a simbologia de *Samhain*.

O *Disablot* e *Alfarbot* – os festivais que homenageavam os ancestrais femininos e masculinos – eram celebrações comunitárias, em que o *Blot* era presidido pelas pessoas mais idosas, pedindo as bênçãos das divindades (Odin, Frigga, Freyja, Holda), dos ancestrais (Disir, Matronas, Alfs) e dos seres sobrenaturais, agradecendo pelas dádivas, da colheita e do legado dos antepassados. Além da reverência dos ancestrais era feita também uma comemoração especial para os elfos, em sinal de gratidão pelas suas dádivas. Como essa data era considerada um limiar entre os mundos, possibilitando o contato com os seres espirituais de outras dimensões, usavam-se práticas mágicas (*seidhr*, *spaecraft*) e oraculares (runas). No *Blot,* além das invocações, eram feitos os brindes tradicionais, seguidos de uma ceia comunitária, partilhada também com os ancestrais e os elfos, através das oferendas levadas para locais sagrados ou deixadas perto de árvores e curso de água.

Por ser também a celebração da última colheita, trançavam-se as últimas espigas dos campos formando uma efígie humana, considerada a personificação de Odin ou da deusa anciã, colocada em lugar de destaque das casas, depois de ser decorada com fitas, nozes, pinhas e sinos. Com o passar do tempo, ela foi substituída por máscaras entalhadas em nabos e abóboras, em que se acendiam velas. Essas lamparinas rústicas eram usadas nas casas ou ao longo dos caminhos para afastar os influxos negativos da passagem da Caça Selvagem e o azar trazido pelas tempestades noturnas e as chuvas de granizo. Tanto os povos nórdicos, quanto os celtas, consideravam esta noite como muito sagrada e mágica, quando se tornava mais fácil o intercâmbio com seres dos outros mundos (como espíritos de familiares, ancestrais e seres sobrenaturais).

No *Blot* eram reverenciados Odin, Frigga, Nerthus, Frey, Freyja, as Disir (ancestrais femininos) e os *Dokkalfar* ou *Alfs* (ancestrais masculinos), com os brindes tradicionais e oferendas de pão, hidromel, maçãs e grãos. A tônica dos rituais era de respeito e gratidão –pelo legado ancestral – e de reverência, ao serem pedidas bênçãos de proteção, tanto para os vivos quanto para os mortos. Em qualquer tradição pagã, a celebração dos ancestrais detinha um papel importante, sendo reservada uma data para que se mostrasse gratidão aos antepassados, quando eram citados fatos e atos importantes da sua vida e feitas oferendas nos seus túmulos ou nos altares das residências; fortaleciam-se assim os elos entre as gerações e preservava-se melhor a sabedoria ancestral. No dia 2 de novembro era feito um *Blot* especial para Odin, honrando sua autoimolação e sacrifício, feitos para alcançar a sabedoria das runas.

Os povos pré-cristãos da Escandinávia e Alemanha acreditavam que os vivos tinham certas obrigações com os mortos; se elas fossem cumpridas com respeito e de forma adequada, a família ia receber proteção, sorte e abundância, mas se fossem negligenciadas, todos os familiares iriam sofrer. Essas práticas sagradas honravam a continuidade dos ancestrais, cujos esforços, sacrifícios, erros e esperanças contribuíram para a sobrevivência e as realizações dos seus descendentes e o que eles tinham recebido como herança material, conceitual e genética. Mesmo que se seus nomes fossem desconhecidos, eram lembradas e honradas as suas vidas, citando os atos heroicos, as conquistas e o legado que deixaram. Retomando o culto dos ancestrais, criam-se elos entre o passado e o presente, assumindo os devidos lugares na teia que conectava os descendentes e aqueles que abriram caminhos na sua frente, seja como familiares, seja como mestres, chefes guerreiros, sábios guias ou corajosos exemplos de vida. Não são necessários laços de sangue para honrar um ancestral, o que importava era a sintonia psíquica, comportamental, mental e a conexão espiritual. A abertura de portas para o passado permitia acessar um imenso cabedal de ajuda, proteção, poder, conhecimento e sabedoria, nutrindo e fortalecendo as almas dos herdeiros do legado ancestral.

Na Noite dos Ancestrais eram usados os símbolos significativos antigos como: maçãs (penduradas com fitas em árvores ou colocadas no altar), a efígie humana de palha ou de espigas de trigo trançada com fios na cor branca, vermelha e preta, o caldeirão para queimar ervas secas, o pão caseiro com sementes e frutas secas, vinho ou hidromel para os brindes. Realizava-se um ritual de purificação e cura da linhagem ancestral, ao redor de uma fogueira ou do caldeirão com brasas, queimando ervas sagradas, mentalizando a libertação de memórias negativas, lembranças de dores, doenças, infortúnios e perdas, batendo tambor para transmutar as energias negativas do passado. No *Blot* invocavam-se Odin, Frigga, Nerthus, os Alfar e as Disir e abençoava-se o pão em seus nomes, colocando uma porção dele na vasilha de oferendas, junto com grãos, frutas e flores secas. Os participantes seguravam a efígie e expressavam sua gratidão aos ancestrais, pedindo a continuidade da sua proteção aos descendentes. Todos os presentes compartilhavam do pão e vinho e levavam a efígie e as oferendas para uma árvore velha ou perto de rochedos. A atmosfera era de profundo respeito e reverência pelo legado dos ancestrais, sem os símbolos ou objetos ligados ao Sabbat Samhain equivalente, cuja origem era celta e não nórdica.

Datas especiais

No antigo calendário nórdico existiam datas dedicadas à memória de certos heróis e relevantes personagens históricos escandinavos, como por exemplo, em 8 ou 28 de outubro era homenageado Erik, o Ruivo, (fundador da colônia da Groenlândia), no dia 11 de novembro, a comemoração dos *Einherjar*, que honrava os espíritos dos heróis escolhidos por Odin para ficarem no seu palácio em Valhalla e em 9 dezembro, reverenciava-se o poeta Egil Skallagrimson, autor de Egil's Saga

Outras datas especiais eram:

• 2 de novembro – dia dedicado a Odin, honrando sua autoimolação para descobrir a sabedoria mágica das runas. Faziam-se encenações ritualísticas dos mistérios da vida, morte e renascimento, com oferendas para os ancestrais e um *Blot* comunitário.

• 25 ou 27 de novembro – Dia dos Caçadores, a antiga comemoração dos deuses *Ullr* e *Skadhi*, regentes do inverno, da neve e dos esquis, padroeiros dos caçadores e viajantes; comemorava-se também Wielund, o deus ferreiro.

Esta antiga data foi adaptada no calendário cristão anglo-saxão como *Thanksgiving Day*, o encontro dos familiares para agradecer as graças recebidas. Marcada para a última quinta feira de novembro, tornou-se uma data importante nos Estados Unidos para agradecer as bênçãos divinas, uma continuação das tradicionais comemorações pagãs.

• 14 de dezembro, sete dias antes de *Yule*, celebrava-se nas Ilhas Shetland (cuja cultura era de origem nórdica) o "Início do mês festivo" que marcava a "libertação dos *trolls* dos seus esconderijos". Nesta data começava a Caça Selvagem de Odin e para evitar a interferência negativa dos "fantasmas", fazendas e construções eram abençoadas com o sinal do martelo e purificadas com fogo.

• 16 de dezembro – o dia em que todo o trabalho era suspenso, principalmente o que envolvia o uso de rodas. Homenageava-se Thor e lhe era pedida a proteção das casas e das pessoas durante as tempestades de inverno.

• 11 de janeiro – *Up-Helly-A*, o festival de fogo das Ilhas Shetland, que comemorava o fim dos festejos de *Yule* com fogueiras, danças e rituais de proteção, visando afugentar os *trolls* com batidas de tambores, enviando-os de volta para suas moradas.

• 14 de fevereiro – *Valisblot,* a festa de Vali, o Vingador; celebrava-se o triunfo do sol sobre a escuridão e a morte de Hodur por Vali, que vingou assim a morte de Baldur.

• 9 de março – comemoração do mártir Olver, que recusou a se converter.

• 9 de abril – dia de Jarl Hakon, que reverteu temporariamente a cristianização na Noruega, contribuindo para a sobrevivência dos velhos costumes e tradições.

- 25 de abril – comemoração de Yggdrasil, a Árvore do Mundo.
- 9 de maio – comemoração da mártir Gudrod, que se opôs à conversão.
- 8 de junho – aniversário da primeira incursão viking e o início da Era viking.
- 9 de junho – comemoração de Sigurd, o Volsung, herói épico germânico, que matou o dragão, salvou a Valquíria Brynhild e resgatou o tesouro dos nibelungos.
- 22 de junho – comemoração de Sleipnir, o cavalo mágico de Odin.
- 9 de julho – dia dedicado a Unna, a matriarca das dinastias reais das Ilhas Orkney e Faroe, pioneira colonizadora de Islândia, mulher forte, digna e nobre
- 23 de agosto – dia dedicado à descoberta das runas por Odin, honrando o poder da mente e a inspiração.
- 12 de outubro – *Vetrarblot*, antigo festival islandês comemorando as colheitas e as Disir com oferendas e comidas tradicionais.

CERIMÔNIAS SAGRADAS

Nos tempos antigos não existia uma distinção formal entre aquilo que foi denominado mais tarde de *religião* e *magia*.

A essência da *religião* nórdica era fundamentada nos textos dos *Eddas*, nas sagas islandesas e nos poemas épicos teutônicos, *religião* sendo a reverência às divindades vista como fé e lealdade (*Troth*) aos deuses, deusas e ancestrais.

A *magia* era formada pelas práticas de *galdr* (o uso dos sons e símbolos rúnicos para efetuar mudanças no mundo material) e *seidhr* (que envolvia o contato com os seres e energias de outros planos usando estados alterados de consciência, citado em várias sagas).

As diretrizes éticas eram originárias dos códigos tribais e das culturas das sociedades que deram origem aos antigos cultos. Os antigos valores éticos que norteavam as ações e atitudes dos praticantes de *Troth* eram: as Nove Nobres Virtudes e as Metas Sêxtuplas (descritas no capítulo Sociedade Nórdica), consideradas dons legados à humanidade pelas divindades. Os dons eram definidos como: a justiça (de Tyr), a sabedoria (de Odin), a força (de Thor), a colheita (dos Vanir), a paz (de Nerthus) e o amor (de Frey e Freyja). Esses valores eram a base para o alinhamento espiritual dos indivíduos, que iria contribuir para que os deuses voltassem novamente para a humanidade, antes de um novo Ragnarök.

O trabalho cerimonial de *Troth* era realizado no nível coletivo pelos *Blots* e *Sumbels* e no nível individual pelas práticas baseadas na sabedoria ancestral. Os mitos indicavam as diretrizes da jornada espiritual individual, assim, por exemplo, Odin caminhou sozinho até se autoimolar e alcançar a sabedoria. A conexão dos povos antigos com o mundo divino era facilitada pela sua permanente relação com as forças da natureza e a consciência do sagrado permeando suas vidas. As orações e meditações eram práticas importantes para entrar em conexão com os deuses e poder atuar como cocriadores da própria realidade.

O relacionamento dos seguidores da tradição nórdica com as divindades e os seres sobrenaturais pode ser definido pelo conceito viking da "*amizade com os deuses*". Como qualquer relação, "amizade" com uma divindade requeria respeito, atenção e intercâmbio, através da comunicação (por meio de orações, meditações, práticas mágicas), oferendas (partilhando comida, frutas, flores, bebida, objetos) e comunhão (silenciando a mente para "ouvir" e sentir as mensagens e orientações da divindade).

A oferenda era feita de uma maneira simples com a cerimônia chamada *Blot*, que podia, ou não, fazer parte de um ritual específico, como as celebrações da Roda do Ano, para honrar uma determinada divindade ou comemorar um Rito de Passagem. A outra cerimônia – *Sumbel* – tinha um perfil mais mundano e social, sendo amplamente usada nos encontros comunitários e rituais públicos. Ambas as cerimônias são descritas detalhadamente no livro *Mistérios Nórdicos*, como procedimentos da "Magia Cerimonial" denominada *Troth* e serão resumidas a seguir.

Blot (Blot)

Equivalente à palavra "sacrifício" em norueguês arcaico, o *Blot* representava uma oferenda feita aos deuses como um presente de gratidão, um pedido de bênção para um objetivo específico ou para o fortalecimento da conexão. Tendo em vista o conceito nórdico de "dar e receber" simbolizado pela runa *Gebo* (troca, presente, dom, interação de duas forças) e sendo uma parte importante da cultura e magia nórdica, fazer uma oferenda aos deuses significava reafirmar nossa conexão com eles, despertando os seus atributos e poderes em nós. Longe de ser considerado um "pagamento, propina ou sacrifício", o *Blot* era uma cerimônia simples de partilha, amizade e respeito, repleta de reverência e gratidão.

Na antiguidade um *Blot* incluía sacrifícios de animais, costume típico de povos pastoris e agricultores, que compartilhavam com as divindades aquilo que eles mesmos comiam e bebiam. O animal era escolhido de acordo com o deus que ia ser honrado: cavalo para Odin, bode ou carneiro para Thor, javali ou leitão para Frey, vaca para Nerthus, peixe para Njord, ovelha para Frigga, porca para Freyja. Antes de seu abate, o animal era consagrado à divindade e abençoado durante a sua preparação. "Abençoar" (em inglês *blessing*, palavra derivada do inglês arcaico *bletsian* ou o nórdico *blotseifia* significando sacrifício) simbolizava o ato sagrado de "aspergir com sangue".

Com o passar do tempo e a escassez de animais ou de condições para serem ofertados o *Blot* não mais requeria um sacrifício animal e podia ser tão simples quanto ofertar apenas um brinde com bebida ou mais elaborado, em função da finalidade do ritual (individual ou coletivo, espontâneo ou formal). O estilo dependia de quem o realizava e do objetivo da cerimônia, mas a essência era a mesma: "uma troca de energia entre o mundo humano e o divino, simbolizada por uma oferenda, para mostrar a gratidão ou invocar ajuda e proteção divinas".

O *Blot* feito por apenas uma pessoa, requeria apenas um altar simples (uma mesa coberta com uma toalha), vela e incenso, pedras, raízes, sementes, símbolos da divindade a ser reverenciada, o receptáculo para a bebida tradicional (hidromel ou vinho de frutas) feito de um chifre de gado, um galho verde para abençoar o espaço aspergindo a bebida e uma vasilha para oferenda. A oração, invocação e comunhão eram guiadas pela conexão e inspiração do momento ou seguiam um roteiro simples, previamente preparado. Quando o *Blot* era feito ao ar livre, o altar era representado por uma pilha de pedras, um tronco de árvore com uma tábua por cima dele ou um círculo de pedras colocadas no chão.

Para um Blot *mais elaborado*, destinado a fazer parte de uma celebração pública (comemorações da Roda do Ano), um encontro ou evento comunitário para comemorar um rito de passagem ou um ritual com objetivo específico e direcionado para um arquétipo (divino, ancestral, sobrenatural) recomendava-se seguir estas etapas:

1. *Preparação*: do altar, do espaço e dos participantes com uma purificação adequada, feita com resinas ou ervas secas queimadas em braseiro, salpicando água com sal marinho ou passando uma tocha ou vela ao redor do campo áurico da pessoa e do perímetro do espaço ritualístico.

2. *Centramento*: entoando *galdrar* (sons rúnicos), fazendo alguns exercícios respiratórios seguidos de uma breve meditação.

3. *Explicações* sobre o *Blot*, seguidas por uma leitura ou exposição verbal do mito da divindade, de uma lenda ou história compatível com a finalidade do *Blot*.

4. *Invocações* (etapa conhecida como "chamada" ou "pedido") das divindades, para atrair sua presença energética, sua proteção e ajuda espiritual; elas eram feitas pelo sacerdote/sacerdotisa, dirigente ou oficiante, com palavras simples ou frases previamente elaboradas, citando atributos e características do arquétipo.

5. *Oferecimento*: consagrava-se a bebida pelo oficiante, que elevava a bebida e riscava sobre o receptáculo um símbolo sagrado (*valknut* para Odin, martelo para Thor, roda solar para Baldur e Sunna, *triskelion* para as Nornes) ou mágico (com traçados rúnicos). Ao pedir a bênção divina, todos visualizavam o líquido

sendo impregnado com os poderes invocados, elevando a sua vibração e se tornando um elixir sagrado, o próprio "*sangue de Kvasir*", imbuído com as bênçãos e a energia do deus ou da deusa que regiam o *Blot*. A oferenda era representada por algum compromisso ou ação ritualística, como um "sacrifício", iniciativa que beneficiasse a comunidade (doação ou serviço voluntário) ou um projeto em benefício dos seres da Criação, de todos os mundos e de todas as dimensões.

6. *Bênção*: após a consagração, o oficiante despejava um pouco do líquido sobre o chão ou na vasilha de oferenda e aspergia com o galho verde a bebida impregnada com o poder divino sobre o altar e sobre todas as pessoas presentes, em silêncio ou entoando um som rúnico ou uma fórmula sagrada.

7. *Partilha*: o chifre ou o cálice com a bebida era passado em círculo, de mão em mão, pelo oficiante ou uma mulher representando a Valquíria; o portador da bebida a entregava para cada pessoa, que, ao chegar a sua vez, o elevava saudando a divindade (com poucas palavras de reverência ou gratidão) e, depois de finalizar com a palavra *Heil*, tomava um ou três goles e passava o recipiente para o vizinho à sua esquerda (seguia-se a roda solar no sentido horário). Quando todos os participantes tinham bebido ritualisticamente, o restante do líquido era despejado na vasilha de oferenda (em ambiente fechado) ou diretamente no chão (ao ar livre). Era muito importante manter o chifre ou o cálice sempre cheio, enchendo-o antes que termine a bebida, enquanto era feita a partilha, sendo esvaziado apenas no final. Desta forma canalizava-se parte do poder para a terra, acompanhando com palavras de gratidão para Nerthus, os seres da natureza e os guardiões do lugar em que se deixava a oferenda. Se fosse usada vasilha (em ambiente fechado), no final da celebração seu conteúdo era levado e despejado perto de uma árvore, rocha ou água corrente.

8. *Fechamento do ritual*: eram feitos agradecimentos às forças espirituais, aos seres sobrenaturais e aos ancestrais. O *Blot* podia ser seguido, ou não, de uma confraternização, abençoando primeiro a comida e as bebidas que eram servidas.

Essa estrutura tradicional podia ocasionalmente ser *reduzida para três etapas*, caso fosse feito apenas um pedido ou uma homenagem para uma divindade: a declaração da intenção, a consagração da bebida seguida da bênção e a oferenda final. O *Blot* podia ser feito no final de um trabalho ritualístico ou mágico, antes do *Sumbel* ou após a encenação de um mito. A oração tradicional era *Til ars ok fridar*, "para um bom ano com paz".

O modelo mais completo do Blot incluía elementos adicionais como: o uso de um berrante ou tambor saudando os guardiões das direções, uma procissão com tochas ou velas ao redor do altar, invocações em versos ou cantadas, "juramentos" ofertados aos deuses como um "sacrifício" (compromissos de mudança pessoal, declarações de fé e lealdade com relação aos antigos valores, virtudes ou metas da tradição nórdica ou dedicação a um projeto ou atividade em benefício de todos e do Todo). Quando necessário, podiam ser incluídas bênçãos especiais para crianças, mulheres grávidas, doentes ou pessoas idosas.

Sumble (Sumbel, Symbel)

Celebrar um *Sumble* era fundamental para os seguidores da antiga tradição nórdica. Ele podia ser a continuação de um Blot ou constituía uma cerimônia a parte, como nas datas festivas da Roda do Ano ou nos encontros e festejos comunitários. Geralmente era feito ao ar livre, em torno de uma fogueira, com as pessoas sentadas em círculo; durante as datas festivas ou nos ritos de passagem – como batizado e casamento – podia ser celebrado em local público ou dentro de uma residência particular.

O *Sumble* tinha vários *propósitos*: servir como foco para o encontro grupal, favorecendo a união e a comunicação espontânea, celebrar os valores tradicionais da antiga cultura pagã e representar o microcosmo da unidade tribal dentro da sociedade. De todos os ritos ancestrais nórdicos, o *Sumble* é o que melhor foi preservado após a conversão ao cristianismo; vestígios dele se encontram nos costumes modernos nos brindes feitos em festas, aniversários e casamentos. A atmosfera que reinava durante o *Sumble* era de alegria, mas também de reverência, pois as divindades eram "convidadas" a participar e testemunhar os compromissos e as oferendas.

A estrutura do *Sumble* visava um alinhamento e conexão consciente com o poder e a sabedoria da linhagem grupal ancestral. Ao reunir um grupo ou uma comunidade que compartilhavam dos mesmos valores e conceitos, reforçavam-se os elos de coesão, lealdade, parceria e irmandade entre seus membros, visando uma melhor conexão e evolução espiritual. Vários textos, poemas, lendas escandinavas e anglo-saxões descrevem as cerimônias do *Sumble*, como no caso no poema "Beowulf". O equivalente do termo *Sumble* era a associação de *sum* "encontro" e de *öl* ou *ale,* "bebida alcoólica", ou seja, "reunir-se e festejar bebendo". Porém, o *Sumble* não era uma simples festa profana regada a álcool; mesmo que existiram deturpações e exageros, na sua origem era um ritual sagrado tradicional.

A estrutura básica de um *Sumble* constava de três etapas principais, com suas subdivisões, podendo ser acrescentada no final uma troca de presentes.

1. O ritual começava com uma bênção feita pela anfitriã ou o dirigente do ritual. A bênção formal podia ser substituída por uma simples declaração sobre a finalidade do encontro, acrescentando um texto poético ou uma canção. Seguia uma curta exposição sobre a sequência e o propósito ritualístico, realçando a alegria do encontro e a sacralidade das palavras e dos compromissos que iriam ser pronunciados.

Todos os participantes eram cientes e conscientes de que as palavras ditas no *Sumble* eram imbuídas de maior poder mágico do que as faladas em outros encontros, com exceção dos juramentos feitos sobre o anel de Thor ou Tyr ou o javali de Frey. A razão desse poder estava no simbolismo do chifre com o tradicional hidromel (cerveja, ou vinho de frutas), que era partilhado por todos na hora dos brindes. O receptáculo da bebida personificava *Urdhabrunnar*, a fonte de Wyrd, das memórias e da sabedoria ancestral, guardada pelas Nornes, que preservava tudo "o que tinha sido e acontecido" e fortalecia tudo "o que poderia vir a ser". Portanto, as palavras pronunciadas sobre a bebida consagrada eram "colocadas" dentro da fonte e se tornavam parte do *orlög* (destino), moldando acontecimentos futuros e que não podiam ser modificadas, independentemente se a pessoa tinha falado com consciência e fé ou apenas por falar. Os compromissos declarados no *Sumble* eram testemunhados pelas Nornes, as divindades e os ancestrais, sendo que todos os presentes tornavam-se corresponsáveis para o seu cumprimento, pois "os efeitos das intenções e dos compromissos assumidos reverberavam no espaço e repercutiam na vida de todos".

Em certos encontros era escolhido um interlocutor chamado *thyle*, incumbido de questionar votos que pareciam superficiais, não adequados, impossíveis de cumprir ou até mesmo causadores de infortúnios ou má sorte para a comunidade. Para incutir maior responsabilidade e consciência na hora de assumir compromissos ou fazer juramentos, o *thyle* pedia ao declarante uma compensação ou retificação material ou energética, caso ele não cumprisse aquilo que tinha declarado ou assumido. Os compromissos mais sérios costumavam ser feitos no estilo de juramentos nórdicos tradicionais, pronunciados de forma ritualística sobre um objeto sagrado (geralmente o anel de Thor) e solicitando a solidariedade e os testemunhos de todos os presentes.

O *Sumble* representava uma oportunidade para escolher, falar e agir com verdade, consciência e responsabilidade; cada palavra e ação ia atuar nos planos sutis e físicos para reforçar a união grupal e atrair a boa sorte para todos os que serviram como testemunhas. Reforçava-se assim o conceito nórdico que honrava a "sorte" como uma parte da alma, uma energia viva que devia ser nutrida e fortalecida pelas ações corretas e que era enfraquecida por atos de descuido, falta de responsabilidade, inércia, mentiras ou covardia. No *Sumble* eram relembrados os atos heroicos do passado, que tinham fortalecido o poder e a sorte de um clã e que podiam servir de modelos para autoaperfeiçoamento.

Como o receptáculo da bebida (geralmente usava-se um chifre, mas que podia ser substituído por um cálice de prata ou bronze) representava a fonte de Wyrd, cujas águas nutriam a Árvore da Vida e guardavam os desígnios do destino e as memórias ancestrais, durante o *Sumble* o recipiente e a fonte tornavam-se uma só energia. Por isso as vibrações mentais e verbais enunciadas sobre a bebida criavam fios energéticos sutis, que eram entrelaçados na teia do *wyrd* coletivo. (Para compreender melhor o mecanismo de atuação do destino é recomendável reler os verbetes sobre *wyrd* e *orlög*).

O uso de uma bebida alcoólica e fermentada representava *Odhroerir,* o "elixir da inspiração, eloquência e poesia", criado pela fermentação da saliva de todas as divindades ao selar o armistício que pôs fim à guerra entre os Aesir e Vanir, que era guardado em dois vasos: *son* (expiação) e *boden* (oferenda) e destinado para o uso de poetas e sábios (vide o verbete sobre Kvasir e o mito do roubo de *Odhroeri*r pelo deus Odin).

A portadora do receptáculo com a bebida era a representante das Nornes, sendo sempre uma mulher, que personificava a Valquíria e relembrava a sacralidade feminina, reconhecida e honrada pela sociedade nórdica, que, atribuía às mulheres dons espirituais especiais, como intermediárias entre os mundos, mensageiras e profetisas inatas. O escritor romano Tácito registrou com surpresa no ano 98 a estima e a consideração desfrutada pelas mulheres nórdicas, muitas delas videntes renomadas. Como a arte de fiar e tecer pertencia às mulheres, era evidente a conexão simbólica e mágica com as Nornes, Tecelãs do Destino e cuja representante era também a anfitriã ou a mulher que presidia o *Sumble*. A portadora do elixir sagrado se tornava responsável pela ordem correta e a expressão verdadeira e profunda dos compromissos, seguindo a hierarquia tribal e equilibrando poder e ordem, força e paz, cuja interação harmoniosa era indispensável para o sucesso de um *Sumble*.

2. A bebida era abençoada com três orações ou invocações dos poderes divinos pela anfitriã ou o dirigente do ritual e colocada no chifre, completando sempre o nível, sem que ficasse vazio nem por um momento. A mulher escolhida como "Valquíria" levava o chifre com muito respeito, oferecendo a todos os presentes, seguindo uma ordem hierárquica ou o sentido horário. Cada pessoa recebia o chifre, fazia os brindes e o devolvia à Valquíria. O ato de beber era simbólico e considerado sagrado, por isso a rodada dos brindes não tinha um caráter de confraternização profana. A bebida tradicional era o hidromel (obtido pela fermentação do mel), mas que pode ser substituído por outras bebidas fermentadas como vinho, cerveja, suco de frutas (maçãs ou frutinhas silvestres) ou simplesmente água de uma fonte.. Em certos grupos os participantes levavam seu próprio chifre ou cálice (que tinha sido consagrado ou dedicado ao deus Braggi), em que a Valquíria despejava um pouco de bebida. Os participantes ficavam em pé para brindar, alguns erguiam a bebida e ficavam em silêncio, outros que não queriam beber despejavam um pouco no chão ou na vasilha de oferendas, depois beijavam a beira do receptáculo e molhavam três dedos na bebida, tocando a sua testa, sem beber.

Eram feitas três "rodadas" de brindes: na primeira brindava-se às divindades, na segunda aos ancestrais, personagens mitológicas ou heróis nacionais; por último aos familiares e amigos (vivos ou mortos) de cada um. Diferente do *Blot* cujo propósito principal era honrar as divindades, no *Sumble* procurava-se reforçar a união grupal, aumentar a sorte coletiva e melhorar o *wyrd*. Por isso podiam ser honrados familiares e amigos.

Quando eram invocadas as divindades, a assistência permanecia um pouco em silêncio para meditar a respeito do mito ou dos atributos divinos. As invocações e os brindes eram pronunciados com reverência e respeito e a egrégora assim criada permitia que os participantes percebessem a presença divina, orassem para a divindade invocada oferecendo-lhe o brinde e recebendo em troca sua energia, em forma de mensagem ou percepção sutil de um aviso.

3. Pronunciavam-se os compromissos (levando em consideração todas as precauções acima mencionadas); no ato de falar, erguendo o chifre e beber, a pessoa absorvia a "essência" das suas palavras, tornando-se responsável pela sua concretização. O estilo da invocação podia diferir de uma pessoa para outra, sendo formal ou espontânea, em prosa, versos ou cantada, o importante era que as palavras vinham do coração.

Em certos *Sumbles* os participantes mostravam seus dons artísticos declamando em versos ou cantando fatos relevantes da sua vida, pondo em evidência seu valor e habilidades, porém sem exagero, orgulho ou falsidade. A fonte de inspiração destes procedimentos era o poema "Havamal" que afirmava: "*o gado morre, homens morrem, o próprio ego morre, mas há algo que jamais morre: a glória de uma conquista e a reputação de cada um*".

Esta frase ilustra a antiga ética nórdica, resgatada pelos atuais praticantes. O renome e a reputação de alguém, assim como suas realizações e boas obras, dão a medida exata do valor pessoal. Assim como os compromissos, essas revelações sinceras eram tecidas na teia do *Wyrd;* se fossem falsos ou exagerados iriam trazer influências nefastas para todos, principalmente para o seu autor.

Um tema mais sutil e mágico para o ritual de Sumble era reverenciar o passado, o presente e o futuro, fazendo os brindes como agradecimento pelos aprendizados, desafios e realizações passadas, expressando seus propósitos e desejos presentes com afirmações e declarações de compromisso e agradecendo pela sua realização futura, por meio da ação correta e da responsabilidade assumida para a sua manifestação.

Após a terceira rodada, o chifre podia ser passado outras vezes, canções, poemas e histórias tomando o lugar dos brindes e compromissos. Mesmo sendo um ritual sério, o *Sumble* podia ser entremeado com risadas, alegria e comemorações de conquistas futuras. As pessoas podiam se abrir e partilhar pensamentos e emoções, sabendo que o lugar era seguro e sagrado, portanto nada que fosse revelado ou partilhado ia ser levado para o mundo exterior. Era importante não perder de vista a intenção ritualística e o respeito às divindades, evitando cair na licenciosidade e trivialidade de uma festa profana regada a álcool, Os brindes cerimoniais eram o substrato material para fixar intenções e afirmações em benefício pessoal e coletivo; eles não serviam como ocasião ou desculpa para excessos etílicos.

Como uma complementação, a cerimônia de *Sumble* podia incluir uma troca de presentes, principalmente se a data festiva fosse *Yule*. Na antiga sociedade nórdica, o anfitrião de uma festa costumava dar presentes – imbuídos com vibrações positivas de boa sorte, saúde e sucesso – aos seus convidados, como símbolo de sua amizade e prova de lealdade e solidariedade. Antes da despedida final, o ritual devia ser "fechado" ritualisticamente com agradecimentos às divindades, seres sobrenaturais e ancestrais. A bebida restante era colocada na vasilha de oferenda e levada para ser ofertada com respeito e reverência em algum lugar na natureza, agradecendo às forças invocadas as bênçãos e a proteção por elas conferidas.

RITOS DE PASSAGEM

Em todas as culturas e sociedades pagãs e nativas pré-cristãs existiram ritos de passagem, que representavam as mudanças de *status* e as transições na vida humana. Os povos nórdicos preservaram por mais tempo do que o resto da Europa seus antigos costumes (chamados *forn sidr*) devido à cristianização mais tardia; mesmo após a imposição dos novos costumes cristãos (*nyr sidr*) certos ritos de passagem continuaram a ser praticados, principalmente no interior da Escandinávia e da Islândia.

Infelizmente não existem registros escritos ou referências precisas sobre a maneira como os rituais eram praticados, nem sobre a finalidade de ritos específicos, além dos comuns às outras tradições pagãs, como batizado, casamento e culto dos ancestrais.

Rito de Nomeação

O escritor Edred Thorsson em seu livro *Green Runa* menciona duas cerimônias pré-cristãs: *vatni ausa* (aspergir com água) e *nafn gefa* (dar o nome). Ambas eram feitas pelo chefe do clã ou da família, nove dias após o nascimento de uma criança, o período necessário para que o recém-nascido tivesse se mostrado merecedor para ser integrado ao clã, devido à sua força vital, resistência física e poder espiritual. As cerimônias tinham a intenção mágica de auxiliar o processo de reintegração do complexo energético *hamingja-fylgja* no recém-nascido, servindo ao mesmo tempo como uma confirmação ritualística da reintegração do espírito na nova encarnação.

A *hamingja* era uma forma móvel de poder mágico, sendo o meio pelo qual o complexo formado pela combinação da consciência/ mente/ vontade (*hugr*) formava um novo corpo etérico e físico (*hamr* e *lyke*). A *hamingja* podia ser passada de uma pessoa para outra – parcial ou totalmente – através da reencarnação ou de uma iniciação sacerdotal, sendo uma força dinâmica que podia ser dividida e projetada para vários propósitos. A *fylgja* (ou *fetch*) era acoplada ao corpo astral e nele permanecia durante toda a vida de um indivíduo. O corpo mental (*hugr)* podia seguir para Valhalla ou Hel, enquanto o corpo astral ou duplo etérico (*hamr*) permanecia com o cadáver no túmulo e em certas circunstâncias tornava-se manifesto, sendo visível como *draugar*, os mortos-vivos (conforme descrito em *Fantasmas*). Porém *hamingja* e *fylgja* podiam acompanhar uma alma renascendo na mesma linhagem familiar ao longo de gerações, um ancestral morto recentemente, renascendo no seu descendente recém-nascido, algo difícil de compreender e aceitar do ponto de vista da doutrina espírita e de certos conceitos espiritualistas e dogmas religiosos. Explicações detalhadas sobre "A estrutura psico-físico-espiritual do ser humano" podem ser encontradas no livro *Mistérios Nórdicos*.

Os complexos conceitos nórdicos explicavam de forma metafórica e prática a multiplicidade dos níveis de consciência e funções da alma, bem como a variedade das destinações e manifestações após a morte física, tendo sido perseguidas e combatidas pela igreja cristã. É importante compreender que os povos antigos não acreditavam no renascimento da consciência pessoal, apenas de certos poderes e habilidades inatas e transpessoais, assim como de certas obrigações e dívidas. O complexo energético formado pela *hamingja-fylgja* se distanciava para longe do corpo físico no momento da morte. A *fylgja* aparecia frequentemente como uma figura feminina semelhante à Valquíria e que se deslocava para um destino específico – Valhalla ou Hel–, mas podia também ser passada pelo moribundo para o seu filho ou outro ente querido, como no caso dos chefes de clã ou reis. Mas quando a *Kyn fylgja* (característica de um clã) se alojava em um dos reinos ou mundos sutis, ela aguardava o nascimento da criança certa à qual ela iria se acoplar no momento das cerimônias citadas: *vatni-ausa* e *nafni-gefa*.

O nome dado à criança podia ser de um ancestral falecido recentemente, escolhido por ter sido percebido durante um sonho pela mãe durante a sua gestação, encontrado em uma visão ou mensagem espiritual, ou revelado pelas práticas mágicas e oraculares realizadas pelo pai, chefe de clã ou xamã. Após a cerimônia, a criança era considerada o ancestral renascido na família e no clã, recebendo proteção e direitos como os outros integrantes da família, não podendo mais ser morta por "exposição" na natureza (método usado para apressar o fim de crianças fracas, doentes ou com anomalias físicas – menos as meninas, portadoras do dom da fertilidade – que eram deixadas nuas perto de árvores ou rios). Esta prática não era realizada por crueldade ou frieza de sentimentos, mas devido à escassez de recursos alimentares, que dificultava a sobrevivência de uma criança frágil ou doente em um clima frio, inclemente e desafiador. Após a cristianização, os bastardos e filhos ilegítimos não eram batizados e tinham o mesmo fim.

A criança adquiria – além dos poderes e das habilidades do ancestral – suas obrigações, desafios e responsabilidades, que seriam cumpridas de acordo com a sua nova personalidade, tendo outras características físicas, mentais e espirituais. O novo indivíduo, detentor do potencial do passado (dons e dívidas) tornava-se responsável para realizar as suas possibilidades futuras por meio de conquistas e atos honrosos, aumentando assim a força do complexo *hamingja-fylgja* da família. Dessa maneira, a união dos mortos e dos vivos – de um mesmo clã –, podia ser representada como uma "árvore das gerações", suas raízes ancestrais fornecendo a nutrição contínua proveniente do mundo dos mortos e os galhos sustentando a energia permanente fluindo entre os vivos e seus descendentes. Os presentes dados à criança eram representações simbólicas ou materiais dos dons desejados para ela como: força física, coragem, inteligência, proteção, sorte, lealdade, tenacidade, honestidade, prosperidade.

Esse conceito de origem indo-europeia é encontrado nas antigas tradições de outros povos (como os gregos, tracos, dacos e celtas) e inúmeras sagas, mitos escandinavos e germânicos descrevem exemplos de reencarnação de ancestrais, fenômeno nomeado *aptr burdr*, que literalmente significa "nascimento para trás".

Os elementos importantes desta ideologia pagã eram *vatni ausa* – a nomeação – e *hefne*, a responsabilidade do "renascido" para realizar atos honrosos ou vingar a morte do ancestral, caso ele tivesse sido assassinado. A vingança era necessária para liberar a alma do ancestral do desejo de vingança ou da dor da traição, podendo seguir livremente para a sua destinação e permitindo assim a transferência completa do complexo *hamingja-fylgja* para a linha familiar. A interação entre os vivos e os mortos era ampliada pelo culto dos ancestrais, que visava honrar sua memória e continuar seu legado.

Na cerimônia de *Vatni Ausa* a mãe colocava a criança nos joelhos do pai ou do chefe de clã, que aspergia gotas de água de fonte com um galho verde sobre a cabeça da criança, enquanto pronunciava a sua nomeação com o nome do ancestral. Esse rito podia ser incluído em um *Blot* em alguma data festiva da Roda do Ano ou celebrado por si só, na presença de familiares, amigos e com muita alegria, por receber um ancestral renascido no seu meio. Além de usar nomes de ancestrais, podiam ser escolhidos nomes de divindades, personagens históricos ou heróis.

Como a gestação e o nascimento representavam perigos e desafios incógnitos e nem sempre contornáveis, tanto para a mãe quanto o filho, eram comuns as orações e pedidos de proteção feitos para as Nornes e divindades específicas como as Matronas, Disir, Frigga, Freyja, Frey e Nerthus, além das práticas curativas e mágicas orientadas pela deusa Eir e realizadas pelas mulheres (matriarcas, xamãs, parteiras, curandeiras e benzedeiras). No momento de dar à luz, a mulher se agarrava a uma árvore frutífera ou ao pilar da casa, chamado *Barnstokk,* que personificava a linhagem familiar e que iria auxiliar no parto. O cordão umbilical era guardado como amuleto de saúde e a placenta, enterrada sob uma árvore sagrada ou frutífera invocando as Disir. O cordão umbilical era amarrado com uma trança feita com três fios de lã vermelha e abençoado na cerimônia de nomeação. Por serem realizadas por mulheres e para mulheres, essas cerimônias faziam parte dos "Mistérios de sangue", reservados e secretos, que não deixaram registros escritos, nem detalhes sobre os procedimentos, características comuns a todas as tradições antigas, costumes pagãos ou nativos. Sabe-se, no entanto, que não existiam proibições, resguardos, purificações ou a exclusão da grávida ou parturiente do convívio familiar, religioso ou social, como determinaram os posteriores dogmas e regras cristãos que consideravam a mulher nessas condições como sendo impura e maculada pelo pecado original.

Consagração da União

O rito de consagração de uma união foi mais bem documentado e muitos dos seus vestígios foram preservados até os tempos modernos. Por ser o matrimônio uma importante instituição social, o casamento era celebrado de forma elaborada e seguindo certas regras. Além de representar um contrato legal envolvendo especificações de bens e herança, o casamento era a consagração de um pacto de união e ajuda mútua entre duas famílias, visando a segurança dos descendentes, pacto que necessitava da aprovação dos respectivos chefes de clã e dos pais dos noivos. A relação harmoniosa e produtiva do casal era uma importante contribuição para a prosperidade e paz familiar e comunitária, fato que requeria o consentimento e apoio de ambos os cônjuges. Os demorados processos – no nível legal, familiar, material e ritualístico (para invocar e garantir a proteção e as bênçãos das divindades) – culminavam com a festa, que devia durar no mínimo três (ou nove) dias.

Os procedimentos pré-matrimoniais se iniciavam com o envio de um emissário, mensageiro ou de uma delegação conduzida pelo pai do noivo para a família da noiva. Neste primeiro encontro eram discutidos e estabelecidos os termos da proposta de casamento: o dote da noiva, os presentes do noivo e dos seus parentes (bens que se tornavam propriedade da mulher, mesmo após o divórcio ou a viuvez e parte da herança dos filhos), a data da união e os detalhes da comemoração (ritual, lugar e festa). Nesse encontro, cada família louvava e colocava em evidência as qualidades, aptidões e habilidades específicas da noiva ou do noivo, para conseguirem acordos mais vantajosos para seus protegidos. O acordo entre as famílias era selado com uma festa prévia, anunciando o noivado e a aparição pública dos noivos. Para a festa do casamento eram feitos muitos e demorados preparativos, que requeriam certo tempo e gastos, pois era necessário um grande estoque de comidas e bebidas para as famílias, os integrantes dos clãs e os amigos de outros lugares.

Pouco se sabe do ritual propriamente dito, além das invocações feitas para que a deusa Var testemunhasse o compromisso e sua consagração, colocando o martelo de Thor no colo da noiva e pedindo proteção para Thor e a prosperidade de Sif, sua consorte. Eram honradas outras divindades também, as Nornes, Frey, Frigga e Freyja, as Disir e os Alfar, os ancestrais familiares e os protetores individuais. O compromisso era selado ritualisticamente com um *Blot*, em que o oficiante consagrava as alianças ou as pulseiras de braço (*arm rings*) e pedia as bênçãos de Frigga, das Disir e Matronas para a estabilidade, harmonia e sustentação da união, de Fulla e Sif para prosperidade, de Thor, Odin e dos espíritos ancestrais para proteção e de Nerthus e Njord para a fertilidade.

O ponto culminante era uma procissão com tochas, levando o casal para a cama nupcial e as respectivas bênçãos para a sua felicidade, fertilidade e união duradoura. Estes requisitos pertenciam apenas às classes dominantes, os servos e os escravos precisavam da autorização dos seus donos para se casarem, muitas vezes suas uniões sendo ilegais ou feitas às escondidas, por contradizer os interesses financeiros dos proprietários das terras.

O dote da noiva incluía móveis, louças, roupas de cama e objetos de uso doméstico. O presente, que o noivo dava para a família da noiva, visava compensar a perda de mão de obra de uma filha, cuja contribuição através da tecelagem e costura era muito importante para a economia familiar. No dia após a consumação comprovada do casamento, o marido dava à esposa um presente de gratidão, geralmente uma soma em dinheiro, uma joia (um colar de âmbar ou ouro) ou um bem imóvel, que garantisse sua sobrevivência em caso de viuvez. Em caso de divórcio, o pai era responsável pela sustentação e educação dos seus filhos legítimos. Os presentes do noivo representavam sua capacidade de trabalho para sustentar a família, sendo a melhor recomendação para obter a aprovação dos futuros sogros. Nas antigas sociedades nórdicas, a estabilidade econômica e social era fundamental para a continuação da linhagem familiar, prevalecendo sobre os motivos e finalidades sentimentais.

Pacto de sangue

Um ritual solene e específico da tradição nórdica era o "pacto de sangue", realizado entre pessoas do mesmo gênero (geralmente homens), em que era consagrada uma bebida misturando sangue de cada um, dela tomando os três goles tradicionais, enquanto ficavam com os braços entrelaçados No nível sutil, esse compromisso envolvia muito cuidado e prudência, pois ele entrelaçava não apenas os braços, mas também os campos energéticos dos "irmãos de sangue", uma relação que exigia a mesma vibração e nível espiritual, para evitar uma possível "vampirização energética" posterior ou o enfraquecimento áurico ou espiritual de um dos "irmãos". Eventuais brigas, desavenças, maldições ou atos desonrosos de um dos "irmãos", provocavam máculas mútuas e atraíam a má sorte e os infortúnios do seu parceiro. O "pacto de sangue" era considerado um "casamento energético", o elo criado não podia ser rompido, nem mesmo pela morte, as dívidas e responsabilidades continuando a repercutir no plano sutil ao longo das gerações, daí a necessária cautela e discernimento antes que fosse realizado.

Ritos funerários

As crenças escandinavas e germânicas da vida pós-morte diferiam em função das épocas, dos lugares e dos cultos centrados na reverência a uma determinada divindade. O conceito comum era a ênfase na continuidade da unidade familiar, que atravessava tempo e espaço e ligava o mundo dos mortos com o dos vivos.

Na Idade do Bronze os mortos eram enterrados na posição fetal, dentro de túmulos individuais ou coletivos, em caixões rudimentares feitos de troncos de árvores. No final desta era começaram as cremações, as cinzas sendo guardadas em urnas e enterradas na terra. A cremação continuou durante as Migrações e depois da cristianização até o século XI. No Período Viking continuavam sendo feito sacrifícios e enterrados juntos objetos, joias, armas e vestimentas dos mortos. Uma descrição usada pelos povos nórdicos em relação à morte de alguém era "*foi se reunir com seus parentes, que foram embora para as colinas antes dele*", significando a reunião familiar, seja no nível espiritual (nas moradas dos deuses), seja no plano físico (as colinas mortuárias ou os túmulos familiares).

Geralmente o processo da morte era visto como uma viagem e a palavra alemã para ancestrais é *Vorfahren*, "*aqueles que foram antes*". A imagem mais comum nos enterros era o barco, sua réplica física em tamanho natural sendo usada nos enterros de pessoas importantes, enquanto naqueles de pessoas simples era colocada no túmulo uma pequena representação do barco, ou o túmulo era cercado por pedras delineando um barco. Imagens de barco são encontradas na literatura como metáforas para túmulos ou caixões, o barco sendo um antigo símbolo associado com as divindades Vanir, regentes da vida, da morte e do mundo subterrâneo. Os espíritos que não usavam o barco para navegar ao outro mundo costumavam cavalgar, fato que explica o porquê dos mortos serem enterrados com seus cavalos, carruagens ou cremados juntos deles nas piras fúnebres. Na ilha de Gotland as imagens mais frequentes nas pedras funerárias mostram navios ou cavalheiros, às vezes o cavalo tendo oito patas representando Sleipnir, o cavalo de Odin, por ele enviado para levar os mais honrados chefes e guerreiros valentes para Valhalla. Para os mortos mais pobres eram colocados nos túmulos ou nos seus pés os pesados calçados de Hel, para que eles pudessem andar, sem se afastar ou extraviar do caminho para o reino da deusa Hel.

Uma precaução importante era amarrar o barco nas pedras ou os sapatos juntos, um com o outro, para que não fossem usados como meios de transporte físico. Para que o morto fosse retirado da sua casa abria-se uma porta especial na parede, cimentada depois, evitando assim que o seu espírito voltasse do além pelo mesmo caminho seguido na ida. O corpo era colocado na cama ou no caixão coberto por um lençol, com os pés para a porta e a cabeça para o norte, com um pratinho com sal sobre o peito; os espelhos eram cobertos para evitar que o espírito se refletisse neles. Após a vigília, acompanhada de bebida e histórias contadas pelos presentes e descrevendo passagens e feitios da vida do morto, a procissão seguia para o cemitério, parando nas encruzilhadas (antigos locais dos altares pagãos). Após a cristianização, em lugar dos sapatos de Hel eram fincadas agulhas nos pés daqueles suspeitos de bruxaria ou conhecidos por terem o dom da metamorfose ou projeção astral, que lhes permitisse assombrar os vivos.

A crença em Valhalla como morada daqueles escolhidos por Odin motivou a prática da cremação, conforme citado em *Ynglinga Saga* :"*todos os mortos e seus pertences devem ser cremados juntos, suas cinzas depois levadas para o mar ou enterradas na terra*". Como os povos nórdicos acreditavam na vida pós-morte, eles colocavam os pertences do morto ao seu lado, para que ele pudesse usá-los no local para onde seguia. Após a cremação das pessoas importantes junto com seus bens, as cinzas remanescentes eram cobertas por colinas mortuárias, como as de Uppsala, onde escavações arqueológicas revelaram ossadas humanas e de animais, restos de armas, joias e objetos de ouro. Acreditava-se que no ato da cremação a alma era libertada para seguir seu destino, enquanto aqueles enterrados direto nas colinas mortuárias continuavam lá, se manifestando seja como fantasmas benévolos ou os temidos *draugar* (mortos-vivos). Em casos especiais, os heróis se deslocavam dos seus túmulos para Valhalla e podiam aparecer para seus familiares, pedindo que vingassem sua morte se esta fosse provocada por traição, contando com a permissão de Odin para dar esses avisos.

Uma parte dos guerreiros mortos ia para *Folkvangr*, o palácio de Freyja, uma clara alusão às antigas práticas funerárias que antecederam as cremações associadas ao culto de Odin, quando as pessoas eram enterradas e seus espíritos levados para o reino dos deuses Vanir. Aqueles que não tinham tido uma morte heroica, seguiam para o reino da deusa Hel (vide o verbete que descreve seus atributos e sua morada). Os que morriam no mar eram recebidos nos palácios dos deuses Ran e Aegir, as moças solteiras iam para a deusa Gefjon, as mulheres casadas e as crianças para o palácio de Frigga, enquanto os seguidores ou adeptos de uma determinada divindade seguiam para a sua respectiva morada. Os criminosos, os ladrões e os acusados de perjúrio, crimes infames ou atos vis não iam diretamente para o reino de Hel, mas permaneciam em *Nästrond*, um poço escuro e tenebroso, onde passavam por castigos e retificações dos seus comportamentos e a expiação dos seus crimes.

O nome da deusa Hel foi distorcido e usado pela Igreja cristã para designar o inferno (*Hell*), local de punição dos pecadores e desprovido do simbolismo complexo de *Niflhel*. Em lugar de compreender a dualidade dos atributos da deusa Hel – como regente da morte e ao mesmo tempo guardiã e protetora dos espíritos até o seu renascimento – ela foi equiparada com o temível espectro da morte, como fim da trajetória do espírito, desprovido da possibilidade de um novo retorno e recomeço em uma nova encarnação. Os nórdicos consideravam a reencarnação uma opção e não uma obrigação, mas que devia ser feita na mesma linhagem familiar; acreditava-se que durante a gestação, criava-se um novo corpo como abrigo temporário para uma antiga alma de um ancestral.

Uma importante imagem associada à morte é o dragão, considerado o guardião das colinas mortuárias e das câmaras megalíticas, tanto na Escandinávia, quanto na Inglaterra. Quando um túmulo era aberto por ladrões e um objeto fosse retirado, ou ele fosse saqueado ou profanado por inimigos, o dragão que ficava enrolado ao redor do seu tesouro (em uma colina mortuária ou monumento megalítico) acordava enfurecido e saía de dentro da terra lançando labaredas incendiárias sobre as terras próximas. Relatos de batalhas de heróis contra esses monstros ígneos aparecem em várias sagas ou poemas, como o que relata a morte do rei anglo-saxão "Beowulf", lutando para salvar seu povo e matando o dragão antes que ele morresse devido às feridas. Às vezes o dragão era visto como a metamorfose do morto que guardava assim os seus bens enterrados junto dele. No poema "Völuspa" menciona-se que o dragão Nidhogg devorava os mortos com suas garras e presas afiadas.

O dragão era representado com características de réptil e de serpente, às vezes tendo asas e um ou mais chifres, o seu corpo coberto de escamas, com, ou sem, patas e garras. Os raios, relâmpagos e a aurora boreal, assim como os incêndios, eram os fenômenos naturais associados com o dragão, assim como ele era uma imagem natural para a descrição da morte pelas chamas devoradoras das cremações. Após as batalhas, as chamas das inúmeras piras funerárias se elevavam como imensas línguas de fogo lambendo o céu, enquanto o som lúgubre dos ossos sendo queimados lembrava as antigas lendas dos monstros devoradores.

Mesmo após a cristianização, o fogo continuou sendo usado como uma prática e um símbolo funerário e as cremações continuaram apesar da sua proibição cristã, conforme comprovam resquícios de ossos enegrecidos pelo fogo, restos de carvão e urnas com cinzas em alguns cemitérios anglo-saxãos, na Alemanha e França. Durante muito tempo colocava-se nos túmulos um mistura de carvão com resina de pinheiro como sinal de purificação dos miasmas da decomposição, prática cristã remanescente dos costumes pagãos de cremação. Decorações com motivos serpentiformes foram encontradas em várias pedras funerárias e monumentos rúnicos como os da Ilha de Gotland na Suécia, onde serpentes, dragões e barcos simbolizam a jornada da alma pelo reino da morte à espera da sua regeneração. Desde a Idade do Bronze, nos petróglifos apareciam figuras de serpentes, homens viris com chifres e barcos, uma complexa simbologia ligada à fertilidade, vida, morte e o além. Ao longo do tempo, a serpente pré-histórica com corpo alongado foi se metamorfoseando para uma figura híbrida de serpente-dragão até adquirir a forma tradicional do dragão com patas, mencionado em várias histórias na literatura e representado na arte do norte europeu. Tanto a serpente, quanto o dragão, eram ao mesmo tempo símbolos do mundo ctônico e do ciclo eterno de vida/morte, sendo seres aquáticos e ctônicos, com domínio sobre a água (símbolo da vida) e a terra (morte e regeneração). Nas embarcações vikings eram usadas formas de animais – geralmente serpentes e dragões – na proa e na popa, simbolizando a proteção nas viagens. No mito de Ragnarök, os agentes da destruição final são serpentes, dragões e o poder dos gigantes do fogo. Além do dragão Nidhogg, que roía incessantemente as raízes da Árvore do Mundo até sua queda final, a Serpente do Mundo – Jörmungand – saiu das profundezas do oceano para o combate mortal com seu eterno inimigo, o deus Thor, que a venceu, mas sucumbiu devido ao seu veneno.

A proteção oferecida pelos deuses – esquecimento temporário por Odin, crença na reencarnação e na continuidade da linhagem familiar por Frey, força protetora e ordem providenciadas por Thor – não eram garantias suficientes para impedir as ameaças dos dragões e dos monstros. Esta verdade se torna evidente e explícita na própria morte dos deuses, como foi visto no mito de Baldur e no cataclismo final do Ragnarök. O próprio Odin, deus padroeiro dos mortos, foi vencido pelas leis imutáveis da mortalidade e do destino.

DIFERENÇAS ENTRE A MITOLOGIA NÓRDICA E A GRECO-ROMANA

Nos capítulos anteriores foi analisado e descrito o conjunto de conceitos e mitos pertencentes aos povos escandinavos e germânicos. Apesar das suas diferenças linguísticas e geográficas, eles mantiveram os mesmos elementos míticos, lendas e costumes ancestrais. A melhor preservação no norte europeu do legado religioso original deve-se à conversão mais tardia ao cristianismo dos escandinavos, em comparação com a dos europeus continentais.

No capítulo "Povos Nórdicos – Das Origens à Atualidade" foi analisado o surgimento das suas crenças e práticas, originárias do passado comum indo-europeu, ampliadas com as tradições e os elementos nativos das tribos que já moravam no norte e nordeste europeu, lá existindo desde a pré-história. Foi comprovado, através de pesquisas de mitologia comparada e filologia, que os dialetos germânicos e escandinavos do continente, junto com as línguas de origem latina, eslava, celta, hindu e persa, pertenciam à mesma família linguística indo-europeia.

As várias tribos que saíram das suas pátrias da Ásia Central para conquistar novos territórios – no norte da Europa e no leste, chegando até a Índia – levaram consigo nas suas migrações não apenas uma base linguística comum, mas uma mesma fé e mitologia, partilhadas por todos. Da mescla dos seus mitos e práticas surgiu o complexo panteão nórdico e os grupos das divindades Aesir e Vanir, além dos vários arquétipos de seres sobrenaturais, guardiões da natureza e os amplos e duradouros cultos aos ancestrais.

Do mesmo tronco indo-europeu, outras tribos arianas vindas da Ásia Central se deslocaram para o sul da Europa e, com o passar do tempo, lá floresceram duas relevantes culturas: a grega e a romana. Separadas por condições geográficas diferentes e com outro tipo de desenvolvimento histórico, social e cultural, à primeira vista a mitologia nórdica e a greco-romana têm pouco em comum. Mas, analisando com atenção e cuidado, observamos uma analogia dos conceitos fundamentais, com mitos e divindades semelhantes, as diferenças sendo devidas às influências recebidas pela diversidade das tribos conquistadas e integradas ao Império Romano, além do clima e da natureza específica às regiões temperadas e à bacia do Mediterrâneo. Percebem-se assim as sementes indo-europeias, que deram origem a ambas as tradições, mas com um colorido e descrições diferentes.

Oferecemos neste pequeno capítulo conhecimentos, comparações e analogias para aqueles leitores que desejam se aprofundar e compreender melhor o fascinante legado cultural e mitológico do norte e do sul da Europa.

O início dos tempos

Os povos nórdicos acreditavam que o mundo surgiu do caos, pois no princípio não existia nem céu, nem terra, apenas um abismo sem fundo, com uma extremidade de fogo e outra de gelo; espelhando o seu habitat, a criação do mundo na cosmologia nórdica era representada como um encontro dramático entre as forças primordiais do fogo e do gelo. Essa imagem é um traço característico da natureza islandesa, onde é visível o contraste entre o solo vulcânico, os gêiseres borbulhantes e os grandes icebergs ao redor. Desses elementos opostos – fogo e gelo, calor e frio, expansão e contração – nasceram os *Jötnar* (os gigantes nórdicos), que, semelhantes aos Titãs, os precursores dos deuses gregos, tinham uma impressionante força e resistência física, mas diferentes deles, suas feições eram rudes e a inteligência primitiva, prevalecendo os instintos.

Os gigantes representavam os poderes naturais dos elementos e do ambiente em que viviam, alguns deles se tornaram progenitores das divindades que os seguiram na regência do mundo. Do vazio primordial surgiram dois seres, personificações primevas da energia e da matéria, o gigante Ymir (equiparado com os Titãs, que também personificavam o fogo subterrâneo) e a vaca Audhumbla, tornando-se cocriadores no processo de formação da vida.

Ymir, como ser hermafrodita e sendo ao mesmo tempo gigante e deus, gerou vários descendentes; seus netos – a tríade divina Odin, Vili e Vé – gerados por uma força tripla (a mescla do fogo, do gelo e do princípio feminino – a vaca Audhumbla) mataram Ymir e, da sua matéria cósmica bruta, remodelaram o cosmo estático e o transformaram em um sistema vivo e dinâmico.

No mito grego, no começo dos tempos prevalecia o caos, em que todos os elementos estavam misturados formando uma massa informe, mas que continha em si as sementes da criação. O primeiro ser que surgiu foi Gaia, a mais antiga deusa e a Grande Mãe primordial, a própria terra, que soprou a vida no vazio e criou montanhas (seus seios), rios (seu sangue), grutas (seu ventre), planícies, florestas e desertos (seu corpo). Apesar de Gaia representar o planeta inteiro, para os gregos ela personificava o seu país e a fertilidade e abundância da terra.

Ao unir-se ao seu primogênito, Urano, o céu, ela gerou os 12 Titãs (entre os quais se sobressaíam Cronos, Oceano, Hipérion, Eurinome, Têmis e Mnemosine) e depois os Cíclopes, seres gigantes e imbuídos de força irracional, que foram aprisionados por Urano (que temia seu poder primal), no mundo ctônico, o Tártaro. Revoltada com a sorte dos seus filhos e preocupada com a crueldade do seu marido, Gaia persuadiu seu filho Cronos, o mais jovem dos Titãs, a castrar e matar Urano; do seu sangue, que fertilizou novamente Gaia, surgiram as Fúrias, vários seres gigantes e as ninfas das árvores.

Cronos regeu a Idade de Ouro, um período de paz e prosperidade, mas devorava seus filhos à medida que nasciam, com medo de ser por eles destronado, assim como ele tinha feito com seu pai. Como o Senhor do Tempo, Cronos na realidade representava o fim de todas as coisas. Seu filho Zeus escapou a esse cruel destino por ter sido escondido pela sua mãe em uma gruta no monte Ida, em Creta, onde foi amamentado pela cabra Amaltea e cuidado pelas ninfas. Com a ajuda da deusa Métis, Zeus administrou um veneno ao seu pai, que o fez vomitar e devolver todos os seus filhos. Zeus – ou o seu equivalente romano Júpiter – libertou alguns dos Titãs presos no Tártaro e entregou aos seus irmãos Posêidon e Hades, os reinos do oceano e do mundo subterrâneo. Zeus se declarou o governante supremo, dos deuses e dos homens e foi morar no palácio do Monte Olimpo, de onde supervisionava todos os recantos do mundo e seguia a sua própria jornada, a busca do poder e prazer.

Tanto os gigantes do fogo e do gelo, quanto os Titãs, foram vencidos após batalhas ferozes, em busca da supremacia e do poder e foram banidos pelos seus descendentes, após sua derrota, uns para Jötunheim, os outros para Tártaro, sendo obrigados a ceder seu poder primevo para um novo panteão, mais refinado. Engrandecidos pela sua vitória, os vencedores – que eram aparentados entre si – se instalaram em palácios dourados, seja os do reino nórdico de Asgard (as moradas das divindades Aesir), situados num dos níveis sutis da Árvore do Mundo, Yggdrasil, seja os dos seus equivalentes gregos do Monte Olimpo.

Os deuses representam o poder de manipulação e transmutação das forças naturais; a interação entre deuses e gigantes pode se manifestar como conflito ou domínio das forças naturais, levando à preservação ou à destruição da terra e de todos os seres vivos.

Os mitos nórdicos e os gregos, bem como as histórias e relatos das peripécias e conquistas das divindades são parecidos com os dramas humanos, descrevendo os conflitos inerentes e existentes entre gerações, famílias e indivíduos. As divindades eram dotadas com as mesmas virtudes e defeitos comuns aos seres humanos, sendo descritas como seres orgulhosos, vaidosos, violentos, belicosos, ciumentos, vingativos, sensoriais e passionais, interessados em observar, ajudar ou desafiar a humanidade, mas sem muita complacência, tolerância ou compaixão com suas ações negativas, seus erros, objetivos ou necessidades. Por outro lado, certos humanos tornados imortais – os heróis – possuíam poderes físicos e sabedoria semelhantes aos deuses, como se vê na descrição dos 12 trabalhos de Hércules ou nas proezas dos personagens históricos citados nas sagas islandesas.

A criação do homem

A tríade nórdica divina, Odin, Vili, Vé – os descendentes de Ymir –, é semelhante aos deuses Zeus (Júpiter), Posêidon (Netuno) e Hades (Plutão), que, por terem maior poder e astúcia, venceram os gigantes (ou os Titãs) e assumiram o controle do mundo.

Os gregos modelaram as suas primeiras imagens de argila, por isso imaginaram que Prometeu tivesse usado o mesmo material quando foi chamado para confeccionar uma criatura inferior aos deuses, mas acima dos animais. Como as estátuas nórdicas eram feitas de madeira, os nórdicos atribuíram a criação do primeiro casal humano ao uso de troncos de árvores.

Os deuses nórdicos criaram o primeiro casal humano a partir de troncos de árvores, ou seja, de matéria orgânica preexistente, aos quais deram o espírito, os sentidos, o movimento, as funções da mente, o dom da palavra, a energia vital e a consciência.

Na mitologia grega, quem criou o homem foi Prometeu, um dos Titãs, que misturou terra e água e modelou um ser à semelhança dos deuses, que, diferente dos animais, ficava em pé e olhava para os céus, podendo assim invocar os deuses e agradecê-los. Para torná-lo especial e diferente dos seus irmãos menores, Prometeu entregou-lhe depois o fogo tirado do sol, que lhe assegurou a superioridade ao usá-lo para cozinhar, se aquecer ou defender e modelar metais em ferramentas e armas.

A primeira mulher foi Pandora, criada no céu, onde cada deus contribuiu com alguma coisa para aperfeiçoá-la: Afrodite lhe deu beleza; Hermes, a persuasão; Apolo, a arte. Ela recebeu também uma caixa que não devia abrir, porém, movida pela curiosidade, destampou-a e espalhou para a humanidade o conteúdo de pragas, maldades, males e doenças, permanecendo na caixa apenas a esperança. Assim, sejam quais forem os males que nos ameaçarem, a esperança nos permite sobreviver e vencer. Obviamente esse mito tem uma conotação patriarcal e masculina, semelhante ao conto bíblico sobre a criação de Eva, declarada responsável pela desgraça e a punição da humanidade.

Ambos os panteões seguiam uma hierarquia familiar e uma evolução progressiva, correspondendo às Idades de Ouro (em que prevalecia a justiça, a paz, a abundância da terra), Prata (quando o ano foi dividido em estações, as moradas se tornaram necessárias, a terra tinha que ser plantada e cuidada), Bronze (o começo da competição e dos combates entre os homens) e por último a de Ferro (quando a humanidade tornou-se vil e violenta, começando a destruição dos recursos da terra), que passou a ser dividida em propriedades cobiçadas e conquistadas à força. Inúmeras guerras irromperam, havia crimes até mesmo entre familiares e a terra ficou manchada de sangue, até que os deuses entristecidos decidiram abandoná-la. Zeus ficou enfurecido com o caos reinante e decidiu destruir todos os seres humanos, jogando sobre eles o seu raio, para propiciar o nascimento de uma nova e melhor geração. Porém, temendo que o fogo afetasse o próprio habitat dos deuses – o céu –, ele escolheu outra forma de punição, provocando um dilúvio. Para isso Zeus desencadeou o movimento dos ventos, o avolumar das ondas, deixou os rios saírem dos seus leitos, sacudiu a terra com terremotos e erupções vulcânicas, até que nada mais restou das moradas, dos animais, árvores, plantas, campos, florestas ou seres humanos.

Apenas um casal sobreviveu, Deucalião e Pirra, que pertencia à mesma raça de Prometeu. Desesperados, eles começaram a orar aos deuses, pedindo-lhes clemência. Zeus ficou tocado com a sua conduta humilde e a prece fervorosa e ordenou aos elementos que voltassem aos seus lugares, pedindo também aos outros deuses que harmonizassem a desordem reinante. O casal se ajoelhou nos escombros do altar do único templo restante, de Delfos, orou agradecendo pela sua sobrevivência e pedindo um conselho para a sua futura conduta.

O Oráculo, na voz de Gaia, lhes disse que saíssem do templo cobrindo suas cabeças, e que jogassem pedras ao seu redor, para que delas fossem formados seres humanos novos e melhores, repovoando assim a Terra. Assim foi feito e, aos poucos, uma nova raça foi surgindo, cuidando melhor dos recursos da terra e respeitando todos os seres vivos. As descrições e eventos do mito grego são semelhantes ao Ragnarök, o fim dos tempos da mitologia nórdica.

Cosmogonia

Na visão nórdica, a morada da humanidade – *Midgard* ou *Manaheim* – era cercada pelo mar, em cujas profundezas habitava a terrível Serpente do Mundo, enrolada ao redor de si mesma e mordendo sua cauda, cujas contorções provocavam ondas gigantes e tempestades marinhas e que iria ser fator preponderante no cataclismo final do Ragnarök. A passagem entre o mundo divino e os outros mundos – incluindo o humano – era feita pela ponte do Arco-Íris, formada de fogo, água, ar e guardada pelo deus Heimdall. O cosmo multidimensional era representado por Yggdrasil, a Árvore do Mundo, cujas três raízes correspondiam às três dimensões (dos deuses, homens e dos mortos), que interligavam nove mundos, intercalados no espaço e sob cujas raízes brotavam três fontes sagradas, com significados e funções diferentes. A árvore gerava e sustentava a vida e abrigava as almas à espera do renascimento

Os gregos acreditavam que a Terra fosse redonda e chata e que o seu país ocupava o centro da Terra, sendo seu ponto central o Monte Olimpo, a residência dos deuses, ou o templo oracular de Delfos. Na sua visão, o disco terrestre era atravessado de leste para oeste e dividido em duas partes iguais pelo mar (o Mediterrâneo); em torno da Terra corria o rio Oceano, cujo curso era do sul para o norte na parte ocidental da Terra e em direção contrária do lado oriental; era dele que todos os rios e mares da Terra recebiam suas águas. O rio Oceano tinha uma superfície calma e suas correntes eram amenas, assim como era também o mar ensolarado do Sul, o Mediterrâneo.

Na cosmogonia grega existia uma terra mítica dos Hiperbóreos (a contraparte de Niflheim, o reino enevoado e frio do mito nórdico), situada no extremo norte da Terra (possivelmente Escandinávia), inacessível por terra ou por mar, onde "penas" brancas caíam do céu cobrindo a terra (uma bela imagem da neve). Os hiperbóreos eram um povo evoluído, que desfrutava de uma felicidade perene, isentos de doenças, velhice e guerras; eles viviam atrás de gigantescas montanhas, de cujas cavernas saíam as gélidas lufadas do vento norte. Foi lá, numa tempestade de neve, que o herói Hércules realizou um dos seus 12 trabalhos, alcançando e amarrando a corça de Cerinita (que pertencia a Ártemis), que tinha chifres de ouro e cascos de bronze e corria com espantosa rapidez, sem jamais ter sido presa. Na sua visão no extremo sul da Terra, próximo ao rio Oceano, vivia um povo tão virtuoso e feliz como os Hiperbóreos, chamado de Etíopes. Na parte ocidental da Terra, banhada pelo Oceano, ficava um lugar abençoado, os "Campos Elíseos" ou "Afortunados", para onde mortais favorecidos pelos deuses eram levados para desfrutar da imortalidade, uma semelhança com a Valhalla nórdica, onde os espíritos dos guerreiros mortos em batalha, festejavam em cada noite e lutavam durante os dias. Porém, na extremidade oeste, os gregos imaginavam um mar escuro povoado com gigantes, monstros e feiticeiros, descrição que revelava o pouco conhecimento dos gregos sobre seus vizinhos, além daqueles do leste e sul do seu país.

Fenômenos celestes

Assim como os gregos, os povos nórdicos acreditavam que a Terra tinha sido criada em primeiro lugar e a abóbada celeste em seguida, para que lhe servisse de cobertura e proteção. Eles também acreditavam que as carruagens do sol e da lua, puxadas por velozes corcéis, percorriam o céu na sua trajetória diária. A diferença aparecia no gênero das divindades, enquanto Sunna é a deusa solar do norte, seus equivalentes no sul são os deuses Hélios (o predecessor de Apolo), Hipérion (o pai de Hélios) e Apolo. Hélios morava em um palácio dourado no extremo leste do mundo, perto do rio Oceano, de onde emergia em cada amanhecer, coroado com os raios solares e conduzindo sua carruagem dourada, puxada por quatro cavalos alados.

Essa imagem é semelhante à descrição da deusa solar nórdica – Sunna ou Sol; nos seus mitos ambas as divindades se retiravam das suas carruagens solares ao anoitecer, assumindo outros veículos com os quais atravessavam abaixo da terra onde repousavam, até de novo reaparecerem na madrugada do dia seguinte, retomando sua jornada. Os gregos acreditavam que a aurora, o sol e a lua levantavam-se do Oceano na sua parte oriental e após atravessarem o ar, deitavam-se no ocidente. Devido a uma particularidade da língua germânica, o gênero do sol era feminino e o da lua masculino, por isso o deus lunar Mani podia ser equiparado às deusas lunares Ártemis, Selene e Hécate (as representações das fases lunares).

Os skalds islandeses e os poetas germânicos comparavam o galope das Valquírias – montadas sobre seus corcéis com crinas brilhantes e portando armaduras cintilantes – às luzes fulgurantes da aurora boreal. Os gregos viam no mesmo espetáculo celeste as manadas brancas de bois e ovelhas, que pertenciam a Apolo e que eram cuidadas pelas suas filhas Lampécia e Faetusa, nas terras de Sicília. O orvalho era atribuído pelos nórdicos ao suor respingando das crinas dos cavalos das Valquírias, enquanto os gregos acreditavam que ele provinha da ninfa Dafne, que, por ter sido perseguida sem cessar pelos raios solares de Apolo, transformou-se na árvore de louro, tornada sacra pelo arrependimento do deus e a ele consagrada.

A Terra era uma divindade feminina, tanto no norte quanto no sul, honrada como a Mãe Geradora e Protetora de todos os seres, mas diferenciada em função das características geográficas e climáticas do norte e do sul. As diferenças apareciam nas descrições da sua manifestação: rígida e congelada como Rinda, que devia ser conquistada com perseverança e abnegação, ou benevolente e fértil como a Deméter grega. Os gregos acreditavam que os ventos frios e o granizo vinham do norte, assim como os próprios nórdicos sabiam, mas atribuíam sua formação ao movimento das asas da grande águia pousada no topo da árvore Yggdrasil.

Segundo os gregos, existiam portas nas nuvens, guardadas pelas deusas das estações, que as abriam para permitir a passagem dos imortais nas suas viagens para a Terra. No mito nórdico a ligação entre o mundo dos humanos e o das divindades era feita pela ponte do Arco Íris, Bifrost, protegida pelo deus Heimdall, que negava a entrada para aqueles seres (humanos ou sobrenaturais) que não tinham o direito ou a permissão de entrarem no mundo divino. Além de Bifrost existiam outras pontes, separando ou ligando os outros mundos.

Os deuses gregos tinham moradias distintas, mas quando convocados para os conselhos, se reuniam no palácio de Zeus, onde se regalavam diariamente com ambrosia e néctar, servidos pela linda deusa da juventude Hebe e, quando o sol se punha, se retiravam para seus palácios. As divindades nórdicas também se reuniam para deliberar, criar leis ou administrar assuntos do seu reino ou dos humanos, nos grandes salões de Valhalla, onde festejavam com brindes de hidromel, preparado no caldeirão mágico do deus Aegir. Eram 12 as divindades que se reuniam nos concílios para deliberar e decidir a melhor maneira de governar o mundo e a humanidade, tanto em Asgard, quanto no Monte Olimpo e elas foram associadas com constelações e corpos celestes.

Nornes e Moiras

É evidente a semelhança entre o conceito do *orlög* nórdico e do destino grego, entre as poderosas Senhoras do Destino – Nornes e Moiras, respectivamente – que presidiam a todos os nascimentos e determinavam o futuro das crianças, bem como o traçado da sorte dos homens.

Os povos nórdicos sabiam, que mesmo reverenciando, invocando e fazendo oferendas às divindades, elas não iriam deles afastar os perigos e as adversidades, por fazerem parte dos testes e provações dos seus destinos, previamente designados e traçados pelas Nornes. As lendas e os mitos nórdicos não descrevem atos de revolta, ou demonstrações de amargura e inconformação dos personagens perante as adversidades e contratempos das suas vidas; pelo contrário, observa-se uma heroica aceitação da inevitabilidade dos problemas e dificuldades, celebrando e agradecendo em troca os prazeres sensoriais e as dádivas materiais da existência.

Os deuses conferiram à humanidade a aceitação da vida como um traçado inalterável do destino, previamente escolhido e determinado pelas Nornes. *Orlög* representava o presente moldado pelas ações passadas, enquanto *Wyrd* era o destino individual, predestinação ao qual nem mesmo as divindades podiam escapar. As Nornes podiam aconselhar os deuses que as procuravam, sem jamais atenderem pedidos ou mudarem os seus destinos, como foi descrito no mito do deus Baldur. As Nornes habitavam uma gruta nas raízes de Yggdrasil, a Árvore do Mundo e os seus nomes podiam ser interpretados como atribuições ligadas à passagem do tempo: Urdh, "*Aquilo que já aconteceu*", Verdandhi, "*Aquilo que está sendo*" e Skuld, "*Aquilo que poderá vir a ser*", aspectos associados também ao nascimento, vida e morte. Sua função cósmica era estabelecer as leis e modelar os destinos de todos os seres vivos, de todos os mundos, inclusive dos deuses.

As Parcas ou Moiras, conhecidas como as "Fiandeiras" ou "Tecelãs", eram também um grupo em número de três deusas – como as Nornes –, representando os marcos da passagem do tempo – passado, presente e futuro. A sua missão consistia em tecer o fio do destino humano, medi-lo e com sua tesoura cortá-lo, atividade revelada pelos seus nomes: Cloto, a *tecelã*; Láquesis, a *distribuidora* e Átropos, a *inevitável*. Diferente das Nornes, que tinham surgido antes do início dos tempos sem que fosse conhecida a sua origem ou descendência (portanto sendo imemoriais e eternas), as Moiras eram filhas da deusa Têmis (a guardiã da lei e da justiça) ou, segundo outras fontes, de Nix, a Senhora da Noite.

Em alguns mitos conta-se que o seu poder era mais antigo e anterior ao império de Zeus, tendo dele recebido a permissão para aconselhar os deuses, mas sem influírem no destino deles, somente assim obtendo a aceitação para pertenceram ao novo panteão olímpico. As Moiras viviam em uma caverna ao pé de um lago, cuja água branca é uma imagem do luar, imagem que as associa com as três fases lunares.

A mãe do mundo

Nas histórias gregas, relativas ao começo de tudo, três grandes deusas representam o papel da Mãe do Mundo: Tétis, a deusa do mar, Nix, a regente da noite e Gaia, a Mãe Terra, que juntas formam uma trindade, abrangendo o domínio do céu, do mar e da terra. Mesmo sendo uma trindade, elas não constituem divisões de uma deusa tríplice, atributo que ficou associado apenas com a deusa lunar e seus aspectos de lua crescente (incluindo a nova), cheia e minguante, fases ligadas também aos estágios de nascimento, crescimento e declínio.

Nos mitos nórdicos não existem referências claras ou comprovações assim ditas científicas sobre a existência de uma única Mãe Ancestral, mas encontram-se inúmeras das Suas representações como mães tríplices, matronas, mães da natureza. Seus diversos elementos e aspectos eram reverenciados com diversos títulos e nomes, os atributos sendo diferenciados em função da tribo, localização geográfica, estação do ano ou época dos seus cultos.

Essa escassez deve-se às transcrições e interpretações de textos antigos por autores cristãos, a maioria deles monges, que davam ênfase às figuras dos deuses e heróis, que despertavam maior interesse, fato evidente até hoje nos países com estruturas patriarcais, sejam elas religiosas, místicas, sociais e culturais.

Mitos das estações

As Horas (Horae) eram três deusas gregas, filhas de Zeus e Têmis, que regiam a estabilidade do tempo e a ordem na sociedade humana, quando assumiam os nomes de: Eunomia (Ordem), Dice (Justa retribuição) e Irene (Paz). Outras representações delas como governantes das três estações (primavera, verão e outono, específicas ao clima ameno do sul da Europa), do tempo e dos ciclos da vegetação (semeadura, brotação, amadurecimento e colheita) eram chamadas como Talo (regente da primavera), Auxo (do verão) e Carpo (do outono) e descritas como lindas moças, segurando flores e espigas. Elas abriam as portas do céu para a passagem das divindades nas suas incursões à Terra, traziam e conferiam oportunidades, iam e vinham de acordo com a lei firme da periodicidade da natureza e da vida, governavam as mudanças do tempo e mantinham a estabilidade no mundo natural.

Na mitologia nórdica, a passagem do tempo era representada pela Roda do Ano, cuja característica básica era o jogo entre as energias de luz e escuridão, calor e frio, expansão e contração. A Roda do Ano era dividida e celebrada pelos festivais solares (que marcavam a mudança das estações de acordo com a marcha do sol no céu, em datas fixas conhecidas como solstícios e equinócios) e pelos festivais do fogo (pautados em datas do calendário agrícola e que diferiam em função da localização geográfica). Cada um desses festivais tinha como ponto focal a reverência de certas divindades, descritas na Roda do Ano.

Os povos nórdicos reconheciam apenas três estações (como foi dito anteriormente), cada uma delas correspondendo a certas divindades. O inverno era regido pelas Senhoras Brancas (Berchta, Holda), as deusas Rind e Skadhi e o deus Ullr; a primavera era associada com as deusas Freyja, Frigga, Idunna, Ostara, Rana Neidda, Rind e Walburga e o verão com Freyja, Frigga, Gerda, Nerthus, Sif, Sunna e os deuses Frey, Njord e Thor. As mudanças de tempo (chuvas, tempestades, vento, nuvens cinzas ou céu azul) eram provocadas pelas mudanças de humor, os deslocamentos ou atributos das deusas Thrud, das Senhoras Brancas (Berchta e Holda), de Gna, Skadhi, Valquírias e dos deuses Odin, Njord, Thor (relâmpagos e trovões) e Ullr (neve e névoa).

Idunna, assim como Perséfone e Eurídice, personificava a primavera e a juventude, pois ela levava diariamente aos deuses as maçãs da juventude; todas elas tinham sido raptadas por um gigante (Thiazzi e Hades) e foram trazidas de volta pelo sopro do vento (representado por Loki, Hermes e o suave som da flauta de Orfeu).

Frey era o deus regente das chuvas da primavera, do calor do verão e da fartura das colheitas, que se deslocava numa carruagem puxada por javalis dourados, semelhante à carruagem dourada de Apolo. O belo e bondoso Frey tinha características solares comuns com Apolo, mas regia principalmente a fertilidade da terra e a prosperidade das comunidades.

A deusa Gerda era conhecida pela sua beleza que iluminava o céu, a terra e personificava a aurora boreal; mas ao mesmo tempo era a regente da terra congelada pelo frio do inverno, que teve que ser aquecida pelas insistências e o amor solar de Frey, antes de concordar em se tornar sua esposa.

O desaparecimento misterioso de Odin e Odhr durante alguns meses do ano e a decorrente desolação de Frigga e Freyja chorando lágrimas de ouro e âmbar, são histórias nórdicas semelhantes aos "Mistérios de Eleusis", as famosas celebrações milenares gregas. Nos rituais gregos era encenado o rapto de Perséfone (levada ao mundo subterrâneo por Hades, simbolizando o fim da vegetação no outono e a hibernação das sementes), o desespero e luto de Deméter, chorando a ausência da sua amada filha e se retirando do mundo terrestre (fato que retratava a aridez da terra nos meses de inverno). O tema comum dos mitos é a alternância do inverno e do verão, da colheita e da semeadura, da morte e do renascimento da vegetação.

Os invernos gelados e os ventos cortantes dos países nórdicos eram personificados pelos gigantes de gelo ou *Jötnar*, os seres primordiais das forças destrutivas da natureza, vencidos pelos deuses Aesir e isolados nas grutas escuras e geladas, antes de terem sido criadas as condições favoráveis para a vida humana. Eles representavam as adversidades climáticas do extremo norte, as geleiras e as tempestades de neve. Enquanto os gregos acreditavam que o Monte Atlas tinha sido a metamorfose de um Titã, os picos alemães *Riesengebirge*, (a montanha dos gigantes) eram considerados a morada dos gigantes de gelo, de onde eles jogavam o excesso de neve acumulado ao seu redor em forma de avalanches.

Mitos sobre o perigo e a beleza do gelo são frequentes nos países nórdicos, os gigantes eram considerados forças maléficas e destrutivas, que, durante os meses de inverno, lutavam contra as forças do verão, enviando os ventos gelados e as tempestades de neve. Porém, as gigantas eram cobiçadas pelos deuses como amantes ou companheiras, devido aos seus dons proféticos e sua beleza radiante; ao se casarem com eles, elas podiam adquirir *status* de deusas e morarem em Asgard (como Gerda, Gefjon, Jord)

Regentes da natureza

Os povos nórdicos honravam inúmeras regentes e guardiãs das florestas como as mulheres-freixo ou mulheres-arbusto, as Senhoras Verdes, o povo de Huldr, os espíritos da natureza (Land-vaettir), Vittra (a personificação da mulher selvagem), Nanna, a deusa da vegetação e do florescimento. Eles também cultuavam as deusas da terra (Nerthus, Jord, Fjorgyn, Gefjon), dos campos de trigo (Sif, Ziza), da vegetação (Idunna, Nana e o deus Frey) e das ervas curativas (Eir).

Os elfos claros – que eram responsáveis pelas árvores, plantas e rios, assim como os Seres Sobrenaturais e os Guardiões Ancestrais dos reinos e elementos da natureza nórdica – podem ser equiparados às ninfas dos bosques, dríades e hamadríades ligadas a determinadas árvores (carvalho e freixo), as Oréades, ninfas das montanhas e grutas, aos sátiros (meio-homens, meio-bodes), silvanos, silenos e faunos, acompanhantes do deus Pã (o deus fálico dos bosques, dos campos, dos rebanhos e pastores) e moradores das florestas, vales e campos da antiga Grécia.

Os anões e os elfos escuros, criados do corpo de Ymir, eram semelhantes aos servos escuros de Hades, que não podiam sair das profundezas da terra sob risco de ficarem petrificados pelos raios solares. No mundo subterrâneo eles deviam cuidar ou buscar os metais e as pedras preciosas necessárias para os ornamentos e joias dos deuses, auxiliar na confecção das armas inquebráveis (pelo deus Hefesto), ou na criação dos objetos mágicos (como os tesouros de Asgard), que eram presenteados aos deuses e heróis.

O roubo dos cabelos dourados de Sif – a esposa de Thor e regente dos campos de trigo – pelo traiçoeiro Loki pode ser comparado ao rapto de Perséfone por Hades, ambas as deusas representando a riqueza da vegetação. Para a recuperação da cabeleira da deusa Sif – depois de ter sido ameaçado com a morte por Thor – Loki teve que apelar aos elfos ferreiros, se esgueirando pelas frestas da terra até alcançar suas escuras moradas e lhes encomendar uma cabeleira igual, feita com fios de ouro. Hermes, enviado por Zeus para trazer de volta Perséfone raptada por Hades, teve que procurá-la, perambulando no sombrio mundo subterrâneo e depois escoltá-la de volta para a sua mãe, Deméter. A alegria do encontro da mãe com a filha devolveu a fertilidade à terra e os campos de trigo foram cobertos com o brilho dourado das suas espigas.

Divindades aquáticas

Os Titãs gregos – Oceano (o deus-rio) e Tétis (A Senhora ou a Mãe do Mar) –, eram os governantes primordiais das águas, que foram substituídos por Posêidon e Anfitrite, depois da derrota dos Titãs pelos deuses olímpicos. Anfitrite (Rainha das Nereidas, das 3 mil Oceânidas, das ninfas do mar e das Náiades, os espíritos femininos dos rios e fontes, semelhantes às Nixen nórdicas) era filha do deus marinho Nereu, mãe de inúmeros filhos, que se tornaram os rios do mundo e de Tritão, que era meio homem, meio peixe. Ela era descrita como uma linda mulher, que aparecia nua e coroada com algas e pérolas, deslizando pelo mar na sua carruagem prateada, puxada por golfinhos. As Nereidas eram ninfas marinhas, personificando as ondas e as qualidades do mar, que acompanhavam Posêidon e Anfitrite e apareciam como mulheres extremamente bonitas e sedutoras, mas com rabo de peixe.

Diferente da deusa marinha nórdica Ran, que tinha um temperamento imprevisível, agressivo e vingativo, a Mãe do Mar grega era gentil, personificando a superfície calma e ensolarada das ondas. Posêidon, em compensação, tinha uma natureza violenta, cíclica e explosiva: ele podia provocar terremotos (resquícios da sua representação mais antiga, quando regia o relâmpago e as tempestades), usar o tridente para desencadear ou amainar tempestades ou cavalgar tranquilamente as ondas, no meio dos golfinhos, na sua carruagem dourada puxada por cavalos marinhos.

Afrodite, a deusa do amor, da fertilidade e da beleza, apareceu do meio das ondas, assim como sua equivalente nórdica Freyja. Porém, enquanto Freyja era filha do deus marinho Njord, Afrodite surgiu da espuma formada sobre as ondas, quando Urano, após a castração de Cronos, jogou seus testículos no mar, uma metáfora que descrevia o poder fertilizador e a energia vital da água e do esperma.

Os deuses Fórcis, Nereus (pai das Nereidas) e Proteu eram conhecidos como "O velho homem do mar", tendo sido anteriores a Posêidon e viviam em palácios luxuosos no fundo do mar. Assim como o nórdico Njord, eles descreviam a natureza do mar calmo e eram dotados do dom da metamorfose e da profecia. Njord (associado com o verão, a calmaria das águas e a fertilidade do mar) tem sua contraparte em Posêidon, e, principalmente em Nereus, que personificava o aspecto calmo, misterioso e prazeroso das profundezas marinhas.

Com exceção de Njord, as divindades nórdicas do mar refletiam o clima desafiador e o mar tempestuoso do seu habitat, assim como o grego Posêidon. O casal marinho Aegir e Ran tinha características semelhantes: Aegir regia as profundezas geladas do mar e as tempestades e tinha um palácio faustoso repleto de tesouros recolhidos dos navios. Ran era Rainha das Ondinas e das Sereias e era ela quem recolhia os afogados com sua rede mágica, levando-os para o palácio no fundo do mar, onde tratava bem aqueles que tinham ouro nos seus bolsos. Ambos eram violentos e terríveis, responsáveis pelos naufrágios e afogamentos e por isso cultuados pelos marinheiros e viajantes que lhes faziam oferendas de ouro, antes das suas viagens, para serem protegidos.

Os povos nórdicos cultuavam também outras deusas como Nehalennia, a protetora dos marinheiros, pescadores e viajantes (que propiciava também a abundância); Mere-Ama, a Mãe do Mar finlandesa, protetora das plantas e dos animais marinhos e as Donzelas das Ondas (as nove filhas de Ran e Aegir), protetoras dos marinheiros, guardiãs do Moinho do Mundo, em que moíam as mudanças das estações.

Zeus e Odin

Ambos eram filhos dos deuses mais antigos – respectivamente os gigantes Bestla e Bor e os Titãs, Cronos e Ops (Reia). Tanto Odin quanto Zeus eram personificações do "Pai supremo dos deuses" e regentes do universo, cujos tronos – Hlidskjalf e Olimpo – eram igualmente majestosos, permitindo a visão à longa distância. A espada invencível de Odin – Gungnir – era tão temida quanto os raios lançados por Zeus. Nas festas nórdicas as divindades se deliciavam com carne de javali e hidromel, enquanto no Olimpo, a nutrição era compatível com o clima suave, composta de frutas, néctar e ambrosia. Enquanto Apolo e as Musas cuidavam do entretenimento musical e poético dos festejos gregos, nos encontros dos deuses nórdicos era o deus Bragi que contava histórias e declamava poemas, acompanhado pelos sons mágicos da sua harpa.

Para ser orientado nas suas decisões, Odin procurava diariamente a deusa Saga, detentora da sabedoria ancestral, que morava às margens de uma cachoeira. No mito de Zeus, conta-se que uma das suas esposas foi Mnemosine (a guardiã da memória), mãe das Musas, cujas fontes sagradas conferiam inspiração àqueles que delas bebiam.

Quando Zeus soube que o filho gerado com a deusa Métis (filha de Tétis e Oceano) iria sobrepujá-lo no poder, ele o engoliu, mas como passou a sofrer de atrozes dores de cabeça, pediu ao ferreiro Hefesto que abrisse seu crânio com um machado. Da fenda aberta saltou Atena, adulta, vestida com armadura, portando todas as insígnias do seu poder e que se tornou sua filha preferida e conselheira em assuntos de guerra, deusa da sabedoria e protetora dos heróis. É fácil perceber a conotação patriarcal deste mito, em que a sabedoria pertence à "cabeça" do Deus Supremo e que somente uma "filha do Pai" poderia se tornar semelhante e próxima dele.

Odin e Zeus são descritos como deuses majestosos e maduros, tendo muitas amantes e aventuras com deusas, gigantas (ou ninfas) e mortais, sendo conhecidos como progenitores de monarcas e detentores de inúmeros nomes, que descreviam seus atributos e funções. Os juramentos eram feitos sobre a lança de Odin e o cetro de Zeus, ambos os deuses peregrinando pela Terra, disfarçados ou metamorfoseados, para observar e julgar o comportamento dos humanos, dando-lhes presentes, avisos ou punições. Odin tinha em comum com Apolo o dom da poesia e da eloquência; assim como Hermes (Mercúrio) trouxe à humanidade o alfabeto, Odin ensinou o uso das runas, símbolos sagrados e mágicos.

Hermes era conhecido também pelo seu manto da invisibilidade, pelos seus talentos de convencer e enganar (era padroeiro dos comerciantes e dos ladrões) e pela sua habilidade de usar as palavras. Odin tinha o dom da metamorfose, podendo assumir diversas formas ou permanecer invisível, sendo imbuído de características ambíguas: deus dos juramentos e das traições, do poder de criar ou soltar amarras, de proteger nas batalhas ou escolher aqueles que iriam morrer, de ajudar ou enganar.

Um dos tesouros dos deuses nórdicos era o elixir mágico *Odhroerir,* que conferia inspiração aos mortais e imortais, da mesma forma como as águas sagradas do rio Helicon. Odin usou um manto de penas de águia para carregar este precioso elixir, depois de tê-lo furtado da deusa Gunnlod, enquanto Zeus usou um disfarce semelhante, de águia, para raptar Ganimedes, o jovem mortal que substituiu Hebe, a deusa da juventude, que servia o néctar aos deuses. Ela foi substituída após ter caído um dia enquanto servia o néctar ou, segundo outra versão, ter casado com Hércules.

A cabra nórdica Heidrun, que fornecia o hidromel celeste, pode ser assemelhada à cabra Amaltea que alimentou Zeus, os corvos de Odin são contrapartes da águia de Zeus, enquanto o esquilo Ratatosk – que criava discórdia com suas mensagens – é equivalente à gralha branca grega, cujas maledicências lhe causaram o enegrecimento das suas penas.

O conflito entre Aesir e Vanir lembra a disputa entre Zeus e Posêidon pela supremacia do mundo, mas no fim eles tornam-se amigos e aliados. Existe uma semelhança também entre os Vanir, regentes da abundância da terra e da água e as divindades gregas do mar e da terra.

Frigga e Hera

A deusa nórdica Frigga personificava tanto a terra, quanto o céu e detinha o dom da fertilidade e da tecelagem. Assim como a grega Hera, era casada com o deus supremo, vivendo com ele em um belo palácio no céu, mas passando uma boa parte do tempo junto com as suas acompanhantes, na sua morada no meio da névoa.

Ambas as deusas eram padroeiras do casamento, do amor conjugal e familiar, regentes do nascimento e do cuidado com as crianças, elas mesmas tendo tido vários filhos. Eram descritas como mulheres majestosas e lindas, ricamente vestidas, com cintos de ouro, colares de âmbar e muitas joias, reverenciadas pelas mulheres e os heróis, que lhes pediam ajuda e proteção. Como personificações da atmosfera elas controlavam as nuvens: Hera as movimentava com os movimentos das suas mãos e Frigga tecia as nuvens no seu tear celeste, sendo renomada pela sua elaborada tecelagem, dom que a aproximava das Moiras gregas, também Fiandeiras e Senhoras do Destino.

Frigga também era conhecida pelo seu dom de conhecer o futuro, mas que não revelava a ninguém, nem podia mudar o traçado do destino. Frigga e Hera tinham auxiliares para enviar mensagens e sinais aos seres humanos. A acompanhante e mensageira de Frigga, Gna, podia ser equiparada com Íris, a deusa grega do arco-íris, regente do vento e da chuva; ambas as deusas agiam como mensageiras dos deuses e se deslocavam ao longo do arco-íris.

Tanto Frigga quanto Hera usaram de subterfúgios e estratagemas para impor seus desejos aos maridos: Hera conseguiu obter de Zeus a vaca Io, a metamorfose da ninfa amada do deus (que tinha se transformado em touro para escapar da vigilância de Hera e seduzir a linda mortal jovem), enquanto Frigga ardilosamente obteve a vitória da tribo dos Winilers por ela protegidos (contada no mito dos Longobardos).

A raiva de Odin ao descobrir o furto do ouro da sua estátua por Frigga é equivalente às brigas do casal grego devidas ao ciúme de Hera. Histórias semelhantes descrevem as aventuras extraconjugais de Odin e Zeus e a maneira digna e altiva com que as suas esposas as ignoram ou perdoam. Diferente da deusa grega Hera – cujo arquétipo na adaptação romana como Juno foi distorcido para a figura de uma esposa ciumenta e vingativa – a nórdica Frigga sempre teve mantida nas histórias a sua altivez e comportamento equilibrado, imparcial e condescendente perante as aventuras de Odin com gigantas, deusas e mortais

Outras divindades

Como regente dos raios e trovões, Thor se assemelha a Zeus, pela sua força física a Hércules, com qual partilha a descrição do seu disfarce como mulher: Thor para recuperar seu martelo roubado pelo gigante Thrym e Hércules fiando para agradar à rainha de Lídia, Ônfale. A força física de Thor é semelhante à de Hércules, que, ainda bebê, estrangulou as serpentes enviadas por Hera para matá-lo no seu berço e ao se tornar adulto, atacava e vencia gigantes e monstros.

Thor tem um martelo mágico, Mjollnir, o emblema nórdico do poder destruidor do relâmpago e, assim como Zeus, o usa livremente contra os gigantes. Porém Mjollnir era usado também para abençoar os casamentos e consagrar as piras funerárias; as estacas firmadas por um martelo, eram consideradas pelos nórdicos tão sagradas, quanto as estátuas de Hermes, cuja remoção era punida com a morte. No seu rápido crescimento, poder físico e coragem, Thor lembra Hermes, que roubou o touro de Apolo quando tinha apenas um dia de vida. A precocidade de Magni, filho de Thor, que, tendo apenas três anos, consegue liberar a perna do seu pai presa sob o corpo morto do gigante, lembra o jovem Hércules e sua força fora do comum. A luta de Thor contra o gigante Hrugnir é um paralelo com os combates de Hércules e seu famoso apetite na festa do gigante Thrym assemelha-se com a primeira refeição de Hermes, quando ele consumiu dois bois inteiros. A travessia do rio Veimer por Thor – para capturar o gigante Thrym –, lembra o heroísmo de Jasão, quando atravessou uma correnteza para desafiar o tirano Pélias, seu tio, e recuperar o trono do seu pai.

O famoso colar de âmbar usado por Frigga e Freyja é semelhante ao cinto mágico de Afrodite, que foi pego emprestado por Hera para encantar Zeus; assim como o cabelo de ouro de Sif e o anel mágico Draupnir, o colar é um emblema da vegetação luxuriante, da beleza feminina e do brilho das estrelas no céu (o planeta Vênus).

O deus Tyr é muito parecido com o deus Ares (Marte) nos atributos, ambos sendo honrados e lembrados no mesmo dia da semana (terça-feira), que tem os seus nomes nas respectivas línguas. Assim como Ares, Tyr era valente e destemido, se regozijando no calor das batalhas. Somente ele teve a coragem para enfrentar o lobo Fenrir que, amarrado por Tyr, personifica o fogo subterrâneo, a mesma equivalência dos Titãs amarrados pelos deuses no Tártaro.

Baldur, o radiante deus solar nórdico, lembra não apenas Apolo e Orfeu, mas os outros heróis dos mitos solares. Sua linda esposa Nanna, deusa da vegetação é parecida com Perséfone (cuja descida para a escuridão em baixo da terra corresponde aos meses áridos do inverno), pois ela também desce para o mundo subterrâneo, onde permanece até o surgimento de um novo mundo. O palácio dourado de Baldur é parecido como o do Apolo, ambos amavam as flores que desabrochavam na sua passagem e todos os seres vivos lhes sorriam. Assim como Aquiles, que tinha apenas um ponto vulnerável no seu calcanhar, Baldur somente podia ser morto com uma flecha feita de visco.

A morte de Baldur foi provocada pelo invejoso Loki, assim como a de Hércules pela vingança de um centauro, por ele ferido. Para se vingar, o centauro convenceu a sua esposa, Dejanira, a preparar uma poção mágica que garantisse a fidelidade do seu marido, mas que provocou a sua morte. A pira funerária de Baldur lembra a morte de Hércules no monte Etna, a cor das chamas e o brilho avermelhado – da fogueira e da erupção vulcânica – sendo típicas do sol poente. Baldur podia ser libertado de Niflheim apenas com o choro de todos os seres e coisas; Perséfone poderia sair do Hades se não tivesse ingerido nenhum tipo de comida. O embuste de Loki disfarçado com a velha Tokk, recusando-se a verter sequer uma lágrima por Baldur, assemelha-se com o estratagema de Hades, ao convencer Perséfone a engolir algumas sementes de romã, ato que representava a sua permanência temporária no mundo subterrâneo, enquanto o choro de Frigga e Deméter é o mesmo lamento materno pela perda dos seus filhos.

A Idade de Ouro, de norte a sul, era descrita como uma época de felicidade idílica, com a paz, a abundância, o amor, a beleza e a harmonia reinando sobre a terra, sem que o mal existisse ou fosse conhecido. Através de Loki, de sua inveja, cobiça, maldade e vingança, o mal entrou no mundo nórdico, enquanto a dádiva de fogo trazido por Prometeu para a humanidade, trouxe uma maldição para os gregos. A punição dos culpados é semelhante, pois enquanto Loki é preso com correntes numa gruta e torturado pelo lento escorrer de veneno da boca de uma serpente (amarrada acima da sua cabeça), Prometeu foi amarrado no monte Cáucaso e um abutre faminto continuamente devorava seu fígado, que crescia novamente no dia seguinte.

Outras punições semelhantes são as de Tito preso no Hades e de Encelado acorrentado em baixo do monte Etna, onde suas convulsões provocavam terremotos e seus gritos e maldições as erupções de lava. Loki tem um ponto em comum com Hefesto, ambos tendo assumido formas equinas e gerado velozes corcéis; com Hermes, Loki partilha a astúcia, as trapaças e os enganos.

Há uma semelhança entre o gentil e inspirado Bragi, tocando sua harpa e Apolo, o deus grego do sol, que tocava lira e era exímio arqueiro e médico. Ambos partilham os mesmos dons: da inspiração, da poesia e da música, porém o sábio Bragi era fiel à sua esposa Idunna, enquanto Apolo teve inúmeras amantes e aventuras. Idunna era a guardiã das maçãs da juventude e quando ela caiu dos galhos de Yggdrasil para as profundezas de Niflheim, Bragi foi buscá-la. Envolvendo-a em uma pele de lobo (metáfora da neve que protege as raízes do extremo frio nórdico) Bragi permaneceu ao lado da sua esposa até a sua recuperação e volta. Nesse tempo, a voz de Bragi silenciou, suas canções não mais eram ouvidas, pois sem a sua amada a vida não tinha mais alegria.

Um paralelo pode ser estabelecido com a história de Orfeu e Eurídice, quando ela foi levada para o reino de Hades. Orfeu foi resgatá-la da escuridão, tocando a sua flauta. Idunna personifica a primavera e a juventude (semelhante a Adônis e Eurídice) e foi raptada por Thiazzi,o gigante de gelo, que representa o javali que matou Adônis, ou a serpente que envenenou Eurídice. Idunna foi retida pelo gigante no mundo de gelo de Jötunheim (equivalente ao reino de Hades, para onde Perséfone foi levada após o seu rapto) e, sem poder retornar sozinha para Asgard, se tornou pálida, enfraquecida e triste. Apenas quando Loki, representando o sopro do vento do Sul, vem resgatá-la transformado em pássaro, é que ela consegue escapar, metamorfoseada em uma noz. Essa imagem lembra a volta de Perséfone, conduzida pela tocha de Hécate e escoltada por Hermes, de Adonis acompanhado por Hermes, ou de Eurídice, atraída pelo som doce da flauta de Orfeu, que lembrava o sussurro do vento.

A deusa arqueira Skadhi se assemelha com a caçadora Ártemis, ambas usam arco, flechas e túnicas curtas para se movimentarem livremente, são acompanhadas por cães ou outros animais, amam o seu habitat selvagem que defendem dos invasores, demonstram independência, altivez e segurança nas suas escolhas.

Frey, o regente nórdico do calor do verão e das chuvas fortes e repentinas, tem características comuns com Apolo, ambos são belos e bondosos, o primeiro cavalga um javali com pelos dourados, equivalentes aos raios solares, enquanto a carruagem solar de Apolo brilha no seu traslado pelo céu. Frey tem também algumas características de Zéfiro, pois ele espalha flores no seu caminho e rege principalmente a fertilidade da terra. Frey, assim como Odin e Zeus, foi considerado como sendo um rei humano; acredita-se que o seu túmulo está perto do de Odin e Thor em Uppsala. O reino de Frey como monarca foi tão feliz e próspero, que foi denominado de Idade de Ouro, fato que lembra Cronos, que tendo sido exilado para a Terra, governou o povo da Itália, garantindo uma prosperidade semelhante.

Freyja, a linda deusa nórdica, filha do deus marinho Njord é semelhante a Afrodite, que também nasce do mar no seu aspecto de Anadiômena. Ambas regiam a juventude, o amor e a beleza, tiveram vários amantes, recebiam oferendas de frutas e flores e podiam atender os pedidos dos namorados e fiéis. Mas Freyja se assemelha também com Atena, tendo os mesmos olhos azuis, usando elmo e armadura e intervindo nos combates dos guerreiros como condutora das Valquírias, enquanto Afrodite entregou sua afeição a Ares, o deus da guerra e a outros heróis. As lágrimas vertidas por Freyja durante a ausência do seu amado Odh se transformaram em âmbar e ouro, as de Afrodite em anêmonas, pela ausência do seu amado Adônis.

Odh, o marido enigmático de Freyja, se assemelha a Adônis e, assim como Afrodite se alegra com a volta do seu amado Adônis, fazendo toda a natureza brotar e florescer, Freyja festeja o encontro com Odh em baixo das árvores floridas das terras do Sul. Freyja ama a beleza e se recusa a se casar com o feio gigante Thrym, enquanto Afrodite teve que aceitar como marido o aleijado Hefesto, mas o abandona ou trai por ter sido obrigada a se casar com ele. Enquanto a carruagem de Afrodite é puxada por pombas brancas, a de Freyja é por gatos, as pombas sendo símbolos do amor terno e os gatos do amor sexual.

Gerda se assemelha a Atalanta, difícil de conquistar, mas ambas acabam cedendo à perseguição e à pressão dos seus pretendentes e se tornam esposas felizes. As maçãs douradas, com as quais o mensageiro de Frey, Skirnir, tentou convencer Gerda a aceitar Frey como marido, lembram o fruto dourado que Hipômenes jogou no caminho de Atalanta, a linda donzela avessa ao casamento, fazendo-a assim perder a corrida. Atalanta tinha sido avisada que se casasse, seria infeliz e por isso fugia dos homens, dedicando-se à caça e aos esportes. Ela impunha como condição para se casar que o pretendente a vencesse numa corrida, caso contrário fosse morto. Esse feito corajoso foi conseguido por Hipômenes, mas com a ajuda de Afrodite, que lhe entregou os frutos de ouro. Por não ter agradecido a Afrodite pela graça alcançada, o casal foi transformado em leões atrelados ao carro da deusa Cibele, conforme visto nas estátuas e imagens dessa deusa.

A deusa Saga, cuja morada era ao lado do "rio dos tempos e dos eventos" era a guardiã das memórias e dos acontecimentos, conselheira do deus Odin, que a ela recorria diariamente. Saga assemelha-se com a grega Clio, a musa da história, que ficava perto da fonte Helicon e que o deus Apolo procurava, para dela receber inspiração.

A forma ardilosa em que a deusa Gefjon obteve a terra do rei Gylfi para formar o seu reino de Zeeland (na Dinamarca) reproduz a história da rainha Dido, que obteve por um estratagema a terra sobre a qual fundou a sua cidade de Cartagena.

Os gregos representavam a Justiça como uma deusa vendada, segurando em uma mão a balança e na outra a espada, para indicar a imparcialidade nos julgamentos. O seu equivalente nórdico era Forsetti, que ouvia pacientemente as queixas e questões humanas, promulgando sentenças com imparcialidade e justiça.

A mosca varejeira que impediu Zeus de recuperar a sua amada Io, reaparece no mito nórdico para atormentar o anão ferreiro Brokk e perturbar a confecção do anel mágico Draupnir, do javali dourado de Frey e do martelo Mjollnir, que ficou com um cabo encurtado. O navio mágico de Frey – em que podiam entrar todos os deuses, mas que depois de minimizado cabia no bolso dele –, também confeccionado pelos anões, é semelhante ao navio grego Argo, que personificava o movimento rápido das nuvens e podia levar todos os heróis gregos para as distantes terras de Cólquida

O deus arqueiro Ullr parece com Apolo e também com Orion, pelo amor à caça, atividade que segue permanentemente. O deus Heimdall, assim como Argo, era dotado de uma visão apurada que lhe permitia enxergar de dia e de noite à longa distância. O seu trompete *Gjallarhorn* podia ser ouvido nos novos mundos, anunciando a passagem das divindades pela ponte Bifrost. Por ser ligado à água pelo lado materno (como filho das Donzelas das Ondas), Heimdall tinha, assim como o deus marinho Proteus, o dom da metamorfose, que ele usou quando impediu o roubo do colar mágico de Freyja por Loki (transformado em lontra), assumindo a mesma forma animal e lutando com ele até vencer.

A transformação dos olhos do gigante Thiazi em estrelas que brilhavam no firmamento, lembra muitos mitos estelares gregos, principalmente da vigilância permanente dos olhos de Argo, do cinto brilhante de Orion e seu cão Sirius, todos transformados em estrelas por deuses ou deusas enfurecidas.

Hermod era um veloz mensageiro dos deuses nórdicos, que se deslocava com rapidez assim como Hermes, usando, em lugar de sandálias aladas, Sleipnir, o cavalo mágico de Odin (o único autorizado a cavalgá-lo) e em lugar do caduceu, um bastão imbuído de poderes mágicos (*Gambantein*). Ele foi perguntar a um mago, depois às próprias Nornes, sobre a sorte do seu irmão Baldur, sabendo assim que outro irmão, Vali, ia suceder a Odin após o Ragnarök.

Zeus queria se casar com a deusa Métis, mas desistiu depois que as Moiras lhe avisaram que o filho que ele teria com ela ia superá-lo em glória e poder, motivo que o fez engoli-la, grávida de uma filha, a deusa Atena.

Vidar parece com Hércules, que usou apenas um cajado para se defender do leão de Nemeia, enquanto Vidar consegue vencer o lobo Fenris usando seu sapato de ferro.

Odin teve que se empenhar bastante para conquistar Rinda, até "descongelar" a frieza dela, assim como Zeus teve que se transformar em chuva de ouro para seduzir Dânae, que também simbolizava a terra. Em ambos os casos, a simbologia é ligada ao degelo da terra pelos raios solares, os filhos desta união – Vali e Perseu – sendo vingadores dos inimigos dos pais. Vali vinga a morte de Baldur matando Hodur, e Perseu mata os inimigos da sua mãe.

Tanto Hebe, quanto as Valquírias, personificavam a juventude e ofereciam a bebida sagrada – néctar, ambrosia e hidromel – aos deuses do Olimpo e Asgard. Hebe foi liberada do seu serviço de "copeira" após o seu casamento com Hércules, e as Valquírias, quando se casavam com heróis como Helgi, Hakon, Völund ou Sigurd.

Völund se parece com Hefesto pelo seu dom de trabalhar com os metais; ele os usa para se vingar do seu captor escapando da prisão após matar os filhos do rei, transformar seus olhos em joias, que envia para a mãe deles, e fabricar para ele mesmo um par de asas de metal, com cuja ajuda escapa da prisão e voa sobre mar e terra. Hefesto, aleijado por uma queda do Olimpo e abandonado por Hera, lhe envia como vingança um trono dourado contendo garras metálicas para segurá-la, sem que ela possa se soltar. Ele também cria uma rede metálica para nela prender Afrodite e seu amante Ares e expô-los depois se debatendo na rede para que todas as divindades de Olimpo caçoassem deles.

O deus Jano era o porteiro romano do céu, tendo duas cabeças para poder olhar para todos os lados e era ele quem abria as portas de cada ano, sendo lembrado até hoje no nome do primeiro mês. O deus nórdico Heimdall era o guardião da ponte do Arco-Íris, controlando a passagem de deuses e humanos, semelhante às Horas, que abriam as portas do céu para a passagem dos deuses.

A missão de vigilância eterna de Heimdall era favorecida pelo seu olhar apurado (que o aproximava de Argo) e sua audição sobrenatural.

Os Penates eram os deuses romanos que cuidavam do bem-estar e da prosperidade das famílias e a despensa (*penus*) era a eles consagrada. Encontramos uma semelhança com os protetores nórdicos das moradias e com a deusa Fulla. Os Lares eram também protetores das famílias, mas diferiam dos Penates por serem espíritos deificados de mortais, as almas dos antepassados, uma característica que os aproxima dos espíritos ancestrais nórdicos, das Matronas, Disir e Dokkalfar.

Os nórdicos acreditavam que as tempestades eram provocadas pelos movimentos da Serpente do Mundo ou pela ira de Aegir, que, coroado com algas assim como Posêidon, enviava suas filhas – as Nereidas ou as Oceânides – para brincarem com as ondas. Posêidon tinha sua morada nas ilhas de coral do mar Mediterrâneo, e Aegir, nas grutas forradas de musgo do mar nórdico, onde era cercado pelas Nixies, ondinas, sereias e pelos deuses dos rios Reno, Elba e Neckar (seus equivalentes gregos sendo Alfeu e Peneu).

As sereias gregas têm seu paralelo com Lorelei, a ninfa do rio Reno, cujo canto melodioso atraía os marinheiros para o naufrágio entre os rochedos. Os naufrágios dos navios gregos deviam-se ao temperamento furioso de Posêidon, que era cercado pelas ondinas e sereias, semelhantes às Donzelas das Ondas e às Nixies nórdicas.

O reino subterrâneo de Niflheim reproduz as características do Hades grego; Mordgud, a guardiã da ponte dos mortos Gjallarbru, exigia um tributo para permitir a passagem, da mesma forma como o barqueiro Caronte pedia um pagamento para todos os espíritos que ele transportava para o outro lado do rio da morte, Aqueronte. O feroz cão Garm que vigiava o portão de Hel é muito parecido com Cérbero, o cão tricéfalo grego. Os nove mundos de Niflheim se assemelham às divisões de Hades, Naströnd sendo um adequado substituto para o Tártaro, onde os criminosos eram punidos pelos seus crimes e atos vis com a mesma severidade.

O costume de cremar os heróis mortos junto com as suas armas e acompanhados de sacrifícios de animais (cavalos, cães) era o mesmo no norte e sul da Europa. A representação grega da morte –Tánatos ou Mors – era como um esqueleto carregando uma foice, enquanto a nórdica Hel aparecia meio-morta, meio-viva e usando um ancinho, ou uma vassoura, para recolher as almas. Ragnarök era considerado uma versão do dilúvio e seus sobreviventes em ambas as tradições eram destinados para repovoar o mundo.

O longo inverno Fimbul anunciando o Ragnarök foi comparado às demoradas lutas preliminares sob as paredes da fortaleza Troia e o próprio Ragnarök, com a queima final da famosa cidadela, Thor sendo equiparado com Heitor e Vidar com Eneias. A destruição do palácio do rei Príamo representa o ruir dos palácios dourados dos deuses; os lobos nórdicos que devoraram o sol e a lua são protótipos de Paris e outros seres sombrios, que raptaram a donzela solar Helena. De acordo com outra interpretação, Ragnarök e a submersão posterior do mundo nas ondas do mar, são semelhantes à história grega do dilúvio; os sobreviventes Lif e Lifthrasir – da mesma maneira como Deucalião e Pirra – foram destinados a repovoar o mundo. Assim como o altar do templo de Delfos permaneceu ileso no meio dos escombros do cataclismo, o palácio dourado Gimli, em Asgard, permaneceu radiante à espera dos filhos dos deuses, que iriam recriar um novo e melhor mundo.

Enquanto os gregos imaginavam que os pesadelos eram os sonhos maléficos que tinham escapado da gruta de Somnos, os nórdicos os atribuíam aos *trolls* ou gnomos malvados, que tinham saído do seu escuro esconderijo para atormentar os seres humanos. Todos os objetos e armas mágicas dos deuses nórdicos tinham sido obra dos anões ferreiros, enquanto os dos gregos tinham sido confeccionados por Hefesto e os Ciclopes, na sua oficina em baixo do Monte Etna.

Essas semelhanças são as mais relevantes, entre muitas outras, que comprovam as analogias existentes entre a mitologia nórdica e grega, formadas a partir da mesma base indo-europeia, diversificadas no tempo e no espaço pelas características raciais, geográficas, climáticas, sociais e culturais, modificadas ou adaptadas ao longo dos tempos por historiadores, tradutores e escritores.

Conclusão

O mais importante mitólogo dos nossos tempos – Joseph Campbell – descreveu a mitologia como sendo "*a canção do universo e a música das esferas, música que dançamos mesmo quando não somos capazes de reconhecer a melodia*". Ele imaginou que este "imenso e cacofônico coral" teria começado nos primórdios da humanidade, com as histórias contadas pelos nossos ancestrais a respeito das suas caçadas e da representação do mundo sobrenatural, para onde os animais iam após a morte.

Quando as antigas sociedades mudaram os meios da sua sobrevivência – passando da caça ao plantio –, as histórias que explicavam os mistérios da vida e da morte também se modificaram. A semente tornou-se o símbolo mágico do ciclo infinito, pois, ao ser semeada, ela se transforma em planta, cujas novas sementes – colhidas ou caídas na terra – perpetuam o ciclo de nascimento/florescimento/morte/renascimento. Essa simples imagem contém uma profunda revelação, a verdade oculta e existente nas grandes religiões e tradições: a vida provém da morte, que faz parte do ciclo da vida, simbolizando o "eterno retorno" universal.

Os mitos, portanto, são metáforas daquilo que existe por trás do mundo visível, histórias da busca humana pela verdade, pelo significado e a compreensão das experiências de vida e morte, por meio de símbolos, arquétipos e imagens. A mitologia mostra e ensina uma sabedoria arcaica e transcendental, que usa motivos básicos orientados para a compreensão do mundo natural e da natureza humana. Cada indivíduo pode encontrar um aspecto de um mito ou arquétipo que se relacione com a sua própria vida.

Os arquétipos nórdicos pertencem à cultura, ao habitat e à sociedade que lhes deram origem. O simbolismo da tradição nórdica não é pautado em conceitos filosóficos abstratos; ele está firmemente enraizado nas manifestações das forças e dos seres da natureza, que existem permanentemente ao nosso redor. A personificação destas forças como divindades e seres sobrenaturais é a descrição metafórica e simplificada dos complexos processos energéticos existentes, no nível cósmico, planetário e sagrado.

Segundo a antiga religião nórdica, o mundo natural era habitado, permeado e consagrado pela presença sutil, mas permanente, dos deuses e das deusas, dos espíritos ancestrais e dos seres elementais. Considerava que todos os seres humanos e os de outros reinos e planos eram parte da Criação, filhos da mesma Mãe – celeste e telúrica –, e Dela dependiam para sobreviver. Por isso os povos antigos sabiam como deviam viver, agir e se comportar, em permanente e harmoniosa sintonia e parceria com os ciclos, os elementos e as energias naturais.

O propósito deste livro foi auxiliar na descoberta e assimilação de conceitos úteis, oriundos dos registros da religião pré-cristã escandinava e germânica. O aprendizado inclui arquétipos divinos, descrições do mundo sobrenatural, práticas e costumes registrados nos mitos e lendas. Para adquirir – ou expandir – uma nova consciência, pautada em parâmetros divinos, naturais e ambientais, devemos relembrar os antigos mitos e adaptá-los à nossa realidade, humana, ambiental e planetária.

Os mitos nórdicos são relatos heroicos sobre as condições de vida em regiões inóspitas e com clima adverso. Os deuses jamais cessam a sua luta contra os gigantes: do fogo, do gelo e da escuridão. Thor – o mais amado e cultuado dos deuses nórdicos – representava os valores tradicionais do povo: tenacidade, coragem, força e vigor, ordem e lealdade na comunidade; enquanto Odin conferia inspiração e sabedoria mágica aos guerreiros, poetas, magos e xamãs. Nos cultos e nas tradições das divindades Vanir, percebem-se as tendências xamânicas dos povos nativos nórdicos e a ênfase na capacidade humana para ultrapassar desafios e dificuldades.

A mitologia nórdica reconhece e descreve de forma clara a existência de forças cósmicas e naturais destrutivas, pois, no combate final de Ragnarök, os próprios deuses sucumbem perante os gigantes, que simbolizam a fúria avassaladora dos elementos da natureza. O renascimento, porém, segue à destruição e uma nova terra emerge purificada do oceano; os filhos dos deuses e do casal humano sobrevivente tornam-se os responsáveis por recriar os palácios de Asgard, as moradas, as florestas e os campos verdes para os seres humanos, devolvendo a alegria, a segurança e a prosperidade aos mundos.

Os símbolos associados aos deuses, como a Árvore da Vida, o martelo que vencia gigantes, o navio mágico, as carruagens do sol e da lua, o cavalo sobrenatural galopando no ar, a lança que dava a vitória, a fertilidade e abundância atribuídas às deusas e às mulheres, são reminiscências de tradições indo-europeias mais antigas, que foram enriquecidas e complementadas com mitos e arquétipos ao longo dos tempos.

Em vários mitos aparecem descrições dos mundos de Yggdrasil, principalmente dos três níveis: superior, dos deuses; mediano, da humanidade; e inferior, das profundezas ctônicas (subterrâneas). Entre eles existiam portais que podiam ser abertos, mas, para chegar ao "Outro Mundo", o Além, era necessário ter coragem e conhecimento para atravessar os desafios e perigos à espreita, escondidos nas passagens e na travessia dos abismos escuros. As criaturas que moravam nas profundezas foram descritas de forma vívida e vigorosa, assim como as investidas dos gigantes contra os deuses, as vitórias dos deuses sobre forças ameaçadoras ou destrutivas como a amarração do lobo monstruoso, a tentativa de Thor para matar a serpente tenebrosa que cercava o mundo, a punição de Loki, o perigo permanente representado pelo dragão, escondido sob as raízes de Yggdrasil e a ameaça distante mas sempre presente e inevitável do Ragnarök.

Há um permanente contraste entre o reino celeste, brilhante e luminoso dos deuses e o mundo das profundezas (da terra ou do mar), que ameaça a ordem e visa a destruição da vida terrestre. Mas esse "submundo" é ao mesmo tempo o berço da nova vida (dos plantios ou do retorno dos ancestrais do reino dos mortos) e um receptáculo da sabedoria e do poder dos deuses regentes da terra e do mar. Os mistérios ocultos nas profundezas simbolizam também os registros do inconsciente, que se revelavam nos mitos como "fantasmas" (dos medos, da traição, deslealdade, ira, violência, cobiça e vingança) ou como seres malévolos da natureza, confrontados e vencidos por heróis e heroínas, com ajuda sobrenatural ou divina.

Quem não tinha condições de se aprofundar no significado religioso e mítico ou na visão filosófica da vida, dispunha das crenças populares, que eram mais relevantes do que os mitos, e de fácil compreensão e aceitação. Por isso as práticas ancestrais, os costumes populares e a reverência aos espíritos da natureza foram preservados mesmo após a cristianização, pois eram úteis em atividades cotidianas tais como caçar, pescar, plantar e colher, cuidar de animais, tecer e fiar, pedir auxílio e proteção nos partos, nas doenças e na passagem para o Além. Também era muito importante o culto aos mortos, lembrados e reverenciados para que permanecessem nos seus túmulos e não perturbassem os vivos. Além dos ancestrais – que "moravam" nas colinas e montanhas – eram homenageados os espíritos protetores das famílias, que zelavam por seus protegidos e os avisavam de perigos iminentes.

As tradições nativas e as crenças populares permeavam a vida e reforçavam o vínculo entre os seres humanos e os poderes que não podiam controlar, mas com cuja boa vontade e ajuda precisavam contar. Durante séculos, a herança ancestral dos moradores de pequenas e isoladas comunidades, situadas nas montanhas, nos vales ou ao longo das costas e rios, foi o culto às divindades ou aos seres sobrenaturais, cujos altares e rituais constituíam o pilar de fé que sustentava as suas existências. Por não existir uma organização central, que estruturasse práticas, crenças e costumes diversificados pela sua origem histórica e geográfica, conceitos, nomes e atributos das divindades e as próprias práticas diferiam de uma região para outra; os mitos que lhes deram origem, no entanto, continuaram nas memórias, principalmente as individuais e familiares.

Uma característica relevante dos mitos era a continuidade da família e das qualidades transmitidas aos descendentes pelos heróis e por pessoas conhecidas pelas suas ações nobres, justas e leais. A ênfase na herança familiar e o culto da memória dos ancestrais eram atos extremamente importantes, e suas qualidades e realizações eram honradas ao longo de gerações. A moderação era uma qualidade dos heróis, assim como sua coragem e valentia nas guerras, pois, mesmo feridos e enfraquecidos, eles mantinham a integridade e a entrega destemida aos desígnios do destino.

Os fios do *orlög* aparecem em várias lendas de deuses e heróis e o termo pagão *wyrd* continuou sendo usado na literatura cristã, como um significador da vontade e providência divinas. Os povos nórdicos eram plenamente conscientes dos desafios e perigos que estavam à sua espreita, manifestados pelas tempestades, os ataques dos inimigos, a "falta de sorte" que aparecia sem nenhum "aviso prévio", como a perda de colheitas (devido à seca, granizo, geadas, pragas), o fracasso nas caçadas e pescarias, os incêndios, as inundações, as erupções vulcânicas, as guerras ou as doenças. Mesmo os mais previdentes ou videntes não estavam imunes aos acidentes; os mais tocantes mitos ou poemas descrevem as mortes repentinas de jovens heróis ou deuses, como Baldur, que não pode ser salvo com toda a proteção de Frigga ou sabedoria de Odin. Além da bravura dos heróis e do poder dos deuses, agiam as leis implacáveis das Nornes, que culminaram com o final de Ragnarök.

É por causa desta percepção e conscientização do inevitável destino que as qualidades mais valorizadas pelos mitos são a nobreza de caráter, a lealdade, a determinação, a tenacidade, a coragem e a heroica resignação e entrega aos desígnios do destino. Os homens sabiam que os deuses não iam poupá-los daquilo que as Nornes tinham lhes reservado, e este fato não lhes causava desespero, revolta ou amargura. A humanidade estava predestinada aos desafios, testes, aprendizados e ao sofrimento deles decorrente, mas as maravilhas da natureza, as conquistas e os prazeres da vida eram ocasiões para os homens celebrarem e se alegrarem enquanto a sorte lhes sorria, pois as glórias iriam sobreviver às suas mortes.

Os antigos nórdicos preferiam morrer a abrir mão dos seus valores de lealdade, coragem e nobreza, que os motivavam a viver de forma individualista e perigosa, mas mantendo e honrando os elos grupais – da família ou do clã. A vida, permanentemente ameaçada por perigos e calamidades, não permitia a compaixão com os fracos e covardes, mas levava à valorização da coragem, da autoconfiança e da sabedoria para alcançar sucesso e riqueza, conquistas que exigiam a lealdade com a família e a comunidade. Os homens deviam se empenhar para defender e cuidar das suas terras, assegurando a continuidade e sobrevivência da família, enquanto às mulheres era reservada a responsabilidade de gerar, proteger, curar e educar os filhos, de realizar rituais sazonais e ritos de passagem, de cuidar dos velhos e feridos e aconselhar (por meio das práticas oraculares e mágicas, do conhecimento das ervas e de outros recursos naturais e dos seus dons extrassensoriais).

Como evidenciou a chegada do cristianismo, as fragilidades da tradição pagã eram de ordem cerimonial e prática. Não existia uma autoridade central, nem uma doutrina estruturada que sustentasse a fé e auxiliasse nas incertezas da vida. A veneração às divindades era individual, os homens escolhiam um deus para ser seu protetor e aliado, embora esta parceria não os impedisse de participar das cerimônias comunitárias. Imagens de diversos deuses coexistiam nos templos e apenas ocasionalmente surgia uma rivalidade entre os seguidores dos cultos guerreiros (Aesir) e os da fertilidade (Vanir), que variavam dependendo do período histórico e das preferências dos governantes.

A aceitação de um deus não excluía a das outras divindades e esta tolerância religiosa foi um dos desafios cristãos para impor um só deus e uma só doutrina. Os maiores aliados da Igreja cristã foram os reis, que, uma vez convertidos, influenciaram o povo e lhe impuseram sua fé, auxiliados por conceitos semelhantes como o do lamento pela morte de Jesus e da comemoração da sua ressurreição na primavera, lembranças do antigo mito de morte e renascimento da vegetação. O sacrifício cristão na cruz lembrava a autoimolação de Odin no Yggdrasil e a ideia do "novo deus ser amigo dos fiéis" era intrínseca à tradição pagã, quando os homens buscavam o auxílio dos deuses por intermédio das videntes (substituídas pelos padres, "homens que usavam batinas semelhantes às túnicas femininas"). A nova fé foi apresentada no começo da conversão como um culto guerreiro, Cristo personificando o herói que luta contra as forças do mal (assim como os deuses pagãos combatiam os gigantes) e que caminhou para a morte na cruz, assim como um guerreiro destemido nas batalhas.

Pelo fato de a religião pagã ter se desenvolvido numa sociedade guerreira, em que o rei detinha a posição dominante no mundo humano e na relação com as divindades, pouco se sabe sobre a aceitação da fé cristã pelos homens sábios, poetas e xamãs. Não há dúvida de que a substituição dos antigos modelos de culto e dos conceitos familiares e ancestrais por uma estrutura religiosa, dogmática e sistematizada foi um longo, sofrido e desafiador processo. Não existem, porém, dados certos sobre esta revolução conceitual e organizacional, que impunha uma autoridade hierárquica e central com a exclusão ferrenha de outras crenças, pois os registros históricos foram escritos posteriormente por autores cristãos, muitos deles monges. No entanto, reminiscências da antiga tradição persistiram na nova fé, como a transposição do culto aos espíritos da natureza para os santos cristãos, os anjos substituindo os protetores espirituais, o calendário trocando o nome das festas, mas mantendo as datas e os costumes pagãos e a ameaça do Ragnarök, simbolizada pelo Julgamento Final, mas acrescentando a punição dos pecadores. A antiga sabedoria foi parcialmente registrada pelos manuscritos e relatos históricos e poetas e contadores de histórias continuaram a usar os antigos temas e fragmentos de antigas histórias e lendas, preservando crenças e costumes apesar de condenados pela igreja cristã como "superstições".

Enquanto os mitos se destinam à instrução espiritual e estão ligados a uma determinada cultura, exigindo uma constante remodelagem e ativação para sobreviver, as antigas histórias estão vivas em nós, pois os estágios de desenvolvimento e os desafios humanos são os mesmos dos tempos antigos. Muitos mitos incorporam motivos populares, inúmeras histórias têm deuses como seus protagonistas, enquanto as lendas conectam e associam mitos, contos de fada e façanhas de heróis. A redescoberta e a interpretação dos antigos mitos, lendas e verdades históricas podem ser feitas por meio de várias abordagens e por diferentes caminhos. Mesmo que seja difícil recriar atualmente a tradição e o conhecimento ancestral de maneira clara, precisa e explícita, podem ser encontrados e resgatados o interesse, o encanto e o respeito por tudo aquilo que preencheu as inspirações, expectativas e necessidades materiais e espirituais de homens e mulheres ao longo de milênios. Suas crenças, tradições e costumes mantiveram a coesão e união das comunidades mesmo durante as dificuldades, desafios e carências, de uma maneira inexistente no conturbado mundo atual, dividido por conflitos religiosos, violência, cobiça, falta de respeito (com o Todo e com todos) e a contestação das verdades e dos direitos alheios. A busca e a prática da sabedoria antiga são desafiadoras e prolongadas, mas compensadoras, pois, quando se recuperam as memórias históricas e míticas – pessoais e coletivas –, pode-se tentar a recriação de uma nova relação de parceria, tolerância e respeito entre os homens e mulheres de todos os lugares, e com os deuses, os mundos sutis e os seres da criação, evitando-se, assim, um novo e cataclísmico Ragnarök.

Citando C. G. Jung no seu ensaio "Wotan", de 1936:

"*Os arquétipos são como os leitos dos rios, que secam quando a água deles se esvai e renascem quando o rio a eles volta novamente. Podemos comparar um arquétipo a um córrego antigo, em que a água da vida fluiu durante séculos, cavando um canal profundo. Quanto mais tempo a água correu por ele, mais cedo a fonte voltará a brotar e retornar ao seu antigo leito*".

Apêndices

Correspondências das divindades

Deuses

Aegir

Elemento: água
Animais totêmicos: baleia, gaivota, foca, leão-marinho
Cores: verde, azul, preto
Plantas: algas marinhas
Pedras: corais, água-marinha
Metais: ouro (chamado de "fogo de Aegir"), pirita
Símbolos: barco, caldeirão, hidromel, leme, navio, rede
Atributos: proteção nas viagens marítimas
Data da celebração: 13/01

Baldur

Elementos: fogo, ar
Animais totêmicos: águia, galo, cavalo
Cores: amarelo, branco, dourado, vermelho
Plantas: camomila, dente-de-leão, girassol, hipericão
Pedras: âmbar, diamante, feldspato da Islândia, topázio
Metais: ouro, platina, prata
Símbolos: barco, brilho dourado, cavalo, espada, pira funerária, roda solar
Atributos: morrer e renascer, aceitar e perdoar
Datas da celebração: os solstícios de inverno (*Yule*) e verão (*Midsommar*)

Bragi
Elementos: ar, água
Animais totêmicos: pássaros canoros
Cores: branco azulado, prateado
Plantas: árvores frutíferas, cevada, trevo
Pedras: berilo, fluorita
Metais: prata
Símbolos: brinde com hidromel, canção, harpa, poema, taça
Atributos: criatividade, ampliação da comunicação e da expressão verbal

Forsetti
Elemento: ar
Animais totêmicos: coruja
Cores: dourado e púrpura
Plantas: carvalho, cinco folhas
Pedras: diamante
Metais: estanho, ouro, prata
Símbolos: machado com lâmina dupla (de ouro), balança, pilar cósmico
Atributos: promover justiça, facilitar reconciliações, ter objetividade e imparcialidade

Frey
Elementos: terra, água
Animais totêmicos: alce, cavalo, javali, touro
Cores: verde, dourado
Plantas: pinheiro, alho-porró, alfineiro
Pedras: esmeralda, pedra-do-sol
Metais: bronze, cobres, prata
Símbolos: barco, carruagem, câmara subterrânea, chifres, elfos, elmo, emblemas de javali, espada, falo, luz, pulseiras, sino
Atributos: abençoar a terra, promover fertilidade, bom tempo e paz, aumentar a virilidade e a potência
Datas da celebração: 30/04, 28/08, 27/12

Heimdall
Elementos: água, fogo
Animais totêmicos: carneiro, foca, golfinho

Cores: branco brilhante, as cores do arco-íris
Plantas: álamo, angélica, lírio branco, lírio-do-vale, trombeta
Pedras: água-marinha, labradorita
Metais: prata, bronze, ouro
Símbolos: arco-íris, corneta, chifre para soprar, elmo, espada, a estrela Régulus, mar, ponte, Via Láctea
Atributos: aumentar a capacidade de ver, ouvir, observar e perceber, proteção nas viagens astrais (era necessário pedir sua permissão para acessar Yggdrasil ou atravessar Bifrost)
Datas da celebração: 24/03, 29/09

Hermod

Elementos: fogo, ar
Animais totêmicos: cavalo, lobo
Símbolos: anel, bandeira, ponte

Loki

Elementos: fogo (descontrolado), água, ar, terra
Animais totêmicos: cavalo, égua, lobo, mosca varejeira, salmão, serpente aquática, pulga, raposa
Cores: furta cor
Plantas: alucinógenas, espinhentas, venenosas
Pedras: vulcânicas, radioativas
Metais: chumbo
Símbolos: erupções vulcânicas, explosões, fogueiras, incêndios, queimadas, terremotos, tempestades magnéticas, curtos-circuitos, panes elétricas
Atributos: metamorfose, armadilhas, espertezas, fraudes, máscaras, magias, mentiras, roubos, trapaças

Mani

Elemento: água
Animais totêmicos: caracol, coruja, lebre, lobo, ostra
Cores: banco prateado, preto
Plantas: alho-porró, cinerária, orelha de lebre, salgueiro
Pedras: pedra-da-lua, selenita, calcita, cristal leitoso
Metais: prata

Símbolos: calendário lunar, ciclos, intuição, inconsciente, luz, marés, névoa
Atributos: regência das fases lunares projeção astral

Mimir
Elementos: ar, água, éter
Animais totêmicos: coruja
Cores: branco, amarelo, tons transparentes
Plantas: artemísia, confrei, freixo, madressilva
Pedras: cristais arquivistas, fósseis
Símbolos: cabeça, estudo, fonte, memória, magia, poço, sabedoria, visão sutil
Atributos: sabedoria,concentração, assimilação de conhecimentos, memória ancestral, ativar e lembrar as lembranças e registros do inconsciente

Njord
Elementos: água, vento
Animais totêmicos: baleia, gaivota, golfinho, peixes
Cores: azul, cinza, índigo, verde, violeta
Plantas: algas, junco, musgo, plâncton
Pedras: ágata esverdeada, água-marinha, estrela-do-mar, pérola
Metais: chumbo, cobre, ouro
Símbolos: arado, anzol, barco, leme, machado, rede, tridente, as estrelas para a navegação: Arcturus, Cruzeiro do Sul, Polar, Vega
Atributos: abundância (na agricultura e piscicultura), proteção e segurança nas viagens marítimas, construção de barcos

Odin
Elementos: ar, fogo
Animais totêmicos: águia, cavalo, corvo, lobo, serpente
Cores: azul, cinza, índigo
Plantas: cogumelos sagrados, freixo, mandrágora, sangue-de-dragão, teixo
Pedras: esmeralda, opala-de-fogo, ônix, rubi-estrela, sardônica, turquesa
Metais: mercúrio, estanho, ferro, ouro, prata
Símbolos: anel, bastão, cajado, escudo, espada, lança, manto com capuz, nós em movimentos serpentíneos, *fylfot*, a cruz de Wotan e a suástica (símbolos quádruplos), *trefot* ou *trískelion*, *walknut* (símbolos tríplices), as estrelas Capella, Corona Borealis e a constelação Ursa Maior
Atributos: conhecimento oculto, sabedoria e poder mágico, metamorfose, uso e

leitura das runas, deslocamento entre os mundos, criar e soltar amarras, viagens xamânicas, ritos funerários
Datas da celebração: quartas feiras, 30/04 (*Walpurgisnacht*) 18/08, 2/11, 6/12

Thor

Elementos: fogo, terra, chuva
Animais totêmicos: bode, touro
Cores: vermelho
Plantas: barba-de-bode, carvalho, cardo, espinheiro
Pedras: ágata de fogo, amonite, jaspe sanguíneo, hematita, moldavita, tectito
Metais: ferro, estanho
Símbolos: anel de ferro, carruagem, cinto, luvas, martelo, pilar, pregos, suástica, raio, roda solar, tempestade, trovão, as estrelas Aldebaran, Antares, Rigel
Atributos: coragem, proteção e defesa, aumento da força física, da fertilidade e da virilidade, preservação da ordem, vencer os inimigos, superar dúvidas e empecilhos, ultrapassar dificuldades
Datas da celebração: quintas feiras, 19/01, 20/05, 28/07, 01/08

Tyr

Elementos: fogo, ar
Animais totêmicos: cão, lobo
Cores: vermelho-escuro, púrpura
Plantas: carvalho, espinheiro, pinheiro, verbena, zimbro
Pedras: diamante, granada, rubi, safira, topázio
Metais: estanho, bronze
Símbolos: espada, escudo, elmo, flecha, juramentos, lei, ordem, as estrelas Polar, Arcturus, Plêiades e Sírius
Atributos: atrair a justiça, revelar a verdade, vencer nas disputas legais e nos processos jurídicos (se tiver razão), selar compromissos e juramentos
Datas da celebração: terças feiras

Ullr

Elementos: água (gelo, neve), terra
Animais totêmicos: rena, raposa, urso polar
Cores: branco, amarelo, verde
Plantas: musgo, pinheiro prateado, teixo
Pedras: celestita, obsidiana-floco-de-neve

Metais: prata
Símbolos: arco, aurora boreal, anel para juramentos, barco, escudo, esquis, flecha, trenó
Atributos: proteger viagens e deslocamentos na neve e no gelo, esportes de inverno, competições de arco e flecha, assistir os juramentos, proteção nas disputas

Welund

Elementos: metais
Animais totêmicos: cavalo, cisne
Cores: metálicas
Plantas: cominho, junípero, tomilho
Pedras: hematita, magnetita
Metais: aço, bronze, ferro, prata
Símbolos: anel, asas, espada, ferradura, forja, martelo
Atributos: proteção e auxílio para quem trabalha com metais, consagrar a espada ou os objetos de metal, resistência nas adversidades

Deusas

Berchta

Elementos: ar, neve, terra, vento
Animais totêmicos: aranha, cabra, ganso, gado, urso
Cores: branco, dourado
Plantas: alfineiro, linho, sabugueiro, pinheiro prateado, tuia
Pedras: calcita, celestita, dolomita, pedra-estrela
Metais: prata, estanho
Símbolos: berço, carruagem, fios, fuso, lã, linho, leite, mel, penas, panquecas, sacola, travesseiros (de penas), vassoura
Atributos: abençoar o plantio e agradecer a colheita, inspirar e orientar a tecelagem e as atividades artesanais com fios, melhorar o tempo; aumentar a fertilidade, purificar
Datas da celebração: 5/01, 11, 20 e 31/12

Bil

Elemento: água
Animais totêmicos: coruja, lebre, lobo
Cores: branco, azul claro, prateado
Plantas: bétula, cinerária, lírio, murta

Pedras: pedra-da-lua, opala, cristal de rocha leitoso
Metal: prata
Símbolos: carruagem, ciclos, crescente lunar, balde com água, crianças, disco prateado, lua, maçãs, marés, poesias
Atributos: inspiração, harmonização e com os ciclos lunares, ativar a intuição
Datas da celebração: nas fases lunares (crescente, cheia, minguante, nova)

Disir

Elementos: terra, ar
Animal totêmico: cavalo
Cores: cinza, preto
Plantas: árvores velhas, líquens, musgo, chás curativos
Pedras: hematita, obsidiana, ônix, pedras furadas naturalmente
Metais: prata, estanho
Símbolos: árvore genealógica, fios, lendas, histórias, poemas, retratos de família, objetos das ancestrais, teia
Atributos: lembrar, honrar e comemorar as ancestrais, reforçar laços familiares, reger ritos de passagem femininos
Datas da celebração: 01/02 (*Disting*), 14/10, 31/10 (*Disablot*, *Idisblessing*)

Donzelas-cisnes

Elementos: ar, água, éter, terra
Animal totêmico: cisne
Cores: branco, cinza, preto
Plantas: aquáticas, junco
Pedras: cristais com "fantasmas"
Metal: prata
Símbolos: anel, asas, corrente, coroa, manto, penas
Atributos: mudança, transições, fluir com as situações imprevistas

Donzelas das ondas

Elementos: água, ar, vento
Animais totêmicos: cavalo-marinho, cisne, borboleta, gaivota, serpente marinha
Cores: branco, cinza, verde
Plantas: algas, musgo
Pedras: ágata, água-marinha, coral, jaspe
Metal: prata

Símbolos: barco, canções, espuma, moinho, navio, Roda do Ano, ondas, tempestades
Atributos: proteção nas viagens marítimas, segurança nas atividades náuticas e aquáticas (nadar, remar, mergulhar e pescar),"cavalgar as ondas"
Datas da celebração: na mudança das estações

Eir

Elementos: terra, argila, lama
Animais totêmicos: galo, galinha, rã, sapo
Cores: verde, branco
Plantas: bétula, ervas medicinais, musgo, pinheiro, salgueiro
Pedras: ágata musgosa, bufonita, jaspe sanguíneo, malaquita, nefrita
Metais: prata, ouro
Símbolos: almofariz, banhos e emplastos de ervas, chás depurativos, fontes curativas, jejum, pilão, reclusão, silêncio, talismãs rúnicos para saúde
Atributos: colheita de ervas, encantamentos, purificações, terapias naturais, peregrinações para lugares de poder, práticas xamânicas
Data da celebração: 6/05

Erce

Elemento: terra
Animais totêmicos: cavalo, gado
Cores: verde, amarelo, marrom, preto
Plantas: todas
Pedras: ágata, azeviche, madeira fossilizada, resinas
Metais: todos
Símbolos: árvores, colheita, implementos agrícolas, plantas, plantio, pedras, Roda do Ano, sementes
Atributos: semear, plantar, colher, regência das celebrações da Roda do Ano e dos ritos de passagem, centramento e enraizamento
Datas da celebração: todas da Roda do Ano

Fjorgyn

Elementos: terra, fogo
Animais totêmicos: corça, égua, lebre, loba, porca, ursa, vaca
Cores: laranja, marrom, verde
Plantas: fruteiras, ervas, tubérculos comestíveis

Pedras: ágatas, fósseis, madeira petrificada, serpentina
Metais: bronze, cobre, prata
Símbolos: argila, árvores, cestos com frutas, caldeirão, colina, lareira, plantas, pedras, rochas, sementes, vasos e figuras de barro
Atributos: plantio e colheita, atividades agrícolas e ecológicas, ritos de passagem, dualidade, culto dos ancestrais
Datas da celebração: 1/05 (*Maj fest*) 1/08 (*Ernte fest*, a festa da colheita)

Freyja

Elementos: fogo, água, terra
Animais totêmicos: aves de rapina, cisne, cuco, doninha, falcão, gato, lince, javali, joaninha, porca
Cores: dourado, vermelho-escuro, verde
Plantas: avenca, giesta, lágrimas-de-nossa-senhora, macieira, mandrágora, rosas, sabugueiro, verbena
Pedras: âmbar, azeviche, calcopirita, crisocola, esmeralda, granada, olho-de-gato e de falcão, safira
Metais: ouro, cobre
Símbolos: o colar mágico Brisirigamen, o manto de penas de falcão, luvas de pele de gato, caldeirão, carruagem solar, ciclo das estações, gnomos, joias, linho, mel, seda, veludo, as estrelas Vega e Spica
Atributos: amor, beleza, poder de sedução, intuição, poder mágico, práticas de magia *seidhr*, uso do oráculo rúnico, celebrações e rituais femininos, culto das Disir
Datas da celebração: 8/01, 19 e 30/04, 25/06, 28/08, 15 e 31/10, 27/12

Frigga

Elementos: ar, água (névoa, nuvens)
Animais totêmicos: aranha, bicho-da-seda, caracol, carneiro, cegonha, coruja, falcão, garça, ganso selvagem
Cores: azul, branco, cinza prateado
Plantas: cânhamo, hera, linho, paineira, rainha-dos-prados
Pedras: âmbar, calcita, calcedônia, cristal de rocha, crisólita, safira
Metais: ouro, cobre, platina
Símbolos: chave, colar e cinto de ouro, fuso, linho, manto, nuvens, roda de fiar, tear, as constelações de Órion (chamada "fuso de Frigga") e da Ursa Menor (o carro de Frigga), penas de garça (símbolo do conhecimento guardado em silêncio) e de falcão (que compõem o seu manto)

Atributos: ritos de passagem (menarca, gravidez, menopausa), encantamentos com fios, contemplação, precognição, busca da visão, viagens astrais
Datas da celebração: sextas feiras, 11/01, 24/05, 1/08, 21 e 24/12 – *Modranicht*, a Noite da Mãe, 27/12

Fulla

Elemento: terra
Animais totêmicos: esquilo, lebre, vaca
Cores: dourado, prateado, verde
Plantas: mil folhas, rododendro
Pedras: pedra-da-lua, pedra-do-sol
Metais: todos
Símbolos: cofre, cornucópia, colheita, joias, lua cheia, potes com mantimentos, pedras preciosas, vasilhas cheias
Atributos: abundância, realização das aspirações materiais, desenvolvimento do potencial inato e latente
Datas da celebração: 6/08, 31/12

Gefjon

Elementos: terra, água, ar, fogo
Animais totêmicos: gado, ovelhas
Cores: castanho dourado, verde
Plantas: cereais, fruteiras, raízes, sementes, tubérculos
Pedras: âmbar, ágata, cornalina, jaspe
Metais: ouro, prata
Símbolos: cornucópia, ferramentas agrícolas, metais, pedras preciosas, produtos da terra, presentes, sementes
Atributos: dádivas, trocas, prosperidade, fertilidade, proteger limites e fronteiras, último rito de passagem (a morte) das mulheres solteiras
Datas da celebração: 14/02, comemoração da colheita (1/08)

Gerd

Elementos: terra, fogo
Animais totêmicos: andorinha, caba, cavalo, corça, gansa
Cores: branco, dourado, vermelho, verde
Plantas: flores do campo, macieira, margaridas
Pedras: jaspe-verde e sanguíneo, peridoto

Metais: ouro
Símbolos: aurora boreal, espada, fagulhas, guirlanda de flores, luz solar, maçã, primavera, pulseira e anel de ouro, o número nove
Atributos: beleza, brilho, poder de sedução, tenacidade, determinação, vencer oposições e resistências

Gna

Elemento: ar, terra, água
Animais totêmicos: águia, cavalo alado, cegonha, cuco
Cores: branco, azul, verde
Plantas: artemísia, aveleira, macieira, papoula
Pedras: berito, crisoprásio, topázio
Metais: prata, cobre
Símbolos: asas, gravidez, maçã, mulher, montanha, tambor, voo, vento, viagens (físicas ou astrais)
Atributos: favorecer e proteger a concepção e a gravidez, desdobramento e expansão da consciência, práticas de oração e meditação para perceber a ajuda divina

Hel

Elementos: terra, gelo, lama
Animais totêmicos: cão, corvo, égua preta, pássaro vermelho, serpente
Cores: preto, branco, cinza, vermelho escuro
Plantas: azevinho, amoreira, cogumelos sagrados, mandrágora, teixo
Pedras: azeviche, fósseis, quartzo enfumaçado, ônix
Metais: chumbo, ferro
Símbolos: caldeirão, clepsidra, espiral de nove voltas, foice, gruta, manto com capuz, máscaras de animais, morte, ossos, ponte, portal, a lua negra, xale, o planeta Saturno, a Caça Selvagem
Atributos: regência do último rito de passagem (desapego, desligamento, morte, transição, vigília, funerais), culto dos ancestrais, despedidas e finalizações, viagens xamânicas para o mundo subterrâneo, trabalhos mágicos com a "sombra", transe oracular, *seidhr*, *spae*
Datas da celebração: sábado, luz negra, 31/10

Hlin

Elementos: terra, fogo
Animais totêmicos: loba, leoa, onça, ursa

Cores: preto, roxo, violeta
Plantas: arruda, azevinho, espinheiro-branco, manjericão, sálvia
Pedras: ametista, hematita, cristal enfumaçado
Metais: prata
Símbolos: amuletos de proteção, bastão, escudo, elmo, espada, talismãs rúnicos
Atributos: defesa e proteção, intuição, reforçar a aura protetora com visualizações
Data da celebração: 31/01

Holda

Elementos: água, terra, vento
Animais totêmicos: aranha, cegonha, ganso, joaninha
Cores: branco, preto, cinza
Plantas: cânhamo, linho, junco, sabugueiro, sorveira
Pedras: aragonista, dolomita, obsidiana-floco-de-neve
Metais: prata
Símbolos: berço, estrela de seis pontas, floco de neve, fuso, gruta, linho (fios e flor), ponte, rio, transição, troncos ocos de árvore
Atributos: proteger as crianças, abençoar atividades profissionais, restabelecer o equilíbrio ecológico, encantamentos com fios, encaminhar os espíritos das crianças mortas, natimortos ou abortados
Datas da celebração: 17/11, o solstício de inverno (21/12) e 12 dias depois (A Noite da Mãe e a 12ª noite)

Idunna

Elemento: terra
Animais totêmicos: andorinha, águia, cuco, lobo
Cores: dourado, verde, vermelho
Plantas: crocus, macieira, madressilva, roseira silvestre
Pedras: crisoprásio, jaspe-verde e sanguíneo
Metais: ouro, prata
Símbolos: baú dourado, cesta com maçãs, harpa, lua crescente, primavera, ovos tingidos de vermelho, Árvore do Mundo
Atributos: ativação da energia vital, regeneração, rejuvenescimento, renovação, bênção de novos projetos
Datas da celebração: equinócio da primavera

Lofn

Elementos: água, fogo
Animais totêmicos: alce, pomba
Cores: dourado, cor-de-rosa
Plantas: bétula, cerejeira, amor-perfeito, madressilva, verbena
Pedras: kunzita, quartzo rosa e rutilado, rodocrosita
Metais: ouro, bronze
Símbolos: asas, anel, aliança, chaves, ninho de pássaro, porta, sonhos, tesoura
Atributos: remover amarras e bloqueios, expressão e realização pessoal (afetiva, pessoal, material e espiritual), paz interior
Data da celebração: 14/02

Nehelennia

Elementos: água, terra
Animais totêmicos: cachorro, cavalo-marinho, gaivota
Cores: azul, verde
Plantas: árvores frutíferas, cereais
Pedras: água-marinha, malaquita, turquesa
Metais: ouro, prata
Símbolos: barco, cesto, círculos de menires, ilha, maçã, mar, talismãs
Atributos: proteção nas viagens marítimas, abundância (terra e água) e melhora da produtividade
Data da celebração: 6/01

Nerthus

Elementos: terra, água
Animais totêmicos: cavalo, boi
Cores: verde, marrom, preto
Plantas: fruteiras, raízes, tubérculos
Pedras: ágata, cornalina, turmalina
Metais: todos
Símbolos: arado, bosque, carruagem, colheita, comunidade, ilha, manto verde, procissão, prosperidade, herança, véu
Atributos: pacificar ambientes e pessoas, abençoar a terra no plantio, agradecer a colheita
Datas da celebração: 20/12 ou 24/12 *Modranicht* (A Noite da Mãe)

Nornes

Elemento: éter
Animais totêmicos: coruja, corvo
Cores: branco, preto, vermelho
Plantas: amieiro, amoreia, freixo, mírtilo, teixo
Pedras: aragonita ou calcita, granada ou rodonita, obsidiana ou turmalina
Metais: platina, estanho
Símbolos: argila, clepsidra, cordas, fios, fonte, gruta, pergaminho, punhal, relógio, teia, tesoura, raízes de árvores, véu, as manchas brancas das unhas dos recém-nascidos (a "assinatura" das suas bênçãos), as estrelas centrais da constelação de Orion (As três Marias)
Atributos: compreender o traçado do seu destino, aceitação e libertação das amarras do passado, orientação nas decisões do presente, sabedoria para agir bem no futuro, redenção de culpas passadas para receber e dar perdão melhorando assim o *wyrd* pessoal
Datas da celebração: 2/01, 14/07, 30/10 (*Disablot*), 31/12

Nott

Elementos: ar, água
Animais totêmicos: cavalo alado, coruja, dragão, lebre, unicórnio
Cores: azul escuro, preto
Plantas: anis-estrelado, dama-da-noite, jasmim-estrela
Pedras: diamante, obsidiana-floco-de-neve, ônix, safira
Metais: estanho, prata
Símbolos: carruagem, canções, estrelas, lua, manto, manta de lã, mistérios da noite, poesias, sonhos, rituais e cerimônias noturnas, xale
Atributos: aprofundar e lembrar os sonhos, expansão da intuição e da percepção sutil, amor universal, aceitação e superação das diferenças
Data da celebração: 26/10

Rind

Elementos: terra, gelo
Animais totêmicos: andorinha, foca, loba, urso polar
Cores: branco, verde
Plantas: arnica, bálsamo, pinheiro, sálvia, tuia
Pedras: calcedônia, calcita, malaquita
Símbolos: escudo, ervas curativas, floco de neve, gelo, joias, raios solares

Atributos: esfriar ou descongelar situações, remover barreiras e obstáculos, atrair ou repelir pessoas, colaborar ou se isolar

Saga

Elementos: água, ar (névoa)
Animais totêmicos: coruja, salmão
Cores: transparentes, pátinas, cinza, verde claro, prateado
Plantas: árvores antigas, plantas perenes e sempre-vivas
Pedras: seixos rolados, madeira petrificadas, fósseis, estalactites e estalagmites, cristais "arquivistas", âmbar, azeviche, ossos
Metais: estanho, ouro, prata
Símbolos: cálice, cachoeira, gruta, livros e mapas antigos, inconsciente coletivo, nascente, poço, pente e xale prateado, palavras (escritas, faladas)
Atributos: reavivar e relembrar o passado, preservar, honrar e transmitir o legado ancestral, culto dos ancestrais
Data da celebração: 31/10

Sif

Elementos: terra, fogo
Animais totêmicos: cisne, corça, lontra
Cores: amarelo, dourado
Plantas: acácia "chuva de ouro", cereais, giesta, girassol
Pedras: âmbar, citrino, pedra-do-sol, pirita, topázio
Metal: ouro (chamado "cabelo de Sif")
Símbolos: colheita, espigas e campos de trigo, espelho, enfeites, objetos de ouro, pão, trança em cabelos loiros
Atributos: paz e bem estar grupal, amadurecimento, favorecer e agradecer a colheita, combater as intrigas e a discórdia
Datas da celebração: 20/05, solstício de verão (*Midsommar*)

Sjofn

Elemento: água
Animais totêmicos: cisne, lontra, pomba
Cores: lilás, rosa
Plantas: erva-doce, magnólia, rosa, tília
Pedras: kunzita, quartzo rosa, rodocrosita
Metais: cobre, ouro vermelho

Símbolos: cálice, coração, sementes
Atributos: promover a união e harmonizar (casais e familiares), ensinar a dar amor, curar mágoas
Datas da celebração: 14/02, equinócio da primavera

Skadhi

Elementos: gelo, neve
Animais totêmicos: alce, foca, leão marinho, lobo, raposa e urso polar
Cor: branca
Plantas: liquens, musgo
Pedras: calcedônia, mármore, opala, obsidiana-floco-de-neve
Metais: prata, ferro
Símbolos: arco e flecha, botas, casaco de pele e capuz, estalactite de gelo, flocos de neve, esquis, inverno, montanha, noite, patins, trenó
Atributos: proteção nas viagens e esportes de inverno, aumentar a resistência nas adversidades, honrar e atender suas necessidades, reconhecer, transmutar e integrar a "sombra", apaziguar e transcender conflitos
Datas da celebração: 10/07, 30/11

Snotra

Elementos: ar, terra
Animais totêmicos: abelha, cisne, falcão
Cores: branco, prateado
Plantas: ornamentais, íris, lavanda, lírio, tuberosa
Pedras: alabastro, calcita, marfim, mármore
Metais: platina
Símbolos: brasão, balança, estandarte, cinto, lenço de linho bordado, retiro, silêncio, tradição, trajes de época
Atributos: discernimento, equilíbrio, responsabilidade, rito de passagem da menopausa (coração da mulher sábia), sabedoria
Data da celebração: 30/09

Sunna

Elementos: fogo, ar
Animais totêmicos: águia, cavalo, dragão (do ar e do fogo), lobo
Cores: amarelo, dourado, laranja, vermelho
Plantas: acácia "chuva de ouro", dente de leão, girassol, hipericão

Pedras: âmbar, citrino, diamante, pedra-do-sol, topázio
Metal: ouro
Símbolos: carruagem, círculo, colar, cristais, dança circular, disco, escudo, espelho, fogo, mandala, movimento giratório, objetos dourados, roda (solar e sagrada), suástica (*fylfot*)
Atributos: danças circulares e giratórias, rituais solares, práticas de energização e vitalização, fogueiras nos solstícios
Datas da celebração: 9/02, 14/05, solstício de verão (*Midsommar*), 8/07, solstício de inverno (*Yule*)

Syn

Elemento: ar
Animais totêmicos: dragão do ar, falcão, gavião
Cores: branco, azul, violeta, preto
Plantas: arruda, eucalipto, erva das feiticeiras, teixo
Pedras: ametista, cristal de rocha, safira
Metais: prata, ferro
Símbolos: aliança, balança, bastão, cadeado, chave, contrato, compromisso, fechadura, porta, portal, soleira, vassoura de galhos com fitas e sinos, talismãs
Atributos: proteger o espaço, as fronteiras e limites, defesa pessoal, material e mágica
Data da celebração: 2/06

Thorgerd holgabrud

Elementos: terra, água
Animais totêmicos: selvagens, peixes
Cores: verde, marrom
Plantas: azevinho, espinheiro, verbasco
Pedras: ágata, cornalina, esmeralda
Metais: aço, ferro
Símbolos: alvo, anzol, cofre, flecha, floresta, garras e peles de animais, joias e pedras preciosas, plantios, seres da natureza
Atributos: defesa pessoal e grupal, força nas adversidades, proteção divina e boa sorte

Thrud

Elementos: ar (vento), água, fogo
Animais totêmicos: cisne, falcão, cavalo
Cores: azul, dourado
Plantas: borragem, lavanda, bobelia
Pedras: cristal rutilado, quartzo azul, topázio
Metais: prata
Símbolos: céu azul, cristais, ervas curativas, nuvens, pedras azuis, sementes, talismãs com formas de olho, vento
Atributos: cura, encantamentos para mudar o tempo, bênção dos plantios e projetos

Valquírias

Elementos: ar, água
Animais totêmicos: cavalo alado, cisne, corvo, gavião
Cores: branco, furta-cor, cintilantes, prateado
Plantas: acônito, centáurea, freixo, teixo
Pedras: labradorita, opala, safira
Metais: bronze, ferro
Símbolos: armadura, aurora boreal, corrente de metal, escudos (fluídicos e materiais), elmo, espada, múltiplos de três, objetos de poder, penas, talismãs rúnicos de proteção
Atributos: proteção em situações de perigo, conexão com os mentores espirituais, símbolos e recursos mágicos para defesa nos desafios e adversidades
Datas da celebração: 31/01, 16/02

Var

Elemento: fogo
Animais totêmicos: águia, dragão do fogo
Cores: amarelo, laranja, vermelho
Plantas: aromáticas, hera
Pedras: ágata, cornalina, granada, rubi, topázio
Metais: ouro, prata
Símbolos: aliança, a chama do fogo, chifre para beber hidromel, contratos, guirlanda de flores e fitas, juramentos, lareira
Atributos: selar compromissos, verdade e justiça, firmar acordos, fortalecer a união familiar e grupal
Data da celebração: 13/11

Vor

Elemento: éter

Animais totêmicos: coruja, corvo

Cores: prateado, roxo, preto

Plantas: artemísia, papoula, sabugueiro

Pedras: ametista, opala, turmalina

Símbolos: bola de cristal, espelho negro, gruta, manto com capuz, meditação, oráculos, presságios, projeção astral, sonhos, viagem xamânica, visões, transe

Atributos: intuição, interpretação de oráculos e presságios, descobrir a verdade, compreender sonhos e sinais

Data da celebração: 10/02

Walpurga

Elementos: ar, fogo, terra

Animais totêmicos: cão, lobo, pássaros noturnos

Cores: branco, amarelo, verde, vermelho

Plantas: linho, trigo

Pedras: quartzo verde, rodonita, selenita

Metal: ouro

Símbolos: espelho, espigas de trigo, fuso, fogueira, mastro enfeitado com guirlandas de flores e fitas, montanha, óleo terapêutico, sapatos vermelhos, túnica branca, vassoura

Atributos: purificação (com vassoura de ervas ou na fogueira), encantamentos para fertilidade, exorcizar os "fantasmas" do passado, abençoar a união, dançar ao redor do mastro, renovação dos compromissos

Datas da celebração: 30/04 (*Walpurgisnacht*), 1/05 (*Maj fest*)

Resumo cronológico

Período pré-histórico (4000 a.C.-100 a.C.)

4000 a.C. – começam as migrações das tribos indo-europeias

1500 a.C. – início da Idade do Bronze na Escandinávia

1000 a.C. – inicia-se a formação de um complexo linguístico, cultural, religioso (diferenciado do indo-europeu), pelos ancestrais dos povos germânicos instalados nas áreas da atual Escandinávia

500 a.C. – início da Idade do Ferro na Escandinávia

500-200 a.C. – domínio celta na maior parte da Europa continental

200 a.C. – iniciam-se as migrações das tribos germânicas: os godos e burgundos se deslocam da Escandinávia para o leste e se fixam nas estepes e ao redor do mar Negro. Os germanos do oeste migram para o sul e deslocam os celtas que regiam as áreas da atual Alemanha. A língua protogermânica se divide no ramo nórdico (escandinavo), oeste (alemão, anglo-saxão, holandês) e leste (gótico, que desapareceu posteriormente). Até 400 d.C. esses dialetos se tornam mutuamente incompreensíveis

250 d.C. – começo da Era Rúnica com o uso e a divulgação dos alfabetos rúnicos

Período romano

150-100 a.C. – começam os conflitos entre germanos e romanos

100 a.C.-500 d.C. – sacrifícios regulares de pessoas, animais e armas nos pântanos escandinavos

9 d.C. – derrota dos romanos pelos germanos

50 d.C. – confecção do broche de *Meldorf*, o primeiro objeto gravado com runas

98 d.C. – Tácito escreve sua obra *Germania*, o primeiro relato sobre a cultura e religião germânica

Périodo das Migrações (300-700 d.C.)

325-400 – a conversão dos godos para o cristianismo ariano, a tradução do Novo Testamento por Ulfilas, sendo o único documento remanescente escrito em gótico

378 – os godos vencem os romanos em Adrianópolis

406 – uma coalisão de tribos germânicas ocupa terras romanas ao longo do rio Reno; em 410 Alarico, o rei dos visigodos, conquista Roma

436 – os hunos, ajudados pelo imperador romano Aetius, ocupam o reino dos burgundos e matam o rei Gunther e a família real (este fato constitui o tema das histórias dos *Nibelungenlied* e *Völsunga saga*)

449 – Hengst e Horsa iniciam a conquista anglo-saxã da Bretanha

450 – criação do Futhork anglo-frísio modificando o Futhark antigo

493-526 – reinado do rei dos visigodos, Theodorico, o Grande

500-530 – ciclo de Beowulf e de outros heróis

700 – o norueguês antigo substitui o primitivo (ou rúnico)

772 – o rei Carlos Magno inicia os genocídios maciços dos saxões destruindo o seu pilar sagrado *Irminsul*

Período Viking

793 – o saque do monastério anglocelta de Lindisfarne

795 – invasões viking na Irlanda

800 – o Futhark antigo é substituído pelo Futhark Novo

810 – morre Carlos Magno; os vikings invadem Espanha

852 – os *rus* suecos dominam ao longo do rio Volga e fundam as cidades de Novgorod e Kiev

878 – o rei Alfred, o Grande, da Inglaterra, vence os exércitos germânicos e os obriga a se converterem em troca de terras. O rei Harald une os territórios da Noruega e as Orkneys; perseguidos pela monarquia muitos nobres noruegueses fogem para a Islândia

922 – Ibn Fadlan, um diplomata árabe, escreve suas impressões sobre os costumes e ritos funerários dos *rus* que habitam ao longo do rio Volga

930 – a primeira assembleia *Althing* em *Thingvellir* na Islândia

925 – o rei dinamarquês Harald Blue Tooth se converte ao cristianismo

982 – Erik, o Vermelho, descobre a Groenlândia, que é por ele colonizada

1000 – conversão oficial da Islândia ao cristianismo

1000-1005 – incursões vikings na América do Norte

1066 – conquista normanda e o fim das incursões vikings

1075 – relatos de Adam von Bremen sobre o templo de Uppsala

Período pós-pagão

1100 – os cristãos destroem o templo pagão de Uppsala e o substituem por uma igreja cristã

1200-1450 – são escritas a maior parte das sagas islandesas

1220 – Snorri Sturluson escreve *Prose Edda*

1250-1300 – são coletadas os poemas orais que formam o *Codex Regius*, o mais antigo manuscrito, renomeado *Poetic Edda*

Renascimento

1650-1700 – começa o "movimento gótico" na Suécia e uma ampla recuperação de textos históricos, culturais e religiosos escandinavos

1844 – publicação da *Mitologia Teutônica* por Jacob Grimm, um compêndio maciço de quatro volumes composto de lendas, folclore e estudos linguísticos

1908 – criação do *Futhark Armanen* por Guido van List

1973-1987 – fundação de várias assembleias Asatrú nos Estados Unidos

Guia de pronúncia

As línguas nórdicas fazem parte do subgrupo germânico do tronco indo-europeu, subgrupo que se divide no ramo nórdico (islandês, faroese, norueguês, sueco, dinamarquês), ocidental (alemão, holandês, frísio, flamengo, inglês) e oriental (gótico). Em função da origem e do lugar, há variações na maneira de pronunciar as vogais e as consoantes, sendo o denominador comum os sons guturais e nasalados.

Além das **vogais** *a e i o u*, existem mais outras quatro, com a seguinte pronúncia: ***å*** = ô, ***ä*** = é (aberto), ***ö*** ou ***ø*** = ê (fechado), ***y*** = i (fechado); ***æ*** tem o som de é, ***œ*** de ó, ***ey*** de ei.

As **consoantes** se pronunciam de modo semelhante ao português, com algumas poucas diferenças: ***j*** = i; ***h*** = rr (aspirado, como na palavra "carro"); ***th*** e ***dh***, como no inglês; ***wh*** = u; ***rl*** = dl; ***rn*** = dn; ***pt*** = ft; ***nn*** = dn (apenas após as vogais); ***ng*** = nasalizado; ***s***, sempre sibilante, mesmo entre as vogais; ***z***, como em "zero"; ***k***, ***q*** = c.

Os artigos definidos são acoplados ao final da palavra (a exemplo de *ar* e *ur*), como em *galdr* □ *galdr**ar***, *jötun* □ *jötn**ar***, *stadha* □ *stödh**ur***.

Os termos usados ao longo deste livro são, em sua maioria, suecos ou germânicos (às vezes, alguns equivalentes ingleses), citados na literatura.

Os dias da semana preservam a antiga relação com os luminares (sol e lua) e as suas divindades regentes, como ocorre nas línguas inglesa e alemã: domingo, *Söndag*, *Sonntag, Sunday*; segunda-feira, *Måndag*, *Montag, Monday*; terça-feira, *Tisdag*, *Dienstag, Tueday*; quarta-feira, *Onsdag*, *Mittwoch* ("dia do meio", única exceção devido à erradicação cristã do culto a Odin, regente deste dia), *Wednesday*; quinta-feira, *Torsdag*, *Donnerstag, Thursday*; sexta-feira, *Fredag*, *Freitag, Friday*; sábado, *Lördag*, *Samstag* (dia da reunião), *Saturday*.

Os nomes dos *Blots* se originam de vários idiomas, alguns deles tendo denominações equivalentes aos *Sabbats* celtas.

□

Glossário

***Æsir*:** grupo de divindades regentes do céu, da sabedoria, dos raios e das batalhas.

***Alfar*:** elfos claros, espíritos brilhantes e sábios da natureza.

Alma: o corpo energético que serve como veículo para o espírito individualizado, para que possa se expressar e evoluir.

Anões: seres telúricos que moram nos subterrâneos de Midgard e no reino de *Svartalheim* (junto com os elfos escuros)

Arquétipo: figuras e símbolos que representam valores universais, presentes nas várias culturas. Padrões de comportamento que existem no inconsciente coletivo, desde a mais remota antiguidade.

***Asatrú*:** "a fé dos *Ases*" ou "a lealdade para os deuses", nome da religião pagã oficial da Islândia pré-cristã; denominação dos grupos de vários países que seguem a religião nórdica.

Ases (plural de *Asa*)**:** termo equivalente para Deuses *Æsir*.

***Asgard*:** a morada dos deuses *Æsir*, situada no nível mais elevado dos Nove Mundos de Yggdrasil.

***Ask*:** o primeiro homem, criado a partir de um tronco de freixo pela tríade divina Odin, Vili e Vé.

Asynjur (plural de *Asynja*)**:** termo equivalente para deusas *Æsir*.

***Athem*:** o "sopro da vida", a energia vital absorvida pela respiração (vide *önd*).

Audhumbla: a Vaca Sagrada, a força primeva feminina, geradora da vida na cosmologia nórdica. Seu nome significa "a nutridora".

***Berserker*:** guerreiro nórdico capaz de se metamorfosear em urso ou lobo durante as batalhas, por meio de transe, projeção astral e uso de magia.

***Bifrost*:** a ponte mítica do arco-íris que liga os três níveis dos Nove Mundos e brilha nas cores vermelha, verde, azul.

Blot (plural: *Blotar*)**:** "sacrifício", cerimônia nórdica para invocar e agradecer às divindades, abençoando-se também as pessoas e objetos.

***Bracteata*:** medalhão pequeno, redondo, de ouro ou prata, com figuras e símbolos.

***Brisingamen*:** o colar mágico da deusa Freyja.

Caça Selvagem: a busca das almas errantes ou dos espíritos perdidos, conduzida por Odin, Holda e as Valquírias.

Campo mórfogenético: teoria do cientista inglês Rupert Sheldrake sobre a existência de estruturas que se estendem no tempo e no espaço, que moldam a forma e o comportamento de todos os sistemas do mundo material.

Caos: estado não organizado em que prevalecem forças destrutivas e no qual a energia não manifestada se movimenta de forma livre e desordenada.

***Carma*:** a lei cósmica de "ação e reação", que determina as experiências e os aprendizados individuais na sua evolução.

***Chacra*:** vórtice energético localizado no corpo etérico que recebe, absorve, projeta ou distribui energias sutis para o corpo físico.

***Codex Regius*:** manuscrito do século XIII, compilado duzentos anos após a cristianização da Islândia.

Consagração: ritual que envolve purificação, dedicação e direcionamento de energia para um fim ou objeto específico.

Deus, Deusa: personificações da inteligência invisível existente nas forças criadoras, formadoras e destruidoras da natureza. Na tradição nórdica são divididos em *Æsir* e *Vanir*.

***Disir* ou *Idises*:** espíritos ancestrais da linhagem feminina.

Divinação: observação e descrição de padrões energéticos que estão em fase de manifestação ou desintegração.

Divindade: forma-pensamento criada pela mente coletiva de um grupo, povo ou cultura, dotada de poderes sobrenaturais e que depende da reverência contínua para evitar seu esquecimento.

***Dokkalfar*:** espíritos ancestrais da linhagem masculina.

***Donnar*:** o equivalente teutônico do deus Thor.

***Draupnir*:** o anel mágico de Odin que se reproduzia nove vezes a cada nona noite.

***Draugar*:** mortos-vivos ou fantasmas malévolos

***Eddas*:** duas coletâneas de antigos textos islandeses. A mais antiga – *Poetic (Elder) Edda* – é formada por poemas mitológicos e heroicos, originários do século IV, compilados por Sæmundr em 1270. A segunda é *Prose* (*Younger*) *Edda*, redigida por Snorri Sturluson em 1222, que foi acrescida de um manual de métrica poética, dos significados das metáforas e das descrições mais amplas dos mitos.

***Einherjar*:** "a tropa dos escolhidos", espíritos dos guerreiros da elite que acompanharão Odin na última batalha de Ragnarök.

***Embla*:** a primeira mulher, criada a partir de um tronco de olmo pela tríade divina Odin, Vili e Vé.

Espírito: a essência inteligente incriada, que anima as formas de vida, invisível, mas cuja presença pode ser percebida.

***Etin*:** equivalente de *Jötun*, ser gigante, dotado de força física e sabedoria.

***Fensalir*:** o salão de Frigga situado em Asgard.

Folkvang**:** o salão de Freyja situado em *Vanaheim*.

Forma-pensamento: um padrão mental que, por sua repetição e duração, adquire forma e vida próprias, usando a energia astral.

Fylfot**:** suástica, símbolo mágico quádruplo de boa sorte, energia solar.

Fylgja (plural: *Fylgjur*)**:** ser numinoso ligado a cada pessoa e que guarda os registros das ações passadas. Descrito como animal, ser do sexo oposto ou forma abstrata.

Galdr (plural: *Galdrar*)**:** mantra, encantamento mágico que usa os sons correspondentes às runas.

Ginungagap**:** o vazio primordial que existia antes da criação.

Gjoll**:** o rio escuro e gelado que cerca o reino de Hel.

Gnomos: seres elementais telúricos, artesãos hábeis.

Godhi**:** sacerdote da tradição nórdica, chefe espiritual.

Gótico: idioma e povo desaparecido que existiam na antiga Alemanha.

Gungnir**:** o nome da lança de Odin.

Gythia**:** sacerdotisa da tradição nórdica, a chefe espiritual de um clã ou comunidade.

***Hagedisse* ou *Hægtessa*:** maga, feiticeira.

Hail, Hailsa: saudação tradicional nórdica (equivalente a "Salve!").

***Hällristningar* ou *Hällristinger*:** símbolos pictográficos rupestres de significado religioso, provenientes da Idade do Ferro e do Bronze e encontrados em vários lugares da Europa, tendo sido precursores das runas.

Hamingja**:** "sorte" ou "anjo da guarda", força mágica dinâmica, transmitida de uma encarnação – ou indivíduo – para outra (o).

Havamal: "As palavras do Todo-Poderoso" é um dos poemas dos *Poetic Edda*, narrado na primeira pessoa, supostamente por Odin, que descreve seu sacrifício, a obtenção e o poder mágico das runas.

Hel**:** "Mundo Subterrâneo", morada das almas à espera do renascimento, regido pela deusa de mesmo nome e situado no nível mais baixo de Yggdrasil.

Hexefuss**:** a "estrela de Holda", símbolo mágico de proteção, na forma de uma estrela de seis pontas ou como a estilização do floco de neve, considerada a raiz de todos os poderes e um portal entre os mundos.

Hidromel: bebida fermentada feita à base de água ou suco de frutas e mel de abelhas, considerada "o néctar dos deuses", usada nas comemorações.

Hrafnar**:** "Os Corvos", grupo moderno centrado nas práticas xamânicas nativas dos povos nórdicos; realiza cerimônias, festivais e sessões de *seidhr* oracular, dirigido pela escritora e sacerdotisa Diana Paxson.

***Huginn*:** um dos dois corvos totêmicos de Odin, símbolo do poder mental, do intelecto.

***Hugr* ou *Hugh*:** a parte cognitiva da alma, o intelecto, o raciocínio, a análise lógica.

***Huldra folk*:** os elfos dos sabugueiros, que acompanham as deusas Huldra e Holda.

***Hvel*:** "roda", equivalente nórdico do *chacra*.

***Hvergelmir*:** o caldeirão borbulhante, uma das fontes situada sob a raiz inferior de Yggdrasil, de onde fluem as águas primais que se espalham em *Midgard*.

***Hyde* ou *Hamr*:** corpo astral, duplo etérico que envolve o corpo físico e reproduz sua forma.

***Irminsul*:** o Eixo do Mundo da tradição teutônica, que liga o céu à terra e é equivalente a Yggdrasil.

***Jörmungand* ou *Midgardsorm*:** a Serpente do Mundo, inimiga mortal do deus Thor.

Jötun (plural: *Jötnar*)**:** seres sobrenaturais gigantes, oponentes dos deuses, personificam as forças primevas da natureza (fogo, gelo e tempestade).

***Jötunheim*:** morada dos gigantes, situada no nível mediano de Yggdrasil, junto a Midgard e Svartalfheim.

***Kenning*:** metáfora poética usada pelos *skalds*.

***Labrys*:** antigo símbolo da deusa que representa o renascimento. Descrito como um machado de duas lâminas ou uma borboleta, encontrado em várias tradições.

***Land-vættir*:** espíritos ancestrais, guardiões da natureza e da terra.

***Lif* e *Lifthrasir*:** o casal humano que irá sobreviver a Ragnarök.

***Lingam*:** representação do órgão sexual masculino no hinduísmo.

***Ljossalfheim* ou *Alfheim*:** morada dos elfos claros, situado no mesmo nível que Asgard e *Vanaheim*, no plano mais elevado de Yggdrasil.

***Lyke*:** corpo físico, o veículo que agrega os outros corpos sutis.

***Mægin*:** poder pessoal, diferente da força física, que garante boa sorte e sucesso.

Mandala: diagrama simétrico formado por símbolos concêntricos, utilizado para a prática da meditação.

***Mara*:** espírito equino feminino que perturba o sono dos homens e produz pesadelos.

***Midgard*:** o Mundo Mediano, a terra, morada da humanidade.

***Minni*:** a parte refletiva da mente que guarda as memórias ancestrais e da vida atual; o subconsciente, a intuição, a imaginação.

Mistério: aquilo que transcende a mente racional e o intelecto; pode ser conhecido apenas pela experiência pessoal e direta do buscador.

***Mjöllnir*:** o martelo sagrado de Thor.

***Muninn*:** um dos dois corvos totêmicos de Odin, símbolo da memória ancestral, pessoal e transpessoal.

***Muspelheim*:** o mundo do fogo e do calor situado no plano inferior de Yggdrasil, no mesmo nível que Hel e Niflheim.

***Nidhogg*:** o dragão que rói permanentemente as raízes de Yggdrasil, em busca de sua destruição.

***Nidhstang*:** "o poste da infâmia" utilizado nas maldições.

***Niflheim*:** o mundo do frio, da névoa e da neve, situado acima da fonte Hvergelmir, no nível inferior de Yggdrasil e ao lado de Hel e Muspelheim.

***Northumbria*:** antigo reino do norte da Inglaterra, atualmente parte do Lake District.

***Ödhr*:** o dom da inspiração, a centelha divina. Nome do enigmático cônjuge de Freyja.

Odinistas: grupos esotéricos que cultuam e se dedicam a Odin.

***Odroerir*:** o elixir da inspiração e do êxtase, preparado a partir do sangue de Kvasir, furtado por Odin da giganta Gunnlud.

***Önd*:** a energia vital, a força espiritual básica do universo, o sopro da vida; equivalente a prana, *mana*, *athem, nwyvre*, orgone, pneuma, *chi*, *ki* e axé.

***Örlog*:** leis ou camadas primais que determinam o "agora", o presente que é determinado pelas ações passadas.

Ouroboros: a serpente que morde a própria cauda, antigo símbolo de sabedoria encontrado em várias culturas.

Psicopompo: "condutor dos espíritos", um dos atributos do xamã.

***Ragnarök*:** destruição cataclísmica do mundo, seguida pela regeneração e construção de um novo mundo.

***Ratatosk*:** nome do esquilo mensageiro de Yggdrasil.

Ritual: método para converter pensamentos e intenções em ações simbólicas, visando determinar à mente subconsciente que aja de acordo com as instruções da mente consciente.

Roda do Ano: mandala formada por oito celebrações pagãs que marcavam os solstícios, equinócios e festividades do calendário agrário.

Roda Solar: símbolo mágico de representação da jornada do sol.

Runa: mistério, segredo oculto, sussurro, símbolo mágico.

***Runester*:** estudioso e praticante dos mistérios rúnicos.

***Sabbat*:** celebração celta da Roda do Ano, semelhante ao *Blot*.

***Sal*:** "a sombra", a energia remanescente *post-mortem*.

***Sami* ou *Saami*:** povo primitivo com a pele mais escura, moradores da região Ártica, os mais antigos habitantes do norte da Escandinávia, atualmente confinados na reserva de Sapmi. Detentores de arcaicos conhecimentos xamânicos.

***Seidhr*:** prática de magia xamânica que proporciona transe, desdobramentos e projeções astrais para os mundos de Yggdrasil, em busca da obtenção de presságios e da cura.

***Self* ou *Sjalfr*:** o cerne do indivíduo que se fortalece e expande através de ações externas e experiências interiores.

Sigilo: representação simbólica de um princípio mágico.

Símbolo: meio de troca de energias entre diferentes níveis ou planos da realidade; vínculo entre o objetivo e o subjetivo.

Sinete mágico: selo com símbolos ou inscrições mágicas, gravado em baixo ou alto-relevo, destinado a marcar objetos sagrados ou pessoais.

***Skald*:** poeta escandinavo que compunha versos e canções originais.

***Sleipnir*:** cavalo mítico de oito patas, pertencente ao deus Odin, que o transportava entre os mundos e simbolizava o Tempo.

***Spæcraft* ou *Spæ*:** comunicação com espíritos por meio da clarividência.

***Sumble (Sumbel)*:** comemoração festiva com brindes formais para as divindades, os ancestrais e aos amigos, que pode, ou não, seguir-se ao *Blot*.

***Thule*:** ilha mítica da pré-história, situada no extremo norte da Europa, supostamente foi habitada por uma raça superior, descendente direta dos deuses, que desapareceu em um cataclismo.

Thurs (plural: *Thursar*)**:** gigante dotado de força física, muito velho, sendo uma representação das forças da natureza.

***Trefot* ou *Triskelion*:** combinação de três runas Laguz ou de três triângulos entrelaçados, símbolo da tríade divina.

***Troll*:** seres elementares da natureza, pouco amistosos, às vezes até maléficos.

***Troth*:** "fé, lealdade", caminho espiritual ou prática de magia cerimonial que segue os preceitos da religião ancestral nórdica, pré-cristã.

***Valaskialf*:** o salão prateado de Odin, localizado em Asgard.

***Valhalla* ou *Val Halla*:** o salão principal de Odin, em Asgard, para onde as Valquírias conduzem os espíritos dos guerreiros mortos em combate.

***Valknut*:** símbolo sagrado de Odin, formado por três triângulos entrelaçados. Antigo símbolo da tríade divina feminina.

***Vanaheim*:** mundo habitado pelas divindades Vanir.

***Vanir*:** grupo de divindades regentes da vida orgânica e da fertilidade da terra e da água, da abundância e do amor.

***Vé*:** espaço sagrado, altar. Nome de um deus arcaico que representava o irmão de Odin ou uma de suas faces.

Viking: "aventureiro, explorador", termo que caracteriza um período da história escandinava do século VI ao XII.

***Vingolf*:** salão das Asynjur em Asgard, supervisionado por Frigga.

Vision Quest **(Busca da Visão):** prática xamânica dos povos nativos na qual o buscador fica isolado, em jejum e contemplação, à espera de visões ou mensagens dos guias espirituais.

Vitki (plural: *Vitkar*)**:** mago rúnico, "mestre das runas".

Völuspa: o primeiro e mais importante dos poemas mitológicos dos *Poetic Edda*. Denominado "A profecia da Grande Vala", descreve em sessenta estrofes a história do mundo, desde a sua criação até a destruição no Ragnarök.

***Völva* ou *Vala*:** "mulher sábia", profetisa, vidente.

***Weregild*:** ressarcimento material para retificar uma ação errada, um ato nefasto ou violento.

Wotan: equivalente teutônico do deus Odin.

***Wyrd*:** a sorte ou o destino individual, a predestinação, a teia da causa e do efeito.

Xamã: pessoa com habilidades paranormais e curadoras, capaz de explorar a realidade "não comum", perceber os processos energéticos sutis e os bloqueios, usar práticas mágicas e de cura.

***Yggdrasil*:** a Árvore do Mundo, da Vida, que representa a própria estrutura do cosmo e sustenta os Nove Mundos.

***Yin / Yang*:** os princípios opostos e complementares da tradição taoísta, representação das energias feminina e masculina.

Ymir: o ser mítico primordial, o substrato do qual foi manifestada a vida, o ancestral dos gigantes e de alguns deuses.

Yoni: representação do órgão sexual feminino no hinduísmo.

Bibliografia

ARBMAN, Holger. *Os Vikings.* Lisboa, Editorial Verbo, 1971.

ASWYNN, Freya. *Northern Mysteries & Magic. Runes, Gods and Feminine Powers.* EUA, Llewellyn Publ., 1998.

BULFINCH, Thomas. *O Livro de Ouro da Mitologia (A Idade da Fábula).* Rio de Janeiro, Ediouro, 2001.

CAMPBELL, Joseph. *O Poder do Mito.* São Paulo, Pallas Athena, 1991.

COLUM, Padraic. *Nordic Gods and Heroes.* Nova York, Dover Publ. Inc., 1996 (originalmente publicado em 1920, com o título *The Children of Odin).*

CONWAY, D.J. *Norse Magic.* EUA, Llewellyn Publications, 1993.

CROSSLEY-HOLLAND, Kevin. *The Norse Myths. Introduced and Retold.* EUA, Pantheon Books, 1980.

DAVIDSON, Hilda Ellis, *Gods and Myths of Northern Europe.* Londres, Penguin Books, 1964.

__________ *Myths and Symbols in Pagan Europe.* Syracuse University Press, 1988.

__________ *Roles of the Northern Goddess.* Nova York, Routledge, 1988.

__________ *Scandinavian Mythology.* Inglaterra, Newness Books, 1982.

__________ *The Lost Beliefs of Northern Europe.* Londres, Routledge, 2001.

FAUR, Mirella. *Mistérios Nórdicos. Deuses. Runas. Magias. Rituais.* São Paulo, Pensamento. 1ª. ed. 2007, 2ª ed. 2008.

FRANCHINI, A.S. / SEGANFREDO, Carmen. *As Melhores Histórias da Mitologia Nórdica.* Rio Grande do Sul, Artes e Ofícios, 2007.

FUNK & WAGNALLS. *Standard Dictionary of Folklore, Mythology and Legend.* EUA, Harper San Francisco, 1972.

GUERBER, H.A. *Myths of the Norsemen from the Eddas and Sagas.* Nova York, Dover Publ. Inc., 1992 (1st. edition 1909)

GUNDARSSON, Kveldulf. *Teutonic Magic.* EUA, Llewellyn Publications, 1990.

__________ *Teutonic Religion.* EUA, Llewellyn Publications, 1993.

HUYGEN, Will. *Gnomos.* São Paulo, Siciliano, 1987.

JANSSON, Sven. B. E. *Runes in Sweden.* Sverige, Gidlunds, 1997.

JONES, Prudence & PENNICK, Nigel. *A History of Pagan Europe.* Nova York, Barnes & Nobles, 1995.

KARLSDOTTIR, Alice. *Magic of the Norse Goddesses. Mythology. Ritual. Tranceworking.* Texas, EUA, Runa Raven Press, 2003.

KVIDELAND, Reimund & SEHMSDORF, Henning. *Scandinavian Folk Belief and Legend.* EUA, University of Minnesota Press, 1988.

KRASSKOVA, Galina & KALDERA, Raven. *Northern Tradition for the Solitary Practitioner.* EUA, Career Press. 2009.

KRASSKOVA, Galina. *Exploring the Northern Tradition. A Guide to the Gods, Lore, Rites and Celebrations from the Norse, German and Anglo-Saxon Traditions.* EUA, New Page Books, 2005.

LARRINGTON, Caroline. *The Woman's Companion to Mythology. Part 2 Scandinavia.* Londres, Harper Collins Publ., 1997.

LINDOW, John. *Norse Mythology. A Guide to the Gods, Heroes, Rituals and Beliefs.* Inglaterra, Oxford University Press, 2001.

LOUTH, Patrick. *A Civilização dos Germanos e dos Vikings.* R.J. Otto Pierre Editores, 1979.

MABIE, Hamilton Wright. *Norse Mythology. Great Stories from the Eddas.* Nova York, Dover Publ. Inc., 2002 (Originalmente publicado em 1918 como *Norse Stories Retold from the Eddas).*

MC. GRATH, Sheena. *Asynjur. Women's Mysteries in the Northern Tradition.* Reino Unido, Cappal Bann Publ. Berks., 1997.

MONAGHAN, Patricia. *O Mother Sun! A New View of the Cosmic Feminine.* CA, EUA, The Crossing Press. 1994.

PAXSON, Diana L. *Essential Ásatrú. Walking the Path of Norse Paganism.* Nova York, Kensington Publ. Corp. 2006. (*Asatrú – Um Guia Essencial para o Paganismo Nórdico*, SP, Editora Pensamento, 2010.)

________*Taking up the Runes.* Boston, MA, Red Wheel/Weiser, 2005.

PENNICK, Nigel. *The Inner Mysteries of the Goths.* Inglaterra, Capall Bann Publ., 1995.

PETERSON, James M. *The Enchanted Alphabet.* Inglaterra, The Aquarian Press, 1988.

SHETLER, Greg (Dux). *Living Asatrú* (produção independente).

STURLUSON, Snorri. *The Prose Edda.* Traduzido e com Introdução e Notas de Jesse Byock, Penguin Books, 2005.

THORSSON, Edred. *A Book of Troth.* St. Paul, Minnesota, Llewellyn Publications, 1992.

__________ *Witchdom of the True.* Texas, Runa Raven Press, 1999.

__________ *Green Rûna.* Texas, Rûna-Raven Press, 1996.

TYSON, Donald. *Rune Magic.* EUA, Llewellyn. 1999.

WELCH, Lynda C. *Goddess of the North.* EUA, Weiser Books, 2001.

Índice remissivo

A

B

C

D

Deusas nórdicas:

E

F

G

M

N

O

P

R

S

T

U

V

Impresso por :

Graphium
gráfica e editora

Tel.:11 2769-9056